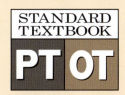

標準理学療法学・作業療法学
専門基礎分野

■シリーズ監修
奈良　勲　広島大学・名誉教授
鎌倉矩子　広島大学・名誉教授

精神医学
第4版 増補版

■編集
上野　武治　前社会福祉法人さっぽろひかり福祉会・理事長　北海道大学・名誉教授

■執筆
上野　武治　前社会福祉法人さっぽろひかり福祉会・理事長　北海道大学・名誉教授
齋藤　利和　社会医療法人博友会・副理事長　札幌医科大学・名誉教授
池田　官司　医療法人北仁会幹メンタルクリニック・院長
大宮司　信　北翔大学教育文化学部・教授　北海道大学・名誉教授
占部　新治　三幸会第二北山病院・副院長

医学書院

標準理学療法学・作業療法学　専門基礎分野
精神医学

発　　　行	2001 年 3 月 15 日　第 1 版第 1 刷
	2004 年 5 月 1 日　第 1 版第 7 刷
	2004 年 11 月 1 日　第 2 版第 1 刷
	2008 年 11 月 15 日　第 2 版第 6 刷
	2010 年 3 月 1 日　第 3 版第 1 刷
	2015 年 2 月 15 日　第 3 版第 8 刷
	2015 年 11 月 15 日　第 4 版第 1 刷
	2020 年 1 月 15 日　第 4 版第 5 刷
	2021 年 2 月 1 日　第 4 版増補版第 1 刷 ©
	2025 年 2 月 1 日　第 4 版増補版第 5 刷

シリーズ監修　奈良　勲・鎌倉矩子
　　　　　　　　なら　いさお　かまくらのりこ

編　集　者　上野武治
　　　　　　　うえの たけじ

発　行　者　株式会社　医学書院
　　　　　　　代表取締役　金原　俊
　　　　　　　〒113-8719　東京都文京区本郷 1-28-23
　　　　　　　電話　03-3817-5600（社内案内）

組　　　版　ウルス
印刷・製本　大日本法令印刷

本書の複製権・翻訳権・上映権・譲渡権・貸与権・公衆送信権（送信可能化権を含む）は株式会社医学書院が保有します．

ISBN978-4-260-04476-9

本書を無断で複製する行為（複写，スキャン，デジタルデータ化など）は，「私的使用のための複製」など著作権法上の限られた例外を除き禁じられています．大学，病院，診療所，企業などにおいて，業務上使用する目的（診療，研究活動を含む）で上記の行為を行うことは，その使用範囲が内部的であっても，私的使用には該当せず，違法です．また私的使用に該当する場合であっても，代行業者等の第三者に依頼して上記の行為を行うことは違法となります．

JCOPY　〈出版者著作権管理機構　委託出版物〉
本書の無断複製は著作権法上での例外を除き禁じられています．複製される場合は，そのつど事前に，出版者著作権管理機構（電話 03-5244-5088，FAX 03-5244-5089，info@jcopy.or.jp）の許諾を得てください．

＊「標準理学療法学・作業療法学」は株式会社医学書院の登録商標です．

刊行のことば

　わが国に最初の理学療法士・作業療法士養成校がつくられたときから，はや30余年が過ぎた．いま全国の理学療法士・作業療法士養成校の数は，それぞれ100を超えるに至っている．はじめパラメディカル(医学に付属している専門職)を標榜していた2つの職種は，いつしかコメディカル(医学と協業する専門職)を自称するようになり，専門学校のみで行われていた養成教育は，短期大学，大学でも行われるようになった．そこで教授されているのは，いまや理学療法，作業療法ではなく，理学療法学，作業療法学である．教育大綱化の波はこの世界にも及び，教育の細部を法令によって細かく規制される時代は去った．

　だがこうした変革のなかでも，ほとんど変わらずに引き継がれてきたものはある．それは，専門基礎教育と呼ばれるものである．「人」「疾患と障害」「保健医療福祉の理念」についての教育科目群を関係者はこのように呼ぶ．特に前2者はいわゆる基礎医学系科目，臨床医学系科目と見かけが同じであるが，実際は理学療法学・作業療法学教育にふさわしいものとなるように，力点を変えて教えてきたものである．内容再編の方法は個々の教師にゆだねられていた．理学療法学生，作業療法学生専用のテキストはなかった．

　しかしいま，固有の教科書を生み出すべき時がやってきた．全国にかつてないほど沢山の理学療法学生，作業療法学生，そして新任の教師たちが生まれている．ベテランの教師たちに，テキストの公開を要請すべき時がやってきたのである．

　かくして，本教科書シリーズ「標準理学療法学・作業療法学 専門基礎分野」は企画された．もちろんこのほかに，それぞれの「専門分野」を扱うシリーズがなくてはならないが，これは別の企画にゆだねることになった．

　コメディカルを自称してきた人々のなかに，医学モデルからの離脱を宣言する人々が現れるようになって久しい．この傾向は今後加速されるであろうが，しかしどのような時代が来ようとも，理学療法学・作業療法学教育のなかで，人の身体と心，その発達，そして疾患と障害の特性を学ぶことの意義が失われることはないであろう．理学療法が理学療法であり，作業療法が作業療法であるために，これらの知識は常に必須の基盤を提供してきたのだから．

1999年12月

シリーズ監修者

第4版 序

　第3版の発行から6年を経るが，この間にさまざまな出来事があった．なかでも，米国精神医学会がDSM-5への大改訂を行い，世界保健機関もICD-11を目指して作業中であることの影響はきわめて大きい．ICD-11も大きな改訂が予想されているが，これはDSM-5の影響が考慮されるためである．また，精神障害の病名に関しても，DSM-5の邦訳の際，日本精神神経学会が用語の監修を行い，「disorder」や「disorders」に「症」や「障害群」などの新たな訳を導入していることもあり，大きな変更が予想される．

　このように，今回の第4版改訂は，近い将来の大幅な変化を考慮しつつ，この間の精神医学の進歩や精神保健医療・福祉の新たな動向を加えるなど，本書を利用する学生諸君に最新の情報を提供することを目的に行われた．

　まず，日本精神神経学会の「精神神経学用語集」(2008年)に基づいて，第3版序でふれた心的外傷後ストレス障害(PTSD)や素行障害，社交恐怖はもとより，初版から記載されている用語も見直し，必要な場合には訂正した．また，personalityの邦訳として用いられてきた「人格」に関しても，より適切な用語を目指し，「パーソナリティ」あるいは「性格」に訂正した．

　次に，ここ数年来の精神保健福祉法や障害者基本法の改定と障害者総合支援法の施行などにより，精神保健医療・福祉にかかわる制度・施策が少なからず変わっているため，それらの解説を含めて，内容を改訂・追加し，巻末の資料も差し替えた．

　他の章においても，DSMにかかわる記載を含め，必要な改訂や図の追加，文章の整理を行い，認知症や特定疾患(神経難病)，アルコール・タバコ依存症などに対する新たな治療薬についてもふれるなど，内容の充実をはかった．また，各章にかかわる参考文献に関しても，新しい文献を加えるなど，入れ替えを行った．

　国家試験出題基準が5年ぶりに改定され，2016年度から適用されることを受け，巻末に掲載している「精神医学」とその関連項目の出題基準を差し替える一方，「セルフアセスメント」についても必要な訂正と追加を行った．

　次回の改訂は，ICD-11に基づき，章立ても用語も大きく改変されたうえでの再出発になるであろう．ただ，本書においては，精神障害の診断と治療，リハビリテーション，精神保健医療・福祉の進歩が十分に反映され，精神医学を学ぶ学生諸君を通して作業療法・理学療法の発展に寄与できるかどうかのほうがはるかに重要である．

　最後に，貴重な資料や最新の情報を寄せていただいた諸先生，いつも本書の改訂に尽

力いただいている医学書院編集部の皆様に深く感謝を申し上げる．

2015 年 10 月

上野 武治

第 4 版増補版 序

5 年前の第 4 版改訂のとき，次回は WHO の ICD-11 に基づく改訂になると予想していたが，ICD-11 の精神障害にかかわる訳本はまだ出版されておらず，目下，国内適用を準備中である．ただ，それほど遅くない時期から用いられることは確実なため，本増補版ではあらかじめ ICD-11 を紹介し，その特徴を解説した（第 2 章）．さらに，最近の医学医療の動向を反映させるために，てんかんについては 2017 年の発作型の国際分類に沿って用語を改訂し（第 8 章），アルコール依存症をはじめ他の章においても最低限の訂正や補足を行った．

第 8 章の改訂に際し，ご教示いただいた伊藤ますみ医師に御礼申し上げます．

2020 年 11 月

上野 武治

初版 序

　本書は，PT・OTのために編集された精神医学教科書としては，おそらく初めてのものといえよう．これまでPT・OT養成校では医学生用の教科書が用いられていたはずである．医学生用教科書はページ数も多く内容も詳細なものが多いが，本書はページ数の制約から内容も簡潔にならざるをえず，これまで用いてきた医学生用教科書に比べて物足りないと思われる方も決して少なくないであろう．

　リハビリテーション専門職であるPT・OTの精神医学教育では，医学生教育とは学ぶポイントも当然異なってよいはずであるが，少なくとも臨床の場で必要とされる精神症状や精神疾患などの理解に関しては共通な土台が必要である．本書はこうした考えに基づいて，精神疾患あるいは精神障害を有する患者の理解に必要な，ごく基本的な事項について解説を行った．また，精神医学の授業を担当されている先生方におかれても，拠って立つ学問的立場や臨床の専門性もさまざまと思われるため，本書ではなるべく公正でオーソドックスな記載を心がけた．

　精神分裂病や脳器質性精神障害，発達障害，老年障害など，身体障害作業療法や理学療法の場でも治療対象とする可能性の大きい領域は，最近の成果も含めて多少詳しく記載したつもりである．精神保健福祉やリハビリテーションに関しては，法制度・施策を含め，今後も変化が続くであろうし，内容の一部は精神障害作業療法の教科書とも重複するが，基本的かつ重要な事項であるため記載した．

　ただ，基礎的な生物学領域から心理社会領域まで幅広く，奥が深く，年々急速に進歩している精神医学の全体像をごく限られた人数で正確にわかりやすく記述すること自体，大きな困難を伴う作業である．用語も，ICD-10のものと従来のものとが混在している箇所も少なからずあるが，それも著者らの，あるいはわが国の現状の反映とみていただければ幸いである．記述の不足，偏りなどはすべて編著者の責任である．遠慮なくご意見ご指摘をお寄せいただければ幸いである．

　最後に，貴重な資料を提供いただいた患者さん方および諸先生に深く感謝申し上げる．とりわけ，小児精神医学関係に関しては前市立札幌病院静療院院長の設楽雅代先生に，てんかんに関しては北海道大学精神医学教室助手の中村文裕先生に，貴重なご意見ご助言をいただいたことを，あらためてお礼申し上げたい．

2001年2月

上野　武治

目次

序説 PT・OT と精神医学のかかわり　上野武治　1

1 精神医学とは　上野武治　2

A 精神医学とは ……………………………… 2
  1 定義 …………………………………… 2
  2 精神医学の特色 ……………………… 2
  3 精神医学の広がり …………………… 3
  4 精神医学の協働領域 ………………… 3
  5 精神医学の基礎ならびに関連領域 … 4
B 精神障害にかかわる概念 ………………… 4
  1 正常と異常 …………………………… 4
  2 病気と疾患 …………………………… 5
  3 精神医学における精神障害の概念 … 5
  4 リハビリテーションにおける
    精神障害の概念 ……………………… 6
  5 精神障害者の概念 …………………… 6
C 精神医学の歴史 …………………………… 7
  1 近代以前の歴史 ……………………… 7
  2 精神医学の誕生 ……………………… 7
  3 現代精神医学へ ……………………… 9
  4 21世紀における精神医学の展望 …… 9
D 精神医学を学ぶ意義 …………………… 10

2 精神障害の成因と分類　上野武治　11

A 精神障害の成因 ………………………… 11
  1 3つの成因について ………………… 11
  2 3成因の相互関係
    ——"脆弱性−ストレス・モデル" … 11
B 精神障害の分類 ………………………… 12
  1 従来の分類 ………………………… 12
  2 国際疾病分類 ……………………… 12
  3 米国精神医学会の分類 …………… 14
C 本書における分類と記載 ……………… 15
D 理学・作業療法との関連事項 ………… 15

3 精神機能の障害と精神症状　上野武治　16

A 精神症状の把握 ………………………… 16
B 意識とその障害 ………………………… 16
  1 正常な意識状態 …………………… 16
  2 意識の障害 ………………………… 16
  3 特殊な意識障害 …………………… 19
C 注意と見当識の障害 …………………… 19
  1 注意障害(disorder of attention) … 19
  2 見当識障害〔失見当(識)〕
    (disorientation) …………………… 20
D 知能とその障害 ………………………… 20
  1 知能の概念 ………………………… 20
  2 知能の障害 ………………………… 20
E 性格とその障害 ………………………… 21
  1 性格の分類 ………………………… 21
  2 性格の障害 ………………………… 22
F 記憶とその障害 ………………………… 22
  1 記憶の概念 ………………………… 22
  2 記憶の分類 ………………………… 22
  3 記憶障害の種類 …………………… 23
G 感情とその障害 ………………………… 24
  1 感情の概念 ………………………… 24
  2 感情の障害の種類 ………………… 24
H 欲動および意志とその障害 …………… 26
  1 欲動と意志の概念 ………………… 26
  2 精神運動興奮 ……………………… 26
  3 精神運動制止(抑制) ……………… 27

|　　4　昏迷 ……………………………… 27
|　　5　途絶 ……………………………… 27
| I　自我意識とその障害 …………………… 27
|　　1　自我意識の概念 ………………… 27
|　　2　自我意識の障害 ………………… 28
| J　知覚とその障害 ………………………… 28
|　　1　錯覚 ……………………………… 29
|　　2　既視感および未視感 …………… 29
|　　3　幻覚 ……………………………… 29
| K　思考とその障害 ………………………… 31
|　　1　思考進行(思路)の障害 ………… 31
|　　2　思考体験様式の障害 …………… 32
|　　3　思考内容の障害──妄想 ……… 33
| L　病識とその障害 ………………………… 36
|　　1　病識と病感 ……………………… 36
|　　2　統合失調症における病識 ……… 36
|　　3　神経症性障害における洞察 …… 37
|　　4　精神障害と病感 ………………… 37
| M　主な精神状態像 ………………………… 37
|　　1　神経衰弱状態 …………………… 37
|　　2　うつ(抑うつ)状態 …………… 37
|　　3　躁状態 …………………………… 37
|　　4　幻覚妄想状態 …………………… 38
|　　5　妄想状態 ………………………… 38
|　　6　緊張病状態(緊張病症候群) …… 38
|　　7　錯乱状態 ………………………… 38
| N　神経心理学的症状 ……………………… 38
|　　1　失語 ……………………………… 38
|　　2　失行 ……………………………… 41
|　　3　失認 ……………………………… 42
|　　4　前頭葉症候群 …………………… 44
|　　5　側頭葉症候群 …………………… 44
| O　理学・作業療法との関連事項 ………… 44

4　精神障害の診断と評価　上野武治　46

| A　診断・評価の方法 ……………………… 46
| B　精神医学的診察法 ……………………… 46
|　　1　面接の方法 ……………………… 46
|　　2　観察すべき点 …………………… 46
|　　3　問診 ……………………………… 47
| C　病歴の聴取 ……………………………… 47
|　　1　本人歴 …………………………… 48
|　　2　家族歴 …………………………… 48
|　　3　現病歴 …………………………… 49
| D　身体的検査法 …………………………… 49
|　　1　身体的検索 ……………………… 49
|　　2　神経学的検索 …………………… 49
| E　心理検査法 ……………………………… 53
|　　1　知能検査 ………………………… 53
|　　2　パーソナリティ(性格)検査 …… 57
|　　3　精神作業能力検査 ……………… 60
|　　4　神経心理学的検査法 …………… 60
| F　精神症状の評価 ………………………… 60
|　　1　自記式評価尺度 ………………… 60
|　　2　面接と観察による評価尺度 …… 61
| G　社会生活の評価尺度 …………………… 61
| H　主観的 QOL の評価 …………………… 66
| I　理学・作業療法との関連事項 ………… 67

5　脳器質性精神障害　上野武治　68

| A　脳器質性精神障害とは ………………… 68
|　　1　概念 ……………………………… 68
|　　2　症状の特徴 ……………………… 68
|　　3　治療およびケア，リハビリテーション・ 68
| B　認知症とその特徴 ……………………… 68
|　　1　定義と分類 ……………………… 68
|　　2　基本症状と随伴症状 …………… 70
|　　3　認知症と誤りやすい状態 ……… 70
|　　4　認知症の評価 …………………… 71
|　　5　ケアおよびリハビリテーション … 73
| C　大脳皮質の変性疾患 …………………… 74
|　　1　Alzheimer 病 …………………… 74
|　　2　Pick 病 …………………………… 76
|　　3　Lewy(レビー)小体型認知症 … 78

- D 血管性認知症 …………………… 79
  - 1 概要 …………………………… 79
  - 2 症状と経過 …………………… 79
  - 3 病態と病型 …………………… 80
  - 4 診断 …………………………… 81
  - 5 予防と治療 …………………… 81
- E 大脳基底核の変性疾患 ………… 81
  - 1 パーキンソン症候群 ………… 81
  - 2 Huntington 病 ……………… 82
- F 脳の感染症 ……………………… 83
  - 1 進行麻痺 ……………………… 83
  - 2 単純ヘルペス脳炎(HSE) …… 84
  - 3 ヒト免疫不全ウイルス(HIV)脳症 …… 84
  - 4 Creutzfeldt-Jakob 病(CJD) … 85
- G 頭部外傷と外傷性脳損傷 ……… 86
  - 1 急性期の障害 ………………… 87
  - 2 慢性期の障害 ………………… 88
- H 中毒 ……………………………… 88
  - 1 一酸化炭素中毒 ……………… 89
  - 2 水銀中毒 ……………………… 89
- I 脳腫瘍 …………………………… 90
  - 1 精神症状 ……………………… 90
  - 2 診断と治療 …………………… 90
- J 脱髄性疾患 ……………………… 91
  - 1 多発性硬化症 ………………… 91
  - 2 白質ジストロフィー ………… 91
- K 代謝障害 ………………………… 91
  - 1 肝レンズ核変性症 …………… 91
  - 2 白質ジストロフィー ………… 92
- L 正常圧水頭症 …………………… 93
- M 理学・作業療法との関連事項 … 93

6 症状性精神障害　上野武治　94

- A 症状性精神障害とは …………… 94
  - 1 基本症状 ……………………… 94
  - 2 基礎となる身体疾患 ………… 95
- B 主な疾患 ………………………… 95
  - 1 代謝および栄養障害 ………… 95
  - 2 膠原病 ………………………… 96
  - 3 内分泌障害 …………………… 97
- C 理学・作業療法との関連事項 … 99

7 精神作用物質による精神および行動の障害　100
齋藤利和・池田官司・上野武治

- A 精神作用物質による障害の定義 … 100
  - 1 乱用 …………………………… 100
  - 2 依存 …………………………… 100
  - 3 後遺障害(中毒) ……………… 101
- B アルコール関連精神障害 ……… 101
  - 1 飲酒による酩酊と乱用 ……… 101
  - 2 アルコール依存症候群 ……… 102
  - 3 アルコール依存を基盤に生じる精神病 104
  - 4 アルコール依存症者の子どもの問題 … 104
  - 5 アルコール依存症(関連問題)の診断・概念の最近の変化 ……… 105
- C 薬物依存による精神障害 ……… 105
  - 1 睡眠薬・抗不安薬関連障害 … 106
  - 2 タバコ関連障害 ……………… 106
  - 3 揮発性溶剤関連障害 ………… 107
  - 4 覚醒剤関連障害(F15 に該当) … 108
  - 5 大麻関連障害 ………………… 109
  - 6 モルヒネ関連障害 …………… 110
  - 7 コカイン関連障害 …………… 110
  - 8 幻覚剤関連障害 ……………… 110
  - 9 その他 ………………………… 111
- D 家族の問題 ……………………… 111
- E 治療と回復 ……………………… 112
  - 1 薬物療法 ……………………… 112
  - 2 精神療法 ……………………… 112
  - 3 地域ネットワークとチーム・アプローチ … 113
  - 4 自助グループ ………………… 114

8 てんかん　上野武治　115

- A てんかんとは ……………………………… 115
  - 1 定義と概念 …………………………… 115
  - 2 発症の頻度，年齢など ……………… 115
  - 3 遺伝素因 ……………………………… 116
- B てんかんの発作型と症状 ……………… 116
  - 1 全般起始発作 ………………………… 116
  - 2 焦点起始発作 ………………………… 118
- C てんかんの病型と併存症，精神障害 … 119
  - 1 国際分類について …………………… 119
  - 2 代表的なてんかん …………………… 120
  - 3 てんかんの併存症 …………………… 121
  - 4 てんかんに伴う精神障害 …………… 122
- D 経過と予後 ……………………………… 122
  - 1 てんかん発作の予後 ………………… 122
  - 2 精神障害，社会生活面などの予後 … 122
- E 検索と診断の手順 ……………………… 122
  - 1 一般的検索 …………………………… 122
  - 2 心因性けいれん発作との鑑別 ……… 123
  - 3 熱性けいれんについて ……………… 123
- F てんかんの治療 ………………………… 123
  - 1 基本的事項 …………………………… 123
  - 2 てんかん発作への対応 ……………… 123
  - 3 薬物による治療 ……………………… 123
- G ケアとリハビリテーション …………… 124
  - 1 患者や家族の抱える
    心理的・社会的困難 ………………… 124
  - 2 本人や家庭，学校への対応 ………… 125
  - 3 社会的対策 …………………………… 125
- H 理学・作業療法との関連事項 ………… 125

9 統合失調症およびその関連障害　上野武治・大宮司信　127

- A 統合失調症とは ………………………… 127
- B 疫学 ……………………………………… 127
  - 1 出現頻度 ……………………………… 127
  - 2 発病年齢と性差 ……………………… 128
  - 3 生まれ月による発症の差 …………… 128
- C 精神症状の特徴 ………………………… 128
  - 1 表現面に現れた症状 ………………… 128
  - 2 精神面に現れた症状 ………………… 129
  - 3 精神症状のまとめ：
    陽性症状と陰性症状 ………………… 130
  - 4 中核となる症状をめぐって ………… 131
  - 5 精神症状の評価 ……………………… 131
- D 病型 ……………………………………… 131
  - 1 病型とその特徴 ……………………… 131
- E 成因ないし病態 ………………………… 133
  - 1 生物学的成因論 ……………………… 133
  - 2 心理的社会的成因論 ………………… 136
  - 3 成因論のまとめ：
    脆弱性−ストレス・モデル ………… 136
- F 社会生活場面での制限 ………………… 137
  - 1 日常生活 ……………………………… 137
  - 2 対人関係 ……………………………… 137
  - 3 作業・就労 …………………………… 138
  - 4 問題解決 ……………………………… 138
  - 5 精神機能障害との関連 ……………… 138
- G 経過と予後 ……………………………… 138
  - 1 経過にみられる特徴 ………………… 139
  - 2 社会的予後 …………………………… 140
  - 3 生命的予後 …………………………… 141
  - 4 予後を左右する因子 ………………… 141
- H 鑑別すべき精神障害 …………………… 142
  - 1 器質性精神障害など ………………… 142
  - 2 神経症性障害 ………………………… 142
  - 3 うつ病 ………………………………… 142
  - 4 躁病 …………………………………… 142
  - 5 パーソナリティ障害 ………………… 142
- I 治療とリハビリテーション …………… 142
  - 1 基本的な考え方 ……………………… 142
  - 2 病期による治療と
    リハビリテーション ………………… 143
  - 3 各種の治療法とリハビリテーション … 144
- J 他の統合失調症関連の精神障害 ……… 147

1	統合失調型障害	147
2	持続性妄想性障害	147
3	急性一過性精神病性障害	147
4	統合失調感情障害	148
K	理学・作業療法との関連事項	148

10 気分(感情)障害　上野武治・池田官司　149

- A 気分(感情)障害とは ………………… 149
  - 1 概念 ………………………………… 149
  - 2 主な病型 …………………………… 149
- B うつ病 ………………………………… 150
  - 1 有病率・初発年齢・性差 ………… 150
  - 2 症状の特徴 ………………………… 150
  - 3 重症度について …………………… 152
  - 4 うつ病の評価尺度 ………………… 152
  - 5 発症の機制 ………………………… 152
  - 6 うつ病の病型をめぐって ………… 155
- C 躁うつ病 ……………………………… 156
  - 1 有病率・初発年齢・性差 ………… 156
  - 2 症状──躁状態の特徴 …………… 157
  - 3 重症度について …………………… 158
  - 4 発症の機制について ……………… 158
  - 5 特殊な状態像および病型 ………… 158
- D 持続性気分障害 ……………………… 159
- E 経過および予後 ……………………… 159
  - 1 うつ病の経過 ……………………… 159
  - 2 躁うつ病の経過 …………………… 159
- F 鑑別すべき精神疾患 ………………… 160
  - 1 神経症性障害 ……………………… 160
  - 2 統合失調症 ………………………… 160
  - 3 脳器質性精神障害 ………………… 160
  - 4 各種治療薬，アルコール依存症，症状性精神障害 ………………… 160
- G 治療と援助，リハビリテーション …… 161
  - 1 うつ病の治療 ……………………… 161
  - 2 躁うつ病の治療 …………………… 162
- H 理学・作業療法との関連事項 ……… 163

11 神経症性障害　大宮司信　164

- A 神経症性障害のとらえ方 …………… 164
  - 1 性格と関連づける考え方 ………… 165
  - 2 精神分析的な考え方 ……………… 165
  - 3 本書での考え方 …………………… 165
- B 不安および恐怖を中心とする神経症性障害 ……………………… 165
  - 1 不安を中心とする神経症性障害（不安状態・不安神経症） ……… 166
  - 2 恐怖を中心とする神経症性障害 … 167
- C 強迫を中心とする神経症性障害 …… 168
- D ストレス関連障害 …………………… 169
  - 1 急性ストレス反応 ………………… 169
  - 2 心的外傷後ストレス障害(PTSD) … 169
  - 3 適応障害 …………………………… 170
- E 解離を中心とする神経症性障害 …… 170
  - 1 精神症状を主とする解離性障害 … 171
  - 2 運動および感覚の解離性障害 …… 171
- F 身体表現性障害 ……………………… 172
  - 1 身体化障害 ………………………… 173
  - 2 心気障害 …………………………… 173
  - 3 身体表現性自律神経機能不全 …… 173
- G その他の神経症性障害 ……………… 174
  - 1 神経衰弱 …………………………… 174
  - 2 非現実感を中心とする状態 ……… 174
- H 治療と援助 …………………………… 174
  - 1 治療についての考え方 …………… 174
  - 2 薬物療法 …………………………… 175
  - 3 精神療法 …………………………… 175
- I 理学・作業療法との関連事項 ……… 175

12 生理的障害および身体的要因に関連した障害　大宮司信　176

- A 生理的レベルと身体的レベルの障害 …… 176
- B 摂食障害 ……………………………… 176
  - 1 神経性無食欲症 …………………… 176

		2	神経性大食症 ……………………… 177

- 3 治療と援助 ……………………… 177
- C 非器質性の睡眠障害 ………………… 177
  - 1 不眠症 …………………………… 178
  - 2 過眠症 …………………………… 178
  - 3 睡眠リズムの障害 ……………… 178
  - 4 睡眠時遊行症(夢遊病) ………… 179
  - 5 睡眠時驚愕症(夜驚症) ………… 179
  - 6 悪夢 ……………………………… 179
  - 7 睡眠障害の治療 ………………… 179
- D 性関連障害 …………………………… 179
- E 理学・作業療法との関連事項 ……… 180

13 成人のパーソナリティ・行動・性の障害　大宮司信　181

- A パーソナリティの障害 ……………… 181
  - 1 パーソナリティとは …………… 181
  - 2 パーソナリティ障害の類型 …… 183
  - 3 治療と援助 ……………………… 185
- B 行動(習慣および衝動)の障害 ……… 185
  - 1 病的賭博 ………………………… 186
  - 2 病的放火 ………………………… 186
  - 3 病的窃盗 ………………………… 186
  - 4 抜毛症 …………………………… 186
  - 5 治療と援助 ……………………… 186
- C 性の障害 ……………………………… 186
  - 1 性同一性障害 …………………… 186
  - 2 性嗜好障害 ……………………… 187
  - 3 治療と援助 ……………………… 187
- D 理学・作業療法との関連事項 ……… 187

14 精神遅滞[知的障害]　上野武治　188

- A 精神遅滞とは ………………………… 188
  - 1 概念 ……………………………… 188
  - 2 頻度 ……………………………… 188
  - 3 分類 ……………………………… 188
- B 頻度の高い精神遅滞 ………………… 189
  - 1 生理的精神遅滞 ………………… 189
  - 2 脳性麻痺を伴う精神遅滞 ……… 190
  - 3 てんかんを伴う精神遅滞 ……… 191
  - 4 Down症候群 …………………… 191
  - 5 結節硬化症 ……………………… 192
  - 6 フェニルケトン尿症 …………… 192
  - 7 クレチン病 ……………………… 193
- C 精神遅滞の医療 ……………………… 193
  - 1 随伴症状への対応 ……………… 193
  - 2 予防 ……………………………… 193
  - 3 診断と鑑別診断 ………………… 194
  - 4 治療，ケアおよびリハビリテーション …………… 194
- D 社会的処遇 …………………………… 194
  - 1 教育 ……………………………… 194
  - 2 福祉 ……………………………… 194
  - 3 職業リハビリテーション ……… 196
- E 理学・作業療法との関連事項 ……… 196

15 心理的発達の障害　上野武治　198

- A 心理的発達の障害とは ……………… 198
- B 特異的発達障害 ……………………… 199
  - 1 臨床型 …………………………… 199
  - 2 診断とリハビリテーション …… 201
  - 3 経過と予後 ……………………… 202
- C 広汎性発達障害 ……………………… 202
  - 1 臨床型 …………………………… 202
  - 2 治療とリハビリテーション，経過と予後 …………………… 204
- D 理学・作業療法との関連事項 ……… 205

16 コンサルテーション・リエゾン精神医学　占部新治　207

- A コンサルテーション・リエゾン精神医学とは ………………………… 207

B　コンサルテーション・リエゾン
　　精神医学が必要となる場合 ………… 208
　1　身体症状を示す精神疾患 …………… 208
　2　身体疾患による精神症状 …………… 208
　3　癌や難治性疾患の精神的問題 ……… 208
　4　療養中の心理的問題 ………………… 208
　5　手術などの治療下における精神障害 … 209
　6　臨死状態やターミナルケアにおける
　　　精神的問題 …………………………… 209
　7　認知症患者の他科治療への同意の問題　210
　8　救急医療・災害での精神科的問題 … 210
　9　医療従事者の精神保健 ……………… 210
C　理学・作業療法との関連事項 ……… 210

17　心身医学　上野武治　212

A　心身医学の概念 ……………………… 212
B　心身症とは …………………………… 212
　1　定義と概要 …………………………… 212
　2　心身症としての諸疾患 ……………… 213
　3　発生機序 ……………………………… 213
C　心身症の診断と治療 ………………… 214
D　理学・作業療法との関連事項 ……… 214

18　ライフサイクルにおける精神医学　上野武治　215

A　ライフサイクルと年代の区分 ……… 215
B　小児期・青年期の精神医学 ………… 215
　1　精神・心理発達の特性 ……………… 215
　2　小児期・青年期の精神障害の特徴 … 216
　3　行動および情緒障害 ………………… 217
　4　その他の精神障害 …………………… 221
　5　小児期・青年期精神障害の治療と
　　　援助，ケア ………………………… 223
C　成人期の精神医学 …………………… 224
　1　心理的・社会的特性 ………………… 224
　2　心身機能の変化と生活習慣病 ……… 224
　3　メンタルヘルスの問題 ……………… 224
D　初老期の精神医学 …………………… 225
　1　心理的・社会的特性 ………………… 225
　2　心身機能の変化とその特徴 ………… 225
　3　メンタルヘルスの問題 ……………… 226
　4　初老期の精神障害 …………………… 226
E　老年期の精神医学 …………………… 226
　1　身体・脳機能の低下と老年性疾患 … 226
　2　精神・心理機能の特徴 ……………… 226
　3　社会的特性 …………………………… 227
　4　老年期の精神障害 …………………… 227
F　理学・作業療法との関連事項 ……… 229

19　精神障害の治療とリハビリテーション　231

A　精神障害の治療とリハビリテーション
　　とは ………………………… 上野武治　231
　1　インフォームド・コンセントの原則 … 231
　2　治療の目標 …………………………… 231
　3　リハビリテーションの目標と方法 … 232
　4　治療・リハビリテーションの種類 … 233
　5　治療・リハビリテーションの場 …… 234
　6　治療・リハビリテーションの流れ … 234
　7　治療・リハビリテーションにおける
　　　チーム医療 ………………………… 235
B　薬物療法（向精神薬療法）…… 大宮司信　235
　1　概念 …………………………………… 235
　2　抗精神病薬 …………………………… 236
　3　抗うつ薬 ……………………………… 239
　4　気分安定薬 …………………………… 239
　5　抗不安薬 ……………………………… 240
　6　睡眠薬 ………………………………… 241
C　身体療法（電気ショック療法）大宮司信　242
D　精神療法 ………………………… 大宮司信　242
　1　概念と定義 …………………………… 242
　2　精神療法の分類 ……………………… 242
　3　主として言語を用いる精神療法 …… 243

4　主として行動を介在とする精神療法
　　　　（いわゆる行動療法）……………… 244
　　5　言語と行動の両方が介在する精神療法　246
E　社会的治療・リハビリテーション
　　　　………………………… 上野武治　247
　　1　概念 ………………………………… 247
　　2　欧米での歴史 ……………………… 247
　　3　わが国の歴史 ……………………… 248
　　4　主な活動の種類と概要 …………… 249
F　理学・作業療法との関連事項
　　　　………………………… 上野武治　253

20　精神科保健医療と福祉，職業リハビリテーション　254

A　精神障害者の処遇および医療の歴史
　　　　……………… 上野武治・占部新治　254
　　1　欧米諸国における処遇 …………… 254
　　2　わが国における処遇 ……………… 255
B　精神保健福祉法の主な内容
　　　　……………… 上野武治・占部新治　259
　　1　医療および保護について ………… 260
　　2　保健および福祉について ………… 261
C　障害者総合支援法の主な内容
　　　　………………………… 上野武治　261
　　1　サービスの体系 …………………… 261
　　2　障害福祉サービスの給付と
　　　　障害支援区分 …………………… 263
　　3　「世帯」を単位とする利用者負担 … 263
　　4　自立支援給付にかかる費用負担 … 263
　　5　障害福祉計画 ……………………… 264
D　精神科医療の現状と課題
　　　　……………… 上野武治・占部新治　264
　　1　医療機関 …………………………… 264
　　2　患者 ………………………………… 264
　　3　「五大疾病」としての対策 ……… 265
　　4　退院促進と病床減少に向けての施策 … 265
　　5　精神科救急医療 …………………… 265
　　6　重大犯罪をおこした精神障害者への
　　　　医療 ……………………………… 266
　　7　作業療法士のかかわる保険診療 … 266
E　職業リハビリテーション（雇用促進と
　　就労支援）……………… 上野武治　268
　　1　職業リハビリテーションの国際基準 … 268
　　2　障害者雇用・就労の主な形態 …… 268
　　3　精神障害者の就労・雇用施策の推移 … 268
　　4　精神障害者の職業準備性 ………… 269
　　5　職業リハビリテーション・サービスの
　　　　現状 ……………………………… 270
F　理学・作業療法との関連事項
　　　　………………………… 上野武治　272

21　社会・文化とメンタルヘルス　273
大宮司信

A　精神の病と社会の関係 ……………… 273
B　学校におけるメンタルヘルス ……… 273
　　1　いじめ ……………………………… 273
　　2　不登校（登校拒否）……………… 274
　　3　スチューデントアパシー
　　　　（学生無気力症）………………… 275
　　4　教師のメンタルヘルス …………… 275
C　職場のメンタルヘルス ……………… 275
　　1　職場不適応 ………………………… 276
　　2　若年サラリーマンの出社拒否 …… 276
　　3　ワーカホリック（仕事中毒）と
　　　　過労死・過労自殺 ……………… 276
D　家庭のメンタルヘルス ……………… 276
　　1　夫婦の問題 ………………………… 277
　　2　高齢者世帯の問題 ………………… 277
E　社会現象とメンタルヘルス ………… 277
　　1　自殺 ………………………………… 277
　　2　犯罪と非行 ………………………… 277
　　3　災害と戦争・紛争 ………………… 278
　　4　宗教と精神障害 …………………… 278
F　理学・作業療法との関連事項 ……… 279

資料 1 ICD-10 精神および行動の障害
　　　（カテゴリー・リスト抜粋）　280

資料 2 DSM-5 精神疾患の分類
　　　（大項目と主な下位分類）　283

資料 3 精神保健及び精神障害者福祉に関する
　　　法律（精神保健福祉法）・抄　286

資料 4 精神疾患を有する者の保護及び
　　　メンタルヘルス・ケアの改善のための原則
　　　（国連）　294

資料 5 理学療法士・作業療法士国家試験出題基準
　　　（専門基礎分野における精神医学および精
　　　神医学の関連項目）　301

資料 6 参考文献一覧　303

資料 7 セルフアセスメント　307

索引　317

序説

PT・OTと精神医学のかかわり

　精神医学の授業では，作業療法学や理学療法学を学ぶための専門基礎科目として，精神機能の障害としての精神症状や，それをもたらす精神疾患の成因や診断，治療などについて学ぶ．

　ところで，以前に医学生への精神医学教育が精神障害者への理解を深めるどころか，逆に偏見を助長しているのではないかと，指摘されたことがある．医学教育では，とかく正常からの逸脱としての精神の異常，あるいは病的心理の解説に重点がおかれる結果，こうした症状をもつ精神障害者はとうてい理解不能な，特別な存在として強く印象づけられてしまうという理由である．

　本来，精神医学を学ぶ目的は，精神の病気が時と状況によっては誰にでも生じうるもので，決して特殊なものではないこと，こうした病気は本人や家族に長期にわたる筆舌しがたい苦悩をもたらすことなどを知り，精神的かつ社会的存在としての人間を深く理解することにある．まして今日では，子どもからお年寄り，家庭や学校から職場に至るまで，心の健康を保つことは非常に難しくなっており，精神医学に寄せられる期待は年々大きくなっている．もし，精神医学の教育がこうした期待に応えていない実態があるとすれば，教える側としては深く反省しなければならないことである．

　一方，PT・OTの教育体系では，こうした病気に関する医学的知識にとどまらず，さらに一歩踏み込んで，患者・障害者の心に共感し，健康な心の部分をとらえる能力を養うこと，健康な部分に働きかけつつ，病気と障害をもちながらの生活を支える技術を学ぶことに重点がおかれている．具体的には，臨床心理学やリハビリテーション概論などに加え，作業療法学や理学療法学の専門科目を通じてそれらが行われる．

　すなわち，専門の授業を通じて，精神医学の授業ではとかく欠落しがちな精神障害者の社会生活面での援助のあり方を深く学ぶが，こうした授業の進め方は医療人を育てる教育としてはたいへん優れたものである．

　私どもにとって，しっかりした精神医学の教育が可能となっている背景には，PTやOTの先生方による専門の教育に大きな期待と信頼を寄せていることがあげられるのである．

第1章 精神医学とは

学習目標
- 精神医学の特色を身体医学との比較で学び，かつ協働領域との連携の重要性について学ぶ．
- 精神医学の対象である精神障害および精神障害者に関する概念について学ぶ．
- わが国ならびに諸外国の精神医学の歴史を，関連諸科学の発展との関連で学ぶ．

A 精神医学とは

1 定義

精神医学（psychiatry）は，精神機能あるいは精神活動の障害（精神障害）についての医学であり，精神障害の診断と治療，リハビリテーション，予防に関する臨床医学の一分野である．

精神機能あるいは精神活動は，一方では脳の高次機能，他方では性格や状況などと関連している（▶図1）．脳の高次機能には，意識，記憶，認知・判断，思考，感情，意志と欲動などがある．感覚や運動などは神経機能と呼び，この障害は神経（内科）学が対象としているが，脳機能の障害という点では重複する部分が大きい．このため，精神医学は神経（内科）学とは最も密接な関係にある．

また精神活動は，遺伝的な素因としての性格を基礎に，発達的・社会環境的要因も加わって個人の特性（パーソナリティ）として表現され，それ自体が独自の展開を行う．これは一般に"心の動き"として理解されている．

2 精神医学の特色

(1) **診断には心理学的方法が用いられる**
診断においては精神症状を心理学的次元で追究する精神病理学の方法を用いるが，これが身体医学と最も違う点である．

(2) **身体面からの検討を欠くことができない**
精神機能の障害は身体あるいは脳の疾病や障害からも生じるため，身体面での検索，特に神経学的検索も併せて行わなければならず，精神面と身体面にかかわる二重の追究が必要になる．

(3) **対人関係を含む心理的・社会的・発達的視点が要求される**
人は発達の過程で家族や学校，友人，職場，その他のさまざまな影響を受け，各年代における精神心理状態に反映されている．このため，精神医学の診断や治療，リハビリテーションのあらゆる

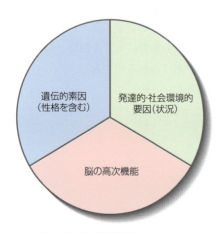

▶図1 人間の精神活動

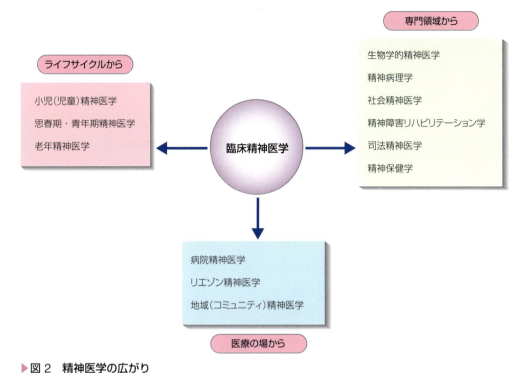

▶図2　精神医学の広がり

面でこうした視点が要求される．

3 精神医学の広がり

　精神医学は，診断と治療，リハビリテーションを主たる役割とする臨床精神医学を基点にして，さまざまな専門領域へ裾野を広げている（▶図2）．主なものは，
- 病態や治療の生物学的側面を研究する生物学的精神医学
- 病者の表現する異常心理を研究する精神病理学
- 精神障害の社会的側面を研究する社会精神医学
- 精神障害者へのリハビリテーションを研究する精神障害リハビリテーション学
- 精神障害と犯罪などを研究する司法精神医学
- 家庭や学校，職場，地域における国民一般の精神的健康の向上を目指す精神保健学

などである．

　ほかには，ライフサイクルの視点から，

- 小児（児童）精神医学
- 思春期・青年期精神医学
- 老年精神医学

などがある．

　医療の場の特性からは，
- 精神科病院での医療を対象にする病院精神医学
- 総合病院内での身体他科との連携に主眼をおくリエゾン精神医学
- 地域での保健医療を対象にする地域（コミュニティ）精神医学

などもある．

4 精神医学の協働領域

　精神障害者への治療やケア，リハビリテーションには，下記の領域との協働と連携を欠くことはできない（▶図3）．

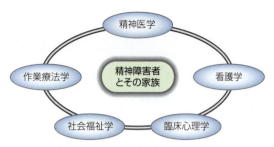

▶図3　精神医学の主な協働領域

a 看護学

　精神障害によって生じる不安や興奮，幻覚妄想，ひきこもりなどの症状，食事や入浴など身のまわりの処理の障害には，何よりもまず質の高い看護が求められる．精神医学の発展が看護学（nursing）に大きな影響を与えたように，看護学の発展も精神医学の臨床に多くの示唆を与え，豊かにしてくれている．

b 作業療法学

　精神障害者への治療は，農作業や手仕事を行い，音楽や絵画を楽しむことが出発点であった．薬物療法がどのように進歩しても，作業療法の役割が減ることはない．現在では作業療法学（occupational therapy）は保健・医療にとどまらず，福祉から就労に至るリハビリテーションの重要な基礎を形成している．

c 社会福祉学

　わが国では精神障害者が法制度面で福祉の対象として扱われ，かつ，精神障害者福祉に携わる専門職の国家資格が確立したのは比較的最近である．社会福祉学（social welfare）は精神障害者の地域での生活自立や社会参加に大きな役割を発揮している．

d 臨床心理学

　臨床心理学（clinical psychology）専門職は公認心理師の名称で，2019年2月から国家資格の認定が開始された．今日ほど臨床心理学に，精神障害者への心理療法にとどまらず，心理的支援を要するあらゆる病者や障害者への助言，小児から高齢者に至る国民一般の精神保健の向上への役割が期待されている時期はない．

5 精神医学の基礎ならびに関連領域（▶図4）

a 基礎領域

　精神機能および精神障害の生物学的基礎を解明する基礎医学の領域である．この領域の進歩は医学の一分野である精神医学を発展させる大きな原動力となる．

　一方，社会的・文化的存在である人間の精神およびその障害の理解，回復への援助，社会的復権には，心理学をはじめとする人文・社会科学諸領域の成果を幅広く吸収することが不可欠である．

b 関連領域

　まず，神経学をはじめとする臨床医学の諸分野があげられる．これらの分野とは身体面での診断や治療，リハビリテーションにおいて日常的な連携・協力が求められている．

　社会医学も精神障害の発現や予防に関する疫学的研究，あるいは地域保健活動を進めるうえで協力を欠かすことができない分野である．

B 精神障害にかかわる概念

　精神医学の対象である精神障害と，精神科医療・福祉の対象である精神障害者に関連する若干の概念について解説する．

1 正常と異常

　医学において，正常と異常は古くからの概念である．身体医学では自覚症状に加えて，検査結果に平均範囲から逸脱がある場合を"異常"として

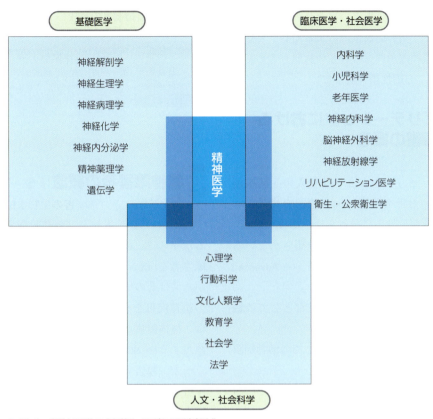

▶図4 精神医学の基礎ならびに関連領域

治療の対象にする.

　精神医学においても,身体的基礎を有する精神障害の場合は基本的に同様である.しかし,身体的基礎をもたない,もしくはそれの明らかでない場合には,国情や時代,文化や宗教などの社会的な価値判断によって正常か異常かの判断が異なる場合があり,決して一様ではない.たとえば,戦争や災害に遭遇して社会生活にそれほど困難はなくとも本人が強い不安や苦しみを感じている場合,あるいは性行動などで社会的規範から大きく逸脱している場合などがあげられる.

2 病気と疾患

　病気（illness）とは通常,健康に対する病的状態を意味し,mental illness は精神的に病的状態にあることを意味する.

　一方,疾患または疾病（disease）とは,通常,一定の原因と症状,経過,予後,治療方法などを備えた病的な状態をいい,疾患単位に相当する.ただ,身体的基礎を欠き,性格を基盤とし,正常心理と連続線上にある神経症性障害やパーソナリティ障害などには必ずしも合致する概念とはいえない.

3 精神医学における精神障害の概念

　前項で述べたように,精神医学の対象には,正常と異常はもとより,病気と疾患の区分も明瞭でない病的な状態が多く含まれている.このために,これらは"精神障害"（mental disorders）の概念でまとめられている.

　なお,精神病（psychosis）とは,一般には身体的

基礎の明らかな疾患，あるいはそれの推定される疾患を指すが，精神的な原因による幻覚・妄想や意識障害，精神運動興奮の著しい状態も含めている（たとえば，心因性精神病など）．

4 リハビリテーションにおける精神障害の概念

今日，リハビリテーションは個人の生活機能(functioning)とその障害(disability)を対象とするものであるが，さらにそれらは，身体・個人・社会の3つの観点から，以下に分類されている（WHOの国際生活機能分類；ICF）(→ Advanced Studies-1)．

①心身機能，およびその喪失や異常としての機能・構造障害(impairment)
②個人の活動，およびその困難としての活動制限（activity limitation）
③個人の生活・人生場面への参加，およびその際の困難としての参加制約(participation restriction)

また，それらに影響する背景因子としては個人因子と環境因子があげられているが，リハビリテーションにおいては後者が重視される．

リハビリテーションの対象としての精神障害(mental disability)もこうした概念で理解される．

▶表1　精神障害者の意味
（精神保健福祉法，障害者基本法による）

保健・医療	精神障害(mental disorders)を有する者
リハビリテーション・福祉・就労	精神障害(mental disorders)による障害(mental disability)を有する者

5 精神障害者の概念 (▶表1)

わが国の「精神保健及び精神障害者福祉に関する法律（以下，精神保健福祉法）」(2013年)では，精神障害者を「統合失調症，精神作用物質による急性中毒又はその依存症，知的障害，精神病質その他の精神疾患を有する者」と定義しているが，これは"精神障害(mental disorders)を有する者"に該当する(→ NOTE-1)．

一方，障害者基本法(2011年)では，対象となる障害者を「身体障害，知的障害，精神障害（発達障害を含む．）その他の心身の機能の障害（以下「障害」と総称する．）がある者であって，障害及び社会的障壁により継続的に日常生活又は社会生活に相当な制限を受ける状態にあるもの」としているが，この場合の精神障害者は"精神障害(mental disability)を有する者"を意味する．精神保健福祉法における「自立と社会経済活動への参加の促

Advanced Studies

❶国際生活機能分類(ICF)

WHOは2001年5月，国際障害分類(ICIDH，1980年)の改訂版として，国際生活機能分類(International Classification of Functioning, Disability and Health; ICF)を採択した．ICFでは，生活機能(functioning)とその障害(disability)を上位の包括概念としたことが大きな特徴である．また，障害(disability)の下位分類では，機能・構造障害(impairment)はICIDHと同じであるが，能力低下(disability)は活動制限(activity limitation)に，社会的不利(handicap)は参加制約(participation restriction)に改訂され，それらは相互に関連し合うものとされている．

NOTE

❶精神分裂病の「統合失調症」への呼称変更

2002年8月，日本精神神経学会は病名「精神分裂病」の「統合失調症」への呼称変更を行った．「原語schizophreniaの精神分裂病への和訳が精神が分裂するかのような深刻な誤解をまねき，患者や家族に多大な苦痛を与える過剰な翻訳である」との認識による．新たな呼称は「原語を穏やかに翻訳しなおしたもので，思考のまとまりがなくなるものの，回復可能性を反映させる現象にもとづく命名」としている．この呼称は社会の各方面から賛同を得，精神保健福祉法においてもそのように改称された．本書では精神分裂病にかかわる用語はすべて変更されている．

進のための必要な支援」，あるいは「障害者の雇用の促進等に関する法律(以下，障害者雇用促進法)」(1987年)の対象とされる精神障害者も同様である．

このように，精神障害者という場合，"保健・医療の対象としての病者"と"リハビリテーション，生活や就労支援の対象としての障害者"という2つの意味で用いられているのである．

C 精神医学の歴史

精神障害が医療の対象として扱われるようになったのは身体疾患に比べてかなり遅く，医学の一分科として認められるようになったのは19世紀以降のことである〔第20章(→254ページ)も参照〕．

1 近代以前の歴史

a わが国の場合

すでに古事記，日本書紀，今昔物語などには精神病と考えられる人たちに関する記載がみられている．

11世紀には，京都・岩倉村の寺院で精神病に罹患した皇女が湧き水を飲んで回復したという言い伝えによって，患者・家族が岩倉村の寺院や民家に宿泊し，家庭看護が行われていた．ほかにも寺院に付属した治療所が建てられた地域もあったが，治療内容は参拝や滝にうたれたり，断食などの修業や僧などによる加持祈祷であった．当時は精神障害を神仏のたたりや悪霊の仕業とみるような迷信が基本にあったためである．

江戸時代には漢方医学の影響で，精神障害も病気として痴狂，癲狂などの病名のもとで漢方医の診察と治療を求めるようになっていたが，多くは放置されたり，自宅に監禁されていた．

b ヨーロッパの場合

古代ギリシャ時代には，ヒポクラテスらが精神病の症状を客観的に記載し，精神作用の主座は脳

▶図5 魔女とみなされて火刑に処される女性
(アムステルダム，1571年)
精神障害者も多数含まれていたと考えられる．〔Hayden, M.R.: Huntington's Chorea. p.18, Springer-Verlag, 1981より転載〕

にあり，てんかんは一種の脳病であると主張するなど，かなり合理的な考え方もなされていた．

その後，キリスト教の支配が強まるにつれ，精神障害は悪魔，悪霊などが人間に乗り移ったものとか，神のたたりによるとの考えが支配的になった．その結果，精神障害者が宗教裁判にかけられて処刑されたり，監禁されるなどの組織的な迫害もなされた(▶図5)．

一方，中世の終わりごろから精神科病院の原形というべき収容施設(asylum)がつくられるようになった．また，ベルギーのゲールをはじめ，各地に精神障害者が一般家庭に分宿して療養するコロニーがつくられるようになった．

2 精神医学の誕生

18世紀の後半，精神障害者をより人道的に処遇しようとする動きが各地でおこると同時に，精神障害について本格的な分類や原因の究明も行われるようになった．フランス革命の最中の1793年より，パリのビセートル病院とサルペトリエール病院に勤務し，患者を鎖による拘束から解放したP. Pinel(ピネル；1745-1826)は，医学者としても

▶図6　ピネルが精神病者を鎖から解放する図
女性収容のサルペトリエール病院で，拘束を解かれている若い患者（中央）とピネル（その左横）．画面右側には拘束中の患者が横たわり，左側には解放された患者が描かれている．作者はロベール・フリュリー（1837–1911）〔故 諏訪望 北海道大学名誉教授 所蔵〕

患者の精神症状を詳細に記述し，精神疾患の分類を試みた（▶図6）．このように，精神医学は病院勤務医による精神疾患の観察を出発点として誕生した．

19世紀から20世紀初頭にかけて，医学の一分科としての精神医学の基礎が形づくられ，早発痴呆（dementia praecox）の概念も提唱された．19世紀後半にはドイツの精神医学が主流を占めるようになった．この時期の代表的な精神科医はW. Griesinger（グリージンガー；1817–1868）で，彼は「精神疾患は脳の疾患である」と主張し，大学に精神医学講座を開設した．これは精神医学の教育や研究の大学への移行を意味している．

その後，これまでの臨床経験と学問成果を統合して体系化したのがE. Kraepelin（クレペリン）（▶図7）である．彼は，精神疾患においても，一定の原因，症状，転帰，病理解剖所見をもつ疾患単位が存在すると仮定し，精神症状を詳細に記述し，症状と経過の特徴から体系的分類を行った．そして，心因も身体因も不明で，遺伝素因の関与が想定される，いわゆる内因性精神障害を早発痴

▶図7　Emil Kraepelin（1856–1926）
〔西丸四方ほか：やさしい精神医学．5版，p.26, 南山堂, 2008より転載〕

呆と躁うつ病に大別し，かつ早発痴呆を若年発病で予後不良の精神病と規定した．

同じころ，イギリスのJ.H. Jackson（ジャクソン；1835–1911）は，中枢神経機能の進化論的層構造説を提唱し，精神障害は上層機能が脱落し，代

▶図8　野口英世(1876–1928)

わりにより下層の機能が現れると考えたが，この考えはその後の精神医学や神経学に大きな影響を与えた．フランスでは，J.M. Charcot（シャルコー；1825–1893）や P. Janet（ジャネ；1859–1947）らが催眠術や暗示についての臨床的研究を行っていた．S. Freud（フロイト；1856–1939）は，これを基礎に精神分析学を創始し，自由連想法による治療法や深層心理学の理論を提唱した．しかし，この理論はヨーロッパでは受け入れられず，むしろアメリカで発展し，精神医学のみならず人文・社会科学の分野にさまざまな影響を与えた．

3 現代精神医学へ

20世紀に入ってからの精神医学で重要なことに，以下があげられる．

第1に，E. Bleuler（ブロイラー；1857–1939）が早発痴呆における思考や感情，体験の異常などの基本症状の特異性に注目し，パーソナリティの統一性を失うことが最も重要な特徴であるとして，統合失調症の病名を提唱したことである．これによって統合失調症の精神病理学的研究は大きく発展した．

第2に，野口英世（▶図8）が，1913年，当時の主要な精神疾患であった進行麻痺の患者脳から梅毒トレポネーマ（スピロヘータ）を発見し，精神疾患の病因を初めて解明したことである．それによって精神疾患治療への道筋がつけられた．

第3に，関連諸科学の進歩が精神医学に大きな影響を与えたことである．たとえば，
- A. Binet（ビネー；1857–1911）らの心理検査法
- I.P. Pavlov（パブロフ；1849–1936）の条件反射学説とその後の行動科学の発展
- H. Berger（ベルガー；1873–1941）に始まる脳波の発見とその後の神経生理学の発展
- J. Delay（ドレー；1907–1987）と P. Deniker（ドニケル；1917–1997）に始まるクロルプロマジンの統合失調症治療への応用とその後の精神薬理学の発展
- 精神療法や社会精神医学の広がり

などは，精神障害の原因究明，診断と治療，患者処遇に大きな進歩をもたらしたものである．

4 21世紀における精神医学の展望

ここでは，1990年以降のいくつかの医学医療の進歩に焦点を当てて，ごく近未来を展望してみる．

まず，機能的 MRI（functional magnetic resonance imaging; fMRI）や PET〔第9章の NOTE-7（➡ 135ページ）参照〕などの脳機能画像の進歩である．従来，原因が不明であった統合失調症やうつ病などの病態が誰の目にもわかるように描出されているが，こうした画像研究はいまだ原因の不明な広汎性発達障害などの病態解明にも期待されている．

第2に，分子遺伝学の進歩である．分子遺伝学によりさまざまな疾患における遺伝的脆弱性が明らかにされているが，精神障害においてもその解明を通して，診断や治療のみならず，予防への貢献が期待されている．

第3は，新規抗精神病薬に代表される薬物療法や認知行動療法など心理社会的な治療・リハビリテーションの急速な進歩と普及があげられる．

第4に，2006年12月，今世紀に入って初の国際人権条約である障害者権利条約が国連総会で採択され，2014年1月にわが国もこの条約を批准し

たことである．本条約は障害者への差別禁止と平等を謳い，政府にその実行をせまるものである．条約の批准は精神障害への誤解と偏見の解消，精神障害者の自立と社会参加の進展に大きく寄与することが期待されている．

D 精神医学を学ぶ意義

近代作業療法は，18世紀末の精神障害者の鉄鎖からの解放とともに出発し，その後も精神障害者の治療やリハビリテーションに大きな役割を果たしてきた．このように，精神科医療の発展には作業療法が多大な影響を与える一方，作業療法とその学問である作業療法学にとって精神医学は重要な基礎を形成している．

また，近年の社会構造や疾病構造，年齢構成の変化により，うつ病はもとより，老年期疾患，脳損傷や発達障害など，精神・心理障害と身体障害とを併せもつ者が増加しており，作業療法や理学療法，さらには障害受容に至る心理的援助もリハビリテーション専門職に期待されている．

したがって，精神医学を通じて，患者や障害者の精神・心理面の障害を理解し，治療やリハビリテーションのあり方と方法を学ぶことは大変重要なことである．

- 精神医学は精神機能の障害を対象にし，診断には心理学的方法を用いることが，身体医学との最も大きな相違である．
- 精神障害の治療や看護，リハビリテーションには，看護学や作業療法学，社会福祉学，臨床心理学などの協働領域との連携が不可欠である．
- 精神医学は，原因や病態の明瞭ではない多くの精神の病的状態を対象としているが，これらは精神障害（mental disorders）と呼ばれている．
- 生活や就労の支援を含め，リハビリテーションの対象としての精神障害はmental disabilityの概念で理解される．
- 精神医学が医学の一分野とみなされるようになったのは比較的新しいものの，21世紀に至る急速な進歩・発展の基礎にはさまざまな基礎医学や臨床医学はもとより，人文・社会科学の進歩が存在する．

第2章 精神障害の成因と分類

> **学習目標**
> - 精神障害の3つの成因とその概念について学ぶ．
> - これらの成因の相互関係を"脆弱性−ストレス・モデル"に基づいて理解する．
> - 精神障害の分類について，従来の分類，WHOの国際疾病分類(ICD-10)，米国精神医学会の分類(DSM-5)の特徴について学ぶ．

A 精神障害の成因

1 3つの成因について

精神障害の成因は，身体的原因と精神的原因とに大きく分けられる(▶図1)．

身体的原因には，すでにその原因や病態が脳の機能的器質的障害によることが明らかになっている"外因性"(exogenous)と，原因が十分に明らかにはなってはいないものの，遺伝素因やなんらかの身体的基礎の関与が推定される"内因性"(endogenous)とがある．"外因性"の精神障害には，脳そのものの障害によるもの(脳器質性精神障害)，脳以外の身体疾患に基づくもの(症状性精神障害)，アルコールなど精神作用物質によるものなどが含まれている．また，"内因性"の精神障害は統合失調症や気分障害(うつ病・躁うつ病)を指すが，これらの精神障害では，今日，脳機能の異常が指摘されており，身体的な基礎をもつことが確認されている．

一方，精神的原因は"心因性"(psychogenic)ともいわれ，神経症性障害など心理的環境的要因により発症するものである．

こうした精神障害の成因別の分類は，疾病概念のうえでも臨床的にも理解しやすく，長年わが国で用いられてきたものである．ただ精神障害の発現には，次項で解説するように，それらの成因が複雑に関与しており，必ずしも明瞭に区分できるものではない．たとえば，統合失調症の発症や再発には心理的要因が，Alzheimer(アルツハイマー)病の発症には遺伝素因も関与しているなどのためである．

2 3成因の相互関係
―"脆弱性−ストレス・モデル"

これら3つの成因の相互関係は，近年の関連諸科学の発展により，"脆弱性−ストレス・モデル"

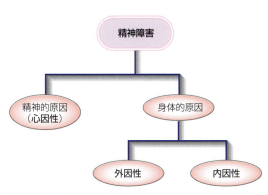

▶図1 精神障害の成因

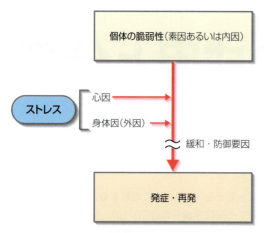

▶図2　3成因の相互関係
（脆弱性-ストレス・モデル）

として，おおよそ以下のようにまとめられている（▶図2）．

① 精神障害はその種類により程度の差はあっても，素因（内因）とストレス（心因，身体因など）とが関与し，同一の精神障害でも両要因の関与の程度は個人により異なる．
② 素因は個体の脆弱性（vulnerability）や反応性など，遺伝素因を含む生物学的概念であり，ストレス（stress）は外的要因である．ストレスが非常に強ければ個体側の脆弱性が小さくても，逆に，脆弱性が大きければストレスが小さくても，精神障害がおこる．
③ ストレスとしての身体因や心因に関しても，精神障害により，個人により，それらの関与の仕方は異なる（たとえば，認知症高齢者の精神症状や経過が生活環境や介護によって大きな影響を受けるなど）．
④ 実際の発症や再発には，個体のストレス対処能力や社会の支援体制，服薬をはじめとする緩和・防御要因の有無や程度が深くかかわっている．

上記のモデルは，精神障害の発症や治療，予防に関する多次元的な"生物-心理-社会的"（bio-psycho-social）の視点で理解することも可能である．また身体疾患の発症も，このような"脆弱性-ストレス"に基づいて発症するとの理解が可能であり，その点では精神障害や身体疾患に共通するモデルとみなすことができる．

▶表1　従来の精神障害の分類

1	外因性精神障害	a. 脳器質性精神障害
		b. 症状性精神障害
		c. 薬物依存に基づく精神障害
		d. てんかん
2	内因性精神障害	a. 統合失調症
		b. 躁うつ病
		c. 非定型精神病
3	心因性精神障害	a. 神経症性障害
		b. 心因反応
		c. 心因性精神病
4	異常性格（パーソナリティ障害，精神病質）	
5	精神遅滞	
6	児童・青年期の精神障害	
7	老年期の精神障害	

B 精神障害の分類

1 従来の分類

従来，用いられていた分類は，前述した3つの成因別分類に加え，症状や経過，精神力動，ライフサイクルにおける発症時期などによる分類も加えているものが多かった．表1にその一例を示す．

2 国際疾病分類

世界保健機関（WHO）では，各国の衛生統計の比較や衛生行政のために，1977年からすべての疾患の診断分類を共通なものに統一することを進めている〔国際疾病分類（International Classification of Diseases; ICD）〕．これまで改訂が重

▶表2　ICD-10の大項目

F0	症状性を含む器質性精神障害
F1	精神作用物質使用による精神および行動の障害
F2	統合失調症,統合失調型障害および妄想性障害
F3	気分(感情)障害
F4	神経症性障害,ストレス関連障害および身体表現性障害
F5	生理的障害および身体的要因に関連した行動症候群
F6	成人のパーソナリティおよび行動の障害
F7	精神遅滞(知的障害)
F8	心理的発達の障害
F9	小児期および青年期に通常発症する行動および情緒の障害
F99	特定不能の精神障害

▶表3　ICD-11の大項目

1	神経発達症群
2	統合失調症または他の一次性精神症群
3	気分症〈障害〉群
4	不安または恐怖関連症群
5	強迫症または関連症群
6	ストレス関連症群
7	解離症群
8	食行動症または摂食症群
9	排泄症群
10	身体的苦痛症群または身体的体験症群
11	物質使用症〈障害〉群または嗜癖行動症〈障害〉群
12	衝動制御症群
13	秩序破壊的または非社会的行動症群
14	パーソナリティ症〈障害〉群および関連特性
15	パラフィリア症群
16	作為症群
17	神経認知障害群

ねられ,1993年からは第10版(ICD-10)が用いられているが,その第V章には精神障害(mental disorders)を示す「精神および行動の障害(Mental and Behavioural Disorders)」があり,この診断のためのガイドラインも出版され,広く国際的に用いられている.

第9版(ICD-9)では,精神障害を,①精神病,②非精神病性精神障害(神経症性障害,人格障害など),③精神遅滞の3群に大別していたが,第10版ではこれらをさらに細かく,10の大項目に分類している(▶表2).しかし,これも実際には,前項で述べた従来わが国で用いられていた分類(▶表1)に近いものである.その細項目は巻末に示す〔資料1(➡280ページ)参照〕.なお,ICD-10では,WHOの国際障害分類(ICIDH,1980年)における機能・形態障害(impairment)や能力低下(disability)などの用語も,項目によっては用いられている.

第11版(ICD-11)は2018年6月の公表後,2019年5月のWHO総会で採択された結果,わが国では国内適用に向けて準備中である.精神障害については日本精神神経学会の仮訳で示すが(▶表3),disorderは「症」,disordersは「症群」と訳されている.

以下にICD-10との比較で,ICD-11の主な改訂点を記す.

①「第6章　精神,行動又は神経発達症群」の名称で,17の大項目に増えた.
② F6の「成人期」,F9の「小児期および青年期」など,ライフサイクルを示す項目はなくなり,F7の「精神遅滞」とF8の「心理的発達の障害」は,F9の下位項目「多動性障害」などを加えて「1.神経発達症群」にまとめられた.また,F9の他の

NOTE

1 「人格」の用語について

精神医学でいう"personality"は,われわれが日常用いている「人格」よりは「性格」(character)に近く,さらにpersonality disorderの訳語「人格障害」は以前から「患者の人格否定につながる用語」との批判があった.そのため,本書の第4版では「人格」の用語はすべて「パーソナリティ」または「性格」に,「人格の低下」は「性格の変化」に改訂している〔第3章E(➡21ページ)参照〕.

下位項目はそれぞれの関連項目に分散された．

③ F4の下位項目は「4. 不安または恐怖関連症群」，「5. 強迫症または関連症群」，「6. ストレス関連症群」，「7. 解離症群」，「10. 身体的苦痛症群または身体的体験症群」に項目化された．

④ F5の下位項目「摂食障害」は「8. 食行動症または摂食症群」として項目化された．

⑤「ギャンブル症」や新設の「ゲーム症」は，「嗜癖行動症〈障害〉群」として「物質使用症〈障害〉群」とともに「11.」に項目化された．

⑥ F5の下位項目「非器質性睡眠障害」は新設の「第7章 睡眠・覚醒障害」に移った．

⑦ F6の下位項目「性同一性障害」は「性別不合」と改称され，「パラフィリア症群」を除く，F5を含む性にかかわるすべての下位項目は新設の「第17章 性の健康に関する状態」に移され，精神障害から除かれた．

3 米国精神医学会の分類

米国精神医学会では，1980年に「精神疾患の診断・統計マニュアル（Diagnostic and Statistical Manual of Mental Disorders; DSM）」の第3版（DSM-III）をまとめた．これは従来の診断分類とは異なり，明確な操作的診断基準を示していること，さらに多軸診断方式を採用していることが大きな特徴であった．

この多軸診断方式とは，診断には，臨床疾患（第I軸），人格障害と精神遅滞（第II軸），一般的身体疾患（第III軸），心理社会的および環境的問題（第IV軸）〔第9章のNOTE-1（➡ 127ページ）参照〕，機能の全体的評価（第V軸）〔第4章の図15（➡ 63ページ）参照〕など，5つの側面から検討することである．

その後，1994年には時間経過も基準に加えた第4版（DSM-IV）が作成され，2000年には解説（Text）部分の改訂（Revision）が行われた（DSM-IV-TR）．

約20年後の2013年，第5版（DSM-5）が作成され，大項目はDSM-IVの17から22に増えて

▶表4　DSM-5の大項目

1	神経発達症群/神経発達障害群
2	統合失調症スペクトラム障害および他の精神病性障害群
3	双極性障害および関連障害
4	抑うつ障害群
5	不安症群/不安障害群
6	強迫症および関連症群/強迫性障害および関連障害群
7	心的外傷およびストレス因関連症群
8	解離症群/解離性障害群
9	身体症状症および関連症群
10	食行動障害および摂食障害群
11	排泄症群
12	睡眠−覚醒障害群
13	性機能不全群
14	性別違和
15	秩序破壊的・衝動制御・素行症群
16	物質関連障害および嗜癖性障害群
17	神経認知障害群
18	パーソナリティ障害群
19	パラフィリア障害群
20	他の精神疾患群
21	医薬品誘発性運動症群および他の医薬品有害作用
22	臨床的関与の対象となることのある他の状態

いる（▶表4）（➡ NOTE-2）．その細項目は巻末に示す〔資料2（➡ 283ページ）参照〕．

NOTE

2 DSM-5の病名・用語の邦訳について

日本精神神経学会では邦訳を，よりわかりやすく，患者の理解と納得が得られやすく，差別意識や不快感を生まず，国民の病気への認知度を高め，意訳を考え，アルファベット病名をなるべく使わないなどとした．そして，児童・青年期の疾患を中心に，disorder（障害）を「症」，disordersを「障害群」などとし，旧病名をスラッシュ（/）で併記している（例：解離症/解離性障害群）．

C 本書における分類と記載

わが国の精神医学教科書は，ICD に基づいて記載される傾向にある．一方，学術論文では，作成された目的に従って，ICD あるいは DSM が用いられている．

本書では，国内外の動向を重視して，ICD-10 に基づいて分類・解説し，場合によっては従来の分類や用語も用いて，臨床に即した理解しやすさを第一義とした．

たとえば，器質性精神障害を脳器質性精神障害〔第 5 章(➡ 68 ページ)〕と症状性精神障害〔第 6 章(➡ 94 ページ)〕に分けて解説した．てんかんは，ICD-10 の「第 VI 章：神経系疾患(G00-99)の G40」に分類されているが，精神症状を伴うこともあり，従来から精神医学医療の対象でもあるため，第 8 章(➡ 115 ページ)で解説している．また，小児期および青年期の行動・情緒障害，老年期の気分障害や神経症性障害は「ライフサイクルにおける精神医学」〔第 18 章(➡ 215 ページ)〕にまとめて記載した．このほか，実際的な立場から，コンサルテーション・リエゾン精神医学〔第 16 章(➡ 207 ページ)〕，心身医学〔第 17 章(➡ 212 ページ)〕，社会・文化とメンタルヘルス〔第 21 章(➡ 273 ページ)〕も加えて解説した．

D 理学・作業療法との関連事項

精神障害にはさまざまなものがあるが，身体疾患と同様に，個体に存在する脆弱性と，その個体に加わるストレスとの相互の関係で発症し悪化する．このことは，個体の脆弱性やストレスを軽減し，防御要因を強化する方向が治療やリハビリテーション，発症や再発の予防につながることを意味している．理学・作業療法にはこうした点での役割を担うことが期待されている．

なお，WHO の ICD-10 は，わが国の精神保健福祉行政で用いられており，理学療法士・作業療法士国家試験出題基準においても同様である〔資料 5(➡ 301 ページ)参照〕．

- 精神障害は，その成因から外因，内因，心因に大別されているが，現在，その相互関係は "脆弱性−ストレス・モデル" で理解されている．
- 精神障害の分類は，従来，上記の成因別に分類されていた．
- 世界保健機関(WHO)では診断分類を共通なものに統一するために国際疾病分類(ICD)を作成し，現在は第 10 版(ICD-10)が用いられているが，第 11 版(ICD-11)の国内適用を準備中である．
- 米国精神医学会の「精神疾患の診断・統計マニュアル」(DSM)は第 5 版(DSM-5)に改訂されている．

第3章 精神機能の障害と精神症状

学習目標
- 精神機能の種類，およびその障害の際に出現する精神症状について学ぶ．
- 主な精神状態の特徴について学ぶ．
- 脳の局所的障害で出現する神経心理学的症状について学ぶ．

A 精神症状の把握

　面接により患者の精神的内面を探り，どのような精神状態にあるかを診断・評価するが，その場合にまず注意することは，意識状態が清明であるか，知能に大きな障害がないか，さらに元来の性格傾向に著しい特徴があるかなど，全般的な状態の把握が必要である．次いで，思考や感情，行為などについて詳しく分析する．また，脳の局所的障害が疑われる場合には，それに関連する神経心理学的症状を検討することが必要である．

　以下，主な精神機能とその障害による精神症状について述べる．

B 意識とその障害

　意識（consciousness）という言葉には，生理学的，客観的にとらえられる場合と，心理学的，主観的な体験としてとらえられる場合があるが，後者は自我意識の項（→27ページ）で述べ，ここでは前者について述べる．

1 正常な意識状態

　臨床的に意識が正常もしくは清明であるとは，具体的には，以下の諸条件が満たされている場合である．

①外部からの刺激への適切かつ敏速な反応（reaction）
②外界の出来事や対象への十分な注意（attention）
③自分の現在の状況の正しい認識〔見当識（orientation）〕
④新しい出来事や体験の誤りない印象づけ〔記銘（impression）〕
⑤周囲の出来事や質問の意味の正しい理解〔了解（comprehension）〕
⑥全体としての思考（thinking）のまとまり

2 意識の障害

　上記のような精神活動が低下もしくは消失している場合には，まず意識障害を念頭におくことが重要である．

　意識障害は，臨床的には単純な意識障害と複雑な意識障害に大別される．単純な意識障害を意識混濁といい，複雑な意識障害には意識狭窄と意識変容がある（▶図1）．

a 意識混濁

　意識混濁（clouding of consciousness）は意識の清明度の量的な障害であり，その程度には，ごく

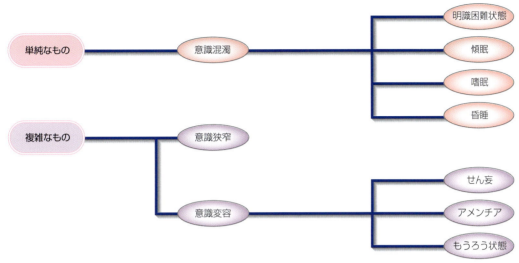

▶図1　意識の障害

軽度から最も高度のものに至るまで連続的な移行がある。程度により3～5段階に分けられているが，分類法と用語は必ずしも統一されていない(→NOTE-1)。ここでは精神医学領域で比較的用いられている4段階の分類を示す。

(1) 明識困難状態(Schwerbesinnlichkeit〈独〉)

　ごく軽度の意識混濁である。ぼんやりした表情で，注意の集中や持続の困難，思考のまとまりの不十分さ，自発性の減退が認められるが，見当識は侵されない。

(2) 傾眠(somnolence)

　軽度の意識混濁である。うとうとして眠りやすいが，反復刺激を加えたり，呼びかけると一時的にやや覚醒し，単純な内容の問いかけにどうにか応じることができる。しかし，放置すればすぐにうとうとしてしまう。反応も遅く，見当識も障害される。

(3) 嗜眠(lethargy)

　中等度からかなり高度の意識混濁である。強い疼痛刺激や大声で名前を呼ぶことによって多少の覚醒反応が認められるが，完全な覚醒には至らない。

(4) 昏睡(coma)

　最も高度の意識混濁で，完全な意識消失の状態である。外部からの刺激に対するすべての反応が失われ，自発運動は消失し，筋緊張の低下または消失，尿便の失禁，対光反射の消失，腱反射の減弱ないし消失などが認められる。

　なお，脳神経外科や救命救急の領域では，清明度の低下を半定量的に表すJapan Coma Scale(JCS)が用いられている。3-3-9度方式ともいい，痛覚刺激に対する反応の程度を軽・中・高度の3段階に分け，さらにそれぞれを3段階に分ける9段階分類である(▶表1)。

b 意識狭窄

　意識狭窄(narrowing of consciousness)は意識野の広がりの障害であり，意識混濁を伴うことも伴わないこともある。あることに熱中していると

NOTE

1 意識混濁の段階を表す用語

　神経学領域ではconfusionは最も軽い意識混濁を，stupor(昏迷)は中等度の意識混濁を意味する。一方，精神医学ではstuporは発動性の障害を，confusionは錯乱を意味する。このように，意識障害の段階を表す用語には英語を含めて注意を要する(▶表1参照)。

▶表1　Japan Coma Scale(JCS)による意識障害の分類

I. 刺激しないでも覚醒している状態(1桁で表現)(delirium, confusion, senselessness)	
1	だいたい意識清明だが，今ひとつはっきりしない
2	見当識障害がある
3	自分の名前，生年月日が言えない
II. 刺激すると覚醒する状態——刺激をやめると眠り込む(2桁で表現)(stupor, lethargy, hypersomnia, somnolence, drowsiness)	
10	普通の呼びかけで容易に開眼する 合目的な運動(たとえば，右手を握れ，離せ)をするし，言葉も出るが間違いが多い
20	大きな声または体を揺さぶることにより開眼する 簡単な命令に応じる．たとえば離握手(なんらかの理由で開眼できない場合)
30	痛み刺激を加えつつ呼びかけを繰り返すとかろうじて開眼する
III. 刺激をしても覚醒しない状態(3桁で表現)(deep coma, coma, semicoma)	
100	痛み刺激に対し，払いのけるような動作をする
200	痛み刺激で少し手足を動かしたり，顔をしかめる
300	痛み刺激に反応しない
注	R：restlessness, I：incontinence, A：akinetic mutism, apallic state
記述例	200-I；30-RI　1-R

きは，その対象にのみ意識(注意)が集中しており，他のことは意識にのぼらないが，それに類する状態である．心因性には解離性障害や催眠で認められ，身体的原因によるもうろう状態の際にも著しい意識狭窄が出現する．

C 意識変容

意識変容(alteration of consciousness)は，軽度もしくは中等度の意識混濁に，不安，不穏，精神運動興奮，錯覚，幻覚，妄想などが加わって複雑な状態像を呈する意識障害で，時に意識狭窄が著しいこともある．

(1) せん妄(delirium)

意識混濁は軽度ないし中等度であり，しかもその程度が短時間のうちに変動しやすく，錯覚(錯視が多い)，幻覚(幻視)，強い不安，不穏，精神運動興奮，徘徊を示し，状況の誤認も生じる．このため，外見的には"ねぼけ"または"激しいおびえ"のように見えることも多い．多くは1〜2週間以内に消失し，より短時間のこともある．この間の記憶はまったくないことも部分的に想起できることもある．

せん妄はしばしば夜間に出現するので，夜間せん妄(night delirium)と呼ばれ，老年期に多い症状である．また，このときに職業的もしくは日常的に慣れている動作を行うことを作業せん妄(occupational delirium)という．

血管性認知症，Alzheimer(アルツハイマー)病，慢性アルコール中毒，頭部外傷，症状性精神障害などのほか，老年者の発熱時や手術後，入院・入所直後など身体的環境的変化で生じやすい．

(2) アメンチア(Amentia⟨独⟩)

せん妄の軽度なもので，強い思考障害と困惑を示すのが特徴である．患者は周囲の状況を認識し，外界と接触しようと努めるが，思考散乱のため，注意の集中が困難であり，困惑した状態を示す．幻覚や妄想を伴うことは少ない．しばしば産褥期精神障害でみられるが，中毒性ないし内分泌

性精神障害でもみられる．

（3）もうろう状態(twilight state)

意識混濁は軽度〜中等度であるが，意識狭窄が著しい状態である．通常は突然に始まり，回復も急速で，室内を意味もなく歩き回ったり，精神運動興奮や衝動行為などを示す．時には錯覚，幻覚，妄想などを伴い，攻撃的な暴力行為に及ぶことがあり，のちにはこの間の健忘を残す．

意識混濁がきわめて軽い場合には，外見的に異常行動が目立たず，限られた範囲内で自分のおかれた状況にふさわしい秩序だった行動をとる．このような状態が数日以上持続し，この間のことをあとで想起できない分別もうろう状態も稀ながらみられる．

急性アルコール中毒，てんかん，症状性精神障害，解離性障害などでみられる．

3 特殊な意識障害

a 失外套症候群

失外套症候群(apallic syndrome)は，大脳半球の広範な損傷によって生じた特有の意識障害である．患者は開眼の状態で横臥したままであり，視線は固定しているか，注視点が定まらない．会話や随意運動は不可能であるが，嚥下は可能で，睡眠覚醒のリズムも保たれている．しばしば除皮質硬直姿勢を示し，吸引反射などの原始反射も認められる．対光反射は保たれている．外傷，炎症，腫瘍，血管障害，一酸化炭素中毒などで大脳が広範に傷害された場合に出現する．昏睡状態からの回復過程や意識混濁の緩徐な増悪中にみられることもある．

b 無動性無言

無動性無言または無動無言症(akinetic mutism)は間脳・脳幹部の障害による特殊な病態で，眼球運動が認められる以外は無言−無動の状態である．臨床的には失外套症候群との区別は困難で，脳幹部の出血や梗塞，その他の脳器質性疾患で生じる(→ Advanced Studies-1)．

c 閉じ込め症候群

閉じ込め症候群(locked-in syndrome)は，外見上は無言・無動で，眼球を動かすのみのため，前記のような意識障害を呈するようにみえるが，基本的に異なる状態である．脳底動脈系の閉塞などによって，橋底部の皮質脊髄路や皮質橋・延髄路などが広範に障害されるため，四肢や構音筋などの随意運動が障害される．しかし，意識は清明で，周囲の状況もよく認識できる．また，眼球運動は可能なため，自分の意思を眼球運動によって表示する特異な状態である．

C 注意と見当識の障害

注意(attention)や見当識(orientation)を保つ機能は，意識を含め，あらゆる精神活動の基礎となるものである．

1 注意障害 (disorder of attention)

- 持続の障害：ある一定期間，刺激に反応し続けることが困難になる．
- 選択の障害：多くの刺激や情報のなかから干渉刺激を抑制して特定の対象を選択することが困難になる．
- 転換の障害：異なった刺激や情報に注意をさせ

Advanced Studies

❶植物状態(vegetative state)

頭部外傷などの重症脳損傷の進行が停止し，昏睡状態からほぼ回復したものの，後遺症として周囲との意思疎通がほとんど喪失しているが，生命維持に最低限必要な自律神経機能（植物機能）だけが残っている状態という意味で，社会的行政的に用いられている．病変の部位からは失外套症候群や無動性無言を含んでいると考えるべきである．

ることが困難になる.
- 分配の障害：複数の刺激や情報に同時に注意を配分することが困難になる.

臨床的には，ぼんやりしている，物事に集中できず落ち着かない，何かするとミスばかりする，周囲の声や雑音，他者の動きに注意がそれやすくなる，2つのことを同時に行うことができない，などと表出される.

意識障害のほか，知能障害，外傷性脳損傷，統合失調症や気分障害，多動性障害など，前頭葉や頭頂葉，側頭葉など，脳の広範の障害で出現する.

2 見当識障害〔失見当(識)〕(disorientation)

自分がおかれている時間や場所などの状況を認識する（見当をつける）ことの障害で，意識障害や知能障害でみられる．なお，Alzheimer病に見られる人物誤認は，視覚失認を含む視覚系や記憶の障害による.
- 時間的見当識障害：時間（とき）に関する障害で，「今日がいつか」がわからない.
- 場所的見当識障害：場所（ところ）に関する障害で，「ここがどこか」がわからない.

D 知能とその障害

1 知能の概念

知能（intelligence）の定義または概念は必ずしも一定していない．意識の場合と同様に，学習能力，抽象的思考能力，さまざまな課題への適切な処理能力など，多くの精神機能が統合されたものである．臨床場面では，記憶力，計算力，判断力，思考力，見当識などの状態をみるのが普通である〔Advanced Studies-2（→ 29 ページ）参照〕.

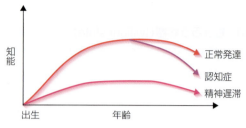
▶図2　知能の発達と障害

2 知能の障害

知能の障害（intellectual disability）は，その発現様式から精神遅滞と認知症に大別される（▶図2）.

a 精神遅滞

精神遅滞（mental retardation）は，先天性または出生時，あるいは生後まもなくの脳傷害によって，知能が正常域まで発達しえないもので，程度により軽度から最重度までの4段階に分けられる〔第14章（→ 188ページ）参照〕．以前は精神薄弱（mental deficiency）といわれた.

b 認知症

認知症（痴呆；dementia）（→ NOTE-2）は，正常に発達した知能が，後天的な脳傷害によって永続的，非可逆的に低下した状態である．外傷や炎症，変性，血管障害，腫瘍などによる広範な脳傷害が原因となる．したがって，知的能力の低下に加え，感情や意欲などを含め，パーソナリティ（性格）も変化することが多い.

認知症にはまだら認知症と全般性認知症がある.

(1) まだら（斑）認知症（lacunar dementia）

血管性認知症にみられるもので，記銘力の低下が顕著であるものの，判断力や日常的な対人接触は良好で，感情の疎通性も十分であるなど，パーソナリティはおおむねよく保たれている．また，

「忘れっぽくなった」との自覚症状もあり，知的機能の低下が部分的な状態である．しかし，これも病勢の進行とともに，全般性認知症に移行する．

(2) 全般性認知症(global dementia)

ほとんどの認知症が全般性であり，記憶力，計算力，判断力などがすべて低下し，性格変化も加わり，病識も失われる状態である．徘徊や社会的逸脱行動を示すことも少なくないが，認知症の進行とともに言語も失われ，食事や用便も自力ではできず，臥床状態に陥り，日常生活に介助を要するようになる．Alzheimer病が代表的な疾患である．

C 認知症類似の状態

認知症ではないものの，それに類似した状態である．

(1) 仮性認知症〔偽認知症(pseudodementia)〕

①心因性仮性認知症：解離性障害で発現し，Ganser（ガンザー）症候群とも呼ばれる．誰もが知っているような日用品(時計，眼鏡など)を示しても「知らない」と答えたり，「2＋3」を「7」と答えるなど，子どもっぽくわざとらしい「的はずれ応答」もみられる退行した状態である．

②うつ病性仮性認知症：高齢者の抑うつ状態で，思考や行動の制止が著しくなる場合に示す状態をいう．抗うつ薬で改善可能である．

(2) 廃用性認知症

高齢者が身体疾患などで寝たきりとなり，刺激の少ない環境に長期間おかれたときなどに生じる状態で，廃用症候群の一部である．多くは環境条件の改善によって回復するが，それ自体が認知症の発症・増悪因子となる．

> **NOTE**
> **2 痴呆の「認知症」への用語変更**
> 2004年12月，厚生労働省は行政上，痴呆を「認知症」に変更したが，2005年には老年関係学会も学術用語にすることを決めている．これは医学用語の「痴呆」が本人や家族に侮蔑感を与えるとの認識による．

E 性格とその障害

性格(character)は，感情と意欲の面における個人の特性を意味し，パーソナリティ(personality)とほぼ同義である．一方，人格は，性格に教養や倫理・道徳などの社会的な価値観も加えた個人の特徴を指しており(例えば，高潔な人格)，パーソナリティと同義とはいえない〔第2章のNOTE-1(→13ページ)参照〕．

性格は個人によってさまざまな差異があり，その形成には生来性の要因(素因)と発達的要因とが複雑に関与している．

1 性格の分類

よく知られているのは，C.G. Jung(ユング；1875-1961)とE. Kretschmer(クレッチマー；1888-1964)の類型である．

a Jung の類型

精神分析学の立場から，内向型と外向型の2つに分けるもので，一般に広く用いられている．

(1) 内向型

リビドー，すなわち精神的エネルギーが自己の内面に向かい，関心や興味が自分に向けられる．したがって，消極的，非社交的で孤独を好み，思慮深く内省的で，理想主義的である．

(2) 外向型

精神的エネルギーが外界に向かい，関心が自分以外の対象に向けられる．したがって，積極的，社交的で交際が広く，物事にこだわらず，行動的，現実主義的である．

b Kretschmer の類型

Kretschmerは臨床的経験を通じて，統合失調症と躁うつ病などにはそれぞれに対応する特定の体型があり，かつその体型と関連する性格類型があるとして，てんかんも含め，以下のようにまと

▶表2 循環病質および統合失調質の特徴
（Kretschmer の類型による）

循環病質	1. 社交的，善良，親しみがある，情味がある
	2. 快活，ユーモアがある，活発，激しやすい
	3. 静か，平静，柔和
統合失調質	1. 非社交的，静か，控え目，きまじめ（ユーモアがない）
	2. 引っ込み思案，はにかみ，敏感，繊細，神経質
	3. 従順，善良，行儀がよい，無頓着，無神経

めている．

(1) 躁うつ病

肥満型体格に対応し，循環病質(cycloid)が認められ，正常性格としての循環気質(cyclothymia)に至る連続性を有する．循環病質は表2の3徴候を示すが，1は基本的な特徴で，2と3は爽快と抑うつの両極端を示す．

(2) 統合失調症

細身型や闘士型，一定の形質異常型に対応し，統合失調質(schizoid)が認められ，正常性格としての統合失調気質(schizothymia)に至る連続性を有する．統合失調質は表2の3徴候を示すが，1は基本的な特徴で，2と3は過敏性と鈍感の両極端を示す．

(3) てんかん

闘士型体格に対応し，粘着気質と関連性を有する．粘着気質とは静かな強靱性（耐久性）と爆発性の両極からなる．几帳面で融通性に乏しく，実直・鈍重で粘り強く，精神的な流動性に乏しい．その一方で，爆発的に激怒する傾向がある．その頻度や程度は，環境や体験した刺激などの違いによって一様ではない．

2 性格の障害

性格の障害が問題になるのは，パーソナリティ障害（もしくは異常性格，精神病質），統合失調症や器質性精神障害などによる性格変化がある場合である．また，神経症性障害などの心因性精神障害，薬物依存，犯罪などにおける性格との関係も臨床的には重要であるが，詳細はそれぞれの章で述べる．

F 記憶とその障害

1 記憶の概念

記憶(memory)とは，①過去に印象づけられた情報や知覚その他の経験，②身につけた技能などを，あとで必要に応じて再生(想起)する精神機能である．①では以下の4つの過程が含まれている．

- 記銘(impression または registration)：新しい事柄を印象づける機能
- 把持(retention)：記銘されたものを保持する機能
- 追想(recall；再生，想起)：把持されているものを再び意識にのぼらせる機能
- 再認(recognition)：再生されたものが過去に記銘された内容と同一なことを確認する機能

記憶力は個人によってかなり差がみられ，記憶障害の有無をとらえるためには追想の状態を検査しなければならない．

2 記憶の分類

近年，認知科学などの進歩により，記憶の概念は拡大し，以下のように分類されている(▶表3)．

a 把持時間による分類

把持の時間により，短期記憶(short-term memory)と長期記憶(long-term memory)に分けられているほか，即時記憶(immediate memory；数秒から1分)，近時記憶(recent memory；数分から数日)，遠隔記憶(remote memory；数週，数か月，数十年)にも分類される．これらに感覚記憶

▶表3 記憶の分類

把持時間	短期記憶，長期記憶
	即時記憶，近時記憶，遠隔記憶
内容	陳述記憶(宣言的記憶，顕在記憶)：意味記憶，エピソード記憶
	非陳述記憶(潜在記憶)：手続き記憶，プライミング効果

(sensory memory；1秒以内)を加える場合もある．

b 短期記憶と作動(作業)記憶

通常の短期記憶は，自動的に記憶され，大部分は無意識のうちに消去され，特別意味のあるものが長期記憶に登録される．一方，短期記憶のなかでも，行動や情報処理のために一時的に保持されつつ，常にリセットされる記憶を作動(作業)記憶〔ワーキングメモリー(working memory)〕といい，前頭葉に主座をもつことが確認されている．

c 長期記憶の分類

長期記憶に関しては以下に大別される．

(1) 陳述記憶(declarative memory)

イメージあるいは言語などとして意識に浮上し，なんらかの形で表現できるもので，宣言的記憶，顕在記憶ともいう．これには，言語や社会常識，知識などに関する意味記憶(semantic memory)と，生活上での体験や思い出などに関するエピソード記憶(episodic memory)とがある．関係する脳部位としては，海馬を含む側頭葉内側面が重視される．

(2) 非陳述記憶(nondeclarative memory)

意識には浮上しないで，行動や反応として現れるもので，潜在記憶ともいう．

これには，練習によって身につける技能や習慣などの手続き記憶(procedural memory)と，一度でも見たり聞いたり刺激を受けると次回では反応が促進されるプライミング(呼び水)効果(priming effect)とがあり，大脳基底核－小脳系が重視される．なお，プライミング効果は陳述記憶にもみられる．

3 記憶障害の種類

記憶障害は器質性精神障害や精神的原因によって生じる．老年期認知症などでは一般に遠隔記憶より近時記憶のほうが，また遠隔記憶では新しい記憶ほど侵されやすいのが普通である．記憶障害は，記銘障害と追想障害に大別される．

a 記銘障害

記銘障害(disturbance of registration)は記銘減弱ともいい，種々の程度の知能障害や意識障害の際に出現するが，健常者でもぼんやりしていて注意や集中が不十分であったり，関心や興味のもてない出来事についての記銘は不確実である．

検査には，新聞やテレビなどで報道された最近の出来事，その日の朝食の内容について質問したり，3～6桁程度の数字の順唱や逆唱，日常の生活用品を5個ならべて見せたのち，品名を答えさせる物品テストなどがある．

高度の記銘障害は，慢性アルコール中毒によるWernicke(ウェルニッケ)脳症やヘルペス脳炎〔第5章の図15(➡84ページ)参照〕などで出現する健忘症候群の際に認められる．

b 追想障害

臨床的に重要な追想障害とは，通常は陳述記憶の選択的障害であり，知能障害，意識障害，心因性障害などの際にみられる．もちろん，前述のように正常においても注意が不十分なときは，記銘が不完全なため，追想が不確実になる．手続き記憶は通常保たれる．

(1) 健忘(amnesia)

過去のある一定期間の体験に関する追想障害をいう．追想の欠損が完全か不完全かによって，全健忘，部分健忘に大別され，部分健忘では追想可能な個所(記憶の島)がいくつか残される．

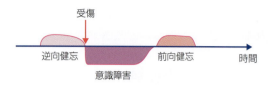

▶図3　逆向健忘と前向健忘

一般に，意識障害ののちには，その間の体験についての健忘が認められる．しかし，場合によっては意識障害以前の一定期間にまでさかのぼって健忘を残すことがあるが，これを逆向(性)健忘(retrograde amnesia)という．また，意識障害の回復以後の限られた期間についての健忘を前向(性)健忘(anterograde amnesia)という(▶図3)．

(2) 一過性全健忘(transient global amnesia)

中年以後にみられることが多く，突然に発症して数時間から数日間後に回復する健忘である．軽い脳振盪後に発症する場合もある．健忘の期間には著しい記銘障害と完全な逆向健忘を呈し，不安や困惑状態を示すが，個々の状況判断力は保たれ，日常的な行動もある程度まとまっており，明らかな意識障害はとらえられないのが普通である．脳波でも特に異常所見はみられない．回復後には，この期間については永続的な全健忘を残す．

原因としては両側側頭葉海馬における一過性の循環障害が推定されている．

(3) 心因性健忘(psychogenic amnesia)

精神的原因によって生じる健忘で，不快な，もしくは思い出したくない体験を追想できない状態である．解離性障害の際にみられるので，解離性健忘とも呼ばれる．心理機制としては，不快な情動体験に対する意識的または無意識的な抑圧と考えられている．

(4) 健忘症候群(amnestic syndrome)

記銘減弱，失見当識，作話，健忘を主症状とし，Korsakoff(コルサコフ)症候群ともいう．明らかな意識障害や認知症，性格の変化は認められないが，記銘力の低下が著しく，高度な場合には数秒もしくは数分前の経験すら追想できない状態になる(即時記憶または近時記憶の障害)．作話は，失見当識や記憶障害と関連して，出来事の想起における時間的秩序の混乱によるといわれる．

慢性アルコール中毒，ヘルペス脳炎，一酸化炭素中毒，外傷性脳損傷，Alzheimer病などでみられる．

G 感情とその障害

1 感情の概念

感情は，人間の精神状態を構成する基本的な要素の1つである．似たような精神機能を表す用語には，気分，情動，情操などがあるが，それぞれの概念には微妙な相違がある．

(1) 感情(feeling)

漠然とした概念で，厳密な規定は難しいが，基本的に快，不快という主観的体験であり，さまざまな程度と広がりをもつ．

(2) 情動(emotion)

一時的な激しい感情の動きであり，歓喜や悲嘆，不安，苦悶，激怒，驚愕などを指す．情動は表情，話し方，ふるまいなどを通じて表現されるが，自律神経系や内分泌系など生理学的な変化も常に伴う．

(3) 気分(mood)

持続的で動きの少ない，穏やかな感情状態である．喜び，愉快，幸福感のような快適な状態と，憂うつ，悲哀，不安のような不快な状態とに分けられている．

(4) 情操(sentiment)

人間がもつべき高等感情とされ，同情，愛情，羞恥心，倫理観のような社会生活における価値観と密接に関連しているものが広く含まれている．

2 感情の障害の種類

感情の障害には以下のものがある．

a 不安

　不安（anxiety）は，特定の対象をもたない漠然とした恐れの感情であり，きわめて高頻度にみられる感情の障害である．いたたまれないような苦しい感じ，自分ではどうすることもできない感情で，自律神経系の症状（動悸，頻脈，血圧上昇，呼吸促迫，胸内苦悶，口渇，冷汗，頻尿など）のほか，手指の振戦，全身の震えなどを伴い，苦悶感として現れることが多い．不安は神経症性障害の基本症状の1つであるが，うつ病でも出現する重要な症状であり，統合失調症の初期や慢性アルコール中毒による振戦せん妄の際にもみられる．

　神経症性障害のパニック障害では，発作性に自律神経症状が現れ，死の恐怖を伴うことがあり，これをパニック（不安）発作と呼ぶ．パニック発作がおさまったあとでも，再び同様な発作に襲われるのではという予期不安をもつことが多い．

　一方，恐怖（phobia）は特定の対象に対してもつ不安であるが，あまり危険でも恐れの対象でもない事柄や状況に対して激しい恐怖を抱き，かつその不合理性を認識していながらも恐怖心にとらわれてしまう場合を恐怖症性不安障害と呼ぶ．これには，広場恐怖，社交恐怖，高所恐怖などがある．

b 抑うつ

　抑うつ気分（depressive mood）は，憂うつ，悲哀，悲観的な気分であり，不安を伴うのが普通である．意欲の低下，思考制止（抑制）も同時に認められ，しばしば自殺念慮をもつ．将来への絶望感，自責感，罪業感，劣等感，自信喪失などが現れる．典型的な状態は気分障害でみられるが，ほかにも神経症性障害をはじめ，種々の状態で出現する．

c 爽快

　爽快（cheerful elation）は抑うつと対照的な感情で，異常にさわやかな高揚した気分であり，自己の能力や健康について自信に満ちあふれた状態を呈する．抑制が取れて，多弁，多動であり，談話の内容は楽天的，誇大的となり，観念奔逸が認められる．刺激性や精神運動興奮もみられ，典型的には躁病の場合に出現する．

d 多幸症（上機嫌症）

　多幸症（euphoria）は，自己のおかれている状況や自己の疾患に無頓着で，内容のない空虚な機嫌のよさである．爽快とは異なり，自信に満ちた意欲的な活動性は認められない．器質性精神障害や慢性アルコール中毒などでみられる．

e 恍惚

　恍惚（ecstasy）とは，神や仏との交流，宇宙からの声や音楽を聴くなど，超自然的，宗教的な性質を有し，言葉で表現しがたい身体的快感，幸福感である．健常者の宗教的体験時のほかに，統合失調症や解離性障害，麻薬やシンナー中毒などでみられる．

f 刺激性

　刺激性（irritability）は，ささいな動機でいらいら，不機嫌，時には興奮を呈しやすい状態である．過度の疲労や神経衰弱状態の際にみられるほか，躁病やてんかん，情緒不安定性パーソナリティ障害などでも認められる．

g 情動失禁

　情動失禁（emotional incontinence）は，情動の調整がうまくなされないため，ささいなきっかけで泣いたり笑ったりする状態である．たとえば，死別した配偶者や子どものことに話題が及ぶとたちまち涙を流したりする．血管性認知症でしばしばみられるが，過度の心労においても出現する．

h 感情鈍麻または感情の平板化

　感情の動きが鈍くなり，あるいは感情の表出が失われてしまう状態を感情鈍麻（blunted affect），または感情の平板化（flattening of affect）という．周囲の出来事にも無関心となり，親の急死を知ら

されても悲しみを表さないなどとなる．この状態は統合失調症が慢性化するにつれて顕著になるが，著しい残遺型統合失調症では何事に対しても受動的な生活態度に終始するようになるなど，意志発動も障害されるのが普通である．

i 両価性

両価性(ambivalence)は，人や物事など，同一の対象に対して快と不快，愛情と憎悪のような正反対の感情を同時に抱く状態で，統合失調症の基本症状の1つとされる．両価性が意志，行動の面に現れるものを両価傾向と呼び，学校に行きたくないと考えながらも同時に行きたいと思うなどの状態である．

j 疎隔（疎遠）

疎隔(alienation)は離人体験に属するもので，美しい風景を見ても美しいと感じない，親しい知人に会っても親しさがピンとこず，自己の感情が失われてしまったと感じるなど，外界の事象に対して生き生きとした感情をなくしてしまった状態である．

神経症性障害やうつ病，統合失調症などに現れるが，過度の疲労時にも体験されることがある．患者は自己のこのような状態を認識しており，感情鈍麻とは異なるものである．

H 欲動および意志とその障害

1 欲動と意志の概念

欲動(drive)は，身体的欲動（食欲，性欲など）と精神的欲動（地位，栄誉，富，美など）に基づいて生じる心的エネルギーであるが，これらは感情の状態によってさまざまな影響を受ける．一方，意志(will)は欲動を意識的に統御し，選択する働きを行っている．したがって，行動(behavior)とは欲動が意志によって統御されて現れる結果であり，精神運動性とは精神的活動の結果として現れる行動または身体運動を意味している．

精神障害における行為の異常は，意志発動の異常な場合にみられ，精神運動興奮・制止，昏迷，途絶のような状態がある．一方，欲動が意志の制御を受けないまま行動に移されるものを衝動行為(impulsive act)と呼ぶ．

2 精神運動興奮

精神運動興奮(psychomotor excitement)とは，意志の発動が著しく亢進して，行動過多を呈する状態である．すなわち，多動，多弁となり，落ち着かず，時に暴力的になる状態で，以下の病態がある．

a 躁病性興奮

躁病性興奮(manic excitement)は，高揚した気分に基づく多動，多弁の状態で，著しく活動的で少しもじっとしておらず，多くの人に手紙を書いたり，昼夜を問わず頻繁に外出したりする．対人接触も積極的，干渉的になる．行為の目的が短時間のうちにさまざまに変わり，何かをせずにはいられないが，まとまりのある1つの仕事を完成することができない〔行為心迫(hyperbulia)〕．しかし，次の緊張病性興奮とは異なり，周囲との接触性は保たれている．

b 緊張病性興奮

緊張病性興奮(catatonic excitement)は，緊張型の統合失調症において，精神内界における不安・緊迫感が現れたもので，特有の異常体験（幻覚，妄想など）を背景にしていることが多い．多弁，多動であるものの，周囲との接触性は障害されている．目的が理解しがたく，まとまりのない行動〔運動心迫(motor impulse)〕もみられ，思考も滅裂となる．時に無意味な暴力行為や衝動行為

を示す．その他，突然大声をあげたり，歌ったり，独語や拒絶症などを示すことが多い．

c その他

精神遅滞，てんかん，慢性アルコール中毒の振戦せん妄，器質性精神障害，心因性精神障害などでも精神運動興奮が認められる．

なお，不穏(restlessness)は，落ち着きがなく，じっとしていられない状態で，精神運動興奮の軽度のものである．精神遅滞や多動性障害のほか，抗精神病薬の副作用である静座不能〔アカシジア(akathisia)〕の際にも認められる．

3 精神運動制止(抑制)

精神運動制止（抑制）(psychomotor retardation)では，意志の発動が異常に制止されて，行動は著しく緩慢となり，減少する．低声で口数も少なくなるが，典型的なものはうつ病でみられる．

4 昏迷

昏迷(stupor)は，意志の発動が高度に障害されるため，意識は清明で外界は認知されているのに，精神的・身体的に反応することができない状態である．横臥したままで，食事をとることも，発語もなくなる状態で，以下の病態がある．

a うつ病性昏迷

うつ病性昏迷(depressive stupor)は，うつ病の際に，精神運動制止が高度のために，無動状態になったものである．しかし，表情には抑うつ悲哀感の表出がみられ，周囲からの働きかけに反応しようとする様子が認められることが多い．

b 緊張病性昏迷

緊張病性昏迷(catatonic stupor)は，統合失調症でみられ，冷たく硬い表情で無言無動のままであり，病室の片隅に終日立っていたり，不自然な姿勢をいつまでも続けていたり（常同姿態），横臥していても上下肢の置かれている位置が奇妙であったりする状態である．このため，うつ病性昏迷とは異なった印象を受ける．

ほかにも，他動的に上肢を上げるなど一定の姿態をとらせると，いつまでもそのような状態でいるカタレプシー(catalepsy)，何事も受け付けず拒否的な態度をとる拒絶症(negativism)，相手の動作や表情，言葉をそのまま繰り返す反響症状(echo symptom)などを伴うことが多い．

c 解離性昏迷

解離性昏迷(dissociative stupor)は，拘禁反応などの解離性障害で出現する．演技的傾向を示す場合もあるが，状態像だけでは緊張病性昏迷との区別は難しいことが多い．

5 途絶

途絶(blocking)は，互いに相反する欲動が突然対立することによって，言動が急激に中断または停止する状態で，統合失調症に特有である．会話中でも突然ふっと中断し，まもなく再開する状態になる．幻聴や作為体験（させられ体験）に支配されて途絶が生じる場合もある．

J 自我意識とその障害

1 自我意識の概念

自我意識(self-consciousness)とは，自分自身に向けられた意識体験であり，青年期に入って初めて明確な自我意識をもつようになる．自我意識には，以下の4つの形式的標識がある〔K. Jaspers（ヤスパース；1883–1969）による〕．

①自分が感じ，考え，行動しているという活動感や能動性の意識

②ある瞬間に自分は1人であるという単一性の意識
③以前から自分は同一人であるという同一性の意識
④自分は外界や他人から区別されているという意識

2 自我意識の障害

自我意識の障害は，上記4つの意識のなかでどれが最も障害されるかによって病像が異なるが，臨床的に重要視されるのは活動感や能動性の意識の障害である．

a 離人体験

離人体験〔離人症(depersonalization)〕とは，能動性の意識が減退または喪失したと感じる状態である．すなわち，自分の感情が失われた(感情喪失)，自分が存在していると感じられない，自分が行動しているという実感がない(行動感喪失)などと訴える．

自分の体についての感じの変化では，「首から上が自分のもののような感じがしない」，「自分の体がなくなってしまったように感じる」などと表現される．

外界の対象についても，きれいな花を見てもそれがきれいだという実感がわかない，何を見ても聞いてもピンとこない(疎隔体験)，物は見えるがそこに確かにあるという実感がないなどのように，外界に実在するものに対する疎隔感が認められる〔現実感喪失(derealization)〕．自分が別の人間になってしまった感じが生じることもある(同一性意識の障害)．

離人体験は神経症性障害，うつ病，統合失調症の初期のほか，持続的な著しい疲労状態のときにも出現する．

b させられ体験

させられ体験〔作為体験(experience of control)〕とは，自分の思考，感情の動き，行動などが「他人に…させられている」と感じる病的体験で，「自分が…している」という能動性の意識の障害である．この場合，自分の意志に反して行動させられる，笑わされる，電波や目に見えない何かによって操られるなどと表現され，自分の行動が他人からの影響によるものであると意味づけられる．

思考面での作為体験を作為思考(influenced thought)といい，統合失調症の基本症状の1つである．作為思考には，

- 思考(考想)奪取(thought withdrawal)：自分の考えが誰かに抜き取られる
- 思考(考想)吹入(insertion of thought)：他人の考えが吹き込まれる
- 思考干渉(influence of thought)：自分の考えが他人に干渉される

などが含まれる．ほかに，

- 思考(考想)伝播(broadening of thought)：自分の考えが他人に伝わる
- 考想察知(mind reading)：自分の考えが他人に見抜かれてしまう

などもあるが，これは自他の区別の障害といえる．

c 二重パーソナリティまたは交代意識

二重パーソナリティ(double personality)または交代意識は同一性の意識の障害であり，1つのパーソナリティがある限られた期間中，別のパーソナリティに変わったようにみえる状態である．2つのパーソナリティが時間的経過のなかで交互に現れ，一方のパーソナリティを呈した期間中の言動については追想できないのが普通である．三重パーソナリティや多重パーソナリティ(multiple personality)のこともあり，解離性障害でみられる．DSM-5では，これらをまとめて解離性同一症/解離性同一性障害としている．

J 知覚とその障害

この場合の知覚(perception)とは，生体の感覚器によって受け取られた感覚に，記憶や判断，感

情などが加味され，ある意味づけがなされて認知される精神機能をいう（→ Advanced Studies-2）.

精神科の臨床で問題となる知覚の障害は，次に述べる3つである．

1 錯覚

錯覚（illusion）とは，外界に実在する感覚対象を誤って知覚することをいい，感覚の種類に応じて錯視，錯聴のように呼ばれる．健常者でも，対象への注意集中が不十分な場合（不注意錯覚）や，不安や恐怖，期待感などが強いとき（情動錯覚）などに生じる．また，大空の雲や壁のしみをじっと眺めていると異様な人物の顔，虫や小動物の姿などに見えたりすることもある〔パレイドリア（pareidolia）〕．

錯覚の診断的意義は乏しいが，パレイドリアは慢性アルコール中毒による振戦せん妄の際に出現しやすく，幻覚と区別しにくい場合があるので注意しなければならない．

Advanced Studies
❷認知機能（cognitive function）と認知障害（cognitive dysfunction）

精神医学・神経学の領域では，これまで感覚情報のより高次の統合・判断を認知（cognition），その障害を失認（agnosia）と呼び，学習や思考，課題処理の能力などを知能あるいは知的機能と呼んでいた．しかし，近年，ICD-10では，後天的な知能低下を「認知障害」として，記憶，思考，見当識，理解，計算，学習能力，言語，判断などを含む高次皮質機能の障害とするなど，認知機能を知能（あるいは知的機能）とほぼ同様の広い概念で用いる傾向にある．

一方，心理学の領域では，感覚情報を記憶と照合し，推論・判断し，言語化する過程を包括的に認知機能または認知過程と呼んでいる．こうした観点から，統合失調症にみられる知覚・判断の歪み（軽微な情報処理障害），うつ病者に特有な主観的体験の歪みなども，「認知障害」として認知療法の対象としている．

このように，認知機能や認知障害の用語は，今日ではさまざまな広がりで用いられている．

2 既視感および未視感

これまでにまったく未経験の情景や場面を見て，すでに同じものを見たことがあるという体験をもつ状態が既視感〔デジャ・ビュ（déjà vu）〕である．逆に，既知である外界のすべてが，自分にとって初めて見るものとして疎遠で不可解に感じられる状態を未視感〔ジャメ・ビュ（jamais vu）〕という．両者とも健常者（特に子ども）でも認められるほか，統合失調症，神経症性障害，てんかんの精神発作などで出現するが，未視感より既視感のほうが頻度が高い．

3 幻覚

感覚対象が存在しないのに，それが存在するかのように知覚することを幻覚（hallucination）という．錯覚と幻覚を合わせて妄覚と呼ぶ．

幻覚は，体験する感覚器の種類に応じて，幻視，幻聴，幻味，幻嗅，体感幻覚などに区別するが，これらは病的な精神状態を基盤とした精神内界における異常体験の1つである．したがって，幻覚はしばしば妄想を伴い，幻覚妄想状態という病像を呈する．

臨床上，幻覚が意識清明な状態で出現しているか，意識障害を伴っているのかを区別することは重要である．前者では幻聴，後者では幻視が主であるが，特に前者の場合は診断的価値が大きい．

幻覚は，患者にとって外界における具体的かつ感覚的な実体として体験される．しかし，時には患者自身の感覚とは別のもののような現れ方をする場合がある．たとえば，「頭の中に風景が見える」，「胸の中に声が響いてくる」というような体験である〔偽幻覚（pseudohallucination）〕．

幻覚の内容が，単に「音が聞こえてくる」，「光が見える」などのように，感覚要素のみで，意味のある音声や姿ではないものを要素幻覚（elementary hallucination）という．幻味や幻聴はしばしば要

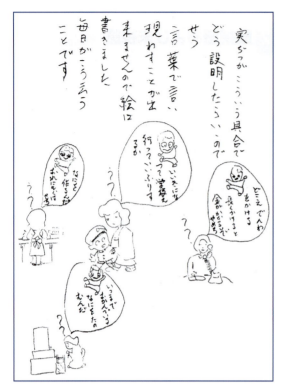

▶図4　幻聴を絵に示した患者の訴え

▶図5　てんかん（認知発作）でみられた童画風の幻視
〔藤枝俊儀医師のご厚意による〕

素幻覚に近い現れ方をする．

a 幻聴

　幻聴（auditory hallucination）は臨床的に最もしばしば遭遇するもので，意識清明の場合に出現する代表的な幻覚である．「何か音が聞こえる」という要素幻聴もあるが，診断上は言葉として聞こえてくるものが重要である．その内容は自分に対する悪口，非難，批判，命令など被害的で不快なものが多く，時には聞こえてきた命令どおりに行動することもある．

　声の主は男であったり，女であったり，既知もしくは未知の相手であったり，1人の声のことも大勢の声のこともある．また，聞こえてくる場所は，隣室，階下，天井裏，戸外，頭や腹の中，時には電波を通じて遠隔地からなどと，さまざまである．

　幻聴との対話がなされると，客観的には独語として認められる．また，自分の考えであることはわかっているが，それが感覚性を帯びて外からの声のように体験されるものを思考化声（thought echoing）という．時計の音や人の足音，水道の水が出る音などと一緒に人の声が聞こえる機能幻覚（functional hallucination）もある．

　統合失調症の幻聴は，思考化声や対話形式，患者の行動に口をはさむ幻聴が特有である（▶図4）．その他，アルコール幻覚症，慢性覚醒剤中毒，器質性精神障害や意識障害でも現れる．

b 幻視

　幻視（visual hallucination）は幻聴と同じように，要素的な場合も，動物や人の姿，風景などが具体的に見える場合もある（▶図5）．意識障害があるときに出現する代表的な幻覚で，特にせん妄の際に出現しやすいが，統合失調症でもみられることがある．

　慢性アルコール中毒の際の振戦せん妄では，ネズミのような小動物や虫などが多数動きまわる動物幻視（zoopsia）が特徴的であり，強い不安，不穏，精神運動興奮を伴う．考えている内容が眼の前に書かれて見える（考想可視），通常の感覚可能領域を越えて自分の背後や壁の向こう側に人の姿が見える（域外幻覚）などの幻覚もある．

　振戦せん妄など意識障害のほか，てんかん，覚醒剤やLSDなどの精神作用物質，L-ドパの服薬

でも出現する.

c 幻味および幻嗅

幻味(hallucination of taste)および幻嗅(olfactory hallucination)では，被害妄想を伴っていることが多く，毒物のような不快な味や臭い(たとえば，「室内に毒ガスの臭いがする」，「食物に妙な味や臭いがして毒が入っている」)を感じる．そのため，食事を拒否したり，食物の一部を残したりすることがある．

側頭葉に関係する腫瘍やてんかんでも生じることが知られており，この場合は被害妄想を伴わない．

d 幻触および体感幻覚

幻触および体感幻覚(somatic hallucination)は，「体に触られる」，「皮膚の上を虫が這いまわる」など，触覚領域の幻覚である．ほかにも，さまざまな器官感覚にも幻覚が現れ，これらを総称して体感幻覚と呼ぶ．「骨の中が削られてカチカチと感じられる」，「頭の中がグチャグチャに溶けてくる」など，多彩かつありえないような感覚体験で，しかも具体的な訴えもある．セネストパチー(cenestopathy；体感症)ともいわれる．

皮膚がむずむずしたり，虫が這っているような感覚を，皮膚の寄生虫によると確信する場合を皮膚寄生虫妄想という．

統合失調症でみられることが多く，同時に被害妄想をもつのが普通である．老年期の認知症患者にみられることもある．

K 思考とその障害

思考(thinking)とは，当面する課題に適したいくつかの観念を思い浮かべて整理・統合し，それを分析・解決する精神活動である．したがって，思考には判断，推理などの操作が密接に関与し，1つの流れ(系列)をもつ．

思考障害(disturbance of thinking)は一般に，思考進行(思路)，思考体験様式，思考内容の各障害に分けられるが，臨床的にはこの3つが相互に関係をもちながら出現するので，必ずしも明確に区別できるとは限らない．

1 思考進行(思路)の障害

考えの進み方のことで，通常，思考は1つの観念から次の観念へと連続的で統一性のある流れ(連合)を形成しながら，思考の目標に到達する．その場合，スピードも臨床的に重要である．

a 思考制止(抑制)

思考制止(抑制)(retardation of thought)では，思考の進行が遅くなり，浮かんでくる観念も乏しくなって，患者もそのことを自覚する．「考えようとしても考えが先に進まない」，「頭が空になったようだ」，「考えが浮かんでこない」という状態で，うつ病やその他の抑うつ状態でみられる．

b 観念奔逸

観念奔逸(flight of idea)では，思考進行が異常に速く，次から次へと豊富な観念が浮かんでくる．しかし，思考の目標(方向性)が変わりやすく，無選択な観念の表面的な結びつきが目立って，全体としては統一性を欠く思考になりがちである．高度の場合には語呂合わせのような観念の結びつきが認められ(音連合)，単語をただ並べるだけのような談話内容や文章表現となる．躁状態に特有である．

c 思考途絶

思考途絶(blocking of thought)とは，思考の進行が突然中断されて，話をしていて急に止まってしまう状態である．患者は，「考えが急に途切れた」，「考えが突然なくなる」，「考えが急に抜き取られる」などと訴える．すなわち，水道の蛇口から出ていた水が急に止まった状態に類似してお

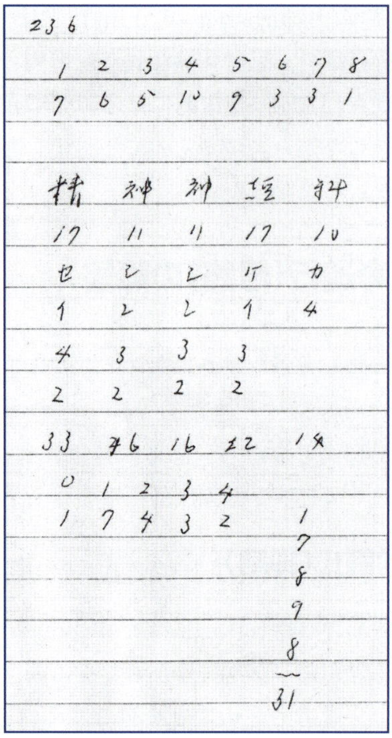

▶図6 "言葉のサラダ"の例

り，統合失調症に特有である．

d 思考滅裂

思考滅裂（incoherence of thought）とは，思考の流れに前後の関連性と統一性が欠け，思考目標も定まらず，無関係な主題が入ったり，途中が省略されたりしてまとまりが失われ，周囲の人には意味が理解できない状態である．軽度の場合には談話内容にまとまりが乏しくなる〔連合弛緩（loosening of association）〕．高度の場合には，相互に無関係な単語をただ並べるため，意味がまったく理解できない状態となる〔言葉のサラダ（word salad）〕（▶図6）．これも統合失調症に特有である．

なお，観念奔逸の場合には，部分的には話の内容にまとまりがあり，思考滅裂のように筋道が立たず理解不能となるのとは異なっている．

e 思考散乱

軽い意識混濁がある際に思考がまとまらなくなる状態を思考散乱（Inkohärenz〈独〉）といい，アメンチア（→18ページ）を特徴づける症状である．

f 迂遠（うえん）

迂遠（circumstantiality）とは，思考の目標は失われてはいないが，目標とはあまり関係のない枝葉の観念にとらわれて要点が不明確になり，目標に達するまでのまわり道が目立つ"まわりくどい"状態である．知能障害やてんかん性性格変化でしばしばみられる．

g 冗長

浮かび上がる観念は豊富であるが，思考の言語的表出の選択が適切でないため要領を得ず，理解しにくくなる状態を冗長（redundance）という．冗長は軽度の観念奔逸であるという考えも，迂遠と同義であるとする考えもある．

h 保続

保続（perseveration）は，限られた1つの観念だけが繰り返し現れ，思考が先に進まない状態である．たとえば，最初の質問に「エンピツ」と答えるが，次の別の質問にも「エンピツ」と同じ答えを繰り返す．失語の際にみられるが，前頭葉の広範な傷害時にも認められる．

i 粘着

粘着（viscosity）は，1つの思考課題に著しくこだわるために思考が進まず，同じ思考内容が繰り返される状態で，てんかんにみられるが，精神遅滞でも少なくない．

2 思考体験様式の障害

臨床的に重要なものは作為思考と強迫観念の2つであるが，作為思考については自我意識の障害

の項(➡ 28ページ)ですでに述べた．また，強迫観念に関しては，第11章C項「強迫を中心とする神経症性障害」(➡ 168ページ)で詳しく述べる．

3 思考内容の障害――妄想
a 妄想の定義

妄想(delusion)は思考内容の異常を代表する症状で，幻覚と同様，精神内界の異常体験の1つである．単なる誤解，迷信，特殊な思想などとは本質的に異なり，患者はしばしば妄想内容に支配された異常な言動を示す．

妄想の診断には，以下の点が重要である．
①一般に，なんらかの病的な精神状態を基盤にしていること
②確信の内容が現実にはありえず，不合理なこと
③この異常な確信を訂正させることは不可能なこと

b 妄想の種類

妄想は，その構造から真性妄想と妄想的観念に大別される〔K. Jaspers(ヤスパース)による〕(▶図7)．

(1) 真性妄想〔一次妄想(primary delusion)〕

直感的に不合理な確信を抱くもので，それに至る動機が客観的にはまったく理解できない(心理学的に了解不可能)．一次妄想とも呼ばれ，妄想気分，妄想知覚，妄想着想などがある．主に統合失調症にみられる．

(2) 妄想的観念(delusional idea)または
　　二次妄想(secondary delusion)

患者の精神的状態や特定の性格に基づいた環境への反応として了解可能で，二次妄想とも呼ばれる．成因からは，躁うつ病のような感情状態の変化に基づくもの，器質性精神障害に基づくもの，作為体験や幻覚に対する意味づけとして出現するもの，特定の性格者の環境に対する反応に基づくものなどに分類できる．しかし，これらを真性妄想と区別することが困難なことも多い．

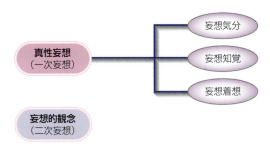

▶図7　妄想の構造からみた分類(Jaspersによる)

c 一次妄想の出現様式

一次妄想は，次のような異常体験をもとに形成される(▶図7)．

(1) 妄想気分(delusional mood)

「何か」がおきている，あるいはおこりそうだと確信するが，その内容は明確にはわからない，動機なしに生じる不気味な恐怖感，不安感である．「世界が滅亡する」，「地球が破滅する」というような世界没落体験を感じることもある．統合失調症の初期に特有なもので，診断上きわめて重要な症状である．また，妄想気分から続発的に特定の内容を有する妄想(被害妄想，関係妄想など)へと発展することが多い．

(2) 妄想知覚(delusional perception)

正常に知覚された内容に対して，理由のない不合理な確信をもつことである．たとえば，通りすがりの男性を見て自分の恋人であると思い込む，車の止まる音を聞いて自分は殺されると確信するなどである．知覚の対象(未知の男性，車の止まる音)は，恋人であることや殺されることとは客観的にまったく無関係であるが，主観的には自分に関連づけて確固たる意味づけがなされることが多い．したがって，対象を知覚すること，知覚した内容とは無関係な確信をもつことの2分節を示す．統合失調症の診断にきわめて重要な症状である．

(3) 妄想着想(delusional sudden idea)

「自分は神である」，「世界を統治する使命を与えられた」など，突然に現れる不合理な確信であ

▶表4 妄想の内容による分類

被害的内容	関係妄想，注察妄想，追跡妄想，被毒妄想，物理的被害妄想，物とられ妄想，被害妄想
自己の過小評価	貧困妄想，罪業妄想，心気妄想，微小妄想
自己の過大評価	誇大妄想，発明妄想，血統妄想，恋愛妄想，宗教妄想
その他	嫉妬妄想，つきもの（憑依）妄想，赦免妄想，好訴妄想，虚無妄想

る．妄想知覚とは異なり，外界の知覚の対象に意味づけたものではない．したがって，妄想着想は突然生じる1分節性の確信である．統合失調症以外でもおこるため，診断的意義は乏しいとされている．

d 内容による分類

妄想は，その内容によって以下のように分類される（▶表4）．

(1) 被害的内容の妄想

①関係妄想（delusion of reference）：周囲の人たちの態度，表情，話し声やまわりのさまざまな出来事などを自分と関連づけて，「自分に当てつけがましい態度を示す」，「自分のうわさや悪口を言っている」，「テレビでそれとなく自分のことを報じている」などと確信する．被害的な意味づけをすることが多い．

②注察妄想（delusion of observation）：街を歩いても，乗り物の中でも「他人から注目され観察されている」という妄想で，関係妄想と質的に同じである．

③追跡妄想（delusion of persecution）：「誰かにあとをつけられている」，「自分の様子が探られている」などという妄想で，まわりの人や特定の団体・組織などから迫害されると確信する迫害妄想と同義である．

④被毒妄想（delusion of poisoning）：「食物や飲み物の中に毒物を入れられ，殺される」という妄想で，多くは幻味や幻嗅を伴う．妙な味や臭いがするのは毒物のせいであると意味づける．

⑤物理的被害妄想：電波，テレパシー，その他の物理的手段によって「考えが乱される」，「体がしびれる」などという妄想で，しばしば体感幻覚，作為体験，幻聴などを伴う（▶図8）．

⑥被害妄想（delusion of injury）：特定の個人や組織などから被害を受けているという妄想であり，上述の妄想を総称したものである．妄想内容の中心となっているのは，他人もしくはなんらかの手段によって「自分が害を加えられている」という確信である．

以上のような被害的内容の妄想は，統合失調症や覚醒中毒のほか，高齢者では"物とられ妄想"として表出されることが多い（➡229ページ）．

(2) 自己の過小評価が内容の妄想

主として抑うつ気分から発展したもので，うつ病やその他の抑うつ状態でしばしばみられるが，統合失調症や器質性精神障害でも出現することがある．

①貧困妄想（delusion of poverty）：経済的に安定しているにもかかわらず，「明日の米を買う金もない」，「妻子が路頭に迷っている」，「治療費を払うことができない」など，貧困であるという確信が強く，しばしば深刻な絶望感や不安・焦燥感を伴う．

②罪業妄想（delusion of guilt）：過去の自分のささいな行為について，罪深いことを行ったと思い込み，強い自責感をもつ妄想である．「取り返しのつかないことをしてしまい，家族に顔向けできない」，「大きな罪を犯したので生きていては申し訳ない」などと訴える．

③心気妄想（hypochondriacal delusion）：身体的に健康であるにもかかわらず，「自分は重大な病気である」，「癌やエイズなどに罹患しているために治療しても治らない」などと確信する．「脳が半分なくなった」，「腸が腐っている」というような，奇妙な訴えは体感症（セネストパチー）（➡31ページ）とみなされる．

④微小妄想（delusion of belittlement）：自己を過小に評価して，健康，能力，財力，社会的地位

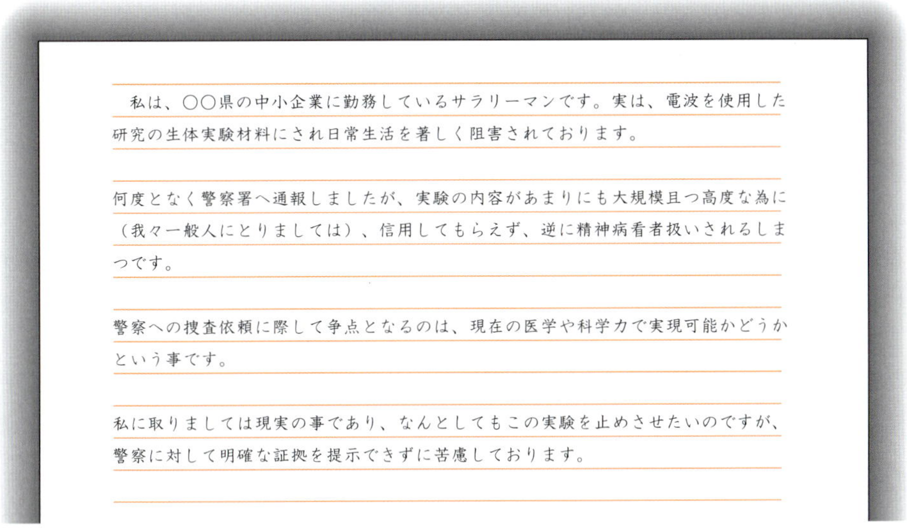

私は、○○県の中小企業に勤務しているサラリーマンです。実は、電波を使用した研究の生体実験材料にされ日常生活を著しく阻害されております。

何度となく警察署へ通報しましたが、実験の内容があまりにも大規模且つ高度な為に（我々一般人にとりましては）、信用してもらえず、逆に精神病看者扱いされるしまつです。

警察への捜査依頼に際して争点となるのは、現在の医学や科学力で実現可能かどうかという事です。

私に取りましては現実の事であり、なんとしてもこの実験を止めさせたいのですが、警察に対して明確な証拠を提示できずに苦慮しております。

▶図 8 物理的被害妄想に関する患者の訴え（図は原文ママ）

などがすべての他人より劣っており，無価値な人間であると確信する．したがって，①～③に述べた貧困妄想，罪業妄想，心気妄想もこれに含まれる．

(3) 自己の過大評価が内容の妄想

主として躁的気分から発展したもので，躁病でしばしばみられるが，統合失調症や器質性精神障害でも出現する．

①誇大妄想（delusion of grandeur）：微小妄想とは逆に自己を過大評価し，健康，能力，財力などが他人より優れていると確信する．「自分は全知全能である」，「大金持ちになった」などと思い込み，大事業を計画したりする．したがって，次に述べる発明妄想，血統妄想，恋愛妄想，宗教妄想なども誇大妄想のなかに含まれる．

②発明妄想（delusion of invention）：現実には考えられないような大発見や偉大な発明をしたと確信し，発明した装置などの設計図を提示したりする．

③血統妄想（descent delusion）：「自分は天皇の子である」など，血統を誇大的に考える妄想であるが，現代では少ない．

④恋愛妄想（erotomania）：特定もしくは何人かの異性から愛されていると一方的に信じ込む妄想で，その相手に結婚を申し込んだり，しつこくつけ回したりする．

⑤宗教妄想（religious delusion）：「自分は宗教上の使命をもっている」，「悟りをひらいた」，「神である」などという妄想で，この確信に基づいて宗教活動を行ったりする．

(4) その他の妄想

①嫉妬妄想（delusion of jealousy）：配偶者が浮気をしていると思い込むもので，統合失調症や老年期の精神障害に比較的認められるほか，慢性アルコール中毒にもみられる．なお，嫉妬妄想的な訴えの場合，妄想かどうかは慎重に判断する必要がある．

②つきもの（憑依）妄想（delusion of possession）：狐や犬，神仏，霊などが自分に乗り移ったと確信し，それらに言動が支配される妄想である．統合失調症や心因性精神障害で出現するが，この妄想も近年減少している．

③赦免妄想（delusion of amnesty）：釈放妄想とも呼ばれ，拘禁されている受刑者にみられ，恩赦や仮釈放によってやがて釈放されると確信する妄想である．重刑の者に多い．

④好訴妄想（querulous delusion）：自分の法的権利や金銭的利益が不当に侵害されたと確信し，繰り返し訴訟をおこして不利益を回復しようとする妄想である．この場合も客観的な状況の検討と慎重な判断が必要である．

⑤虚無妄想（nihilistic delusion）：自分自身や外界にあるものすべての存在を否定する妄想であり，「自分には胃や腸もない」，「自分は存在しない」，「地球も存在しない」などの確信を抱く．うつ病の際にみられるが，時に統合失調症や器質性精神障害でも出現する．

e 妄想の経過

妄想が治療によっても消失せず，経過とともに個々の妄想体験が相互に関連づけられ，系統化されて（妄想加工），日常生活がそれに支配されることがあり，患者の言動はすべて妄想に基づくものとなる．これを妄想体系（delusional system）または妄想構築といい，慢性期の統合失調症で性格の変化があまり著しくない場合にみられることがある．

せん妄の際に幻覚や妄想が出現し，回復してもしばらくの間，当時の体験に支配され，病識を欠いた状態を残遺妄想という．

f 診断上の注意

妄想が存在する場合，診断上注意すべきこととして，意識障害および認知症の有無である．意識障害が存在する場合は，症状性精神障害，中毒性精神障害などを念頭におき，意識障害の治療に主力をおく．認知症が認められる場合は，原因疾患の検索と治療を進める．

意識障害も認知症も存在しない場合には，統合失調症や妄想性障害，躁うつ病，心因性精神障害，さらには覚醒剤中毒などを慎重に鑑別して治療することが必要である．

L 病識とその障害

1 病識と病感

なんらかの疾患に罹患した場合，自分が病気であると自覚したり，認識したりすることを「病識」（insight into disease）という．患者が自分の現在の状態を病気のせいであり，かつ病気の種類や性質，その程度などについて，正しく認識している場合を「病識がある」という．しかし，こうした認識は医師から病気や治療法，療養態度などに関してわかりやすく説明され，かつ患者が自身の病状を自覚症状などと照らし合わして生まれるもので，その過程も決して一様ではない．

一方，「病感」（Krankheitsgefühl〈独〉）とは，自分の状態が健康ではなく病気らしい，あるいは不調であるという漠然とした不安感であり，疾病意識ともいう．

2 統合失調症における病識

統合失調症では，病勢が活発な時期には自分の幻聴や妄想など異常体験の非現実性や不合理性が認識できず，病識が欠如している場合が多い．しかし，治療によってこうした症状が軽減・消失すれば，それが異常もしくは病的なものであったと認識することが可能であり，病識が出てきたといえる．症状が完全に消失し，確実な病識が出現した場合は完全寛解の状態，病識がなお不完全もしくは欠如している場合は不完全寛解の状態であることが多い〔第19章「精神障害の治療とリハビリテーション」（➡ 231ページ）参照〕．

したがって，統合失調症では全経過を通じて病識の有無を慎重にとらえることが重要であり，それが本疾患の重症度あるいは回復過程の指標の1つになることが多い．同時に，長期にわたる治療には患者自身の病識に基づく主体的な治療への参

加が不可欠であり，このためには医療者側からの説明を含む精神療法的な働きかけが重要である．一方，患者を精神に障害を有する者としてみた場合，自己の病気や障害，および解決課題に関する理解は"障害受容"とみなすこともできる．

躁うつ病や中毒性あるいは器質性精神障害などで異常体験が生じる場合も本質的には同様である．

3 神経症性障害における洞察

神経症性障害の場合には，患者自らが苦痛の軽減を求めて受診するなど，病感が強いことが診断上の参考になる．しかし，こうした場合でも，自分の性格や環境的要因など，症状出現の背景に関する認識を欠いていることが少なくないため，その意味では確実な病識をもっているとはいいがたい．神経症性障害の治療はこうした認識を深める過程でもあるが，この場合を通常は洞察（insight）といい，前記の病識とは区別している．

4 精神障害と病感

統合失調症や躁うつ病では，自ら受診するかどうかとは別に，初期には自己の精神状態の変調に気づいていることが多く，その意味では病感を有しているといえる．

認知症疾患でも初期には「物忘れがひどい」，「考えがまとまらない」などと訴えることがあり，病感もしくは病識を有しているが，病勢の進行とともに失われることが多い．

M 主な精神状態像

精神障害においては個々の精神症状がいろいろ組み合わさって特有の病像を形成するが，これを精神状態（state），状態像などと呼んでいる．実際の診療では患者の病像をまず状態像としてとらえたうえで，個々の症状を追究し，合わせて背景にある疾患を探るのが普通である．

ここでは基本的な精神状態（像）のいくつかについて解説する．

1 神経衰弱状態

神経衰弱状態（neurasthenic state）とは，疲れやすく，集中して考えることができない，考えがまとまらない，いらいらするなどの精神症状に加え，頭痛やめまい，動悸があり，冷や汗をかくなどの身体症状も伴うような状態である．

神経衰弱状態は，神経症性障害の亜型として（ICD-10では「その他の神経症性障害」に加えられている）のほか，全般性不安障害やうつ病，器質性精神障害，中毒性精神障害などでみられることがある．また，精神的な緊張が持続したり，身体的な疲労が蓄積した場合にも生じる．

2 うつ（抑うつ）状態

うつ状態（depressive state）では，気分も沈んで憂うつとなり，何を見ても楽しくなく，意欲も低下した状態になる．過去のことをあれこれ後悔したり，先々に関してとりこし苦労をして，心配してみたり，悲観的になる．集中力や判断力，記憶力も低下してくる．睡眠障害や食欲の低下，頭痛や頭重感，便秘などの身体症状も出現する．

このような状態は，気分障害のうつ状態，神経症性障害，統合失調症のうつ状態，中毒性精神障害，器質性精神障害，身体疾患など，さまざまな原因によって出現する．

3 躁状態

躁状態（manic state）はうつ状態とは正反対であり，気分は晴れやかで，爽快，何に対しても興味があり，何でも欲しくなる．このため，日ごろは控えていることが，何のためらいもなく実施で

きるようになる．態度も尊大になり，自信にあふれ，声も大きくなる．他人の欠点が目について干渉的になったり，自分の意に反することに対して怒りっぽくなったりする．睡眠時間が少なくても平気になるが，次第に不眠がちになる．食欲は増し，性欲も亢進する．

このような状態は躁うつ病の躁状態のほか，器質性精神障害，中毒性精神障害でもみられる．

4 幻覚妄想状態

幻覚妄想状態(hallucinatory-paranoid state)は幻覚と妄想を示す精神状態である．統合失調症で最もしばしばみられるが，ほかにも器質性精神障害，アルコールや覚醒剤などの中毒性精神障害，せん妄などの意識障害などで出現する．

5 妄想状態

妄想状態(delusional state または paranoid state)とは，妄想を主症状とする状態である．被害的内容が多いが，誇大的内容の場合もある．妄想体系の構築されている慢性期や妄想型の統合失調症のほか，心因性に出現することもある(妄想反応など)．老年期も妄想状態を呈しやすい時期である．嫉妬妄想や恋愛妄想など，日常接することの多い特定個人を対象にした場合にはトラブルの原因になる．

6 緊張病状態(緊張病症候群)

緊張病状態(catatonic state)または緊張病症候群(catatonic syndrome)は統合失調症の緊張型でみられ，緊張病性興奮や緊張病性昏迷が中心をなす状態である．ほかにも，カタレプシーや反響症，拒絶症のほか，廊下を規則正しく往復したりする常同症(stereotypy)，外からの命令のままに動く命令自動症(command automatism)，わざとらしい奇怪な動作をする衒奇症(mannerism)なども

みられる．これらの症状は不自然で，奇妙かつ了解困難な印象を与えるのが特徴である．

7 錯乱状態

錯乱状態(confusional state)とは，せん妄やアメンチア，もうろう状態など，多少とも意識混濁を伴いながら，精神運動興奮を示す場合をいう．注意は固定せず，話も行動もまとまりのない状態である．

器質性精神障害，中毒性精神障害，てんかんなどのほか，心因性精神障害や躁病などでもみられる．

N 神経心理学的症状

大脳の特定領域に限局した病変が生じると，その領域の機能障害に対応する神経学的症候や精神症状が出現する．失語や失行，失認は代表的な症状であるが，ほかにも前頭葉や側頭葉など比較的広い範囲の病変によって生じる性格変化や精神症状群などもあり，これらを含めて神経心理学的症状(neuropsychological symptom)，あるいは高次脳機能障害(higher brain dysfunction)という．ここでは主な症状について解説する(→ NOTE-3)．

1 失語

失語(aphasia)とは，大脳の言語領域の病変による口頭言語と書字言語の表出および理解の障害である．末梢性の感覚受容器や表出器官(聴覚，発声，構音など)の障害，精神障害に基づくものは除外される．

a 言語機能と言語中枢

言語活動は，「聞く」，「話す」，「読む」，「書く」の4要素からなっているが，それぞれが独立したものではなく，聴覚，視覚，発語器官の神経支配

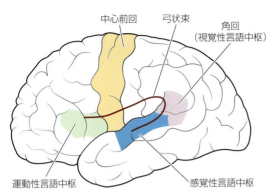

▶図9 優位半球（左半球）にある3つの言語中枢とその連絡路（弓状束）

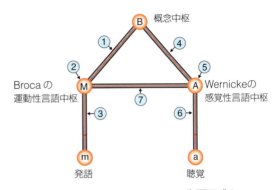

▶図10 Wernicke-Lichtheim の失語図式と失語類型

障害部位別（各数字に対応）にみた失語類型：①超皮質性運動失語，②皮質性運動失語（Broca 失語），③皮質下性運動失語，④超皮質性感覚失語，⑤皮質性感覚失語（Wernicke 失語），⑥皮質下性感覚失語，⑦伝導失語

のほか，記憶，思考，情動などの大脳機能や精神機能とも密接かつ有機的に結びついている．

言語に関する重要な大脳の領域は優位半球の外側溝を挟んだ前後の大脳皮質にあるが，まず P. Broca（ブローカ）が前頭葉に存在する運動性言語中枢を〔1861〕，次いで C. Wernicke（ウェルニッケ）が側頭葉に存在する感覚性言語中枢を明らかにした〔1874〕．その後，20世紀の初頭には J.J. Dejerine（デジェリン）が頭頂葉角回に読み書きに関する視覚性言語中枢の存在を明らかにして，失語の研究の基礎を形成した（▶図9）．

b 失語の分類臨床像

失語の臨床像の分類としてよく知られているのは，Wernicke-Lichtheim（ウェルニッケ・リヒトハイム）の失語図式で，これによって一応理論的に整理することができる．その後も多くの分類が試みられているが，立場により考え方に微妙な相違があり，用語もさまざまである．たとえば，自発言語の流暢さ（fluency）から分類するものもある．しかし，基本的な類型を大別すると，発語の障害を主とする運動失語，言語理解の障害を主とする感覚失語，換語の障害を主とする健忘失語に分けることができる．

ここでは Wernicke-Lichtheim の分類に基づき，臨床像に関して解説する．以下の文中に記されているアルファベットは，図10 に示されている記号を表す．

(1) 運動失語（motor aphasia；Broca 失語）

運動性言語中枢（M）の損傷によるもので〔第4章の図1（➡ 50 ページ）参照〕，失語で最も多いタイプである．言語理解は保たれているが，自発言語が障害されて，話そうとするが，言葉が出てこない状態となる．すなわち内的言語の障害である．

高度の場合にはほとんど発語が認められず（語啞），少数の言葉を無意識に発する程度となる（残

> **NOTE**
>
> ### ❸ 高次脳機能障害の概念
>
> 近年，神経心理学の領域では，高次脳機能障害には注意や遂行，記憶の障害，運動の開始や維持の困難なども含められている．一方，ICD-10 では，前述した認知障害と同じ意味で，記憶，思考，見当識，理解，計算，学習能力，言語，判断など，意志や感情などを除いた精神機能全般の障害を指している〔**Advanced Studies-2**（➡ 29 ページ）参照〕．
>
> 一方，厚生労働省は，外傷性脳損傷などによる障害を高次脳機能障害として障害者総合支援法における都道府県事業の「相談支援」に指定しているが（➡ 263 ページ），その多くは性格や行動の障害を合併し，器質性精神障害に該当する．
>
> このように，この概念もさまざまな意味に用いられている．

語）．言葉の言い誤り（錯語）も多く，回復期には文の接続詞，助詞，助動詞，形容詞，動詞の活用形などが省略されたり，誤用されて，電文体のように話す（失文法）．たとえば，「昨日，仕事，多い，私，疲れた」などである．模倣言語も自発言語と同じように障害される．

音読，書字理解，自発書，書き取りなど，書字言語の障害（読み書きの障害）も認められるが，いずれも漢字よりも仮名のほうが困難なことが特徴である．

失行や失算を伴うことも稀ではなく，しばしば右片麻痺を合併する．

(2) 感覚失語
（sensory aphasia；Wernicke 失語）

感覚性言語中枢（A）の損傷によるもので，言語理解の障害が中心になる．高度の場合は音として感受するが，意味をもつ言葉として受け取ることができない（語聾）．したがって，ごく簡単な口頭指示（「舌を出してください」など）にも応じることができない．また，語音の調整ができないので，自発言語も障害されるが，多弁がちで，錯語と錯文法が多く，著しい場合にはまったく意味が理解できない（ジャーゴン失語）．模倣言語も著しく障害される．

書字言語では，書き取りの障害が高度で，自発書字にも錯書がみられる．音読や書字理解にも誤りが多い．

失行や失認，失算を伴うことが稀でなく，しばしば半盲を合併する．

(3) 全失語(total aphasia)

運動失語と感覚失語とが合併したもので，自発言語も言語理解も同時に障害される．大脳の言語領域が広範囲に損傷された場合に生じる．

(4) 健忘失語(amnestic aphasia)

換語（word finding）の障害〔または語健忘（word amnesia）〕が主症状であり，単語名の想起や物品名の呼称が困難となる．たとえば，鉛筆を見せても，すぐに「鉛筆」という語を想起することができず，「書くもの」というように説明的に答えたり，身振りによって用途を説明しようとする．しかし，「鉛筆ですか」と尋ねると，「はい，鉛筆です」と答えることができる．すなわち，語の再認は保たれているのである．

自発言語は一応保たれているが，単語の想起が貧困なために話が途切れがちであり，よどみなく話すことが困難である．言語理解や模倣言語は障害されない．

書字言語では失読や失書を伴うことがあり（特に，仮名），また，失行や Gerstmann（ゲルストマン）症候群を合併することもある．

頭頂葉や側頭葉の損傷が重視されているが，病変部位は明確でない．運動失語や感覚失語の回復期に認められることが多い．

(5) 伝導失語(conduction aphasia)

中枢性失語とも呼ばれる．失語図式における感覚性言語中枢（A）と運動性言語中枢（M）の伝導が遮断されることによって生じるとされ，中心になるのは模倣言語の障害と自発言語の際の錯語である．書字言語の障害としては錯読と錯書が認められ，仮名の誤りが著しい．

感覚失語の回復期にみられることが多く，純粋なものは稀である．

(6) 超皮質失語(transcortical aphasia)

失語図式では超皮質運動失語と超皮質感覚失語とに分けられる．前者は運動性言語中枢（M）と概念中枢（B）の連絡路の遮断であり，後者は感覚性言語中枢（A）と概念中枢（B）の間の遮断である．しかし，脳病変の部位とこの型の失語との関連性は明らかでない．

- 超皮質運動失語：自発言語が障害されるが，模倣言語は保たれている．
- 超皮質感覚失語：言語理解，特に語義の理解が著しく侵されるが，模倣言語は障害されない．失行，失認，計算障害なども認められる．この型の失語は感覚失語の回復期にみられることがある．

▶表5 主な失行・失認と大脳半球病巣

		優位半球損傷で出現	劣位半球損傷で出現	どちらの半球損傷でも出現
失行		●観念運動失行 ●観念失行	●着衣失行	●(肢節)運動失行 ●構成失行
失認	身体認知	●身体部位失認 　(手指失認, 左右障害) ●Gerstmann症候群	●半側身体失認 ●病態失認	
	視空間認知		●半側空間失認 ●地誌的障害 　(空間知覚障害)	

2 失行

　失行(apraxia)とは, 運動麻痺, 運動失調, 不随意運動などの運動障害がなく, また, 知能障害や意識障害など精神機能に障害がないにもかかわらず, ある行為を遂行できない状態をいう.
　失行の発現機序は, ある中枢の脱落症状であるとする考えと, 連合野どうしを連絡する線維の切断によるとする考えがあるが, 実際には失行のタイプによりこの両者が関与すると考えられる.
　失行は, 以下のように分類される(▶表5).

a 運動失行または肢節運動失行

　運動失行(motor apraxia)または肢節運動失行(limb-kinetic apraxia)は, 失行のなかで最も麻痺に近く, 失行と麻痺の中間に位置するなどの考え方のほか, 存在を認めない考え方もある.
(1) 手指失行(finger of apraxia)
　指先での巧緻運動, たとえばボタンをはめる, 字を書くなどが拙劣となる. 対側半球運動前野(手指領域)の障害で生じる.
(2) 歩行失行(apraxia of gait)
　足が地面に吸い付いたようになり, 持ち上げるのが困難となる特殊な歩行障害で, 前頭葉内側面の障害で生じる.

b 観念運動失行

　観念運動失行(ideomotor apraxia)とは, 命ぜられた動作の内容を理解しているものの, 遂行はできない状態である. しかし, 同じ動作が自動的反射的には可能であるという特徴がある. たとえば, 目を閉じる指示は遂行できないが, 虫が目の付近に飛んでくれば, 自動的に目を閉じることができる. また, 動作の模倣も障害される. 部分型には顔面失行, 眼球運動失行などがある.
　観念運動失行は両側性に, 上肢に出現しやすい. 病巣としては優位半球頭頂葉縁上回などが重視される.
　検査では日常生活での慣習的動作(「おいでおいで」など)をみる.

c 観念失行

　観念失行(ideational apraxia)は, 一連の複合的な動作(目的行為)の障害である. 部分的動作はできても, それらを組み合わせた1つの合目的的行為をとり違えずに正しく行うことができない. たとえば, タバコを喫うときに, 先にマッチをくわえてしまうような順序の誤りや, マッチ軸の反対を擦ってみたりする.
　優位半球頭頂葉の広範な損傷が重視されている.
　検査ではハサミやボールペンなど, 1～2個以上の物品を使用する動作をみる.

d 構成失行

　構成失行(constructional apraxia)では, 三角形など幾何学的模様を描いたり, 積み木を組み立

てるなど，図形の構成が障害され，模写や模造もできない．軽度の場合でも人物，家や箱などの立体構造の描画が困難になる．

病巣は，優位または劣位半球の頭頂葉である．

e 着衣失行

着衣失行(dressing apraxia)は，着衣という行為に限って困難となる失行である．衣服の裏表や左右を間違えたり，シャツの袖に脚を入れたりする．

障害部位は劣位半球頭頂葉後部が重視され，半側身体失認や半側空間失認などを伴うことも少なくない．

3 失認

失認(agnosia)とは，末梢の感覚受容器の障害，認知症，意識障害など精神機能の障害がないにもかかわらず，対象の認知が障害される状態である．通常，以下のように分類されるが，臨床的に重要なのは身体認知や視空間認知の障害である(▶表5)．

a 視覚失認

視覚失認(visual agnosia)は眼に映ったものの認知の障害で，次の種類がある．

(1) 物体失認(object agnosia)

物体を見ただけではそれが何であるか認知できず，手で触れたり，音を聞いて初めてそれが何かを判断できる状態である．病巣としては両側後頭葉底部が重視される．

(2) 相貌失認(prosopagnosia)

顔を見てもその人物を認識できないが，声や服装，眼鏡などで識別できる状態である．劣位半球後頭葉の障害とされる．

(3) 色彩失認(color agnosia)

色の違いは弁別できても，色名の呼称や色の指示障害を示す状態である．優位半球の後頭葉底部の障害が重視される．

(4) 画像失認(picture agnosia)

絵や状況図を見ても何を表しているかの認識が困難となるものである．その一型に，絵の細部はわかるが，全体として何を表しているかの認識が困難となる同時失認もある．優位半球後頭葉の障害とされている．

(5) 視空間失認
　　（visuospatial agnosia；視空間認知障害）

以下の種類がある．

①地誌的障害(disturbance of topography)：空間知覚障害ともいい，両側性に出現する．空間における物体の位置関係の認識の障害で，方向や距離の判断も障害される．このため，道順を間違えたり，家や施設の中でもトイレや自室がわからず，戻れなくなる(地誌的失見当)．また，地図上での町の位置を示せなかったり，自室の間取りを描けない(地誌的記憶障害)(▶図11)．

両側または劣位半球後頭葉の病変が考えられている．

②半側空間失認(unilateral spatial agnosia；半側空間無視)：視空間の半側にある視覚対象が認知されない状態で，図形を模写させても半側しか描くことができない(▶図12)．

病巣としては，劣位半球頭頂・後頭葉が重視され，左半側に出現することが多い．

③Bálint(バリント)症候群：きわめて稀な現象で，注視の精神麻痺(眼筋麻痺はないが，視線を求められた方向に向けることができない)，視覚失調(視覚の調整による目的運動の遂行ができない，つまり見当違いが著しい)，視覚性注意障害(視線の向けられた1つの対象以外にはまったく注意が払われない)の3症状からなる．患者の動作が，あたかも細く長い管を通して物を見ながら動作しているというような印象を受けるのが特徴である(▶図13)．

病巣としては両側の頭頂・後頭葉領域が重視される．

▶図11　地誌的記憶障害の例
地図上に主要な都市の位置を示せない．

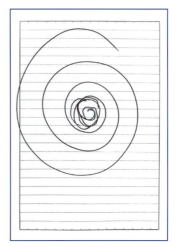

▶図13　Bálint症候群の例
視線が中心点に向けられ，与えられたらせん形に沿って円を描けない．

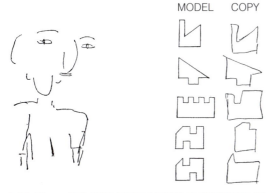

▶図12　一酸化炭素中毒による稀な右半側空間失認
右半分の省略，粗雑化がみられる．
〔大橋博司：臨床脳病理学．p.308, 医学書院, 1969より転載〕

障害がないにもかかわらず，手に触れた物体の認知が障害される状態をいう．しかし，目で見たり聞いたりしてそれが何であるかは認識できる．

病巣としては一側の頭頂葉が重視され，症状は対側にみられるが，半球優位性は明らかでない．

d 身体失認

自分の身体各部位の位置関係，大きさなどの認知〔身体図式（body schema）〕の障害である．原則として，優位（左）半球病巣の場合には両側性の身体失認，劣位（右）半球病巣の場合には反対側（左側）に半側性の身体失認を示す．

(1) 身体部位失認（autotopagnosia）

自分の身体の各部位を認知できないもので，両側に出現する．これは，「左示指を出す」などを口頭の指示で行わせる，検者の母指を示し，「どちらの指か」と尋ねる，「右手の中指で左耳を触れる」などを行わせてみる．

手指失認は手指のみの呼称ができなくなり，左右失認（障害）は右と左の区別ができなくなるもので，この部分型である．

病巣は優位半球頭頂・後頭葉付近である．

b 聴覚失認

聴覚失認（auditory agnosia）では，音楽や音声は聞こえているが，それが何の音であるのかわからない状態で，精神聾（psychic deafness）とも呼ばれる．特に，音楽のメロディやテンポなどが識別できないものを失音楽（sensory amusia）という．

病巣としては両側側頭葉が重視される．

c 触覚失認

触覚失認（tactile agnosia）とは，一次性の触覚

(2) Gerstmann(ゲルストマン)症候群

手指失認(finger agnosia)，左右失認(left-right disorientation；左右障害)のほか，失書(agraphia；書字障害)，失算(acalculia；計算障害)の4症状を特徴とする．

病巣は優位半球頭頂葉の角回付近が重視されている．

(3) 半側身体失認(hemiasomatognosia)

身体の半側(多くは左側)をまったく無視し，あたかもその半分が存在しないかのようにふるまう失認である．たとえば，ひげを右半分だけ剃ってあとは剃り残すなどである．

障害部位は劣位半球頭頂葉で左半身に出現する．

(4) 病態失認(anosognosia)

自分の病態に対する無認知で，通常は片麻痺(多くは左側)の否認である〔Babinski(バビンスキー)型病態失認〕．片麻痺があるにもかかわらず，麻痺を否定し，麻痺の存在を苦痛には感じない．

劣位半球頭頂葉の障害でみられる．

広義に，Anton(アントン)症状〔皮質盲(cortical blindness)または皮質聾(cortical deafness)のときに，自己の盲または聾状態を否認〕も含める．

4 前頭葉症候群

腫瘍や外傷，血管障害，Pick(ピック)病など，前頭葉に広範な損傷がある場合に，意欲，感情，知能の障害など，多彩な精神症状を呈しやすく，それらをまとめて前頭葉症候群(frontal lobe syndrome)と呼ぶ．

意欲の面では，自発性が著しく低下し(発動性の低下)，周囲にも無関心で，終日ぼんやりした状態になる．また，抑制の低下があり，道徳感情が低下して虚言や性的逸脱行為などの反社会的行為を示すことも少なくない．感情は浅薄な上機嫌を呈し，深みのない冗談をとばす(ふざけ症，モリア)状態がみられるが，感情鈍麻を示すこともある．このような性格変化とともに，記銘力，注意力や理解力も低下し，知能の障害も出現する．

神経学的には，把握反射や吸引反射などの原始反射，保続，抵抗症(Gegenhalten〈独〉またはparatonic rigidity)などの前頭葉徴候(frontal signs)が認められる．

5 側頭葉症候群

側頭葉症候群(temporal lobe syndrome)は，腫瘍とそのための切除，外傷，血管障害，Pick病，ヘルペス脳炎などによる側頭葉の広範な損傷がある場合に多彩な精神症状を呈する．

性格変化では，高度の無関心，発動性の低下，または抑制の欠如，ふざけや皮相的な上機嫌，言葉や行動の反復傾向(保続と同質の現象)などが知られている．特に両側性に障害されると，高度の記憶障害や逆向健忘を生じ，健忘症候群がみられる．また，側頭葉てんかんでは，さまざまな幻覚も生じる．

なお，実験的に両側側頭葉を切除したサルに出現した症状群をKlüver-Bucy(クリューバー・ビューシー)症候群と呼んでいる．

6 理学・作業療法との関連事項

精神症状とは精神障害によって生じる機能障害を意味する．それも，直接脳機能にかかわるものから，感情や意志など，さらには幻覚や妄想などの知覚や思考の異常に至るまで，実にさまざまな広がりを有するものである．

理学・作業療法においては，これらの機能障害の呈する諸特徴の理解にとどまらず，こうした障害が個人の生活や活動，社会参加にどのような影響を及ぼすかも合わせて考える態度が求められている．

- 精神症状の把握には，まず意識や知能，性格などを，次いで，記憶，感情，意志・欲動などを検討することが重要である．
- ほかに自我意識，知覚，思考などの障害も精神障害の診断に重要である．
- 精神障害においては精神症状のいくつかが組み合わさって特有の状態像を形成している．
- 脳の局所的障害が示唆される場合には，失語や失行，失認をはじめとする神経心理学的症状の検討が必要である．

第4章 精神障害の診断と評価

学習目標
- 精神障害の診断や評価の基本となる精神医学的診察法について学ぶ．
- 脳CTやMRI，脳波などの身体的検査法，心理検査法などの概要について学ぶ．
- 精神症状や社会生活，主観的QOLの評価法の概略について学ぶ．

A 診断・評価の方法

精神障害の診断や評価にあたっては患者の精神状態を把握することが中心になるが，これは"精神医学的診察法"と呼ばれる．同時に，患者に関する最低限の情報を収集することが必要になる（病歴聴取）．また，必要に応じて神経学的診察を含む種々の身体的検査や心理検査などによる補助診断が並行して行われる．

こうした診断・評価の手順は，身体疾患の場合と基本的に同じであるが，異なるのは精神医学的診察法が心理的手法を用いて行われることである．

B 精神医学的診察法

面接での問診を通じて行われる患者の主観的心理的な症状の把握と，その際の行動観察などの客観的な症状の把握からなる．

1 面接の方法

面接は診断・評価を行うと同時に，治療も並行して行われる最も重要な場面であり，以下の諸点に注意をして行う．

①面接は静かな場所で行い，同伴者がいる場合にはなるべく一緒の面接が望ましい．

②はじめの時期，患者は不安と緊張の状態にあるため，患者が自由に話せる雰囲気をつくり，良好なコミュニケーションが成立するよう心がける．

③本人の訴えや悩みに理解し，共感する態度を示しながら時間をかけ，よく聞く．

④質問は詰問調にならず，また，異常体験や問題行動についていきなりふれるのは避け，ある程度コンタクトがついてから聞くことも重要である．

⑤面接中は，患者の表情や態度，話し方，動作などにも注意を払う．

⑥面接の時間は，30分から1時間程度が適当である．患者の精神状態によっては，より短時間のほうが望ましい場合もある．

2 観察すべき点

表情，態度，着衣や頭髪などの身だしなみ，姿勢，動作，話し方などは，精神状態の外部への表出なため，その特徴をとらえることは診断・評価にとって重要である．以下にその要点をあげる．

a 表情

表情は精神状態を非常によく表す．たとえば，うつ状態では元気なく沈んでおり，あるいは悲しそうであり，躁状態では爽快で自信に満ちた表情を示す．統合失調症では，初期あるいは増悪時に

は硬く緊張しており，不安気な様子がみられることが多い．精神遅滞や認知症など，知能の障害がある場合には，どことなく弛緩し，表面的な笑顔を示すことが少なくない．神経症性障害では，見るからに心配事を抱え，苦しさから逃れたい様子を示す．

b 態度，動作，姿勢，身だしなみ

態度については，診察に協力的か拒否的か，緊張しているか，落ち着かないか，奇をてらう様子か，攻撃的かなどを観察する．

動作については，てきぱきとスムーズであるか，緩徐か，ぎごちないか，軽い麻痺や不随意運動などを伴っているかなどを見る．

姿勢も，自然にふるまっているか，うつむいているか，身だしなみでは服装や頭髪が整っているか，だらしないか，清潔か不潔かなどを見る．

c 話し方

口数が多いか少ないか，声は大きいか小さいか，早口で止めどなく話すか，遅くてぼそぼそした感じかなどをみる．

うつ状態では口数は少なく，声も小さく，会話が続かない様子が，躁状態では早口で，声も大きく，話の内容が次々に変わっていく様子が観察される．統合失調症では急に黙り込んだり，唐突であったり，話し方もまとまりに欠ける状態がみられたりする．てんかんや軽度の知能障害がある場合は，話が長々とまわりくどくなることがある．

3 問診

これは，患者の話す内容を聞きながら，発症要因や以下の精神機能の各要素を検討することであり，精神医学的診察法の中核をなすものである．

(1) 了解(comprehension)

質問の意味や内容を理解する力があるかどうかにより，意識や知能の障害の有無を確認する．

(2) 見当識(orientation)

現在の場所や日付を尋ね，場所的見当識，時間的見当識を確認し，意識や知能の障害の有無を検討する．

(3) 感情(affect)・気分(mood)

うれしい，悲しい，怒りや不安，憂うつ，いらいら感などの感情の動きに関して，一時的か持続的などを確認する．

(4) 意欲(volition)

職場での勤務，通学・通勤などの状況，日常生活における家事や余暇活動などが意欲的に行われているかについて聞く．この際，食欲はもちろん，性欲などに関しても尋ねることがある．

(5) 異常体験(abnormal experience)

幻覚や妄想などの異常体験があるときには，表情や動作などの外観からうかがうことができる場合もあるが，やはり質問して聞くことが必要である．多くの場合，患者は苦しんでいるものの，どのように表現してよいかわからない状態にあるため，具体的に質問することが重要である．

なお，異常体験があっても否定する場合もあるが，このようなときには本人の様子からその存在が疑われることが少なくない．

(6) 記銘(registration)・追想(recall)，
　　計算(calculation)

器質性障害が推定される場合には，以下の確認が必要である．生年月日，住所，電話番号，今朝の食事内容，最近の出来事などを聞くことにより，おおよその記銘や追想の状態を把握することができる．さらに，数字の復唱(順唱，逆唱)，5つの物品を見せて，呼唱させてから隠し，その物品名を想起させる方法もよく用いられる．また，2桁程度の数字の加減算，$100-7$の連続減算などの暗算も計算力の把握のために行われる．

C 病歴の聴取

診断・評価には，本人や家族，友人，職場の関

係者などからさまざまな情報を得ることが重要で，この病歴聴取だけでおおよその診断・評価や治療の方向が明らかになる場合も少なくない．病歴は，本人歴，家族歴，現病歴に分けられる．

1 本人歴

生育歴や学歴，職業歴，生活歴，既往歴などからなり，発症に関する生育上の要因や環境要因などを明らかにする役割をもつ．

(1) 胎生期
母親の出産年齢と妊娠期間中の心身の健康状況，薬物やアルコールなどの摂取，喫煙，風疹やトキソプラズマ症などへの罹患の有無を聞く（精神遅滞の原因となることがある）．

(2) 出産期(周産期)
早産の有無，分娩時の体位，異常分娩の有無(仮死など)，新生児黄疸の軽重，生下時体重などを聞く（てんかんや脳性麻痺の原因と関連する）．

(3) 乳幼児期
哺育の状況，首のすわり，這う，発語，歩行開始の時期を聞く．育児を誰が行ったか，祖父母との同居，同胞の有無，親の養育態度，保育所への委託なども大事である．既往歴としては，頭部外傷や種々の感染症，各種ワクチン接種後の発熱などについて聞く．

さらに，指しゃぶりや夜尿，チックなどの神経症的症状の有無について聞くが，これは母子関係を中心とした環境的要因に基づくことが少なからずあり，その後の性格の形成に重要である．また，他者とのコミュニケーションのあり方，多動や注意転導など行動異常の有無も多動性障害や広汎性発達障害の確認に重要である．

(4) 学童期
親との関係，同胞との関係，教師や学校での友人関係，学習態度と学業成績，遊び，夜尿や遺尿，チックなどの情緒的問題について聞く．

(5) 思春期・青年期
学校の成績，校友や教師との関係，環境，登校状況，休学や退学の有無などを聞く．女性では，初潮年齢とその後の月経の順・不順，随伴症状があればその程度，妊娠や分娩，流産（人工，自然）なども聞く．ほかに，嗜好品（酒，タバコなど），シンナーなど薬物や覚醒剤使用の有無，就職している場合には，勤務状況や上司・同僚との人間関係の良否，その他，趣味，異常体質や既往の身体・精神疾患の有無などを聞く．

(6) 壮年期
職種，職場での地位，勤務状況や対人関係，労働環境，家庭状況（両親や子ども），結婚生活，別居や離婚の有無・理由，飲酒状況，常用薬物の有無，既往疾患や現在治療中の疾患の有無などを聞く．この時期は，職場や家庭などでのストレスから，精神疾患はもとより，生活習慣病や精神保健上の問題が形成されやすい．

(7) 老年期
就労の有無，経済状況，配偶者の有無，ない場合は離別（死・生）かどうか，同居者の有無，治療中の疾患などについて聞く．この時期には，家庭的にも経済的にも，精神・身体的にも，多くの困難な問題が生じやすい．

2 家族歴

家族を含む血縁関係者に，精神疾患や精神遅滞，パーソナリティ障害，てんかん，自殺者の有無などを尋ねる．存在する場合には，性別や発病年齢，病名，症状や経過などを知り，患者の病気との関連を検討する．特に，統合失調症や躁うつ病，てんかん，精神遅滞などに留意する．ほかにも，Huntington（ハンチントン）病など精神症状を呈する神経疾患の有無も重要である．

家族内葛藤の有無も精神的諸問題の理解と治療にとって重要なため，前項の本人歴と関係させて情報を得ることが必要である．具体的には，患者と子ども，配偶者，両親，同胞，祖父母などとの関係，家庭内の人間関係などである．

3 現病歴

病気の経過に関するものであるが，本人が診療に協力的でない場合や発病時に関する自覚がない場合などは聴取は困難であり，家族など第三者からの陳述を参考にする．以下に，その要点を示す．

(1) 主訴
来院の目的，あるいは最もつらい症状，最も治してほしい症状など

(2) 発症の時期
主訴あるいは現在の症状の始まった時期など

(3) 経過
発病が急激か，緩慢か，発作性か，経過は進行性か，持続性か，寛解と再燃があるかなど

(4) 日常生活や社会生活の変化
起床や就寝，食事，身だしなみなどの変化，交友関係の変化，学校や職場での様子の変化など

(5) 発病の誘因やきっかけ
家族との離死別，受験や就職，仕事や事業上の失敗，失恋，人間関係のトラブルなど，家庭・社会生活上で，発症となんらかの関連の想定される出来事の有無

(6) 初発時の様子
症状出現の特徴，妄想気分や幻聴などの異常体験の有無

(7) 薬物依存
覚醒剤や麻薬など違法性の明確なものでは，その使用を隠したり，シンナーやアルコールでも使用頻度や摂取量を少なめに述べる場合が少なくないので，注意が必要である．

D 身体的検査法

大きく身体的検索と神経学的検索とに分けられる．また，機器を用いた臨床検査もある．これは，訴えの基礎に神経系を含む身体の疾患や異常がないかどうか，または精神障害によってもたらされた身体的異常がないかをチェックする最低限の検査である．詳細はそれぞれの専門書を参考にされたい．

1 身体的検索

a 身体的診察

脈拍，呼吸，血圧，体温などの測定や，呼吸音や心音，全身の栄養状態，皮膚や粘膜（口腔，眼球結膜）を検索することにより，脱水状態や黄疸などの代謝性障害，高血圧症や不整脈，心臓・呼吸器系の障害，膠原病などの有無を知ることができる．

b 一般臨床検査

末梢血液や尿，血液生化学，心電図や胸部X線などの検査はごく一般的なものである．必要により，甲状腺など内分泌機能検査や免疫学的検査，肝炎やエイズなどのウイルス学的検査を行う．

2 神経学的検索

a 神経学的診察

神経学的診察（neurological examination）は神経学的異常所見の有無を確認する検査で，異常所見により障害部位を推定することが可能である．

(1) 脳神経系
嗅覚，視覚，味覚，聴覚，平衡覚などの特殊感覚や顔面・口腔内感覚の障害，眼球運動や表情筋，嚥下・構音筋などの障害の有無

(2) 運動系
上下肢，体幹に関して，筋緊張の異常，筋萎縮と脱力，運動麻痺，運動失調，不随意運動，歩行障害などの有無

(3) 感覚系
上下肢・体幹の表在感覚，深部感覚の外，皮質性感覚の障害，中枢性疼痛や神経痛などの異常感覚の有無

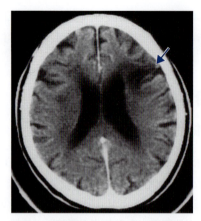

▶図1　脳梗塞のCT像（水平断面）
運動失語例．左前頭葉に低吸収域を認める．

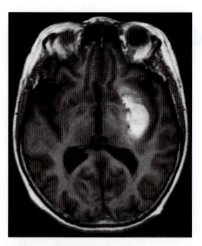

▶図2　脳出血のMRI像
T_1強調画像．左被殻に高信号で描出される．
〔斎藤久壽医師のご厚意による〕

（4）反射系

　腱反射や皮膚反射の異常，原始反射などの有無

（5）神経心理症状

　失語，失行，失認などの有無

b 神経学的補助検査法

　頭部X線検査，脳画像検査，脳波検査，髄液検査などがある．画像検査や脳波検査は，多少とも脳に病変が想定される場合には必須の検査である．それぞれの検査によって明らかにする対象が異なるため，訴えや症状の特徴によって使用を考えることになる．

（1）頭部X線検査

　頭部X線検査（craniogram）は頭蓋骨の変化をみるうえで有用で，正面像・側面像が必要である．頭蓋骨の骨折，骨破壊像，脱灰所見などが重要である．

（2）頭部CT

　頭部CT（computed tomography；コンピュータ断層撮影）の原理は，頭部をいくつかの方向からX線で走査し，X線写真によって各X線ビームのX線量を測定し，これをコンピュータ処理し，脳の水平断面の画像を構築するものである．

　脳の形態学的異常を見いだすことが可能なため，脳血管障害，脳腫瘍，頭部外傷，先天奇形，水頭症，てんかんなどにおける粗大な脳実質の変化，変性疾患における脳萎縮の診断に重要である（▶図1）．

（3）頭部MRI

　頭部MRI（magnetic resonance imaging；磁気共鳴画像法）の原理は，大きな筒の中に強い磁場をつくり，その磁場の中に検査する生体を置き，体内の水素原子核〔陽子（proton）〕が特定の周波数の電磁波に強く共鳴する現象を利用し，生体の特定の部位の水素原子密度（陽子密度）と，水素原子の磁気の2種類の動きやすさ（縦緩和時間 T_1，横緩和時間 T_2）を測定して，それらの数値の分布を断層像として表示するものである．

　MRIは，脳や脊髄の前額断面や矢状面断面なども描出でき，画像もCTより鮮明で，実質内の細部にわたる検索が可能である．特に，小梗塞巣の描出には威力を発揮する．多くの場合，MRIを撮ることができればCTは不要である（▶図2～4）．

　MRI関連の撮影技法にはMRA（MR angiography）とfMRI（機能的MRI）がある．前者は非侵襲的で造影剤が不要という利点があり，血管病変の診断に用いられている．後者では脳血流の画像化が可能なため，脳の機能や病態に関する研究で用いられる．

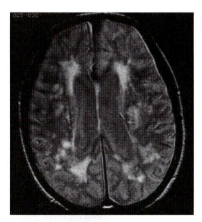

▶図3　多発性脳梗塞のMRI像
血管性認知症例．プロトン密度強調画像で側脳室周囲および大脳白質に高信号域が散在している．

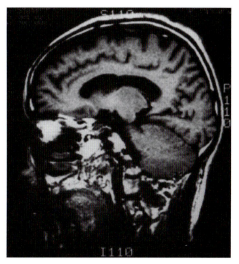

▶図4　Alzheimer病のMRI像
矢状面断面．高度な脳萎縮がみられる．

(4) SPECT

SPECT(single photon emission tomography)とは，^{123}I標識物質(IMP)を静注し，その脳集積を回転型ガンマカメラで検出して画像化し，脳の局所血流量を測定する方法である．脳血流量の低下している部位は活性が低下しているなど，脳機能の状態を推測することができる．特にAlzheimer(アルツハイマー)病では頭頂葉の血流低下は診断に重要である(▶図5)．

(5) 脳波検査

脳波は，大脳(特に皮質)のニューロンの電気的変動を波形として描出した記録であるが，臨床では頭皮上に電極を装着して得られる記録が用いられている．脳波検査(electroencephalogram; EEG)は，患者にほとんど苦痛を与えない最も安全な検査法の1つであり，てんかんはもとより，意識障害，脳腫瘍，頭部外傷など器質性精神障害の診断および予後の判定に欠かせない検査である．

【脳波の判読】　周波数(Hz)，振幅(μV)，波形，出現様式などが考慮される．

周波数(1秒間におこる波の回数)によって，δ波(4Hz未満)，θ波(4〜8Hz未満)，α波(8〜13Hz)，β波(14Hz以上)と呼ばれる．また，α波より遅い波は徐波(slow wave)，速い波は速波(fast wave)ともいう(▶図6，表1)．

振幅(波の高さ)では，高い波〔高振幅(high voltage)〕と低い波〔低振幅(low voltage)〕が注目

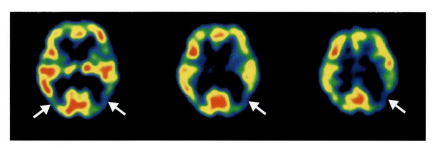

▶図5　Alzheimer病のSPECT所見
頭頂葉から後頭葉にかけて軽度の血流低下を示す(矢印)．

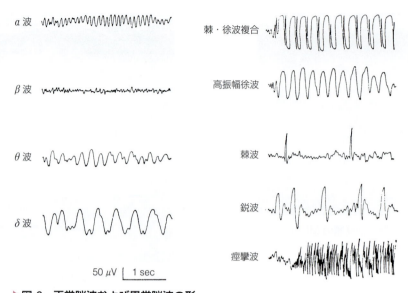

▶図6　正常脳波および異常脳波の形
〔諏訪 望：最新精神医学. p.31, 南江堂, 1984 より許諾を得て転載〕

▶表1　脳波の名称と周波数

徐波	δ波	〜3 Hz
	θ波	4〜7 Hz
α波		8〜13 Hz
速波	β波	14 Hz〜

される．
　突発波は背景活動から明らかに区別される突然に出現する波で，波形により棘波(spike wave)，鋭波(sharp wave)，徐波群発(slow wave burst)，棘・徐波複合(spike and wave complex)，鋭・徐波複合(sharp and wave complex)などがある(▶図6)．

【正常脳波】　脳波は年齢により個人差が大きく，特に幼小児期にはその傾向が目立つ．新生児では脳が未熟なため，律動性の乏しい不規則な脳波であるが，成長につれてまず徐波が出現し，振幅が大きくなり，律動性を加えていく．律動的なα波は4歳ころに出現し，14歳ではほぼ成人に似たものになる．一般に14歳以上の脳波が成人の脳波とみなされる．

　成人では，安静閉眼時の脳波は基礎律動がα波(10 Hz 内外)であり，それにβ波を混じている．α波の出現と振幅は後頭葉優位に，左右対称的に出現するが，感覚刺激（開眼，閃光刺激など），精神作業（暗算など），睡眠などで減少する(▶図7)．
　睡眠時には，その深度に応じた睡眠脳波を呈する．まずα波が消失し，睡眠が深くなるにつれて徐波が多くなり，その周波数も遅く振幅も大きくなってくる．

【異常脳波】　出現の仕方から背景活動の異常と突発性異常とに分けられる．
① 背景活動の異常
　脳波のほぼ全般にわたる連続した活動の異常であり，非突発性異常ともいわれる．
- 徐波：徐波にはδ波とθ波とがあり，背景活動のなかで最も重要である．成人で安静時にδ波が出現すれば明らかに異常である．
- α波の徐波化：α波の範囲内でも遅い8〜9 Hz を呈する場合で，全般性の脳機能の低下状態を示すことが多い．
- 異常速波：高振幅の速波は抗不安薬，抗てんかん薬，睡眠薬などの服用により出現するこ

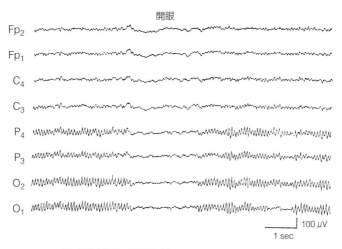

▶図7　正常脳波（安静開閉眼時）
28歳男性．11c/sec，後頭部（O_2，O_1），頭頂部（P_4，P_3）優位のα波が，ほぼ全領域に出現し，開眼によりα波は減衰する．〔大熊輝雄：臨床脳波学．3版，p.82，医学書院，1983より転載〕

とが多い．

- 振幅の異常：全般にわたって，自発的な活動電位がまったく認められないものを平坦脳波といい，高度な脳機能障害や死の直前などでみられる．限局性の低電位や平坦化がみられ，さらに徐波化を伴っている場合には，その部位の病変を考えなければならない．

②突発性異常

棘波群と高振幅徐波群に大別される．

- 棘波群：棘波や鋭波が単独で出現する場合と，徐波との複合の場合とがある．棘波の単独出現は皮質起源によるものと考えられており，いずれもてんかんと密接な関係がある．
- 高振幅徐波群：いろいろな病的状態において，全誘導または部分的に出現（群発）し，発作性の傾向が強いが，大脳半球の深部に腫瘍や循環障害などがある場合にも出現する．

(6) 髄液検査

脳脊髄液（cerebrospinal fluid）は，側脳室内の脈絡叢で産生され，脳や脊髄の周囲（くも膜下腔）を流れ，脳や脊髄を保護しており，大脳上面のくも膜にあるくも膜顆粒で吸収されている．

この髄液の検査は，腰椎穿刺によって液圧を測定したのち，液を採取し，細胞数とその種類，蛋白質や糖の量，細菌やウイルスなどの病原体を検索する．脳・脊髄や髄膜の炎症，外傷，血管障害，腫瘍などの存在と性状を推測するが，特に炎症性疾患の診断に欠くことはできない．

E 心理検査法

知能検査，パーソナリティ（性格）検査，その他の検査（精神作業能力検査，発達検査など）に分けられる．これらの検査によって，心理面を数量で客観的に評価したり，言語的には表出してこないような深層心理的側面を知ることができ，鑑別診断や治療の選択に重要な補助的役割を果たす．

1 知能検査

知能の程度は，次の公式により算出される知能指数（intelligence quotient; IQ）として表される．

$$IQ = \frac{精神年齢}{生活年齢} \times 100$$

IQとは実際の生活年齢（chronological age）に

対して，精神年齢(mental age)が高いか，低いか，普通であるかを示す指数である．生活年齢と精神年齢が同じであればIQは100となり，標準の知能を意味する．知能指数だけで知能を判断することはできないが，臨床上，知能障害の有無や程度は知能指数の基準に従っている．

知能指数は発達期の子どもには適しているが，成人には知能偏差値(intelligence deviation)のほうが適しており，次の式により算出される．

知能偏差値
$$= \frac{(個人の得点) - (その年齢集団の平均得点)}{(その年齢集団の得点の標準偏差)} \times 10 + 50$$

偏差値は50が平均値で，IQの100に相当する．つまり50より上下に偏る度合で知能が評価されることになり，これにより一定の年齢集団内における個人の相対的位置，平均からのずれを知ることができる．

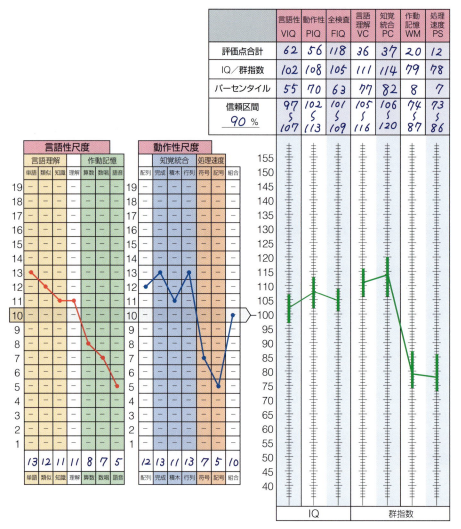

▶図8　WAIS-Ⅲの記録用紙の記入例

〔日本版WAIS-Ⅲ刊行委員会：日本版WAIS-Ⅲ成人知能検査実施・採点マニュアル. p.51, 日本文化科学社, 2006より〕

主な知能検査法には以下のものがある.

a Binet式知能検査

Binet-Simon（ビネー・シモン）法を日本人用にしたものに鈴木・Binet（ビネー）式と田中・Binet式知能検査があり，主として小児用である．臨床的には精神遅滞の判別・診断に用いられる．

集団検査用のものとして，田中A式知能検査，田中B式知能検査がある．

b WAIS

WAIS（Wechsler adult intelligence scale）はD. Wechsler（ウェクスラー）によって考案された検査法で，16歳以上が対象とされる．現在は第3版（WAIS-Ⅲ）が用いられている．

言語性（verbal）検査と動作性（performance）検査からなり，それぞれ言語性IQと動作性IQが算出され，合わせて全体IQが算出される．

言語性尺度は，単語，類似，算数，数唱，知識，理解，語音整列，動作性尺度は絵画完成，符号，積木模様，行列推理，絵画配列，記号探し，組み合わせの計14の下位検査からなる．これらは，言語理解，作動記憶，知覚統合，処理速度の4つの群指数（認知能力）に区分して算出され，下位項目と合わせてプロフィールで図示される（▶図8）．

なお，Wechslerによる知能の分類を表2に示す．

c WISC

WISC（Wechsler intelligence scale for children）はWAISの小児版で，現在はWISC-Ⅲが用いられている．

d Benderゲシュタルトテスト（BGT）

Bender（ベンダー）ゲシュタルトテスト（Bender gestalt test; BGT）では，9種類の図形をそれぞれ印刷した図版を用意し，これを規定の1枚の白紙に，定規，コンパスなどの補助用具を用いずに，できるだけ正確に模写させる．結果は，各図形ごとに定められた検討項目と規定の用紙に描かれた図形全体の配置について，一定の評価法に基づいて数量的に評価し，失点が多いほど評点が高く，異常度が高いとする．この検査の評価は，器質性精神障害の鑑別診断，精神遅滞，大脳皮質機能の発達障害，統合失調症による統合の解体状態などの診断に用いられる（▶図9）．

e 記銘力検査

知的能力のなかの記銘力を，数字・文字や言葉・図形などを用いて調べるもので，言語性の記憶では三宅式対語記銘力検査（有関係対語と無関係対語の記銘）が，非言語性の記憶ではBenton（ベントン）視覚記銘検査（線図形の記銘）などがある．ほかにも手続き記憶の検査法を含め，さまざまなものがある．

f Kohs立方体テスト

Kohs（コース）立方体テストは非言語式の動作テストである．言語を必要としないため，満6歳以上からの，難聴，聾，言語障害を有する者に行う．16個のブロック（立方体）とNo.1～17までの模様図を用いる．大脇式テストは，適用年齢を広げ，精神遅滞についても測定可能である．

▶表2　知能指数による知能の分類（Wechslerによる）

IQ	分類	その分類に属する%
130以上	最優秀（very superior）	2.2
120～129	優秀（superior）	6.7
110～119	普通の上（bright normal）	16.1
90～109	普通（average）	50.1
80～89	普通の下（dull normal）	16.1
70～79	境界線（borderline）	6.7
69以下	知能障害（mental defective）	2.2

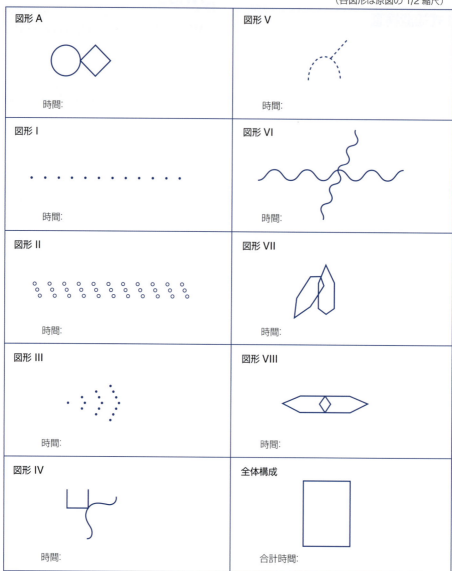

▶図9　BGT（成人用 Bender ゲシュタルトテスト）
〔三京房承認済・本検査の著作権は同社に帰属します〕

g 改訂長谷川式簡易知能評価スケール（HDS-R）

改訂長谷川式簡易知能評価スケール（revised version of Hasegawa's Dementia Scale; HDS-R）は，1974年に長谷川和夫らによって考案された認知症の程度を簡便に評価するテストで，1991年に改訂された（▶図10）．見当識，記銘力，計算，数唱・逆唱，知識が系統的に検査でき，30点満点で，20点以下では認知症が疑われる．

h ミニメンタルステート検査（MMSE）

ミニメンタルステート検査（mini-mental state examination; MMSE）は，認知症のスクリーニン

	質問内容		配点
1	お歳はいくつですか？ （2年までの誤差は正解）		0　1
2	今日は何年の何月何日ですか？ （年月日，曜日が正解でそれぞれ 1点ずつ）	年 月 日 曜日	0　1 0　1 0　1 0　1
3	私たちが今いるところはどこですか？ （自発的に出れば2点，5秒おいて「家です か？」「病院ですか？」「施設ですか？」のなか から正しい選択をすれば1点）		0　1　2
4	これから言う3つの言葉を言ってみてくださ い．あとでまた聞きますのでよく覚えておい てください．（以下の系列のいずれか1つで， 採用した系列に○印を付けておく） 1：a) 桜，b) 猫，c) 電車 2：a) 梅，b) 犬，c) 自動車		0　1 0　1 0　1
5	100から7を順番に引いてくださ い． （「100－7は？」「それからまた7 引くと？」と質問する．最初の答え が不正解の場合，打ち切る）	(93) (86)	0　1 0　1
6	私がこれから言う数字を逆から言 ってください． (6-8-2, 3-5-2-9を逆に言って もらう．3桁逆唱に失敗したら打 ち切る)	2-8-6 9-2-5-3	0　1 0　1
7	先ほど覚えてもらった言葉をもう一度言って みてください． （自発的に回答があれば各2点，回答がない場 合，以下のヒントを与え，正解であれば1点） a) 植物 b) 動物 c) 乗り物	a: 0　1　2 b: 0　1　2 c: 0　1　2	
8	これから5つの品物を見せます．それを隠し ますので何があったか言ってください． （時計，鍵，タバコ，ペン，硬貨など必ず相互 に無関係なもの）		0　1　2 3　4　5
9	知っている野菜の名前をできるだ け多く言ってください． （答えた野菜の名前を右欄に記入す る．途中で，つまり約10秒間待っ ても出ない場合にはそこで打ち切 る） 0～5＝0点，6＝1点，7＝2点， 8＝3点，9＝4点，10＝5点	…… …… …… …… …… …… …… ……	0　1　2 3　4　5
		合計得点	

満点：30，20以下：認知症，21以上：非認知症

▶図10　HDS-R
　　　　（改訂長谷川式簡易知能評価スケール）

グに国際的に広く用いられているもので，見当識，記銘力，計算，逆唱などに加えて，動作の指示，読み書き，図形模写など動作性，視覚性の要素も加わっている．30点満点で，23点以下では認知症が疑われる（▶図11）．

i 発達検査

小児の精神発達をみるための検査で，遠城寺式乳幼児分析的発達検査，日本版デンバー式発達スクリーニング検査，乳幼児精神発達診断法（津守・稲毛式）などが多数考案され，用いられている．

2 パーソナリティ(性格)検査

主として情意面の特性をとらえるもので，質問紙法と投影法とがある．前者は意識的な表面的な性格特性を，後者は無意識的な深層の性格を引き出すものである．

a 質問紙法

性格の特性や傾向，精神障害の傾向が現れるように設定した質問項目に，被検者自身が内省的に自己を評価して，「はい」，「いいえ」，「どちらでもない」の答えを選択させる．その結果の妥当性（ある性格傾向を表すのにふさわしいかどうか）と信頼性（同じ人に2回以上繰り返しても性格の変化がないかぎり再現性があるかどうか）について，統計的に処理される．

(1) ミネソタ多面人格目録(Minnesota multiphasic personality inventory; MMPI)

アメリカのミネソタ大学で作成されたテストで，性格の諸特性を多面的にとらえようとするものである．質問項目は550で，4つの妥当性尺度と10の臨床尺度からなる．妥当性尺度から虚偽やあいまいな答えをする傾向を検討し，臨床尺度のプロフィールから性格の特徴を判定する．

(2) 矢田部・Guilford(ギルフォード)性格検査
(Y-G検査)

因子分析法により多次元的性格を測定しようと

	質問内容	回答	得点
1	今年は何年ですか． いまの季節は何ですか． 今日は何曜日ですか． 今日は何月何日ですか．　　　（5点）	年 曜日 月 日	
2	ここはなに県ですか． ここはなに市ですか． ここはなに病院ですか． ここは何階ですか． ここはなに地方ですか．（例：関東地方）（2点）	県 市 階 	
3	物品名3個（相互に無関係） 検者は物の名前を1秒間に1個ずつ言う，その後，被検者に繰り返させる． 正答1個につき1点を与える．3個すべて言うまで繰り返す（6回まで）． 何回繰り返したかを記せ ＿＿＿ 回　　（3点）		
4	100から順に7を引く（5回まで），あるいは 「フジノヤマ」を逆唱させる．　　（5点）		
5	3で提示した物品名を再度復唱させる．（3点）		
6	（時計を見せながら）これは何ですか． （鉛筆を見せながら）これは何ですか．（2点）		
7	次の文章を繰り返す． 「みんなで，力を合わせて綱を引きます」（1点）		
8	（3段階の命令） 「右手にこの紙を持ってください」 「それを半分に折りたたんでください」 「机の上に置いてください」　　　（3点）		
9	（次の文章を読んで，その指示に従ってください） 「眼を閉じなさい」　　　　　　（1点）		
10	（何か文章を書いてください）　（裏面）（1点）		
11	（次の図形を書いてください）　（裏面）（1点）		
		合計	

検査日：　　　年　　月　　日　曜日
検査者：
氏名　　　　　男・女　生年月日：明・大・昭・平　年　月　日生　歳

裏面

10. 何か文章を書いてください．

_____

11. 次の図形を書いてください．

▶図11　MMSE（mini-mental state examination）

▶図12　P-Fスタディ(成人用)の例〔三京房承認済・本検査の著作権は同社に帰属します〕

するテストで，性格特性として12の尺度からなり，各尺度について10問，計120問の質問項目からなる．13の因子別に得点化され，5のプロフィールの性格特性に類型化されて評価する．

(3) CMI健康調査表(Cornell medical index)

患者の心身両面にわたる自覚症状を短時間で調査する目的の検査法で，質問項目は身体面(A～L区分)と精神面(M～R区分)の計195項目からなる．健常者群と神経症者群との間に有意差のみられた項目からなる測定表により，正常領域，準正常領域，準神経症領域，神経症領域の4段階を判定する．

(4) 顕在性不安尺度(manifest anxiety scale; MAS)，Taylor(テイラー)テスト

MMPIの550項目から不安に関する50項目を選んでつくられたものである．

(5) その他

Maudsley(モーズレイ)性格検査(Maudsley personality inventory; MPI)もある．

b 投影法

目的のはっきりしない刺激，たとえば，漠然とした模様，絵，文章などを刺激材料として被検者に示し，それに対する反応を自由に話させるか，記述させ，パーソナリティの深層にある特性をとらえる．被検者自身の内省的判断は必要がなく，自己防衛的な構えもそれほど問題にならない．質問紙法に比べて数量化した判定結果が出されず，解釈に主観が入ることと，熟練を要するという問題点もある．

(1) Rorschach(ロールシャッハ)テスト

H. Rorschachによって考案された，現在最も広く行われている投影法性格検査である．テストは紙の上に落としたインクのしみ(黒・赤)を刺激図形とした10枚の図版(カード)を順次被検者に見せて，それが何に見えるかを述べてもらう．その反応を分析して被検者の無意識な層の性格構造を推測することによって，性格特性を力動的に把握し，精神状態や診断について検討しようとする方法である．

(2) P-Fスタディ(絵画・欲求不満テスト)

日常よく遭遇するような欲求不満の場面の絵画を見せて，被検者の攻撃の方向や型を9分類して，その個人の性格特徴を推測する(▶図12)．集団的にも施行できる．

```
┌─────────────────────────────────────┐
│         記入のしかた                │
│ この表紙をめくると，いろいろ書きかけの文章が並んでいます．│
│ それを見て，あなたの頭に浮かんできたことを，それにつづけて│
│ 書き，その文章を完成してください．    │
│ 【例】                              │
│ 外国 へ行って，いろいろ変わった風景を見たい．│
│      買い物も楽しいと思う．          │
│                                     │
│ 本を読むと 人生について考えさせられることが多い│
│         です．一生のあいだにどれぐらい読めるだろう？│
└─────────────────────────────────────┘

▶ 図13　SCT の例〔金子書房発行の用紙から一部引用〕

(3) 文章完成テスト
　　（sentence completion test; SCT）
　文章の出だしだけが記されていて，後の文章を完成してもらうテストである．たとえば，「外国…」，「本を読むと…」などからなるため，被検者の今までの思いや願望，両親への思いなどが記入される（▶図13）．それによって，被検者のもっている問題点や具体的傾向を知ることができる．

(4) その他
　ほかによく用いられるものに，絵画統覚テスト（thematic apperception test; TAT），バウムテスト（1本の木を描いてもらうテスト），HTPテスト（house tree person test）などがある．

## 3　精神作業能力検査

　ある一定の作業を課して，それを遂行する行動と経過を観察し，結果の量と質について分析・解釈して，作業能力と併せて性格特性を診断しようとするものである．

(1) 内田・Kraepelin（クレペリン）連続加算法
　E. Kraepelin によって始められた作業テストを内田勇三郎が発展させたものである．並べられた数字を連続加算し，1分ごとに作業量を測定する．15分作業，5分休憩，10分作業が行われる（その変法もあり）．この作業量，誤答率，初頭努力，休憩効果，作業曲線の型などから作業能力を

中心とした性格を測定する．

(2) Bourdon（ブルドン）抹消試験
　図形を抹消する作業時間を測定し，注意力と持続性，意志などの能力を検査する．

## 4　神経心理学的検査法

　失語検査には，標準失語症検査（Standard Language Test of Aphasia）〔日本高次脳機能障害学会編〕，WAB（western aphasia battery）失語症検査など，失行検査には，改訂標準高次動作性検査〔日本高次脳機能障害学会編〕，WAB失語症検査の行為の下位検査など，失認検査には，標準高次視知覚検査（Visual Perception Test for Agnosia）〔日本高次脳機能障害学会編〕などが用いられる．ほかに，ウイスコンシンカード分類テスト（Wisconsin Card Sorting Test; WCST）などの前頭葉機能検査もあるが，これらの詳細については検査の手引きや専門書を参考にされたい．

## F　精神症状の評価

　精神症状に関する評価尺度は，臨床診断をつけたり，症状をもれなく一通りチェックしたり，重症度や薬物療法による治療効果の判定などのために開発された．大きく分けて，患者が自分でチェックするアンケート形式の自記式と，医療者が客観的に判定する方式のものとがある．前項の質問紙法も自記式に該当する．医療者側がチェックする形式のものは，信頼性と安全性を高めるため，ある決まった系統的な面接（構造化面接）を用いる場合もある．

## 1　自記式評価尺度

　A.T. Beck（ベック）のうつ病自己評価，W.W. W. Zung（ツング）の自己評価うつ病スケール（self-rating depression scale; SDS）〔第10章の図2
```

(→153ページ)参照〕がよく用いられる.

2 面接と観察による評価尺度

a 簡易精神医学的評価尺度(BPRS)

簡易精神医学的評価尺度(brief psychiatric rating scale; BPRS)は,J.E. Overall(オーバーオール)らによって作成され,統合失調症や気分障害が対象となる評価尺度で,不安,心気的訴えなど18項目について7段階で評点される(▶図14).

b 機能の全体的評定(GAF)尺度

機能の全体的評定(global assessment of functioning; GAF)尺度は,精神症状と社会的職業的機能の両面を総合的に評価し,100点から1点までの得点で示すもので(▶図15),DSM-IV-TRの多軸診断方式の第V軸でもある〔第2章 B.3項「米国精神医学会の分類」(→14ページ)参照〕.

点数のあとの( )内に,"現在","退院時","過去1年の最高レベル"などと記し,治療の転帰や予測にも用いられる〔例:50(現在)〕.

c Hamiltonうつ病評価尺度

Hamilton(ハミルトン)うつ病評価尺度は,M. Hamiltonにより作成され,うつ病の症状である抑うつ気分,罪業感,自殺,入眠障害,熟眠障害,日内変動などの21項目について,5段階あるいは3段階で評点される〔詳細は,第10章 B.4項「うつ病の評価尺度」(→152ページ),図3(→154ページ)参照〕.

d Hamilton不安症状評価尺度

上記c項と同じHamiltonによる不安症状のための評価尺度である.13項目の不安に関する症状を5段階で評価するものである.

e 統合失調症の症状評価尺度

多数の評価尺度が開発されているが,比較的よく用いられているものとして,陰性症状評価尺度(scale for the assessment of negative symptoms; SANS),陽性症状評価尺度(scale for the assessment of positive symptoms; SAPS),陽性・陰性症候群評価尺度(positive and negative syndrome scale; PANSS)などがある.

(1) SANS

陰性症状の評価のため,N.C. Andreasen(アンドリアセン)らによって作成された.情動の平板化・情動鈍麻,思考の貧困,意欲・発動性欠如,快感消失・非社交性,注意の障害の5つの大項目からなり,それらはそれぞれ4~9個の小項目で構成されて,合計30個の小項目からなっている.それを6段階に評価するものである.

(2) SAPS

陽性症状評価のためにAndreasenらによって作成され,SANSと合わせて使用することが想定されている.幻覚,妄想,奇異な行動,陽性の思考形式障害などの項目が取り上げられ,各項目はさらに全34~35の小項目で構成され,それぞれ6段階に評価するものとなっている.

(3) PANSS

陽性症状,陰性症状,その他の一般的精神症状を評価するために,1987年,S.R.K. Kay(ケイ)らによって発表された.陽性症状尺度,陰性症状尺度,一般的精神病理尺度に関して,それぞれ7,7,16の計30個の項目が7段階で評価されている.この評価尺度は信頼性・妥当性も高いとして,さまざまな治療効果の判定に用いられている.

G 社会生活の評価尺度

リハビリテーションの諸活動においては,社会生活場面に関する評価尺度が用いられることが多い.これは,精神障害者の抱えている社会生活上の課題を発見し,達成可能な短期および長期の目標を定めたり,目標達成に至る計画や期間などを決めるためにも,さらに一定期間後に再評価し,目標や計画を修正するために必要とされるからである.これまで多数の評価尺度が開発されている

		重症度を表す数字のなかで患者の現在の状況を最もよく示す番号に○をつけてください	なし	ごく軽度	軽度	中等度	やや重度	重度	最重度
1	心気症	現在の身体の健康状態についての関心の程度．患者が自分の健康についてどのくらい問題と受けとめているかの程度を患者の訴えに相当する所見の有無にかかわらず評価せよ	1	2	3	4	5	6	7
2	不安	現在または未来に対する心配．恐れあるいは過剰なこだわり．患者自身の主観的体験についての言語的訴えのみに基づいて評価せよ．身体徴候や神経症的防衛機制から不安を推測してはならない	1	2	3	4	5	6	7
3	情動的引きこもり	面接者や面接状況に対する交流の減少．面接状況において患者が他者との感情的接触に障害があるという印象を与える程度のみを評価せよ	1	2	3	4	5	6	7
4	概念の統合障害	思考過程の混乱，弛緩あるいは解体の程度．患者の言語表出の統合の程度に基づいて評価せよ．思考機能レベルに対する患者の自覚的印象に基づいて評価してはならない	1	2	3	4	5	6	7
5	罪責感	過去の言動についての過剰なこだわりまたは自責感．相応する感情を伴って語られる患者の主観的体験に基づいて評価せよ．抑うつ，不安あるいは神経症的防衛機制から罪責感を推測してはならない	1	2	3	4	5	6	7
6	緊張	緊張，神経過敏あるいは活動レベルの高まりによる身体と運動機能における徴候．身体徴候や行動，態度のみに基づいて評価すべきであり，患者の訴える緊張についての主観的体験に基づいて評価してはならない	1	2	3	4	5	6	7
7	衒奇症と不自然な姿勢	奇妙で不自然な行動と態度．健常人のなかでは目立つようなある主の精神病者の行動と態度の類型．動作の異常のみを評価せよ．単なる運動性亢進はこの項目では評価しない	1	2	3	4	5	6	7
8	誇大性	過大な自己評価と並はずれた才能や力をもっているとの確信．自分自身についての，または他者との関係における自己の立場についての患者の陳述のみに基づいて評価せよ．面接状況における患者の態度に基づいて評価してはならない	1	2	3	4	5	6	7
9	抑うつ気分	意気消沈と哀愁．落胆の程度のみを評価せよ．いわゆる制止や身体的愁訴に基づいて抑うつの存在を推測して評価してはならない	1	2	3	4	5	6	7
10	敵意	面接状況ではないところでの，他者に対する憎悪，侮辱軽蔑，好戦性あるいは尊大．他者に対する患者の感情や行動の言語的訴えのみに基づいて評価せよ．神経症的防衛機制，不安あるいは身体的愁訴から敵意を推測してはならない（面接者に対する態度は「非協調性」の項目で評価せよ）	1	2	3	4	5	6	7
11	猜疑心	現在または以前に患者に対して他者からの悪意や差別があったという（妄想的あるいは非妄想的）確信．言語的訴えに基づいて，それが存在した時期にかかわらず，現在認められる猜疑心のみを評価せよ	1	2	3	4	5	6	7
12	幻覚による行動	通常の外界の刺激に対応のない知覚．過去1週間以内に起こったと患者が訴える体験のみを評価せよ．それらの体験は健常人の思考や表象過程と明らかに区別できるものである	1	2	3	4	5	6	7
13	運動減退	緩徐な動きによって示されるエネルギー水準の低下．患者の行動観察のみに基づいて評価せよ．自己のエネルギー水準についての患者自身の自覚的印象に基づいて評価してはならない	1	2	3	4	5	6	7
14	非協調性	面接者に対する抵抗，非友好性，易怒性の徴候あるいは協調的態度の欠如．面接者と面接状況に対する患者の態度と反応のみに基づいて評価せよ．面接状況ではないところでの易怒性や非協調性の情報に基づいて評価してはならない	1	2	3	4	5	6	7
15	不自然な思考内容	普通ではない，風変わりな，異様なあるいは奇怪な思考内容．ここでは不自然さの程度を評価し，思考過程の解体の程度を評価してはならない	1	2	3	4	5	6	7
16	情動の平板化	感情的緊張度の低下．正常の感受性や興味・関心の明らかな欠如	1	2	3	4	5	6	7
17	興奮	感情的緊張度の高揚．焦燥感あるいは反応性亢進	1	2	3	4	5	6	7
18	見当識障害	人，場所あるいは時についての適切な関連性の混乱または欠如	1	2	3	4	5	6	7

▶図14 BPRS（簡易精神医学的評価尺度）〔慶應義塾大学版〕

精神的健康と病気という1つの仮想的な連続体に沿って，心理的，社会的，職業的機能を考慮せよ．身体的（または環境的）制約による機能の障害を含めないこと．	
コード	（注：たとえば，45，68，72のように，それが適切ならば，中間の値のコードを用いること）
100 | 91	広範囲の行動にわたって最高に機能しており，生活上の問題で手に負えないものは何もなく，その人に多数の長所があるために他の人々から求められている．症状は何もない．
90 | 81	症状がまったくないか，ほんの少しだけ（例：試験前の軽い不安）．すべての面でよい機能で，広範囲の活動に興味をもち参加し，社交的にはそつがなく，生活に大体満足し，日々のありふれた問題や心配以上のものはない（例：たまに家族と口論する）．
80 | 71	症状があったとしても，心理的社会的ストレスに対する一過性で予期される反応である（例：家族と口論したあとの集中困難）．社会的，職業的，または学校の機能にごくわずかな障害以上のものはない（例：一時的に学業で後れをとる）．
70 | 61	いくつかの軽い症状がある（例：抑うつ気分と軽い不眠），**または**，社会的，職業的，または学校の機能にいくらかの困難はある（例：時にずる休みをしたり，家の金を盗んだりする）が，全般的には機能はかなり良好であって，有意義な対人関係もかなりある．
60 | 51	中等度の症状（例：感情が平板で，会話がまわりくどい，時にパニック発作がある），**または**，社会的，職業的，または学校の機能における中等度の困難（例：友だちが少ししかいない，仲間や仕事の同僚との葛藤）
50 | 41	重大な症状（例：自殺念慮，強迫的儀式が重症，しょっちゅう万引きする），**または**，社会的，職業的，または学校の機能におけるなんらかの深刻な障害（例：友だちがいない，仕事が続かない）
40 | 31	現実検討かコミュニケーションにいくらかの欠陥（例：会話は時々非論理的，あいまい，または関係性がなくなる），**または**，仕事や学校，家族関係，判断，思考，または気分など多くの面での重大な欠陥（例：抑うつ的な男が友人を避け，家族を無視し，仕事ができない．子供がしばしば年下の子供をなぐり，家庭では反抗的であり，学校では勉強ができない）
30 | 21	行動は妄想や幻覚に相当影響されている，**または**コミュニケーションか判断に重大な欠陥がある（例：時々，滅裂，ひどく不適切にふるまう，自殺の考えにとらわれている），**または**，ほとんどすべての面で機能することができない（例：1日中床についている，仕事も家庭も友だちもない）．
20 | 11	自己または他者を傷つける危険がかなりあるか（例：はっきりと死の可能性を意識しない自殺企図，しばしば暴力的になる，躁病性興奮），**または**，時には最低限の身辺の清潔維持ができない（例：大便を塗りたくる），**または**，コミュニケーションに重大な欠陥（例：大部分滅裂か無言症）
10 | 1	自己または他者をひどく傷つける危険が続いている（例：暴力の繰り返し），**または**最低限の身辺の清潔維持が持続的に不可能，**または**，はっきりと死の可能性を意識した重大な自殺行為
0	情報不十分

▶図15　機能の全体的評価（GAF）尺度

〔APA（編），髙橋三郎，大野 裕，染矢俊幸（訳）：DSM-IV-TR 精神疾患の分類と手引．新訂版，pp.43-44，医学書院，2003より〕

が，ここでは，わが国で比較的よく用いられているものを紹介する．

a 精神障害者社会生活評価尺度（LASMI）

精神障害者社会生活評価尺度（life assessment scale for the mentally ill；LASMI）は，1995年，わが国の障害者労働医療研究会精神障害部会（岩崎晋也ら）により開発された．社会生活に関する「日常生活」，「対人関係」，「労働または課題の遂行」など客観的な行動観察の3尺度，「持続性・安定性」に関する経時的尺度，「自己認識」に関する心理的尺度の計5尺度35項目を有し，周囲の保護的環境の程度が加味された5段階に分けて評価される（▶図16）．簡便で精神症状との関連も明らかなため，病棟からデイケア，社会復帰施設に

LASMI・得点記入票

対象者氏名		評価実施日	年　月　日

〈サブスケールごとの平均点の算出〉

D／日常生活
得点の合計点 [　] ÷（ 12 − 不明の項目数 [　] ）＝ 平均点 [　]（小数点第 2 位以下四捨五入）

I／対人関係
得点の合計点 [　] ÷（ 13 − 不明の項目数 [　] ）＝ 平均点 [　]（小数点第 2 位以下四捨五入）

W／労働または課題の遂行
得点の合計点 [　] ÷（ 10 − 不明の項目数 [　] ）＝ 平均点 [　]（小数点第 2 位以下四捨五入）

E／持続性・安定性
得点の合計点 [　] ÷（ 2 − 不明の項目数 [　] ）＝ 平均点 [　]（小数点第 2 位以下四捨五入）

R／自己認識
得点の合計点 [　] ÷（ 3 − 不明の項目数 [　] ）＝ 平均点 [　]（小数点第 2 位以下四捨五入）

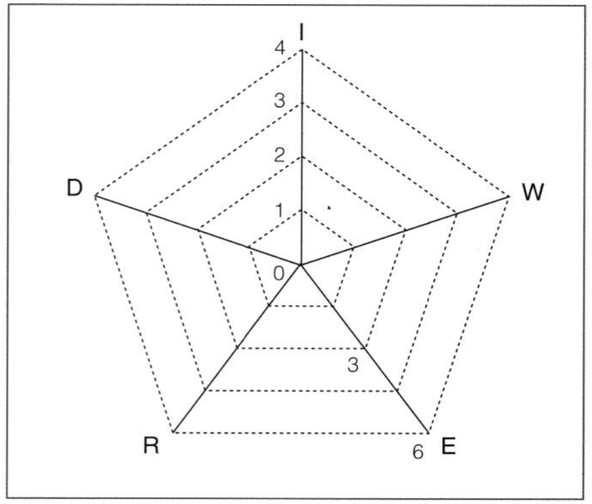

1. D (Daily living)／日常生活　Good (0)　(1)　(2)　(3)　(4) Poor
- D-1 生活リズムの確立　1
- D-2 身だしなみへの配慮−整容　2
- D-3 身だしなみへの配慮−服装　3
- D-4 居室の掃除やかたづけ　4
- D-5 バランスのよい食生活　5
- D-6 交通機関　6
- D-7 金融機関　7
- D-8 買物　8
- D-9 大切な物の管理　9
- D-10 金銭管理　10
- D-11 服装管理　11
- D-12 自由時間の過ごし方　12

2. I (Interpersonal relations)／対人関係　Good (0)　(1)　(2)　(3)　(4) Poor
- I-1 発語の明瞭さ　1
- I-2 自発性　2
- I-3 状況判断　3
- I-4 理解力　4
- I-5 主張　5
- I-6 断る　6
- I-7 応答　7
- I-8 協調性　8
- I-9 マナー　9
- I-10 自主的なつきあい　10
- I-11 援助者とのつきあい　11
- I-12 友人とのつきあい　12
- I-13 異性とのつきあい　13

3. W (Work)／労働または課題の遂行　Good (0)　(1)　(2)　(3)　(4) Poor
- W-1 役割の自覚　1
- W-2 課題への挑戦　2
- W-3 課題達成の見通し　3
- W-4 手順の理解　4
- W-5 手順の変更　5
- W-6 課題遂行の自主性　6
- W-7 持続性・安定性　7
- W-8 ペースの変更　8
- W-9 あいまいさに対する対処　9
- W-10 ストレス耐性　10

4. E (Endurance & Stability)／持続性·安定性
- E-1 現在の社会適応度　1　Good 0—1—2—3—4—5 Poor
- E-2 持続性・安定性の傾向　2　0—1—2—3—4—5—6

5. R (self-Recognition)／自己認識　Good (0)　(1)　(2)　(3)　(4) Poor
- R-1 障害の理解　1
- R-2 過大(小)な自己認識　2
- R-3 現実離れ　3

▶図 16　LASMI（精神障害者社会生活評価尺度）の得点記入票

G 社会生活の評価尺度 65

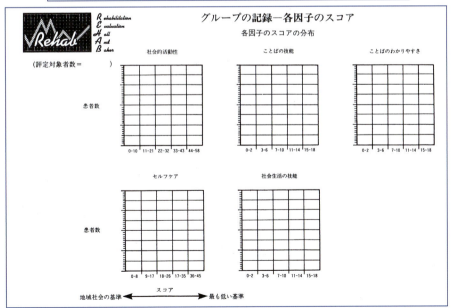

▶図17　REHABの評価用紙の一部
〔田原明夫, 藤 信子, 山下俊幸：Rehab—精神科リハビリテーション行動評価尺度. 三輪書店, 1994 より〕

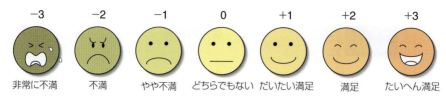

▶図 18　生活満足度スケールのフェイススケール
〔角谷慶子：主観的 QOL 評価尺度．蜂矢英彦，岡上和雄（監）：精神障害リハビリテーション学，p.171，金剛出版，2000 より〕

至る場面でも利用できるものである．

b REHAB

REHAB（精神科リハビリテーション行動評価尺度；Rehabilitation Evaluation Hall and Baker）は，多目的に用いるために R. Baker（ベイカー）と J.N. Hall（ホール）により 1983 年に開発された精神障害者の行動評価尺度で，「逸脱行動」7 項目，「全般的行動」16 項目の計 23 項目よりなる．「逸脱行動」は頻度により 3 段階，「全般的行動」は普通の人を標準にして障害の程度を直線上に縦線を引いて評定する．

この「全般的行動」をスコアスケールでスコア 0（普通）からスコア 9（最も障害が重い）までの 10 段階に点数化したのち，「社会的活動性」，「ことばの技能」，「ことばのわかりやすさ」，「セルフケア」，「社会生活の技能」の 5 因子に整理して評価されるものである（▶図 17）．

病棟やデイケア，社会復帰施設など，1 週間以上にわたり利用者を観察できるところで用いる．

H 主観的 QOL の評価

ここで扱う QOL（quality of life）の評価は，保健医療・福祉サービスの対象となる障害当事者自身によって行われるが，当事者参加の観点からも，客観的評価と併せて欠くことができないものである．ここでは，その一部を紹介する．

a WHO の QOL 評価尺度（WHO QOL26）

WHO が世界各国で使用可能なように，QOL に関する 100 問の基本調査票を臨床用の 26 問に短縮したものである．全体的な生活の質について問う 2 項目（生活の質の自己評価，健康状態への満足感）のほか，身体的領域 7 項目〔痛みや不快感のための制約感，治療（医療）の必要度，活力の程度，外出の程度，睡眠の満足感，活動をやり遂げる能力への満足感，仕事をする能力への満足感〕，心理的領域 6 項目〔生活の楽しさ，生活に対する有意味感，集中力，外見（容貌）への評価，自己満足感，抑うつ感〕，社会的領域 3 項目（人間関係への満足感，友人のサポートへの満足感，性生活への満足感），環境領域 8 項目（安全性，生活環境の健康さ，経済的状態，情報取得の充実度，余暇，近隣環境への満足感，医療施設や福祉サービスの利用のしやすさ，周辺の交通への満足感）など，計 26 の質問項目で構成され，各項目は 5 段階で評価される．

b 生活満足度スケール

このスケールは 1995 年，角谷により慢性統合失調症患者などを対象に開発された．生活全般，環境，社会生活技能，対人交流，心理的機能の 6 つの下位尺度，計 31 項目からなる．評価の方法は，評価者が質問紙を読み上げ，対象者にフェイススケールを見て答えてもらう形式をとる（▶図 18）．フェイススケールの使用は，対象者の負担を少なくして回答しやすくするためである．

I 理学・作業療法との関連事項

本章では精神医学におけるさまざまな診断や評価のプロセスを解説してある．理学・作業療法においては，こうしたプロセスと結果をリハビリテーションの立場からとらえ直すことが必要であり，さらに視野を広げて個人の社会生活面に関する評価を加えることが求められる．社会生活や QOL に関する評価尺度はそのような目的のために作成されており，今後ますます活用されるものである．

- 精神障害の診断・評価には面接と問診による精神医学的診察が最も重視されることが，他の身体科との大きな違いである．
- 脳を含む身体状態の検索には，それぞれの目的に応じて脳波検査，頭部 CT・MRI などの脳画像検査，髄液検査などが実施される．
- 知能検査や性格検査なども欠くことのできない重要な補助検査法である．
- 近年は診断・評価や薬物療法の効果判定，あるいはリハビリテーションの計画のために，精神症状や社会生活，主観的 QOL などに関する評価尺度が用いられることが多い．

第5章 脳器質性精神障害

学習目標
- 脳器質性精神障害の経過による症状の特徴を学ぶ．
- 脳器質性精神障害の原因となる主な疾患について学ぶ．
- 主な老年期の認知症疾患の特徴やリハビリテーションについて学ぶ．

A 脳器質性精神障害とは

1 概念

器質性精神障害（organic mental disorders）とは，ICD-10においては明らかな脳の障害に基づく精神障害を総称したもので，脳の疾病や傷害（一次的な障害）に基づく精神障害と身体疾患に基づく二次的な脳障害による症状性（症候性）精神障害をいう．

本章では理解しやすいように，脳の一次的な障害に基づく精神障害を"脳器質性精神障害"として扱う．原因となる疾患は多岐にわたるため，ここでは主なものを解説する．他の疾患については，神経内科学や脳神経外科学などの教科書を参考にしてほしい．

2 症状の特徴

脳器質性精神障害の症状は，急性症状と慢性症状に大別できる〔第6章 A.1項「基本症状」（➡ 94 ページ）参照〕．

急性症状は，せん妄をはじめ，さまざまな意識障害を主徴とし，通常，一過性，可逆性である．一方，慢性症状は，知能の低下（認知症）や記憶障害，性格の変化などを主徴とし，多くは進行性，非可逆性である．こうした急性・慢性の症状に，さまざまな神経症様症状，抑うつ症状や躁症状，幻覚や妄想など，感情や思考，知覚などの変化が加わる．

ICD-10は，器質性精神障害をこうした諸症状に基づいて分類している（▶表1）．

3 治療およびケア，リハビリテーション

治療は，基礎となる疾患への治療を基本とする．しかし，病勢の進行に伴う，あるいは後遺症としての機能障害や生活面での障害に対しては，医療や保健，福祉，さらには職業分野にわたるケアやリハビリテーションが必要である．精神症状が著しい場合には向精神薬も投与される．

B 認知症とその特徴

1 定義と分類

ICD-10では認知症を，「脳疾患による症候群であり，通常は慢性あるいは進行性で，記憶，思考，見当識，理解，計算，学習能力，言語，判断を含

▶表1 ICD-10における「F0 症状性を含む器質性精神障害」の主な項目の概要

F00	アルツハイマー病型認知症
	F00.0 早発性アルツハイマー病型認知症
	F00.1 晩発性アルツハイマー病型認知症
	F00.2 アルツハイマー病型認知症,非定型あるいは混合型
F01	血管性認知症
	F01.0 急性発症の血管性認知症
	F01.1 多発梗塞性認知症
	F01.2 皮質下血管性認知症
	F01.3 皮質および皮質下混合性血管性認知症
F02	その他の疾患の認知症
	F02.0 ピック病型認知症
	F02.1 クロイツフェルト・ヤコブ病型認知症
	F02.2 ハンチントン病型認知症
	F02.3 パーキンソン病型認知症
	F02.4 ヒト免疫不全ウイルス(HIV)疾患型認知症
F04	器質性健忘症候群 (アルコールなど精神作用物質によらないもの)
F05	せん妄 (アルコールおよび他の精神作用物質によらないもの)
F06	脳損傷,脳機能不全,身体疾患による他の精神障害
	F06.0 器質性幻覚症
	F06.1 器質性緊張病性障害
	F06.2 器質性妄想性(統合失調症様)障害
	F06.3 器質性気分(感情)障害
	F06.4 器質性不安障害
	F06.5 器質性解離性障害
	F06.6 器質性情緒不安定性(無力性)障害
	F06.7 軽度認知障害
F07	脳疾患,脳損傷,脳機能不全によるパーソナリティや行動の障害
	F07.0 器質性パーソナリティ障害
	F07.1 脳炎後症候群
	F07.2 脳震盪後症候群

▶表2 認知症を呈する主な疾患

分類		疾患名
変性	大脳皮質	Alzheimer 病,Lewy 小体型認知症,Pick 病,皮質基底核変性症,その他の認知症
	錐体外路系	Parkinson 病,進行性核上麻痺,Huntington 病など
	その他	脊髄小脳変性症など
血管性		多発梗塞性認知症,皮質下血管性(Binswanger 型)認知症,脳梗塞や脳出血など
感染性		進行麻痺,ヘルペス脳炎,HIV 脳症,Creutzfeldt-Jakob 病など
外傷性		外傷性脳損傷,慢性硬膜下血腫
中毒性		一酸化炭素中毒,水銀中毒,アルコール中毒など
腫瘍性		さまざまな原発性脳腫瘍,転移性脳腫瘍など
脱髄性		多発性硬化症など
代謝性		ビタミン B 群の欠乏状態(Wernicke 脳症,ペラグラなど),尿毒症,低血糖,肝レンズ核変性症(Wilson 病),各種の白質ジストロフィーなど
内分泌性		甲状腺機能低下症,Addison 病など
その他		正常圧水頭症など

む多数の高次皮質機能障害を示す.意識の混濁はない」と定義し,「この症候群は Alzheimer 病,脳血管性疾患,一次性あるいは二次性に脳を障害する他の病態で出現する」としている.

a 病因による分類

認知症を呈する疾患には,さまざまなものがある(▶表2).

変性疾患の多くは本態や病因がいまだ明らかでなく,有効な治療法は限られている.一方,原因疾患や病態の明らかな場合,原因治療により症状の消失・軽減が可能なものも少なからず存在する.こうした場合を治療可能な認知症(treatable dementia)という.

b 発病の時期による分類

発症の時期に関しては,それぞれの疾患に好発の時期がある.たとえば,亜急性硬化性全脳炎や肝レンズ核変性症,白質ジストロフィーなどは小児期に発症する.Pick(ピック)病や Huntington(ハンチントン)病,Parkinson(パーキンソン)病,Creutzfeldt-Jakob(クロイツフェルト・ヤコブ)

▶表3 認知症高齢者数の将来推計数（2001年推計）

年	2001	2011	2021
推計数（万人）	165.5	240.5	309.4
65歳以上人口比（％）	7.3	8.5	9.3

〔大塚俊男：痴呆はどのくらい多いか―有病率，痴呆性高齢者数を中心に．平井俊策編：よくわかって役立つ痴呆症のすべて（改訂第2版），p.62，永井書店，2005より一部改変〕

▶表4 認知症の基本症状と随伴症状

基本症状		記銘・記憶障害，見当識障害，計算障害，理解力・判断力の障害などの知的機能の障害，高次脳機能障害
随伴症状	精神症状	自発性低下，不眠，不穏・興奮，夜間せん妄，不機嫌・易刺激的，幻覚，妄想，抑うつ，無為，作話，人物誤認，多弁・多動など
	異常行動	徘徊，独語，叫声，攻撃・暴力，破衣，不潔（弄便），異食，弄火，収集癖，盗癖，わいせつ行為，拒食，自傷，自殺企図など

病，正常圧水頭症などは中年あるいは初老期に発症する．一方，Alzheimer（アルツハイマー）病や血管性認知症は初老期から発症し，高齢になるにつれて多くなる．

40～65歳までに発症するものを初老期認知症（presenile dementia），65歳以上に発症するものを老年期認知症（senile dementia）と呼ぶ．

c 初老期・老年期認知症の出現頻度

1985年当時，初老期認知症の患者数は5～10万人程度と推定されていた（厚生省）．2009年の厚生労働省調査では18～64歳人口における「若年認知症」は全国で3.78万人であるが，前記の患者数が実数に近いと推定される．

65歳以上人口での認知症の出現率は6.3％で，85歳以上で27.3％，すなわち4人に1人以上，男性より女性で高いことが指摘されていた（1985年の推計）．しかし，2010年度の調査では全国で15％，推定有病者数は2012年時点で462万人と算出され，2001年推計（▶表3）を大幅に上回っていた．また，認知症の前駆状態である軽度認知障害（mild cognitive impairment; MIC）の有病者も約400万人と推定された（厚生労働省）．このように，保健・医療・福祉の領域で認知症高齢者への対策はますます重要な課題となっている．

初老期・老年期の代表的な認知症疾患は，Alzheimer病と血管性認知症である．両者の割合は，かつては血管性認知症が多くを占めていたが，近年は逆転している．脳血管障害の予防と治療が進んだ結果である．

2 基本症状と随伴症状

認知症では，一般に記銘・記憶障害や計算障害，見当識障害などが徐々に進行し，失語や失行，言語機能の喪失などを経て，高度の認知症に至り，寝たきりの経過をとる．こうした知的機能の低下を中心とする症状を基本症状あるいは中核症状といい，随伴するさまざまな精神症状や性格変化を随伴症状，または周辺症状，辺縁症状，近年はBPSD（behavioral and psychological symptoms of dementia；認知症の行動・心理症状）とも呼ぶ（▶表4）．

一般に，老年期の認知症では，周囲の対応や生活環境によって，不眠，不穏・興奮，せん妄，幻覚・妄想，徘徊など，生活に多大な困難をもたらす精神症状や問題行動の出現状態が変わるため，ケアやリハビリテーションに細心の工夫や配慮が求められる．

3 認知症と誤りやすい状態

高齢者では，以下のような場合に認知症と誤りやすいため，経過観察を含めて慎重な対応が要求される（▶表5）．

(1) うつ病性仮性認知症，廃用性認知症

第3章 D.2.c項「認知症類似の状態」（→21ページ）参照．

▶表5 認知症と誤りやすい状態とその特徴

うつ病	悲哀・抑うつ気分の日内変動，抗うつ薬による改善
廃用性認知症	刺激の乏しい環境下での長期の臥床
せん妄	変動する軽度の意識障害の存在
通過症候群	意識障害からの回復過程での一過性の出現
健忘症候群	理解力・判断力はおおむね保持
薬物性障害	向精神薬，抗Parkinson病薬など，薬物の投与

(2) せん妄

日中でもごく軽度の意識障害が出没するため，記銘・記憶，見当識，計算などが障害されたり，まとまらない言動や異常行動がみられたりする（→ 18ページ）．

(3) 通過症候群

H.H. Wieck（ヴィーク）〔1956〕の提唱した概念で，意識障害の回復過程に生じる状態をいう．記銘・記憶，思考，情動，自発性の障害など，精神機能の低下が一過性に出現する．

(4) 健忘症候群

記銘力や見当識の著しく低下した状態で，慢性・持続性のことも，通過症候群として出現することもある．意識障害や認知症はないため，理解力・判断力は保たれている（→ 24ページ）．

(5) 薬物性の認知症様状態

高齢者では，抗精神病薬，抗うつ薬，抗不安薬，睡眠薬，抗Parkinson病薬，糖尿病治療薬，ステロイド薬などの服用中に，精神活動の不活発，傾眠傾向，せん妄，錯乱などを呈することがある．

4 認知症の評価

認知症の評価には，知的機能面と日常生活面からの双方の評価が必要で，このためにさまざまな評価法が開発されている．

a 知的機能面の評価法

知的機能のスクリーニングとしては，改訂長谷川式簡易知能評価スケール（HDS-R）とMMSE

▶表6 老人知能の臨床的判定基準（柄澤による）

判定		日常生活能力	日常会話・意思疎通	具体的例示
正常	（－）	社会的，家庭的に自立	普通	活発な知的活動持続（優秀老人）
	（±）	同上	同上	通常の社会活動と家庭内活動可能
異常衰退	軽度（+1）	●通常の家庭内での行動は自立 ●日常生活上，助言や介助は必要ないか，あっても軽度	●ほぼ普通	●社会的な出来事への興味や関心が乏しい ●話題が乏しく，限られている ●同じことを繰り返し話す，尋ねる ●今までできた作業（事務，家事，買物など）のミスまたは能力低下が目立つ
	中等度（+2）	●知能低下のため，日常生活が1人ではちょっとおぼつかない ●助言や介助が必要	●簡単な日常会話はどうやら可能 ●意思疎通は可能だが不十分，時間がかかる	●慣れない状況で場所を間違え道に迷う ●同じ物を何回も買い込む ●金銭管理や適正な服薬に他人の援助が必要
	高度（+3）	●日常生活が1人ではとても無理 ●日常生活の多くに助言や介助が必要．あるいは失敗行為が多く目が離せない	●簡単な日常会話すらおぼつかない ●意思疎通が乏しく困難	●慣れた状況でも場所を間違え道に迷う ●さっき食事したこと，さっき言ったことすら忘れる
	最高度（+4）	同上	同上	●自分の名前や出生地すら忘れる ●身近な家族と他人の区別もつかない

〔柄澤昭秀：行動評価による老人知能の臨床的判定基準．老年期痴呆，3(3):81-85, 1989より〕

(mini-mental state examination)が広く用いられている．詳細は，第4章のE.1項「知能検査」(→53ページ)参照．

b 日常生活面の評価法

日常生活機能のスクリーニングや評価法としては以下を例示する．

(1) 老人知能の臨床判定基準

"日常生活能力"，"日常会話・意思疎通"，"具体的例示"の3項目に関して，「正常」，「異常衰退」とに大きく分類し，それぞれを2段階，4段階に分けて評価するものである(▶表6)．

(2) 認知症高齢者の日常生活自立度判定基準

"意思疎通"，"症状・行動"に着目して日常生活の自立の程度を5段階で評価し，日常生活の自立度を判定するものである．介護保険制度の要介護認定において，この指標が用いられている(▶表7)．

▶表7　認知症高齢者の日常生活自立度判定基準〔厚生労働省，2006年4月〕

ランク	判定基準	みられる症状・行動の例	判定にあたっての留意事項および提供されるサービスの例
I	なんらかの認知症を有するが，日常生活は家庭内および社会的にほぼ自立している		在宅生活が基本であり，1人暮らしも可能である．相談，指導などを実施することにより，症状の改善や進行の阻止をはかる
II	日常生活に支障をきたすような症状・行動や意思疎通の困難さが多少みられても，誰かが注意していれば自立できる		在宅生活が基本であるが，1人暮らしは困難な場合もあるので，日中の居宅サービスを利用することにより，在宅生活の支援と症状の改善および進行の阻止をはかる
IIa	家庭外で上記IIの状態がみられる	たびたび道に迷うとか，買物や事務，金銭管理などそれまでできたことにミスが目立つなど	
IIb	家庭内でも上記IIの状態がみられる	服薬管理ができない，電話の応対や訪問者との応対など1人で留守番ができないなど	
III	日常生活に支障をきたすような症状・行動や意思疎通の困難さがときどきみられ，介護を必要とする		日常生活に支障をきたすような行動や意思疎通の困難さがランクIIより重度となり，介護が必要となる状態である．「ときどき」とはどのくらいの頻度を指すかについては，症状・行動の種類などにより異なるので一概には決められないが，一時も目が離せない状態ではない．在宅生活が基本であるが，1人暮らしは困難であるので，夜間の利用も含めた在宅サービスを利用し，これらのサービスを組み合わせることによる在宅での対応をはかる．
IIIa	日中を中心として上記IIIの状態がみられる	着替え，食事，排便，排尿が上手にできない・時間がかかる．やたらに物を口に入れる，物を拾い集める，徘徊，失禁，大声，奇声をあげる，火の不始末，不潔行為，性的異常行為など	
IIIb	夜間を中心として上記IIIの状態がみられる	IIIaに同じ	
IV	日常生活に支障をきたすような症状・行動や意思疎通の困難さが頻繁にみられ，常に介護を必要とする	ランクIIIに同じ	常に目を離すことができない状態である．症状・行動はランクIIIと同じであるが，頻度の違いにより区分される．家族の介護力などの在宅基盤の強弱により在宅サービスを利用しながら在宅生活を続けるか，または特別養護老人ホーム・老人保健施設などの施設サービスを選択する．施設サービスを選択する場合には，施設の特徴をふまえた選択を行う
M	著しい精神症状や周辺症状あるいは重篤な身体疾患がみられ，専門医療を必要とする	せん妄，妄想，興奮，自傷・他害などの精神症状や精神症状に起因する問題行動が継続する状態など	ランクI～IVと判定されていた高齢者が，精神科病院や認知症専門棟を有する老人保健施設などでの治療が必要となったり，重篤な身体疾患がみられ老人病院などでの治療が必要となった状態である．専門医療機関を受診するようすすめる必要がある

▶表 8　認知症高齢者への保健・医療・福祉サービス（2015 年から）

	保健・医療・福祉サービス	介護保険制度による医療・福祉サービス
入院・入所	●精神科病院 ●一般病院 ●特例許可老人病院 ●療養型病床群 ●老人性認知症疾患治療病棟	●介護療養型医療施設 　・療養型病床群 　・老人性認知症疾患療養病棟 ●介護老人福祉施設（特別養護老人ホーム） ●介護老人保健施設（老人保健施設） ●短期入所生活介護（於：介護老人福祉施設） ●短期入所療養介護（於：介護老人保健施設）
通院・通所	●病院・診療所での通院 ●老人性認知症疾患センター ●通所介護（デイサービス） ●重度認知症患者デイケア	●通所リハビリテーション（デイケア） ●通所介護（デイサービス）
在宅	●相談・訪問指導（保健所，保健センター，市町村） ●老人介護支援センター ●在宅療養指導 ●訪問看護 ●訪問介護（ホームヘルプサービス）	●地域包括支援センター ●居宅介護支援 ●小規模多機能型居宅介護 ●訪問看護 ●訪問リハビリテーション ●訪問介護（ホームヘルプサービス） ●訪問入浴介護 ●認知症対応型共同生活介護（グループホーム）

5 ケアおよびリハビリテーション

a 基本的な考え方

認知症高齢者は，慢性進行性疾患の患者であり，かつ認知症を主体とする精神障害と各種身体障害を合併する重度重複障害者でもある．また，ささいな心理的・環境的・身体的変化で容易に諸症状は増悪し，かつ自己の身体の安全や尊厳，諸権利を守ることができない高齢者である．

したがって，関連法制度による保護のもとで，認知症高齢者の感情や特性，権利擁護を十分に配慮した保健・医療・福祉の総合的なサービスが必要である．具体的には，入院・入所などの施設サービスと，通院・通所，訪問などの在宅サービスとに大別される．

2000 年 4 月からは，従来の老人医療の一部と老人福祉の制度が合体した介護保険制度が実施されている（▶表 8）．これらは地域を基盤として，治療，ケア，リハビリテーションのサービスが本人や家族の希望や実情に沿って，さまざまな職種によるチーム・アプローチとして展開されている．

b 主なアプローチの特徴

ケアやリハビリテーションにおいては，障害特性や生活史，生活状況や趣味・関心などに配慮しながら，おおよそ以下のようなアプローチがなされている．

①日時，場所，周囲への関心を喚起させる現実見当識訓練（reality orientation），過去の記憶の回復や他者とのコミュニケーションの促進をはかる記憶想起訓練，注意力や各種認知機能の回復をはかる訓練などの心理学的アプローチ

②集団場面を利用したレクリエーション療法，音楽療法，作業療法，軽スポーツなどによる感情や意欲の改善，対人交流の促進などのアプローチ（▶図 1）

③食事や洗面，着衣，排泄など，身辺処理能力の保持のための訓練

④廃用症候群や合併症予防も含め，歩行や筋力増強などの粗大運動機能や関節可動域，巧緻動作などの訓練，各種感覚刺激などの身体的アプローチ

▶図1 老人デイケアの一場面（北海道大学病院にて）
A：お茶の会（はじまりとおわりの会），B：風船バレーによるゲーム

C 大脳皮質の変性疾患

変性疾患（degenerative disease）とは，原因がいまだ不明で，特定の部位の神経細胞に変性と脱落をもたらし，慢性または亜急性の経過をたどる一群の疾患である．多くは家族性，遺伝性で，遺伝子異常が明らかになったものもある．障害される部位は，大脳皮質から大脳基底核，小脳，脊髄，末梢神経系に至るが，ここでは認知症を主症状とする大脳皮質の変性疾患を解説する．

1 Alzheimer病

Alzheimer病は大脳皮質の神経細胞が異常老化によって広範に変性・脱落する疾患である．1906年，ドイツのA. Alzheimerが初めてこれに属する症例を記載し，1911年にKraepelin（クレペリン）がAlzheimer病と命名したもので，Alzheimer型認知症（dementia of Alzheimer type）ともいう．

a 発症年齢と頻度，病型など

発病は40歳代からみられるが，高齢になるにつれて発病率が高くなる．多くは孤発性であるが，家族性の発現もみられ，男性より女性の発症率が高い．

病型として，40〜65歳の中年期・初老期に発症するものを早発性（型）（early onset），65歳以降に発症するものを晩発性（型）（late onset）という．以前は前者をAlzheimer病，後者を老年認知症（senile dementia）としていた．現在では両者は同一の疾患であるとみなされ，後者をAlzheimer型老年認知症（senile dementia of Alzheimer type；SDAT）と呼ぶ場合もある．

b 症状と経過

経過はおおよそ3期に分けられる．
(1) 第Ⅰ期（初期）

徐々に進行する物忘れ（記憶障害），時間や場所に関する失見当識，理解や判断，思考力など知的機能が全般的に低下するほか，意欲の減退などに加えて，種々の程度の失行・失認がみられる．

最も多いのは視空間認知の障害で，いつものように外出しても，目的の場所がわからなくなったり，自宅に帰れなくなったりする．記憶もぼんやりしてくるため，自宅内でも置いた物の場所がわからなくなり，「外から誰かが家に入りこんで盗んだ」とか，「嫁が盗んだ」などという，"物とられ妄想"が形成されることもある．

この時期は，表面的ではあってもまだ疎通性はよく保たれ，会話も可能である．また，自分の能力の低下を自覚して混乱したり，抑うつ的になったり，あれこれ弁解することも可能である．態度やふるまいもまとまっており，その人らしさ（パーソナリティ）は保たれている．

(2) 第Ⅱ期（中期）

認知症の進行につれて了解は悪くなり，自分の

意思を表現することができなくなる．言語的にも語間代や反響言語，保続など(→ Advanced Studies-1)，さまざまな異常が出現する．失行・失認などの頭頂葉・後頭葉症状も目立つようになり，衣服の着脱ができなくなったり（着衣失行），食事や洗面，火の始末などの日常の動作ができなくなり（観念失行など），日常生活でも介護を要するようになる．

また，特に視覚系の認知障害が顕著になるのが特徴で，同胞や子ども，知人の顔を見ても誰だかわからず（人物誤認），外出すると帰宅が不能になったり，自宅や病院，施設においても自室やトイレの位置がわからなくなることも頻繁にみられる．

(3) 第Ⅲ期（末期）

精神機能が高度に荒廃した状態で，会話はほとんど消失し，疎通性も失われ，自動的な語間代，保続などのみとなる．筋固縮や動作緩慢などのパーキンソン症候群(parkinsonian syndrome)や小股歩行，けいれん発作，前頭葉徴候である吸引反射や把握反射も出現し，ついには失外套症候群を呈するようになる．

経過上，初期には症状に動揺がみられ，時に記憶や判断が回復するようにみられることもあっても，認知症は徐々に進行する．進行には個人差があり，かつその間のケアの質にもよるが，全経過は数年から10年程度である．

早発性 Alzheimer 病は，晩発性 Alzheimer 病に比べて，頭頂葉・側頭葉症状が強く，進行も早いことが特徴である．

c 病理と病態

脳溝や脳室は著しく拡大するなど，大脳は高度に萎縮し，脳重は著しい減少を示す．

組織学的には，皮質の神経細胞は高度に脱落しており，かつ残存する神経細胞内には針金様の異常構造物である神経原線維変化(neurofibrillary tangle)がみられる(▶図2A)．また，皮質には変性した神経終末によって形成される老人斑(senile plaques)がシミのように点々と出現している(▶図2B)．これらの変化は側頭葉から頭頂葉皮質にかけて最も多量に出現する(▶図3)．

なお，老人斑の中心部にあるアミロイド線維には通常の生体には存在しないβ蛋白が蓄積しており，Alzheimer 病は異常アミロイド蛋白の脳沈着症である．この異常蛋白の生成機序をめぐって目下研究が進められているが，危険因子として，血清蛋白の1つであるアポリポ蛋白E4の関与が遺伝子レベルで指摘されている(→ NOTE-1)．

神経化学的には，記憶・学習機能とは密接な関係がある大脳皮質や海馬などにおけるアセチルコリン系機能の低下が指摘されている．

d 診断

診断には精神機能の低下がみられ，しかも全般性の認知症を呈していること〔表10(→ 81 ページ)

Advanced Studies

❶脳器質性精神障害でみられる言語の異常

● 語間代(logoclonia)
「トウキョウエキ，エキ，エキ」のように，語尾や中間の音節を間代性けいれん様に何度も反復する状態で，Alzheimer 病に特有である．

● 反響言語(echolalia)
相手から言われた言葉をそのままオウム返しに言う状態で，Pick 病や Alzheimer 病のほか，小児自閉症や精神遅滞などでもみられる．

● 保続(perseveration)
はじめに「トケイ」と発音すると，次に何を見せても「トケイ」という言葉を繰り返すように，一度ある言葉を発音すると，その後も常に同じ言葉が持続する状態．書字や動作などでも観察され，重度の脳損傷で出やすい．

● 滞続言語(stehende Redensart〈独〉)
声をかけられると，いつも同じ内容の言葉を自発的に，あるいは質問内容とは無関係に繰り返す状態で，Pick 病に特有である．

● つまずき言語(slurring speech)
口唇音や舌音が多く含まれている一連の音，たとえば「パピプペポラリルレロ」を反復させると，「パピププペペ…ラリルルレレ…」などと，ある音につまずくような状態．進行麻痺に特有である．

● 同語反復(palilalia)
「先生，オハヨウ，オハヨウ，オハヨウ…」などと同一句を反復し，繰り返すうちに次第に速くなる状態．Parkinson 病や仮性球麻痺などで認められる．

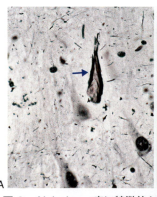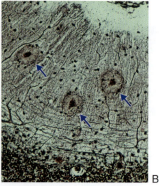

▶図2 Alzheimer病に特徴的な病理所見(銀染色)
A：大脳皮質神経細胞内の神経原線維変化(矢印)
B：小脳皮質に出現した老人斑(矢印)

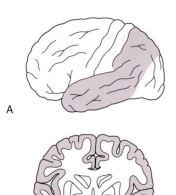

▶図3 Alzheimer病の大脳病変
A：側頭葉や頭頂葉が障害される
B：海馬を含め，皮質が障害される．

参照〕，脳CTやMRIで脳の萎縮過程が観察され，かつ血管障害や他の器質性疾患を除外できることが必要である（▶図4）〔第4章の図4（➡51ページ）も参照〕．SPECTで頭頂葉領域の血流低下が観察されれば，診断はほぼ確定する〔第4章の図5（➡51ページ）参照〕．

e 予防と治療

近年，Alzheimer病においても，脳血管障害の危険因子である糖尿病や高血圧，脂質異常症などが危険因子となるとして，血管性認知症と同じ予防対策の重要性が指摘されている（➡81ページ）．また，家族内にAlzheimer病患者がいる場合，発症の危険因子と考えられている．

認知機能の改善や進行の抑制に有効な抗認知症薬の4種類のうち3種類〔ドネペジル（アリセプト®），ガランタミン（レミニール®），リバスチグミン（イクセロン®など）〕は，低下している脳内アセチルコリンを補充したり，その分解を抑制する作用を有する．他のメマンチン（メマリー®）はNMDA受容体拮抗作用を有する．

本疾患におけるケアやリハビリテーションに関しては前述した（➡73ページ）．

2 Pick病

Pick病は，Alzheimer病と並んで初老期認知症の代表的な疾患とみなされているが，頻度ははるかに少なく，Alzheimer病の1/15〜1/10である．孤発性の発症で，原因はいまだ不明である．

a 症状と経過

症状の特徴は，特有な性格変化や問題行動・態度，滞続言語〔Advanced Studies-1（➡75ページ）参照〕であり，認知症はある程度進行したあとに出現する．症状の経過はおおよそ3期に分けられる．

(1) 第Ⅰ期（初期）

まず，性格の変化，行動上の問題が目立つことが特徴である．判断力や道徳感情が低下し，合わせて抑制力も低下するため，元来の人柄からは推定しがたい反社会的行動を呈するようになる．また，職場でも仕事の能率が低下し，外出や徘徊

> **NOTE**
>
> **1 アルツハイマー病の発症前診断と予防治療**
>
> アルツハイマー病のアミロイドβ（Aβ）蛋白の研究では，まず，脳血管アミロイドの，次いで老人斑アミロイドの蛋白が同定された．今日では脳内Aβの蓄積を発症前にチェックし，蓄積がある場合には蓄積を抑制，あるいは除去する薬物の研究が行われている．

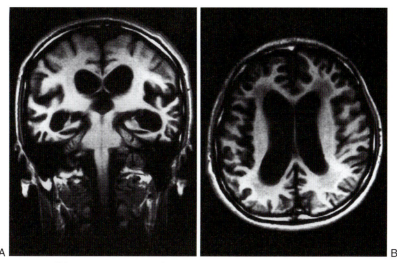

▶図4 進行したAlzheimer病の脳MRI
A：前頭断面，B：水平断面．海馬も含め，側頭葉(A)，頭頂葉(B)に萎縮が著しい．
〔白木淳子医師のご厚意による〕

などがみられたり，無気力や無関心を示す場合もあるが，本人にはまったく病識がない．また，Alzheimer病のように記憶や視空間認知に障害がみられないことも特徴である．

(2) 第Ⅱ期(中期)

次第に意欲は低下し，無欲状態，他人への無関心，無頓着が目立つようになり，また，その人の社会的立場にふさわしくない行動，たとえば相手を無視したり，小馬鹿にしたり，診察時に不真面目な印象を与えるなど，特有な対人的応対がみられるようになる．落ち着かない徘徊や多動，保続，常同的行動もしばしば目立つ．言葉数は次第に減少し，さまざまな言語症状が目立ち，やがて第Ⅲ期に移行する．

(3) 第Ⅲ期(末期)

精神機能の荒廃が進行し，無言・無動状態になり，パーキンソン症候群や深部反射の亢進などがみられる．こうした状態ではAlzheimer病との鑑別はもはや不可能である．

b 病型と病理

前頭葉と側頭葉の萎縮が特徴である．病変部位では神経細胞は高度に脱落し，残存する神経細胞

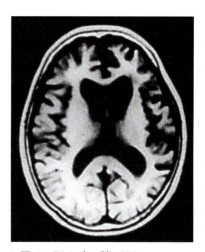

▶図5 Pick病の脳MRI
前頭葉や側頭葉に著しい萎縮がみられる．
〔池田輝明医師のご厚意による〕

内にはPick小体と呼ばれる銀染色で染まる封入体が出現する．大脳白質にはグリア線維が増生している〔Advanced Studies-5(➡ 86ページ)参照〕．

c 診断

臨床症状の特徴に加えて，脳CTやMRIなどにより前頭葉や側頭葉の著しい萎縮を確認することが診断につながる(▶図5)(➡ Advanced Studies-2)．

Advanced Studies

❷前頭側頭型認知症について

近年，前頭側頭型認知症（frontotemporal dementia）という概念が提唱されているが，これは Pick 病をはじめ，前頭葉や側頭葉に萎縮を示す非 Alzheimer 型の認知症をいう．臨床的に Pick 病と診断されても，Pick 小体は約半数に出現するにすぎないことも，こうした概念の背景にある．

❸ Lewy 小体型認知症への MIBG 心筋シンチグラフィ

Lewy 小体型認知症では早期から心臓の交感神経は α シヌクレイン凝集体の蓄積で変性しているため，MIBG を用いた心筋シンチグラフィによる診断が可能である．Parkinson 病も同様である．

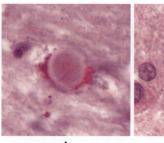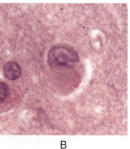

▶図 6　Lewy 小体（HE 染色）
A：脳幹型，B：皮質型
中脳や橋では同心円状（A），大脳皮質ではびまん性（B）の円形構造物が神経細胞内に出現するが，いずれも α シヌクレインの凝集体である．

失行・失認などは Alzheimer 病に比して少ない．

d 予防と治療

予防や治療法はない．問題となる精神症状や行動がみられれば向精神薬を投与するが，あくまでも対症的なものである．ケアやリハビリテーションも Alzheimer 病に準じる．

3 Lewy（レビー）小体型認知症

本症（dementia with Lewy bodies）は，幻視やせん妄などの意識状態の変動，緩徐な進行性の認知症に加え，経過中に歩行障害や筋固縮などの Parkinson 症状を呈する．大脳皮質から脳幹の神経細胞内に Lewy 小体と呼ばれる円形の異常構造物が広範に出現していることを特徴とする（▶図 6）．

近年，認知症高齢者の 2 割以上が本症であり，Alzheimer 病に次いで多い変性性の認知症疾患であると指摘されている．また，脳 SPECT などの画像検査で後頭葉を主とする血流低下がみられる（▶図 7）．したがって，上記の症状や所見を呈する場合，本症が考慮されるが，確定診断には MIBG（[131]I-meta-iodobenzylguanidin）を用いた心筋シンチグラフィの検査が必要である（➡ Advanced Studies-3）．

原因不明であり，現在のところ予防法はない．本疾患の認知症には抗認知症薬のドネペジル

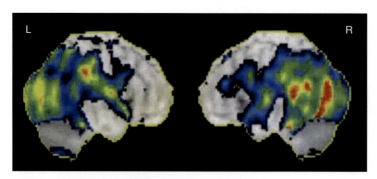

▶図 7　Lewy 小体型認知症の脳血流シンチグラフィ
（^{99m}Tc-HM-PAO/3DSSP 解析）
後頭葉を中心に血流低下域が拡大（赤，黄 → 緑，青）．〔山本 晋医師のご厚意による〕

▶表9　脳血管障害の分類

1	脳梗塞	脳血栓症
		脳塞栓症
		その他の脳梗塞
2	頭蓋内出血	脳出血
		くも膜下出血
		その他の頭蓋内出血
3	一過性脳虚血(TIA)	
4	高血圧性脳症	
5	原因不明の発作	
6	その他	

〔厚生省循環器病研究委託費による"脳卒中の診断基準に関する研究班"(1985年)による〕

が有効である．ケアやリハビリテーションは，Alzheimer病に準じる．

D 血管性認知症

1 概要

　脳血管障害は，脳卒中(apoplexy)とほぼ同義で，脳梗塞，頭蓋内出血，一過性脳虚血(transient cerebral ischemic attack; TIA)，高血圧性脳症などに分類される(▶表9)．こうした脳血管障害によって脳組織が傷害され，認知症が出現する場合を血管性認知症(vascular dementia)と呼ぶ．

　わが国では，脳血管障害による死亡率は，悪性新生物や心疾患に次いで第3位に低下したものの，有病率は変わっていない．特に，脳梗塞は高齢になるにつれて発症が多くなるため，血管性認知症も高齢者に多く，臨床的にも社会的にも大きな位置を占めている．

　血管性認知症はAlzheimer病とともに，わが国で代表的な老年期の認知症疾患であるが，発病はAlzheimer病とは異なり，女性より男性に多い．

2 症状と経過

　一過性脳虚血発作，あるいは軽い脳梗塞の発作に引き続いて，徐々に症状が出現することが多い．ほかにも，頭痛や頭重感，頭のすっきりしない感じ，めまい，耳鳴り，不眠，意欲や興味の減退，焦燥感，ふらつきなど，種々の精神的身体的愁訴として現れたり，神経衰弱状態を呈することも少なくない．

　その後，次第に物忘れを自覚するようになり，また，注意集中の困難，自発性や意欲の低下，物事への関心の低下，いらいら感や抑うつなど感情面の動揺，計算力や精神活動の減退などがみられ，情動失禁も呈するようになる．これらの症状は，卒中発作を繰り返すたびに階段状に増悪したり，経過中に軽快するなど，動揺を示すことが特徴的である．しかし，目立った卒中発作を示すことなく，緩徐に進行する例も決して少なくない．

　進行とともに，易刺激性など感情の不安定化，幻覚や妄想，せん妄，抑制欠如など，さまざまな精神症状や性格変化が顕著になる場合もある．

　一方，記憶障害が高度になっても，判断力や理解力は比較的保たれていて，疎通性や感情的反応もよく，日常でも対人関係はスムーズなことが少なくない．また，若いときからの技能や趣味などもよく保たれており，高度な記憶障害とはアンバランスな感があるが，このような状態をまだら(斑)認知症(lacunar dementia)といい，Alzheimer病の全般性認知症(global dementia)と区別することが可能である．

　神経学的にも卒中発作を繰り返すたびに，不全麻痺や歩行障害，仮性球麻痺，さらに筋緊張の亢進などのパーキンソン症候群が高度になり，次第に寝たきりとなる．こうした状態でも感情面での疎通性は保たれていることが多い．

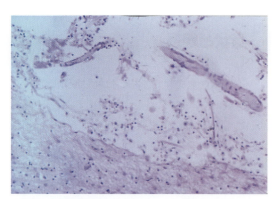

▶図8　血管性認知症にみられた小梗塞（ラクナ）
神経組織は崩壊して空洞を形成し，マクロファージが出現している．（HE染色）

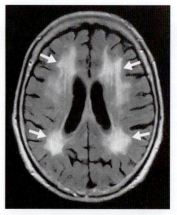

▶図9　皮質下血管性認知症の脳MRI
側脳室周辺から大脳深部白質に広範かつびまん性の高信号域が認められる（矢印）．

3 病態と病型

　血管性認知症は，血管病変の性格（出血，梗塞）や大小，出現部位など，さまざまな場合に出現するが，認知症を呈しやすいのは以下の場合である．

a 脳梗塞や脳出血のあとに出現する認知症

　一般には卒中発作の反復により，認知症が急速に進行することが多い．特に，前頭葉白質や海馬，視床，大脳辺縁系など，知能や記憶などの精神機能に重要な部位では，梗塞の数が少なくても，あるいは1回の卒中発作でも認知症が出現する．

b 多発梗塞性認知症

　多発梗塞性認知症（multi-infarct dementia；MID）は，大脳の深部白質や基底核，視床などに小さな梗塞（ラクナ）が多発するもので，わが国では最も多いタイプである（▶図8）〔第4章の図3（→51ページ）も参照〕．神経学的には仮性球麻痺やパーキンソン症候群などを呈する．

c 皮質下血管性認知症

　皮質下血管性認知症とは，大脳白質に広範かつびまん性の傷害が生じる結果，認知症をはじめ比較的重度の精神神経症状を呈するものである

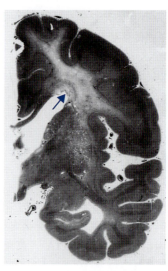

▶図10　皮質下血管性認知症の脳病変
大脳の深部白質にびまん性の軸索傷害が認められる（矢印）．（銀染色）

（▶図9，10）．動脈硬化，心疾患や血圧の低下などによる慢性循環障害が原因と考えられている．Binswanger（ビンスワンガー）型認知症とも呼ばれるが，多発性梗塞を合併することも少なくない．

　多発梗塞性認知症や皮質下血管性認知症は，Alzheimer病の皮質病変による認知症（皮質性認知症）とは異なり，白質病変に基づく認知症（白質認知症）である（▶図11）．

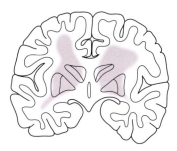

▶図11 血管性認知症の大脳病変
深部白質や基底核、視床に著しい.

▶表10 Alzheimer病と血管性認知症の鑑別

	Alzheimer病	血管性認知症
発病年齢	70歳以上に好発	50歳代から徐々に増加
性別	女性に多い	男性に多い
発症	緩徐	緩徐, あるいは卒中発作後
経過	慢性, 進行性	慢性, 緩徐あるいは階段状増悪
	症状は固定性	症状は動揺性
病識	早期より失われる	末期まで保たれる
認知症状	全般性認知症	まだら認知症
パーソナリティ	早期より崩れる	比較的保たれる
感情	平板化, 多幸	情動失禁, 易変性
身体的愁訴	少ない	初期に, 頭重, 頭痛, めまいなど
神経症状	少ない	あり(仮性球麻痺, 歩行障害, 片麻痺, 局所神経徴候など)
責任病変	大脳皮質	大脳白質

4 診断

まだら認知症や情動失禁などの精神症状の特徴, 高血圧や卒中発作の既往, 神経症状の有無, 階段状の増悪経過などにより, おおよその診断が可能である(▶表10). 脳のCTやMRIなどにより, 血管病変を確認することにより診断は確定する. しかし, 高齢になるにつれてAlzheimer病との合併(混合型認知症)も考慮しなければならない.

5 予防と治療

a 予防

認知症の出現は血圧の変動と関連することが明らかにされているため, 何より高血圧の治療と血圧の安定化が重要である. また, 高血圧や脂質異常症, 動脈硬化などの予防のために, 塩分や動物性脂肪の摂取制限, 禁煙も欠かせず, 基本的には生活習慣病の予防である. 心疾患や糖尿病も脳血管障害の危険因子であり, 治療が必要となる.

b 治療

脳代謝・脳循環改善薬, 抗血小板薬などにより, 脳循環を促進させることによって, 認知症を改善させたり, 発症や進行を遅らせることがある程度可能である. 妄想や幻覚, 抑うつ症状や焦燥感, 易刺激性などが問題となる場合には, 向精神薬の投与も一時的に必要になる.

c ケアおよびリハビリテーション

身体機能の障害を伴う場合には理学療法や作業療法などによる身体的アプローチを欠かすことはできない. 認知症など精神症状に関しては前述のとおり(→73ページ)である.

E 大脳基底核の変性疾患

ここでは, 精神障害を呈する大脳基底核の変性疾患について述べる.

1 パーキンソン症候群

振戦, 固縮, 無動, 姿勢反射の障害などを呈する疾患の総称で, パーキンソニズム(parkinsonism)ともいう. 原因からは, Parkinson病, Parkinson病関連の変性疾患, 症候性(二次性)パーキンソニズムに大別される.

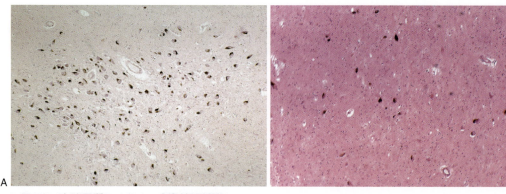

▶図 12　中脳黒質のメラニン含有神経細胞
健常者(A)に比し，Parkinson 病患者(B)では，神経細胞は著明に減少している．(HE 染色)

a Parkinson 病

　初老期以降に発症する疾患で，特発性パーキンソニズムともいい，通常遺伝性はない．人口の高齢化とともに漸増しつつあり，神経難病のなかで患者数が最も多く，有病率も人口 10 万対 100 以上と，欧米と差がないことが指摘されている．

　臨床的には，静止時振戦，固縮，無動を 3 大徴候とし，それに姿勢反射の障害が加わり，10〜15 年の経過で寝たきりとなる．進行につれて，抑うつや自発性の低下，思考過程の緩慢化，精神緩慢あるいは精神的無動などの精神症状が出現するが，認知症の特徴は必ずしも明らかではない．

　病理学的には，中脳黒質のメラニン含有神経細胞の変性・脱落(▶図 12)，残存する神経細胞内の Lewy 小体を特徴とする〔Advanced Studies-3(➡ 78 ページ)および図 6(➡ 78 ページ)参照〕．

　神経化学的には黒質線条体路の障害によるドパミンの減少がみられるため，L-ドパによるドパミンの補充を中心に，種々のドパミン作動薬による薬物療法が行われている．

b Parkinson 病関連の変性疾患

　進行性核上麻痺(progressive supranuclear palsy)，線条体黒質変性症(nigrostriatal degeneration)などで，病変部位は Parkinson 病より広範なため，症状もより多彩で，かつ L-ドパは無効である．進行性核上麻痺では，思考過程の緩慢や自発性の低下など，皮質下性認知症(subcortical dementia)と称される精神症状のほか，頸部のジストニーや垂直性眼球運動の障害が特有である．

c 症候性(二次性)パーキンソニズム

　原因が明瞭なパーキンソニズムをいう．脳血管障害や一酸化炭素中毒などで Parkinson 病類似の症状が生じ，かつ精神症状を呈するが，それらに関しては他項で解説する〔脳血管障害(➡ 79 ページ)，一酸化炭素中毒(➡ 89 ページ)，肝レンズ核変性症(➡ 91 ページ)参照〕．

2 Huntington 病

　Huntington(ハンチントン)舞踏病ともいい，中年期以降に発症する常染色体優性遺伝性の疾患で，病的遺伝子が第 4 染色体上にその座をもつ．欧米では発病率が高いが(10 万対 4〜7)，わが国ではその 1/10 以下である．

a 症状と経過

　臨床的には，不随意運動(舞踏病)と精神症状を特徴とする．舞踏病はまず顔面や舌，指や手などに出現し，徐々に下肢や体幹など全身に及び，歩行は困難になり，ついには寝たきりとなる．筋緊張は低下している．精神症状は，初期には易刺激

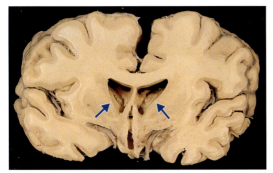

▶図 13 Huntington 病の大脳半球
線条体，特に尾状核の萎縮が著しく，側脳室が拡大している（矢印）．

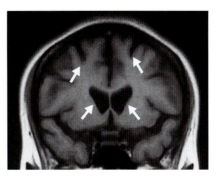

▶図 14 Huntington 病の脳 MRI
大脳皮質や尾状核の萎縮（矢印）が認められる．

性，不穏，抑うつ，抑制の低下など情意の変化がみられるが，不随意運動に先立って出現し，非行や犯罪などとして現れる場合もある．また，被害妄想や誇大妄想，幻聴など，統合失調症様の症状を呈することもある．その後，自発性の低下，感情の鈍麻，知能の低下が徐々に進み，ついには重篤な荒廃状態に陥る．経過は 10〜20 年である．

20 歳以前に発症する場合を，若年性 Huntington 病という．幼少時期から精神的・身体的発達が遅れ，徐々に不随意運動が出現する．筋緊張は亢進し，固縮を呈する．感情の易変性や意欲の低下，知能の低下も出現する．進行は成人例よりも速い．

b 病理

病理学的には，大脳皮質や線条体に萎縮がみられるが，特に尾状核で著しい（▶図 13）．線条体の中型・小型神経細胞が変性・脱落する．それに伴って，神経化学的にはアセチルコリン系やγアミノ酪酸（GABA）系の機能が障害され，ドパミン系が優位になる．

c 診断

不随意運動や精神症状のほか，家族歴の確認，脳の CT や MRI による尾状核の萎縮確認が診断に重要である（▶図 14）．現在では未発症者を含め，遺伝子診断が可能であるが，治療法のない本疾患では倫理上の問題が存在する．

d 治療

抗ドパミン作用のある抗精神病薬のほか，不随意運動に対してはテトラベナジン（コレアジン®）が対症療法としてある程度有効である．

F 脳の感染症

かつて精神障害の代表的な位置を占めていた進行麻痺は，第二次大戦後は抗生物質の開発により，ほとんどみることがなくなった．代わりに，ウイルスによる脳炎が大きな位置を占めるようになり，世界的には HIV による脳障害が注目されている．また，英国やわが国ではプリオン蛋白による感染症である Creutzfeldt-Jakob 病の人為的な発症が大きな社会的かつ国際的問題となっている．このように，脳の感染症（infectious disease）には時代の変化が反映されていることが特徴である．

1 進行麻痺

進行麻痺（progressive paralysis または general paresis）は性交渉によって梅毒に感染したのち，十数年して発症する慢性脳炎である．病原体の梅毒トレポネーマ（*Treponema pallidum*）の発見によ

り，治療法が開発された初めての精神障害である．

a 症状と経過

主な精神症状は慢性進行性の認知症および性格変化で，それに意欲の減退をはじめ，抑うつ状態や躁状態，幻覚妄想状態などが加わる．

道徳感や倫理感などの高等感情が鈍麻し，欲動に対する抑制が低下するために，乱買，虚言，衝動行為などの問題行動も出現する．徐々に無為状態に陥り，ついには寝たきりの状態となる．神経症状としては，対光反射の消失，膝反射の消失，つまずき言語〔Advanced Studies-1（➡ 75 ページ）参照〕などを示す．

胎盤感染により，思春期ころに発症する場合を，若年性進行麻痺（juvenile paresis）という．

b 診断

血液や髄液の梅毒検査陽性所見，髄液の蛋白質や細胞の増加などの炎症所見により，確定できる．

c 治療

抗生物質ペニシリンの反復投与で，髄液の梅毒反応〔Wassermann（ワッセルマン）反応〕が陰性となれば治癒とみなす．認知症は初期や軽度の場合は治療によって改善するが，進行した場合には，程度の差はあれ残存する．

2 単純ヘルペス脳炎（HSE）

単純ヘルペス脳炎（herpes simplex encephalitis; HSE）は，三叉神経節に常在しやすい単純ヘルペスウイルスⅠ型（口部ヘルペス）による散発性脳炎で，側頭葉や大脳辺縁系が侵され，出血壊死傾向など重篤な病変を示す（▶図 15）．

a 症状

発熱やけいれん，せん妄を含む意識混濁，精神運動興奮，髄膜刺激症状など，急性脳炎に共通する症状で発症し，それに加えて異常行動，嗅覚異

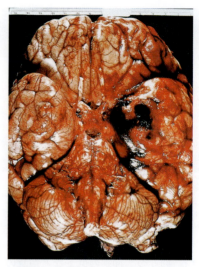

▶図 15　単純ヘルペス脳炎
左側頭葉内側面に出血性病変が認められる．
〔平野朝雄ほか：カラーアトラス神経病理．p.21, 医学書院, 1980 より〕

常，幻視，記憶障害などの側頭葉や大脳辺縁系の症状が出現する．

b 治療と予後

近年，病初期の血清ウイルス抗体価の測定，脳CT や MRI での側頭葉病変の確認による早期診断と抗ウイルス薬投与により死亡率は 10% 程度に激減している．しかし，治癒した場合でもいまだ 30% に健忘症候群，感情や性格の変化など重篤な後遺症状を残す（▶図 16）．

3 ヒト免疫不全ウイルス（HIV）脳症

ヒト免疫不全ウイルス（human immunodeficiency virus; HIV）に罹患して約 10 年間の潜伏後にエイズ〔後天性免疫不全症候群（acquired immunodeficiency syndrome; AIDS）〕を発症する．このエイズ患者にみられる種々の大脳症状をエイズ脳症（AIDS encephalopathy）と呼ぶが，HIV による脳や脊髄など神経系への侵入は無症状の時期からすでに始まっており，その意味では HIV 脳症（HIV encephalopathy）のほうが適切である．

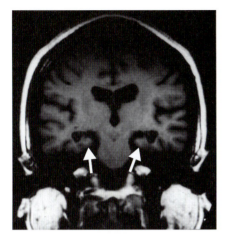

▶図16 脳炎後の側頭葉（健忘症候群の例）
特に海馬の萎縮（矢印）が顕著である．

a 症状と経過

　典型的には，忘れやすさ，緩慢さ，集中力の低下，課題解決や読書の困難などの訴えがみられる．また，社会的ひきこもり，自発性低下，無感情もみられ，時に躁うつ的，幻覚や妄想，興奮状態など精神病的になることもある．また，けいれんのほか，振戦や平衡障害，失調，腱反射の亢進，錐体外路症状などもみられる．

　こうした症状の多くは亜急性，慢性に進行し，重篤な全般的認知症から無動性無言，さらに死に至る．通常はエイズの末期に発症するが，エイズに先行して出現することもある．また，母体を経由して胎児に感染し，小児では精神的な発達の障害を生じる．

b 病型

　病型としては，エイズの進行期から末期の免疫力低下に伴って現れる真菌やトキソプラズマ原虫，ヘルペスウイルス，結核菌などによる脳の日和見感染による場合と，HIVによる神経組織への直接的侵襲による場合とがある．後者では主として白質が侵されることが特徴である．

c 治療

　エイズ未発症の適切な時期に，ジドブジン（レトロビル®）などの逆転写酵素阻害薬やリトナビル（ノービア®）などのプロテアーゼ阻害薬を服用することで進行の抑制が可能である．

4 Creutzfeldt-Jakob病（CJD）

　Creutzfeldt-Jakob病は中高年に発症し，数か月から1〜2年の亜急性経過で進行し，約70％が1年以内に死亡する疾患である．発病率は100万人に1人であり，大部分は孤発性に発症するが，家族性の発症例もある．

a 病因

　患者脳の乳剤によりヒト以外の動物にも伝播が可能なため，なんらかのウイルスによる遅発性感染と考えられていた．しかし，ウイルスとは異なり，核酸を含まない特殊な蛋白質が感染因子であることが明らかにされ，それはプリオン（prion）と命名された．かつてニューギニア高地の一部族にみられたクールー（kuru）と合わせ，プリオン病（prion disease）と呼ばれる（→ Advanced Studies-4）．

b 症状

　初発症状は記銘力障害や見当識障害，性格変化や行動異常などの精神症状，視覚障害などで，それらが急速に進行し，重度の認知症状態に陥る．こうした精神症状と並行して，ミオクローヌスや

Advanced Studies

❹プリオン病のウシからヒトへの伝播

　ヒト以外のプリオン病にはヒツジのスクレイピー（scrapie）が知られている．英国ではスクレイピーに罹患したヒツジの骨や内臓をウシの飼料に用いたため，多数のウシが罹患し（牛海綿状脳症；BSE），ヒトにおいても脳波にPSD（→ NOTE-2，86ページ）がみられない若年者の亜型が多数例発症している．BSE罹患ウシの肉摂取によるBSEプリオンのヒトへの伝播とみなされている（変異型CJD）．

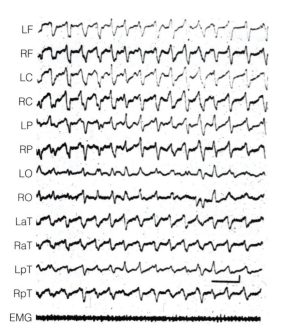

▶図17　Creutzfeldt-Jakob 病の PSD

舞踏病様の不随意運動，筋緊張の亢進，歩行障害や腱反射の亢進など，錐体路系・錐体外路系症状も出現し，これらの症状も急速に進行し，無動性無言，失外套症候群などに移行する．経過中，脳波には周期性同期性放電（PSD）(➡ NOTE-2)を示すことが特徴で(▶図17)，かつ脳の CT や MRI で急速かつ高度な脳萎縮が観察される(▶図18)．

c 病態と病理

感染因子であるプリオン（感染型プリオン蛋白）は，ホルマリン固定後の脳組織でも，その伝播する能力は失われない．また，医原性の発症も罹患者の血液の輸血，角膜移植などでみられるが，わが国では脳外科手術の際に使用した輸入乾燥硬膜により多発している．

病理学的には，大脳皮質における神経細胞の高度脱落，アストログリアの増生(➡ Advanced Studies-5)とともに，海綿状態が大きな特徴であり，このために亜急性海綿状脳症（subacute spongiform encephalopathy）とも呼ばれる(▶図19)．

今日では，体内に入った感染型プリオン蛋白は，長期を経て正常型プリオン蛋白を多量に含む脳の神経細胞に達し，そこの正常型プリオンを感染型プリオンに急速に変化させる結果，神経細胞の急激な破壊が生じると考えられている．

d 診断と治療

臨床特徴と脳波所見，高度な脳の萎縮所見で診断が可能であるが，最終的には病理学的検索が必要である．治療法は特になく，患者や感染動物の血液や臓器の取り扱いには厳重な注意を要する．

G 頭部外傷と外傷性脳損傷

交通事故の増加により，頭部外傷（head trauma）による外傷性脳損傷（traumatic brain injury）は大きな社会問題となっている．精神科領域で問題となるのは主として慢性期の障害で，損傷の部位や程度，受傷経過，受傷者のおかれた状況との関連でさまざまな症状を呈する．

NOTE

2 周期性同期性放電（periodic synchronous discharge; PSD）

鋭波や棘波，徐波などが単発性もしくは複合性の突発波として，脳の全領域に一斉に（全般性，同期性に）出現し，それが一定の周期で規則的に反復する異常波をいう．CJD に特有である．

Advanced Studies

5 線維性アストログリアの増生

中枢神経系の亜急性・慢性の病変で，線維性アストログリア（またはグリア線維）が増生することを線維性グリオーシス（fibrous gliosis）という．この状態では，脳組織は硬くなるために，硬化（症）（sclerosis）と呼ばれることがある（例：多発性硬化症，亜急性硬化性全脳炎など）．

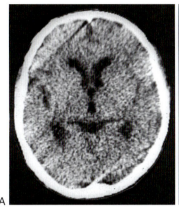
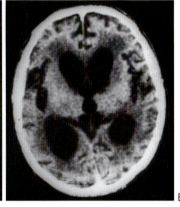

▶図18　急速に進行する Creutzfeldt-Jakob 病の脳萎縮（脳 CT）
A：初診時，B：6か月後

▶図19　Creutzfeldt-Jakob 病の大脳皮質にみられた高度の海綿状態（銀染色）
〔平野朝雄ほか：カラーアトラス 神経病理．p.201，医学書院，1980 より〕

1 急性期の障害

通常，脳振盪，脳挫傷，頭蓋内出血に分類される．また，頭蓋骨や硬膜の損傷により，頭蓋内腔と外界とに交通を生じた開放性頭部外傷と非開放性頭部外傷とに分類される．

a 脳振盪

脳振盪（cerebral concussion）は，頭部に外力が加わった結果，急激に生じた脳機能障害である．脳に器質性損傷を伴わないため，ごく一過性，可逆性の症状を特徴とする．意識障害は数秒から数分程度のことが多い．回復期には一時的にせん妄やもうろう状態などを呈することもある．また，回復後には意識障害の期間のみならず，受傷前の記憶が脱落することもある（逆向健忘）．

b 脳挫傷

脳挫傷（cerebral contusion）では，脳実質に点状出血や神経線維の軸索断裂〔びまん性軸索損傷（diffuse axonal injury）〕などをきたすため，意識障害の程度は一般に強く，重篤で，昏睡状態が数日から数週以上持続することがある．意識を回復する過程で，せん妄やもうろう状態，錯乱状態などがみられることが多い．

脳部位では前頭葉や側頭葉が傷害されやすく，脳神経症状や運動麻痺に加えて，高次脳機能障害，知能障害，性格変化を後遺症状とすることが少なくない（▶図20）．脳の損傷部位が広範な場合，失外套症候群が年余にわたり持続することもある．

c 頭蓋内出血

頭蓋内出血（intracranial haemorrhage）は出血の部位により，くも膜下出血，急性硬膜下出血，急性硬膜外出血，脳内出血などに分類される．脳ヘルニアによる生命の危険があり，早急な脳外科的治療が必要である．

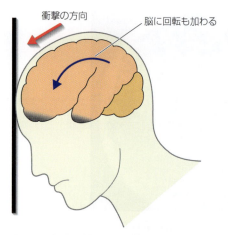

▶図20　交通事故による脳挫傷のメカニズム
前頭葉・側頭葉の先端から下面が傷害されやすい.
〔Okazaki, H.: Fundamentals of Neuropathology.
p.88, 医学書院, 1983 より一部改変〕

2 慢性期の障害

意識障害を中心とする急性症状が軽快したあとの時期で，さまざまな精神神経症状がみられる.

a 神経衰弱状態

神経衰弱状態（neurasthenic state）は最も多くみられる状態で，不安や抑うつ，不眠，めまい，頭痛・頭重，耳鳴り，集中困難，記銘障害などの不定愁訴や，発汗や動悸などの自律神経症状を伴うことも多い．これらは通常1～2か月で軽快するが，神経症傾向が加わると長期に持続する．

b 高次脳機能障害

脳の損傷が広範なほど意識障害の回復は遅れ，しかも思考や記憶，理解能力の低下，あるいは注意機能や遂行機能の障害がさまざまな程度で残ることになる．また，自発性の低下や感情の鈍麻，多幸がみられたり，抑制の欠如，易刺激性などにより社会生活面での行動も障害されるため，障害者総合支援法における「相談支援」の対象とされる〔第3章のNOTE-3（➡39ページ）参照〕．

c 外傷神経症

外傷神経症（posttraumatic neurosis）とは，神経衰弱状態が長期に持続するだけではなく，抑うつ，不安，心気状態などを呈する状態をいう．一般に非開放性損傷に多く，神経症状も損傷の状態からは説明できないものが少なくないなど，症状の出現や経過には，さまざまな心理的・社会的要因が複雑に関与していると考えられている．

d 外傷性てんかん

外傷性てんかん（traumatic epilepsy）とは開放性外傷によって脳が損傷を受けたために生じる．発作型は全般強直間代発作が主で，Jackson（ジャクソン）型を含む単純部分発作，複雑部分発作がこれに次ぐ．

e 慢性硬膜下血腫

受傷時には意識障害を示さなかった程度の軽度の外傷でも，徐々に硬膜下に血液が貯留し，脳実質を圧迫するため，数週から数か月後に慢性硬膜下血腫（chronic subdural haematoma）が発症する．血腫の増大とともに，不活発やぼんやりした状態，認知症様症状などが観察され，頭痛や悪心・嘔吐など，頭蓋内圧亢進症状も出現する．意識障害が出現し，脳ヘルニアに至ると生命に危険な状態になる．

うっ血乳頭の検索，脳CTやMRIでの血腫発見によって早急な脳外科的治療が必要であり，手術で完治する．なお，高齢者では頭部の打撲を特定できないこともある．

H 中毒

中枢神経系は多くの化学物質や重金属によって侵される．化学物質ではアルコールなどのように依存（dependency）を呈するものもあるが，中毒（intoxication）としては，一酸化炭素，農薬，シア

▶図21 一酸化炭素中毒による大脳半球病変
白質もびまん性に傷害されているが、特に淡蒼球（矢印）で著しい．（髄鞘染色）

ン化合物，薬物の中毒量服用（抗てんかん薬，リチウム塩など）などが一般的である．重金属では，水銀，鉛，マンガン，ウランなどがある．ここでは，一酸化炭素と水銀について述べる．

1 一酸化炭素中毒

一酸化炭素中毒（carbon monoxide poisoning）は，家庭や工場でのガス漏れ事故，木炭や石油の燃焼不良，ガス自殺，自動車の排気ガス事故などで生じる．一酸化炭素には組織毒性があるほか，血液のヘモグロビンに対する親和性が酸素の約250倍強い．このため，中毒時にはヘモグロビンは一酸化炭素と結合し，人体の組織は低酸素状態に陥るが，脳は最も強く傷害され，特に大脳白質や淡蒼球で著しい（▶図21）．

急性中毒では，最初は頭痛，めまい，悪心・嘔吐がみられ，次第に皮膚は鮮紅色となり，呼吸困難や感覚・運動機能の低下が出現し，意識も障害され，死亡する．意識障害に至らない段階で中毒状態が中断したときには完全に回復する．意識が障害された場合，回復してもパーキンソン症候群や健忘症候群，理解力や意欲の低下，性格変化，高次脳機能障害など，さまざまな後遺障害を残すことが少なくない〔第3章の図9（→39ページ）参照〕．重度の場合には，高度の認知症や失外套症候群のまま経過する．

急性症状がいったん回復したあとに，数日から数週後に再び意識混濁，興奮やせん妄などをきたす場合を間欠型（relapsing form）といい，予後不良のことが多い．

治療は，急性期には酸素投与や高圧酸素療法，慢性期にはさまざまな機能回復訓練を行う．

近年，タバコの煙に含まれる一酸化炭素による脳を含む人体各組織への慢性作用が胎児や小児を含め問題になっている．

2 水銀中毒

水銀中毒には無機水銀中毒と有機水銀中毒があるが，今なお世界各地の水銀鉱山や化学工場周辺で住民多数が双方の中毒に侵されている．

なかでも水俣病に代表される有機水銀中毒は，工場から海に排出されたメチル水銀が魚介類に蓄積し，1950年代にはそれを食べた熊本県水俣湾の沿岸住民に発生し，さらに八代海沿岸に拡大し，潜在患者を含めると10万人以上の地域住民に被害が及んでいる．また，1960年代前半には新潟県阿賀野川流域の住民にも発生した．水俣病は，規模のうえでも経過でも幾多の問題を残し，「公害の原点」と呼ばれているが，環境汚染と化学物質による脳障害を考えるうえで，今も多くの示唆を与えている．一方，近年，世界的にはメチル水銀の低濃度汚染による胎児脳への影響が懸念されている（→Advanced Studies-6）．

体内に吸収された有機水銀は大脳や小脳を侵す．重症例の症状はHunter-Russell（ハンター・ラッセル）症候群と呼ばれ，中心性視野狭窄，運動失調，構音障害，知覚鈍麻，難聴，振戦などの錐体外路症状を示す．精神症状では，さまざまな程度の知能の低下，積極性や抑制の低下など，性格変化を呈する．メチル水銀は長く体内にとどま

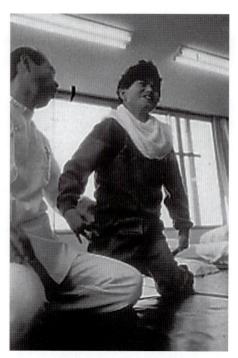

▶図 22　訓練によって生まれて初めて膝立ち歩きができた喜びの瞬間（胎児性水俣病，35 歳女性）
〔田中史子：生(いのち)—40 年目の水俣病．p.88，ジャパンプレス・フォト，1994 より〕

り，母体から胎児に移行して重篤な脳障害をもたらす(胎児性水俣病)(▶図 22)．

治療は，体内に蓄積されている水銀を体外に排泄させる薬物(EDTA，ペニシラミンなど)を投与する．

Advanced Studies
❻外因性化学物質と脳の発達障害
　近年，ダイオキシンや PCB などの外因性化学物質(いわゆる環境ホルモン)による地球規模での環境汚染と次世代への影響が懸念されている．これらの化学物質がごく微量で，甲状腺ホルモンなどを通じて動物やヒトの脳発達を障害する危険性，および発病に男女差の著しい心理的発達障害の原因の 1 つである可能性を指摘する研究者もいる．いずれにしても水俣病を教訓に，われわれの生活をとりまく化学物質への警戒と長期的研究が必要である．
〔黒田洋一郎：子どもの行動異常・脳の発達障害と環境化学物質汚染：PCB，農薬などによる遺伝子発現のかく乱．科学，73: 1234–1243, 2003 より〕

Ⅰ 脳腫瘍

　脳腫瘍(brain tumor)は腫瘍のなかで決して頻度の低いものではない．原発性腫瘍では，脳実質由来の神経膠腫(glioma)，髄膜由来の髄膜腫(meningioma)，シュワン細胞由来の神経鞘腫(neurinoma)，下垂体由来の下垂体腫(pituitary tumor)，先天性の頭蓋咽頭腫(craniopharyngioma)などがある．出現頻度では，神経膠腫 40％，髄膜腫 15％，神経鞘腫 10％ などである．また，神経膠腫は小児では小脳(天幕下)に，成人では大脳(天幕上)に多い．一方，転移性脳腫瘍は，肺癌，乳癌，消化器癌などに多くみられる．

1 精神症状

　臨床症状としては，頭痛や悪心・嘔吐などの脳圧亢進症状，局所神経徴候などが重要である．精神症状としては，周囲への無関心や感情の鈍麻，理解力の低下，失見当識などが徐々に目立ち，意識も次第に混濁する．

　脳腫瘍の局在と精神症状との関連では，前頭葉腫瘍は無欲・無関心，感情の鈍麻などの性格変化が，側頭葉腫瘍では記憶障害や側頭葉てんかんが，後頭葉腫瘍では幻視などがみられる．また，視床を含む間脳腫瘍では認知症や性格変化，健忘，幻覚など，下垂体腫瘍では性機能の低下や飲水・摂食の異常などが出現する．

2 診断と治療

　診断は脳神経外科で行われることが多い．しかし，てんかん発作や精神症状，高次脳機能障害を前景とし，なんらかの脳器質性病変が疑われる場合には，脳 CT や MRI などによる早期の発見が重要である．

　治療は，手術による外科的治療や化学療法，放射線療法などが行われる．

J 脱髄性疾患

脱髄性疾患(demyelinating disease)とは，中枢神経系の髄鞘が一次性の崩壊をきたす疾患の総称である．正常に形成された髄鞘がなんらかの原因により崩壊するものと，先天性の脂質代謝障害により髄鞘形成が障害されるもの(白質ジストロフィー)とに大別される．

ここでは，前者の代表的疾患である多発性硬化症について解説する．

1 多発性硬化症

多発性硬化症(multiple sclerosis)は，寛解と増悪，中枢神経系での多発性の脱髄病変を特徴とする．発症は成人期であるが，やや女性に多く，しかも温帯から亜寒帯など高緯度地域の白人に多い．原因は不明である．

a 精神症状

神経症状は病変が視神経，大脳，小脳，脳幹，脊髄に及ぶため，視力障害や錐体路症状，歩行障害，感覚障害，排尿障害，失調などを呈し，増悪と寛解を繰り返しながら，徐々に進行する．

精神症状は急性増悪期には各種の意識障害，不安・抑うつ状態などが一般的である．慢性期には大脳病変の程度と分布にもよるが，種々の程度の健忘症候群，知能の低下，多幸や上機嫌などがみられたり，妄想的，躁的となることもある．また，若い女性に発症する場合，精神状態も不安定となりやすく，心因性の症状が加わったり，増悪・再燃にはささいな心因が関与することもあり，診断に困難を生じることも少なくない．このような場合には，慎重に経過をみる必要がある．

b 診断と治療

病理学的には，脳や脊髄にグリア線維の増生した脱髄斑の多発がみられる(▶図23)[Advanced

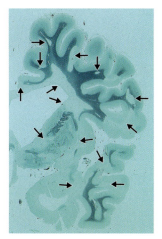

▶図23 多発性硬化症による大脳半球の脱髄病変
脳梁や脳室周囲をはじめ，白質内に脱髄斑(矢印)が多発している(髄鞘染色)．図21(➡89ページ)の白質と比較すると，脱髄病変の分布がより明瞭になる．

Studies-5(➡86ページ)参照]．診断は，特徴的な臨床像に加えて，脳MRIによる脱髄斑の確認による．

治療は，急性増悪期には副腎皮質ホルモンの大量投与が，慢性期にはフィンゴリモド(イムセラ®)が再発や進行の抑制に有効である．

2 白質ジストロフィー

詳細は，次項のK.2項を参照．

K 代謝障害

代謝障害には，症状性精神障害に属するものと，脳が一次的に障害される先天性代謝障害とがあるが，ここでは後者について述べる．

1 肝レンズ核変性症

肝レンズ核変性症[hepatolenticular degeneration またはWilson(ウィルソン)病]は，先天性の

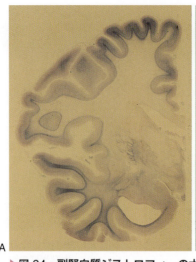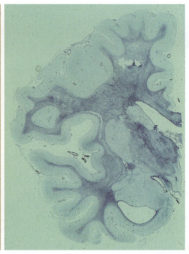

▶図 24　副腎白質ジストロフィーの大脳半球
A：間脳を含め，大脳白質の髄鞘は高度に崩壊し，皮質との境にわずかに残存するのみ（KB 染色）
B：この崩壊部分には線維性アストログリアが増生している（Holzer 染色）．〔**Advanced Studies-5**（→ 86 ページ）参照〕

銅代謝障害により，大脳基底核や肝臓などが傷害される常染色体劣性遺伝性の疾患である．

a 病態と症状

通常，腸から吸収された銅は血中の $α_2$-グロブリンと結合し，セルロプラスミンとなるが，本疾患ではその結合が障害されるため，銅は脳や肝臓などに沈着する．脳では被殻や淡蒼球などに病変が著しく，肝臓は萎縮し，結節性肝硬変となる．角膜にも沈着し，緑褐色の Kayser-Fleischer（カイザー・フライシャー）角膜輪を形成する．一方，血清のセルロプラスミン値は低下する．

多くは 10 代前半に発症するが，徐々に知能の低下，易刺激性など感情の変化が出現する．また，固縮などのパーキンソン症候群，羽ばたき振戦やジストニーなどの不随意運動，構音障害や嚥下障害も次第に目立ち，錐体路症状も出現する．また，肝硬変の進行とともに黄疸や腹水も出現する．

b 診断と治療

本疾患は，新生児マススクリーニングで早期診断が可能であり，低銅食の摂取，銅の尿排泄促進薬の服用などにより進行を遅くしたり，停止させることが可能である．治療を行わなければ，数年で死亡する．

2 白質ジストロフィー

白質ジストロフィー（leukodystrophy）は，大脳白質の髄鞘の広範な脱落を特徴とするごく稀な疾患群である（▶図 24）．先天性の酵素欠損により髄鞘の形成が障害されるのは，異染性白質ジストロフィー症（metachromatic leukodystrophy）と Krabbe（クラッベ）病（globoid cell leukodystrophy）で，ともに常染色体劣性遺伝性の疾患である．

伴性劣性遺伝性の疾患である副腎白質ジストロフィー（adrenoleukodystrophy）は，以前は Schilder（シルダー）病と呼ばれていた．副腎や脳への異常コレステロールエステルの沈着が判明しているものの，欠損酵素などは不明である．

a 症状と経過

一般に小児期に発症し，徐々に歩行障害や言語

障害，痙性麻痺などの錐体路症状が進行する．同時に，行動の異常や性格変化，知能発達の低下などもみられるが，病変の初発部位によって，たとえば，後頭葉では皮質盲，前頭葉では性格変化などが初発の症状となる．徐々に，強制（強迫）泣き・笑い，高度の認知症，四肢麻痺を呈し，ついには寝たきり状態から失外套症候群に陥り，全経過は 1〜3 年である．

成人の発症も時にみられるが，この場合には精神症状を前景とする傾向があり，情意の鈍麻，幻覚妄想状態，行動異常などを呈する．経過とともに神経症状が明瞭になってくる．

b 診断

診断には，臨床症状とともに，脳 CT や MRI などにより大脳白質のびまん性脱髄を見つけることや，欠損酵素や脂質代謝異常の検出が必要であるが，有効な治療法はない．

L 正常圧水頭症

正常圧水頭症（normal pressure hydrocephalus; NPH）は，出血や外傷などによりくも膜下腔が癒着する結果，髄液の吸収障害がおこり，このために脳圧亢進を伴わずに脳室の拡大がおこるもので，脳に萎縮を伴う高齢者に多く発症する．

主な症状としては，軽度の記憶障害，思考や行動の遅滞などの認知症様症状のほか，尿失禁，下肢の痙性，歩行障害などがみられる．

脳 CT や MRI では側脳室前角に著しい脳室拡大をみる．診断には，シスチルノグラフィー（脳槽撮影）によってアイソトープの脳室内滞留を確認することが必要である．

治療法は，脳室シャントにより髄液を腹腔や心房に流すことで，症状は改善する．このため，"治療可能な認知症"として，変性疾患や血管性認知症などとの鑑別が重視される．

M 理学・作業療法との関連事項

本章で解説した老年期の認知症疾患をはじめとするさまざまな脳器質性疾患は，発達障害や身体障害，老年障害領域を含めて，理学・作業療法においてきわめて重要な対象である．

その際には，当然ながら身体機能の障害にとどまらず，神経機能や精神機能の障害をも含めて全体として評価し，社会生活面での活動や参加がより促進されるように訓練・指導・援助にあたることが必要である．

復習のポイント

- 脳器質性精神障害の精神症状には急性症状と慢性症状があり，かつそれらに，さまざまな症状が加わることが特徴である．
- 脳器質性精神障害は，変性や炎症，外傷，代謝，腫瘍など，さまざまな脳の疾患が原因となる．
- 初老期・老年期の認知症疾患では，Alzheimer 病と Lewy 小体型認知症，血管性認知症が主な疾患であり，ケアやリハビリテーションにおいて最も重要な対象となる．
- 老年期にはさまざまな状態が認知症と誤られやすく，また治療可能な認知症もあることを念頭におく必要がある．

第6章 症状性精神障害

学習目標
- 症状性精神障害の概念と症状の特徴を学ぶ．
- 症状性精神障害の基礎となる主な疾患について学ぶ．
- 症状性精神障害の治療および経過について学ぶ．

A 症状性精神障害とは

　症状性（症候性）精神障害（symptomatic mental disorders）とは，身体機能の変調や障害，身体疾患などによって，二次的に脳の障害がおこり，精神症状が出現したものの総称で，症状精神病（symptomatic psychosis）とも呼ぶ（▶図1）．

　古典的な定義では，脳に器質性変化を生じないとされていたが，そのような変化を伴う場合もあり，そこに至る変化は連続的である．このため，ICD-10では「器質性精神障害」としてまとめられている．

　精神症状の経過は，原則として基礎となる身体疾患の経過とほぼ並行するため，治療ではこれら基礎疾患の治療を第一とし，精神症状に対しては基礎疾患や全身状態を考慮したうえで精神科的対症療法を行う．身体疾患の治療については内科書を参考にしてほしい．

1 基本症状

　精神症状は，以下のように3つに大別される．

(1) 各種の意識障害

　これは基礎疾患の持続中に脳がなんらかの原因で機能不全となるために出現する急性症状で，"外因反応型"ともいわれる．傾眠から昏睡に至る種々の意識混濁に加え，アメンチアやせん妄，もうろう状態，幻覚や錯覚などを示す．また，これらに加え，緊張病様興奮や昏迷，躁症状，うつ症状などを示すこともある．

(2) 脳器質性精神症候群
　　（organic brain syndrome）

　脳に器質的な障害が生じたことによって生じる慢性症状である．Behçet（ベーチェット）病や重度の内分泌障害の持続などで生じ，知的機能の低下や性格変化，認知症などをもたらす．

(3) 内分泌精神症候群
　　（endokrines Psychosyndrom〈独〉）

　内分泌障害が慢性に経過したときに生じる食欲や性欲，飲水，睡眠などの欲動，自発性，気分などの異常亢進あるいは減退などの変調である．これが一過性，あるいは周期性，慢性に出現する．

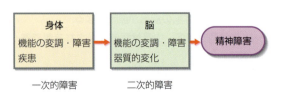

▶図1　症状性精神障害の発現機序

2 基礎となる身体疾患

精神症状を呈する基礎的身体疾患や病態は，きわめて多岐にわたる(▶表1)．これらの治療は，精神科以外の臨床各科で扱われることが多いため，精神科的治療はこれら各科との連携のもとで行われることになる．それを"コンサルテーション・リエゾン精神医学"(consultation-liaison psychiatry)と呼ぶ〔第16章「コンサルテーション・リエゾン精神医学」(→ 207 ページ)参照〕．

B 主な疾患

ここでは，日常の臨床でみられることの多い代表的疾患について解説する．

1 代謝および栄養障害

a 糖尿病および低血糖

糖尿病(diabetes mellitus)ではエネルギー源である糖(グルコース)を血液中から神経細胞に移行させ，利用を促す作用が低下するため，心気的，抑うつ気分，不安，記憶減退，集中困難，いらいら感，頭重などを呈することが多い．糖尿病の悪化によりケトアシドーシスとなり，糖尿病性昏睡をきたす．また，血糖値は情動の不安定によっても上昇する．

低血糖(hypoglycemia)は，糖尿病治療薬の過剰投与，膵臓の Langerhans(ランゲルハンス)島腫瘍などで生じ，はなはだしい場合には昏睡に至る．血糖値が 50 mg/dl 以下になると，発汗，流涎，徐脈，縮瞳などの副交感神経症状を呈し，次第に無欲状，傾眠に，さらに進行すると，不穏・興奮，せん妄，もうろう状態，筋れん縮，ミオクロニーが出現する．

▶表1 精神症状の基礎となる身体疾患および病態

分類	身体疾患および病態・原因
急性感染症	インフルエンザ，肺炎，麻疹，猩紅熱，敗血症，赤痢など
膠原病	全身性エリテマトーデス(SLE)，Behçet(ベーチェット)病，強皮症，皮膚筋炎，リウマチ性疾患，結節性動脈炎など
代謝障害	糖尿病，低血糖，電解質異常，ポルフィリン症，痛風など
栄養障害	ビタミン B_1・B_6・B_{12} 欠乏症，ペラグラ，Wernicke 脳症，悪液質など
心疾患	高血圧，心筋梗塞，心不全，開心術後など
肺疾患	気管支喘息，肺気腫，呼吸不全など
肝疾患	肝炎，肝硬変，肝癌，肝不全など
腎疾患	尿毒症，腎不全，透析，移植など
血液疾患	各種の貧血，出血性素因，白血病など
内分泌疾患	● 下垂体機能障害〔Simmonds(シモンズ)病，Sheehan(シーハン)病，先端巨大症，巨人症など〕 ● 甲状腺の機能亢進〔Basedow(バセドウ)病〕および機能低下(橋本病，クレチン病) ● 副甲状腺の機能亢進および機能低下 ● 副腎皮質の機能亢進〔Cushing(クッシング)症候群〕および機能低下〔Addison(アジソン)病〕 ● 性腺機能障害(生殖精神病など)など
薬物	抗 Parkinson(パーキンソン)病薬，抗てんかん薬，インターフェロン，抗ヒスタミン薬，降圧薬，強心薬，麻薬，抗結核薬，睡眠薬，副腎皮質ホルモン，甲状腺ホルモン，性ホルモンなど
その他	ICU(集中治療室)，CCU(心疾患集中治療室)，術後精神病，臓器移植など

b ペラグラ

ペラグラ(pellagra)は，慢性アルコール中毒や慢性胃腸障害などにより，ビタミン B 群に属するニコチン酸が欠乏した際に発症する．皮膚の発疹，胃腸障害(頑固な下痢)，精神症状(ペラグラ精神病)が 3 大徴候である．

慢性アルコール中毒では精神症状が主体で，易疲労性，集中困難，いらいら感，易刺激性，不安，抑うつなどのほか，せん妄，幻覚・妄想，健忘もみられ，離脱症状との鑑別が困難なことも少なくない．重篤な場合には意識障害や錐体路症状，筋

れん縮などの脳症状を呈し，死亡する（ペラグラ脳症）．このため，ニコチン酸の大量投与が緊急に必要とされる．

c Wernicke 脳症

Wernicke（ウェルニッケ）脳症は，慢性アルコール中毒の際のビタミン B_1 欠乏で生じる重篤な脳障害である．さまざまな意識障害のほか，急性の眼筋麻痺，失調症状などを呈し，死を免れても健忘症候群〔または Korsakoff（コルサコフ）症候群〕を後遺症として残す．このため，ビタミン B_1 の大量投与が早急に必要になる．臨床の実際では，前項のペラグラを含めて治療を行う〔第 7 章 B.3.b 項「Korsakoff 精神病」（→ 104 ページ）参照〕．

d 肝性脳症

劇症肝炎や肝硬変の末期には肝不全に陥り，やがて死に至るが，その初期には上機嫌，あるいは軽いうつ状態などがみられる．やがて，失見当識，傾眠，もうろう状態から昏睡（hepatic coma）に移行する．この間に，不穏，錯乱，幻覚，異常行動，羽ばたき振戦などを呈することもある．

意識障害には動揺がみられるが，脳波は徐波化し，三相波という特徴ある波形も出現し，血中アンモニア値は上昇する．こうした一連の経過を肝性脳症（hepatic encephalopathy）と呼ぶ．

e 尿毒症および透析

尿毒症（uremia）では，血中の尿素窒素が上昇するに従って，易疲労感，不眠，不安，無気力，自発性低下，頭痛など神経衰弱状態が出現し，病勢の進行とともに意識混濁やせん妄，錯乱，けいれん発作などが出現し，重篤な状態となる．

透析（artificial dialysis）においても，血液–脳関門の代謝平衡状態が崩れ，脳機能障害を呈するが，こうした状態を透析不平衡症候群という．脱力感や頭痛，悪心・嘔吐，さらに不安，興奮，せん妄，錯乱，昏睡，筋れん縮，全身けいれんなどが出現する．

▶表 2 電解質の異常による諸症状

電解質異常		諸症状
Na	高値	脱水症状，記憶障害，見当識障害，けいれん，意識障害
	低値	倦怠感，無関心，傾眠，せん妄，けいれん，昏睡
K	高値	感覚異常，筋脱力，心電図異常，不安，興奮，昏睡
	低値	倦怠感，傾眠，抑うつ，筋力低下，心電図異常，腱反射減弱，昏睡
Ca	高値	無欲状，無関心，自発性低下，疲労感，筋脱力，幻覚妄想状態，昏睡
	低値	テタニー，情動不安，抑うつ，易刺激性，傾眠，昏睡

長期に透析を行っている場合には，不安，抑うつ，錯乱，幻覚妄想状態が出現したり，亜急性進行性の脳症をきたし，記憶障害，知能の低下，性格の変化をみることがある〔透析脳症（dialytic encephalopathy）〕．

f 電解質異常

電解質の異常は，尿崩症や抗利尿ホルモン分泌過剰，Cushing（クッシング）症候群などの疾患時，大量輸液や副腎皮質ホルモンの使用時をはじめ，薬物の不適正な使用時，あるいは抗精神病薬の副作用による多飲などで生じ，さまざまな症状を示す．このため，血清電解質の検査や補正を含め，注意が必要である（▶表 2）．

2 膠原病

膠原病（collagen disease）とは，全身の結合組織の膠原線維にフィブリノイド変性という共通の病変がみられる疾患群の総称である．いずれも全身の炎症症状を伴い，複数の臓器が障害され，再燃と寛解を繰り返す自己免疫疾患である．ここでは，そのうち高頻度に精神神経症状を示す全身性エリテマトーデスと Behçet 病について記述する．

a 全身性エリテマトーデス（SLE）

全身性エリテマトーデス（systemic lupus erythematosus; SLE）では、発熱、皮膚の紅斑、関節痛、Raynaud（レイノー）現象、腎障害を呈し、血清中には抗核抗体、LE 細胞因子、抗 DNA 抗体などが検出される。

SLE の 15～35％ に多彩な精神症状が発現し、ループス精神病とも呼ばれる。意識障害、せん妄、不安、錯乱、困惑、精神運動興奮、思考散乱、失見当識、さらに躁うつなどの気分障害を呈することが多い。ほかに、幻覚妄想、昏迷などの統合失調症様病像を呈することも少なくない。また、被害的、攻撃的となり、あるいは衝動的な自殺企図などもみられる。

こうした症状は一般に身体状態の増悪と並行して出現するが、この時期には大量の副腎皮質ホルモンが投与されているため、ステロイドによる精神症状との鑑別も必要になる。しかし、まずはSLE による精神症状を考えて、副腎皮質ホルモンを減量することなく、身体状態を改善させることが重要である。慢性期には、意欲の減退、抑制の欠如など性格変化、あるいは知能の低下を示すことがあるが、この場合は SLE の重症度に必ずしも関係しない。

神経症状としては、全身けいれん、視力障害、眼振、複視、片麻痺、運動失調、舞踏病様運動、企図振戦、高次脳機能障害などをみることがある。

精神症状の治療には、薬物療法や精神療法、作業療法などを行う。

b Behçet 病

Behçet 病では、口腔粘膜のアフタ性潰瘍、陰部潰瘍、虹彩毛様体炎の 3 大徴候のほか、結節性紅斑などの発疹、関節炎、消化管潰瘍などがみられる。また、その 10～25％ に多彩な精神神経症状が出現するが、この場合を神経 Behçet 症候群（neuro-Behçet's syndrome）と呼ぶ。

精神症状としては、せん妄、幻覚、妄想、興奮、錯乱など急性症状を呈する場合もあるが、多くは緩慢に発病し、記銘・記憶力の低下、自発性欠如、多幸、抑うつ、気分の易変性、易刺激性、時に不安、心気状態も呈する。次第に児戯性、無頓着、だらしなさ、強迫泣き・笑い、情動失禁など、意欲や感情の障害が顕著となり、認知症および性格変化が進行する。

神経症状としては、頭痛、脱力感、歩行困難、筋れん縮、視神経障害などの脳幹・脳神経症状、錐体路症状、脊髄症状などが出現する。病理学的には脳幹に主座をもつ炎症所見、小血管周囲の軟化巣など、広範な傷害を示す。

このように、神経 Behçet 症候群は再燃を繰り返しながら、慢性に経過し、脳には器質的病変を示すため、むしろ脳器質性精神障害と理解される。

治療としては、急性期には副腎皮質ホルモンの大量投与を、慢性期には各種の機能回復訓練を行う。

3 内分泌障害

急性の外因反応型をとるものと、慢性の経過をとるものとに大別される。後者は内分泌精神症候群とも呼ばれるもので、下記の変化を特徴とする。
①食欲、性欲、睡眠などの個々の欲動の変化
②無気力、自発性減退、無関心、あるいは衝動的、高揚など意欲の変化
③爽快、多幸、抑うつ、不機嫌など気分の変化

病像の特徴としては、気分の変動が短時日でおこりやすく、経過中にせん妄など外因反応型の症状も一過性に生じ、欲動の変化は生物学的な基盤に基づく。一方、これらの障害は内分泌機能の亢進・低下のいずれにおいても共通の症状として示す傾向があり、必ずしも陽と陰の関係にあるわけではない。

a 視床下部機能障害

視床下部の障害時には、自律神経系と内分泌系に作用して、身体の発育、代謝、情動に多様な影

響が生じるが，具体的には抗利尿ホルモン分泌や摂食，体温などの異常である．

このときには，さまざまなタイプの意識障害，入眠時幻覚，知的機能の低下，感情の変化，意欲や欲動の変化など，広範な精神症状が出現する．

b 下垂体機能障害

腫瘍などにより成長ホルモンの過剰で生じる先端巨大症や巨人症では，自発性欠如，動作緩慢，無気力，性欲低下，食欲亢進，気分不安定，衝動性などがみられる．

機能低下による下垂体悪液質やSheehan（シーハン）症候群では，外因反応型のほか，不活発，感情鈍麻，健忘症候群，軽度の認知症などを示す．

c 甲状腺機能障害

Basedow（バセドウ）病など，機能亢進の場合には不安，焦燥感，緊張感，不機嫌，易刺激的，多幸，多動など，躁的な状態が一般的である．

機能低下は30～40代の女性に多い自己免疫性の慢性甲状腺炎による橋本病でみられ，無気力や易疲労性，抑うつ，思考と動作の緩慢，全身のむくみなどを呈する．なお，先天性もしくは生後間もなくからの機能低下であるクレチン病では知能や精神発達の障害を呈する〔第14章 B.7項「クレチン病」(➡ 193ページ)参照〕．

d 副甲状腺機能障害

副甲状腺の機能亢進では高カルシウム血症となり，抑うつ，自発性減退，動作緩慢をきたす．

機能低下では低カルシウム血症となり，テタニーのほか，不穏，易刺激性，情動不安，けいれんなどを呈する．また，いずれにおいても，幻覚妄想，傾眠，錯乱，せん妄などを呈する．

e 副腎皮質機能障害

副腎皮質の機能亢進はCushing症候群と呼ばれているが，抑うつ，不安，焦燥，躁的状態などを呈することが多い．食欲は亢進し，性欲は低下する．ほかに，幻覚，妄想，せん妄，もうろう状態，精神運動興奮，けいれん発作，健忘症候群などもみられる．副腎皮質ホルモン（ステロイド）や副腎皮質刺激ホルモン（ACTH）などの投与時も同様の症状を呈することがある（ステロイド精神病）．

一方，急激なストレスによって急性機能不全を生じ，不安，せん妄，昏睡などをきたす．慢性の機能低下はAddison（アジソン）病で生じ，無気力，無関心，抑うつ，不安，不眠，記銘力の低下，健忘症候群を呈する．

f 生殖精神病

生殖精神病とは，性腺の機能に関するもので，通常は性周期，妊娠，出産，産褥，更年期など，女性の生殖過程にみられる精神障害をいう．

(1) 性周期

月経前期には抑うつ，緊張，易刺激性，気分の不安定，疲労感などがおこりやすい．これを月経前緊張症という．この状態で，自殺や万引きなどの問題行動をおこすことが少なくない．

また，月経の前後には躁うつ病や統合失調症，急性一過性精神病状態などが現れたり，増悪することが少なくない．月経周期に一致して精神病症状を示すものを月経精神病（menstrual psychosis）などということもある．

(2) 妊娠，出産，産褥期

特に出産のあと，数日から数週後の産褥期に統合失調症やうつ病が誘発されたり，せん妄やアメンチアなどの意識の変容，幻覚や妄想などが生じやすい．これはホルモンバランスの変化，子育てへの不安など身体的・心理的要因が複雑に関与しており，産褥期精神障害（puerperal mental disorder）ともいう．

(3) 更年期

この時期には感情の不安定，抑うつ，易怒性，易刺激性，ある場合には被害妄想などの妄想性障害が生じやすい．近年は男性においても同様の状態が指摘されている．

(4) 他の性腺機能の異常

去勢や性腺の発育不全，視床下部ホルモンの異常による思春期早発症（pubertas praecox）では，性欲の低下，気分の不安定，活動性の低下などがみられる．また，性染色体の異常をきたすKlinefelter（クラインフェルター）症候群，Turner（ターナー）症候群では精神遅滞のほか，非行や犯罪，性倒錯などの問題行動がおこりやすい．

C 理学・作業療法との関連事項

症状性精神障害をもたらす疾患は，通常は身体各科で治療されることが多いため，身体機能面での理学・作業療法を求められることが多い．しかし，本章で解説した諸疾患においては，さまざまな精神症状を呈しやすいことも十分に念頭において患者に接し，訓練・援助にあたらなければならない．もし，精神状態になんらかの異常がみられる場合には，速やかに主治医や病棟の看護師と連絡をとることが必要である．

- 症状性精神障害は，脳以外の身体疾患によって生じる二次的な脳障害による症状である．
- 基礎となる身体疾患にはさまざまなものがあるが，精神症状は意識障害，脳器質性精神症候群，内分泌精神症候群に大別される．
- 精神症状は基礎となる身体疾患の経過とほぼ並行するため，これら身体疾患の治療を行うことが何よりも重要である．

第7章 精神作用物質による精神および行動の障害

学習目標
- 依存症候群の定義を理解する.
- アルコール・依存性薬物による精神的・社会的障害を理解する.
- アルコール・薬物依存症者の回復について理解する.

A 精神作用物質による障害の定義

ここで取り上げる精神作用物質とは,摂取すると酩酊（めいてい）などの快反応が得られるために乱用されやすく,ついにはその薬物に心がとらわれる状態,すなわち依存状態を呈する薬物である.

ICD-10〔WHO, 1992〕では,使用すると精神および行動の障害を生ずる可能性のある精神作用物質を
- アルコール(F10.–)
- アヘン類(F11.–)
- 大麻類(F12.–)
- 鎮静剤あるいは睡眠剤(F13.–)
- コカイン(F14.–)
- カフェインを含む他の精神刺激薬(F15.–)
- 幻覚剤(F16.–)
- タバコ(F17.–)
- 揮発性溶剤(F18.–)
- 多剤使用およびその他の物質(F19.–)

に分類している.

こうした薬物の乱用後,揮発性溶剤や覚醒剤残遺精神病のような後遺障害が残ることもある.

したがって,精神作用物質による障害は,乱用,依存,後遺障害（中毒）に分けて考える必要がある.

1 乱用

"乱用"(abuse)とは,わが国では,社会規範から逸脱した目的や方法で薬物,特に依存性物質を使用することをいう.

ICD-10では乱用という用語は使用されておらず,代わって,「有害な使用」(harmful use)という用語が用いられている.これは健康に害を及ぼすアルコール・薬物の使用様式を指す用語であり,精神作用物質の使用によってもたらされた心理的・身体的な害と,夫婦関係などの対人関係が破綻したり,対人関係に反するような判断力の低下や行動の障害との関連が明らかにされた場合にのみ用いることができる.

ここでは,精神作用物質による乱用の問題が保健上でも重要な課題となっている現状に鑑み,その点についても述べることにする.

2 依存

薬物依存概念は,主に薬理学の領域から提唱されていたものであり,精神依存,身体依存,耐性の3要素からなっている.

(1) 精神依存

アルコール・薬物摂取に対する強い欲求（異常な欲求）をもつ状態をいう.

(2) 身体依存

アルコール・薬物が長時間体内にあり効果を発現し続ける結果，生体がその効果が存在する状態に適応して正常に近い機能を営むようになる．その効果が減弱したり，消失したりすると，身体機能のバランスが失われて適応失調の状態となり，病的症候である離脱症候群を呈するような身体的状態をいう．

(3) 耐性

アルコール・薬物の効果が長期の摂取のために減弱し，初期の効果を得るためには，より大量のアルコール・薬物摂取が必要な状態をいう．

耐性は，その機序から，アルコール・薬物の代謝が促進されることによる代謝耐性と機能耐性に分けられる．機能耐性には，神経機能の代償機能の発達による組織耐性と，行動遂行能力の回復による行動耐性がある．

ICD-10 による依存症候群(dependence syndrome)の診断基準を**表1**に示した．6項目の依存症候のうち，(c)項は身体依存，(d)項は耐性についての項目であるが，他の4項目は精神依存についての記述である．

これからもわかるように，依存の中心は精神依存であり，精神依存を欠く薬物は依存形成物質の範疇には入らない．また，依存形成物質には，身体依存性や耐性の変化をきたさない物質もある．

3 後遺障害(中毒)

依存の基盤の上に，薬物の摂取を中止したのち比較的長期に精神病状態が持続することがある．こうした精神病状態は，離脱期のみに出現する"離脱症状"とは分けて考える必要がある．

B アルコール関連精神障害

アルコールは他の多くの依存性薬物と異なり，

▶**表1　依存症候群の診断基準**(ICD-10 より抜粋)

	依存の確定診断は，通常過去1年間のある期間，次の項目のうち3つ以上がともに存在した場合にのみくだすべきである．
(a)	物質を摂取したいという強い欲望あるいは強迫感
(b)	物質使用の開始，終了，あるいは使用量に関して，その物質摂取行動を統制することが困難
(c)	物質使用を中止もしくは減量したときの生理学的離脱状態．その物質に特徴的な離脱症状群の出現や，離脱症状を軽減するか避ける意図で同じ物質(もしくは近縁の物質)を使用することが証拠となる．
(d)	はじめはより少量で得られたその精神作用物質の効果を得るために，使用量を増やさなければならないような耐性の証拠(この顕著な例は，アルコールとアヘンの依存者に認められる．彼らは，耐性のない使用者には耐えられないか，あるいは致死的な量を毎日摂取することがある)
(e)	精神作用物質使用のために，それに代わる楽しみや興味を次第に無視するようになり，その物質を摂取せざるをえない時間や，その効果からの回復に要する時間が延長する．
(f)	明らかに有害な結果が起きているにもかかわらず，依然として物質を使用する．たとえば，過度の飲酒による肝臓障害，ある期間物質を大量使用した結果としての抑うつ気分状態，薬物に関連した認知機能の障害などの害．使用者がその害の性質と大きさに実際に気づいていることを(予測にしろ)確定するよう努力しなければならない．

社会的に容認されている嗜好品の1つである．また，アルコール関連精神障害は他の依存性薬物のそれと比べ，大きな医療的・社会的問題である．したがって通常，アルコール関連精神障害は他の依存性薬物関連精神障害とは別個に取り扱われている．

ここでは，アルコール関連精神障害を飲酒時の急性酩酊の問題と長期の反復飲酒に伴うアルコール依存，後遺障害(中毒)に分けて考える．

1 飲酒による酩酊と乱用

近年，飲酒運転，一気飲みなどが社会問題になり，その犠牲者も増加傾向を示している．これらに対して，アルコール乱用防止の運動がさかんになってきた結果，2013年12月，適切な防止対策，依存症者や家族への支援，アルコール問題諸施策

との有機的な連携を基本理念とする「アルコール健康障害対策基本法」が公布された．それにより，国や都道府県はその推進計画を策定し，総合的な施策を実施することになった．また，飲酒欲求抑制薬であるアカンプロサートも依存症治療への朗報である〔第19章のNOTE-3（➡ 236ページ）参照〕．

アルコールによる酩酊は，単純酩酊（尋常酩酊）と異常酩酊に分類される．異常酩酊は，量的異常である複雑酩酊と質的異常である病的酩酊とに分けられる．

a 単純酩酊

血中アルコール濃度にほぼ並行して酩酊が段階的に進行する．極端な興奮，失見当識，精神病症状の出現はなく，飲酒時の追想も可能であることが多い．血中アルコール濃度が10～50 mg/dlでは，気分が高揚し，多弁となる．注意が散漫となり，作業能力は低下する．50～100 mg/dlでは，運動失調や言語障害が出現し始める．200 mg/dl以上では，泥酔状態となり歩行不能となり，外部刺激に対する反応が減少する．400 mg/dl以上となると，意識が消失し，昏睡に至る．

b 異常酩酊

（1）複雑酩酊

「酒癖が悪い」，「酒乱」と呼ばれる酩酊状態にあたる．酩酊による興奮が著しく，長く続き，気分は不安定であり，易刺激的で暴力的な言動がみられる．また，性的露出，性的加害行動もみられることがある．しかしながら，その行動は周囲の状況からある程度了解可能である．はっきりした幻覚・妄想はみられない．部分的な健忘がみられることがあるが，広範な記憶欠損がおこることはない．激情犯罪，性犯罪がしばしばみられる．通常，血中アルコール濃度が180 mg/dl以上になると出現しやすいとされている．

（2）病的酩酊

もうろう型病的酩酊とせん妄型病的酩酊に区別される．

▶表2 アルコール依存症候群

1. 飲酒行動の変化	a. 飲酒量，飲酒時刻，飲酒機会に対する抑制の減弱
	b. 飲酒行動の多様性の減弱（単純化への収斂）
	c. 有害な飲酒に対する抑制の喪失
2. 主観的状態の変化	a. 飲酒抑制の障害ないし不能
	b. 渇望（craving）
	c. 飲酒中心性，ないし強迫的飲酒欲求
3. 精神生物学的状態の変化	a. 離脱期の症状：不快感情，自律神経症状，振戦，幻覚，けいれん発作，振戦せん妄
	b. 離脱症状軽減のための飲酒
	c. 耐性

〔WHO, 1977 より〕

① もうろう型病的酩酊：もうろう性意識障害ないし「変化し狭窄した意識」で特徴づけられる．すなわち，酩酊により強い意識障害がおこり，自身の連続性が絶たれ，強い健忘をおこす．健忘は多くの場合，全健忘である．また，状況に対する深刻な見当識障害があり，その行為は状況から了解不能である．身体的麻痺症状の欠如もその特徴である．
② せん妄型病的酩酊：症候論的には，振戦せん妄と原則的な差異はない．気分は不安定で多彩な妄覚が存在し，強い不安と精神運動不穏がある．複雑酩酊とは異なり，血中アルコール濃度が低くても出現する．

2 アルコール依存症候群

WHO〔1977〕が提唱したアルコール依存症候群（alcohol dependence syndrome）は，その症候を，飲酒行動の変化，主観的状態の変化，精神生物学的状態の変化にまとめている．飲酒行動の変化，主観的状態の変化は精神依存徴候であり，精神生物学的状態の変化は身体依存徴候（離脱症状の出現）と耐性よりなっている（▶表2）．このWHOのアルコール依存症候群はICD-10，米国精神医学会の診断基準（DSM-Ⅲ, -Ⅳ）に大きな影響を与

えた(▶表1).

a 飲酒行動の変化

飲酒行動の変化としては,
① 飲酒量,飲酒時刻,飲酒機会に対する抑制の減弱
② 飲酒行動の多様性の減弱
③ 有害な飲酒に対する抑制の喪失

があげられる.すなわち,アルコール依存症者は,職場でこっそりと昼間から飲酒していたり,泥酔に至るまで多量の飲酒をするなどの異常な飲酒行動が繰り返される.また,健常者には多様な飲酒行動が認められるが,アルコール依存症者では出勤前にコップ酒をあおって職場に行き,帰りには自動販売機で酒を買って飲み,帰宅後コップ酒をあおるといったような,単純で画一的な飲酒行動を呈するようになる.さらには,飲酒による身体疾患,家族的・社会的問題がおきているにもかかわらず,飲酒を続けるようになる.

b 主観的状態の変化

主観的状態の変化とは,アルコール依存症者の体験として語られる変化であり,他覚的な飲酒行動の変化とは区別される.
① 飲酒抑制の障害ないし不能
② 渇望
③ 飲酒中心性,ないし強迫的飲酒欲求

といった特徴があげられる.

"飲酒抑制の障害ないし不能"は,「酒量を減らしたり,断酒しようと決心してもできない」という陳述によって把握される."渇望"は飲酒や酩酊への耐えがたい願望として経験されるものである."飲酒中心性"はすべての関心が飲酒に集中し,飲酒を他のどんな行動よりも最優先させてしまう体験である.

c 精神生物学的状態の変化

精神生物学的状態の変化としては,離脱期の症状(離脱症候群),離脱症状軽減のための飲酒と耐

▶表3 アルコール離脱症候群

分類	症状	離脱後発症までの時間
1. 早期症候群 (小離脱)	振戦	7～8 時間
	錯覚,幻覚	
	見当識の軽度障害	24 時間以内
	けいれん発作	7～48 時間
2. 後期症候群 (大離脱)	振戦せん妄 ● 粗大な振戦 ● 精神運動亢進 ● 幻覚 ● 見当識障害 ● 自律神経機能亢進	72～96 時間

〔Victor, M., et al., 1973 より〕

性があげられる.

(1) アルコール離脱症候群
　　(alcohol withdrawal syndrome)

出現の時間的経過から,早期症候群(小離脱)と後期症候群(大離脱)とに分けられる(▶表3).

① 早期症候群:アルコール離脱後7時間ころより始まり,20時間ころにピークをもつもので,いらいら感,不安,抑うつ気分などの不快感情や,心悸亢進,発汗,体温変化などの自律神経症状,手指・眼瞼・体幹の振戦,一過性の幻覚(幻視,幻聴が多い),けいれん発作などがみられる.軽い見当識障害が出現することもある.

② 後期症候群:離脱後72～96時間に多くみられるもので,粗大な振戦,精神運動興奮,幻覚,意識変容,自律神経機能亢進を主徴とする振戦せん妄(delirium tremens)である.

前駆症状として,不穏,過敏,不眠,食欲低下,振戦などが出現し,次いで,振戦せん妄に移行することが多い.意識混濁はそれほど強くなく,表面的には対応可能なことが多い.注意散漫で落ち着きがなく,見当識障害を伴う.

幻覚は幻視が多く,小動物や虫が出現することが多い.それらが体の上に這い上がってくる感覚(幻触)を伴うことがある.また,壁のシミが人の顔に見えるなどの錯視が出現することもある.幻覚は暗示によって出現したり,増強したりする.眼瞼上から眼球を圧迫して暗示を与えると幻視が

出現することがあり，Liepmann（リープマン）現象と呼ばれる．時に，しなれた職業上のしぐさがみられることもある（職業せん妄）．

また，幻覚のなかで主なものは，幻視であるが，幻聴がみられることも少なくない．幻覚は，暗い部屋にいるときや夜間に激しくなり，室内を明るくすると軽減する．振戦せん妄は通常3〜4日持続する．心臓衰弱などの重篤な合併症で死亡することも稀にある．多くは強い不眠がみられるが終末には深い睡眠（終末睡眠）に入り，それから覚醒すると，症状はほぼ完全に消退する．Korsakoff（コルサコフ）精神病に移行することもある．

(2) 耐性

耐性の獲得とは"酒に強くなる"ことをいう．すなわち，同量の飲酒をしても以前より酔いが軽くなる，また，同じ程度の酔いを獲得するためには以前よりより大量の飲酒をしなければならない状態である．耐性には肝臓におけるアルコール代謝酵素が誘導されるために，血中アルコール濃度が低下して生じる代謝耐性と脳のアルコールに対する反応性の低下によって生じる組織耐性とがある．

3 アルコール依存を基盤に生じる精神病

1979年の厚生省（当時）アルコール中毒診断会議では，アルコール精神病を，アルコール依存徴候を有する精神病とアルコール依存徴候を基盤に生じる精神病とに分類している．前者は前述した身体依存の存在を示すアルコール離脱症候群に属するものである．後者はアルコール離脱後かなり長期にわたって，あるいは生涯回復困難な変化である．この意味において，後者は長期にわたる飲酒による後遺障害（中毒）と考えられる．

a アルコール幻覚症

アルコール依存症を基盤とすることでは振戦せん妄と類似している．振戦せん妄では幻視が多く意識障害が存在するのに比し，アルコール幻覚症では幻聴を主とすること，意識混濁のないことが異なる．

本症の症状の出現は急激であり，夜間などに突然要素的な幻聴や被害的な内容や自己の行為をたえず批判する形の人の声などが出現する．幻聴に引き続き，二次的に被害妄想，追跡妄想，関係妄想などが生じる．気分の基調は不安である．身体所見はほとんどない．症状は一過性で，短ければ数日から数週で消退するのが普通であるが，遷延例も認められる．

本症をアルコール依存徴候を有する精神病，アルコール依存徴候を基盤に生じる精神病のいずれに分類するかは論議のあるところである．しかし，ここでは症状が比較的長期に続くことからアルコール離脱症候群に加えなかったが，臨床的にはアルコール離脱症候群の1つと考えたほうがよい場合も多い．

b Korsakoff 精神病（アルコール性）

Korsakoff 精神病では，記銘障害，失見当識，作話症からなる定型的な健忘症候群（Korsakoff 症候群）が高度に，かつ長期に持続する．体知覚異常，腱反射消失，筋萎縮などの多発神経炎を伴う．経過中に進行麻痺類似の身体症状を示す場合があり，これをアルコール性仮性進行麻痺という．

急性のせん妄，発熱，悪心・嘔吐，眼球麻痺，瞳孔障害，けいれん発作などで始まり，傾眠，昏睡をきたし，死亡する危険の高いものに Wernicke（ウェルニッケ）脳症がある〔第6章 B.1.c 項「Wernicke 脳症」（➡ 96 ページ）参照〕．この脳症はビタミン B_1 の持続的欠乏によっておこるが，ビタミン B_1 や副腎皮質ホルモンの投与によって，最近では死亡例は減っている．しかしながら，回復後に健忘症候群が残ることも多い．

4 アルコール依存症者の子どもの問題

アルコール依存症の問題は本人のみならず，そ

の子どもにも重大な障害をもたらす．その代表的なものが，胎児性アルコール症候群と adult children of alcoholics（ACOA）である．

a 胎児性アルコール症候群（FAS）

母親が妊娠早期に大量の飲酒をしたために，胎児期に奇形をはじめとするさまざまな障害が生じた子どもを胎児性アルコール症候群（fetal alcohol syndrome; FAS）という．臨床像としては特有な顔貌，すなわち短い眼瞼裂，人中の低形成，薄い上口唇，短い鼻などがみられる．これは顔面中央部の低形成の結果と考えられている．軽度から中程度の精神発育遅滞，小頭症，生下時体重・身長の低下がみられる．また，口唇・口蓋裂，心房中隔欠損，心室中隔欠損のほか，各種臓器に奇形がみられることがある．

アルコール依存症者の子どもたちには情緒障害や学校や社会における不適応がみられることが多く，後述する ACOA の問題にも関連してくる．こうした問題の原因はアルコール依存症者の家庭が機能不全家族であることによると考えられているが，胎生期のアルコール曝露による中枢神経系の機能障害が関係している可能性もある．

b Adult Children of Alcoholics（ACOA）

ACOA はアルコール依存症者（alcoholic）の家庭で育ち，さまざまな社会的不適応や人間関係の障害をもち"生きづらさ"を感じている，大人となったアルコール依存症者の子どもたちに対する総称である．その臨床像はさまざまであるが，基本的には対人関係の障害である．これはアルコール依存症者の家庭が機能不全に陥っており，子どもたちは親から正常な大人として成長するのに必要な多様な人間関係のあり方を学ぶことができないことに起因していると考えられる．アルコール・薬物依存症のリスクも高い．

5 アルコール依存症（関連問題）の診断・概念の最近の変化

ICD-10 の診断基準に基づいて推計されたアルコール依存症者数は58万人と報告されているが，同時期の厚生労働省の患者調査では，その数は4万人程度にすぎない．この推計されたアルコール依存症者数と実際の患者数との大きな差の原因は種々考えられるが，アルコール依存症とは社会的・家庭的生活が破壊され重い臓器障害があるという強い思い込み，加えてアルコール依存症の各診断項目は非特異的な診断項目が多いために診断基準が正しく解釈されていない可能性などがあげられる．このことによって，わが国では重症例しかアルコール依存症の診断を受けていない可能性があり，ICD-10 の基準により忠実な診断が求められる．

一方，DSM-5 では DSM-IV の乱用，依存の概念が統一され，上位概念であったアルコール使用障害の診断基準が提示された．診断項目は DSM-IV のアルコール依存症のすべて，乱用から3項目が採用され，飲酒に対する渇望も採用されている．アルコール使用障害診断基準に関しては概念が依存症よりも拡大していること，診断項目が11項目に増加し，診断に必要な診断数は2項目に減少していることから，診断閾値が大幅に低下している．こうしたことから，軽症〜中等症のアルコール依存症（使用障害）の診断と治療に留意することが求められる．

C 薬物依存による精神障害

アルコール以外の薬物依存は WHO〔1992〕によって，前述したように，9型に分類されている（→ 100 ページ）．本項では，このうちわが国で比較的多くみられる薬物依存について述べる．

1 睡眠薬・抗不安薬関連障害

a 医療的有用性と乱用

　ベンゾジアゼピン系薬物は，抗不安薬，筋弛緩薬，睡眠薬，抗けいれん薬として，臨床で広く使われている．しかし，長期あるいは大量に服薬をすると記憶障害をはじめとする種々の認知障害をきたす．

　一方，酩酊感を求めて乱用されることもあり，最近は青少年の乱用が社会問題化しつつある．また，睡眠薬をだまして飲ませて，窃盗などの犯罪行為が行われることもある．稀に，自殺の目的で大量に服用されることもある．

b 依存

　ベンゾジアゼピン系薬物を長期に使用すると，耐性の変化，精神依存，身体依存が形成される．特に力価が高く，作用時間が短い（半減期が短い）薬物で乱用や依存形成の危険性が高い．耐性の変化や精神依存のために使用量が通常の10倍に達することがある．こうした状態に陥ると服薬することが他のすべてに優先し，社会・家庭生活に支障をきたすようになる．

　離脱症状はアルコール依存に類似しており，睡眠障害，気分障害，不安障害，幻覚，大発作型けいれん発作，せん妄などがみられる．しかし，その出現は，多くの薬物がアルコールより長い半減期を有するために，アルコール離脱症状に比べ遅い．

　近年においては，常用量のベンゾジアゼピン系薬物の長期使用によっても依存が形成されること（常用量依存）が多くの研究者によって報告されている．常用量依存においては離脱症状は身体症状では手指の振戦，冷汗，不眠など，また精神症状では落ちつきのなさ，不安，抑うつなど軽度なものが多く，離脱症状のピークも明確でないことが多い．

2 タバコ関連障害

　WHOは，ICD-10でタバコを「精神作用物質」に分類する一方，2003年5月の56回総会で公衆衛生分野では初の「タバコ規制枠組み条約」を採択し，タバコ消費の削減に向けた規制推進を各国に呼びかけている．タバコ煙が依存性物質であるニコチンだけにとどまらず，多数の発癌物質や一酸化炭素，ポロニウムをはじめ，200種類以上の有毒化学・放射性物質を含むこと，タバコから立ち上る煙（副流煙）には喫煙者が吸う煙（主流煙）の数倍から数十倍の有害物質を含むこと，副流煙に曝される胎児や小児をはじめ，周囲の人々に多大な健康被害をもたらすことなどによる（受動喫煙被害）．

　ニコチンは毒性の強い興奮性の劇物で，依存性は麻薬と同等の強さで，精神・身体依存や耐性を形成する．喫煙後まもなく，不快気分やいらいら感，集中困難，抑うつ感，易怒性などの離脱症状が出現するため，1～2時間おきの喫煙が必要になる．ニコチンには全身の末梢血管収縮作用も有するため，長期にわたりタバコ煙に曝されることで，心循環器疾患や呼吸器疾患，脳血管疾患をはじめ，さまざまな疾患や不健康状態をもたらす．また，一酸化炭素と併せて脳を傷害し，精神機能を低下させる．胎児では子宮内胎児発育遅延や発達障害などの原因になる．しかし，他の精神作用物質のように，精神病症状を発症することはない．

　治療は，離脱症状や喫煙欲求を軽減するニコチン受容体部分作動薬のバレニクリン（チャンピックス®）を用いた薬物療法のほか，認知行動療法が効果的である．

　わが国では今なお，「たばこ事業法」（1984年）でタバコ事業の発展と税収の安定確保が推奨されており，タバコ依存症対策は各国に比し非常に遅れている．

3 揮発性溶剤関連障害

a 急性中毒と乱用

シンナー(通常,トルエンなどの揮発性溶剤3〜4種の混合溶液)遊びに始まるシンナー乱用は,覚醒剤など他のいっそう深刻な薬物乱用へと陥っていくケースが多い.

本溶剤の吸入は,同じ溶剤の一種であるアルコールと類似した作用を示す.低濃度の短時間吸入では「ボーッとする」,「気持ちがいい」と吸入経験者が述懐するように,心地よい酩酊状態を体験する.この酩酊時の快感は飲酒時よりも強いといわれている.

さらに酩酊が進むと,アルコールの複雑酩酊に類似した症状が認められる.すなわち,気分高揚による万能感を基盤に,言動を自己制御できない状態となる.周囲に対して制圧的,易怒的となり粗暴な行為がしばしば認められる.時としてこうした行為は,傷害,強姦などの犯罪へと発展する.感情も不安定であり,突然泣きじゃくる,おびえるなどといった意味不明の行動がみられる.

シンナーの主成分であるトルエンの麻酔作用はクロロホルムに匹敵するといわれており,酩酊状態から麻酔状態を経て死に至るまでの血中濃度差が小さく,危険であるといわれている.死に至るケースでは延髄麻痺を経て死に至るものが多いが,その他,シンナー遊びに使用したビニール袋による窒息死,強い粘膜刺激による声門水腫や肺水腫,喉頭けいれんによって死に至る場合も少なくない.

視覚障害は揮発性溶剤で最も多くみられる急性症状である.まわりの物が鮮やかに見える変色視,物の形が歪んで見える変形視,物が大きく見える巨視,小さく見える小視などがある.また,暗がりに立てかけてある掃除用具が人に見えたりする錯視や,夜間なのにキラキラ光る色模様のようなものが見えるなどの幻視が出現することもある.

視覚の異常に比べ,聴覚の異常は出現頻度が低い.身体位置感覚の異常としては,体がフワーッと浮くような身体浮遊感,体が地面に沈み込んでいくような身体沈下感が最も多くみられる.

b 依存

シンナー乱用者のほとんどは,知人や友人に誘われ吸引を始める.はじめ,吸引は仲間といるときがほとんどであり,1人で吸引することはめったにない.このころは生活上の障害は少なく,家族も吸引に気づかないことも多い.この段階における依存の程度は軽く,医療の介入は必要がないことが多い.

さらに進むと,単独でも吸引するようになり,吸引の頻度も増加する.依存が進行すると,揮発性溶剤に対する渇望を背景にして,それを手に入れるために恐喝,窃盗などを行うようになり,家族の前でも平気で揮発性溶剤を吸引するようになる.

一方,身体依存については,否定的な見解が多いが,稀に身体依存が形成される例もあるとの主張もある.

c 性格変化

慢性の揮発性溶剤乱用者では,労働や学習などに対する全般的な意欲低下により社会的能力の減衰を特徴とする動因喪失症候群が認められるとする報告がある.

d 揮発性溶剤精神病

長期の本溶剤吸引後,統合失調症類似の症状を呈する症例が報告され,揮発性溶剤精神病の名称が提唱されている.乱用期間が5年を超えると,揮発性溶剤精神病の発現の可能性が著しく高くなるといわれている.

統合失調症との鑑別は困難なことが多いが,揮発性溶剤精神病の場合,統合失調症にみられる感情の平板化,無為,対人接触性(疎通性)の障害が少ないことが特徴としてあげられる.

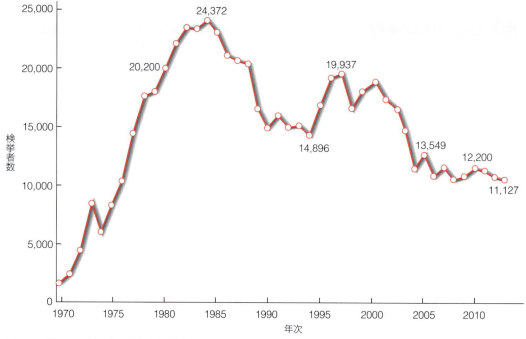

▶図1　覚せい剤犯罪の検挙人員推移
厚生労働省・警察庁・海上保安庁の統計資料の合計による．

4 覚醒剤関連障害（F15に該当）

a 急性中毒と乱用

　覚醒剤にはアンフェタミンとメタンフェタミンがあるが，わが国で使用されているものはメタンフェタミンである．使用方法は静脈内注射がほとんどであるが，最近は吸煙使用もみられる．注射直後から数時間にわたり，覚醒のレベルが上がり，気分が高揚し，眠気，疲労感が一掃される．人によっては陶酔感，爽快感が生じ，性感の高まりもみられる．多弁，多動も観察される．

　注射数時間後，薬物の効果が減弱すると，全身倦怠感・脱力感が生じる．いらいら感や抑うつ感を覚えるなどの情動易変性もみられる．こうした覚醒剤の効果である快適な感覚とその後の不快な感覚との繰り返しは，連用をさらに進めさせることとなる．

　1970年ころより，世界的な薬物乱用の風潮などによって乱用者が増加していたが，最近は減少傾向にある（▶図1）．乱用者は暴力団員とその周辺の人々が多かったが，次第に一般市民に広がっている．また使用動機も，好奇心やセックスといった享楽的なものが多く，戦中・戦後の乱用された時期にみられた勉強や仕事のためという動機とは異なっている．最近は東京を中心に路上で不特定多数の人（特に青少年）を対象に，覚醒剤をはじめとする非合法な薬物が売られており，問題を深刻化させている（▶表4）．

b 依存

　覚醒剤の連用により，精神依存が形成され，覚醒剤を使用したいという強い欲求が生じ，また，耐性が生じるためにますますその欲求は強くなり，覚醒剤の入手のためにはどんなことも厭わなくなってしまう．そのため，暴力団による売春の管理に利用されるなど，犯罪の根源になりやすい．

　離脱症状としては，抑うつ気分，疲労感，全身倦怠感などが報告されている．しかし，これらの症状は非特異的であることや，単回使用後にも出

▶表4 覚せい剤関連社会的障害
(「厚生省覚せい剤中毒者対策に関する専門家会議」による)

A	犯罪	①覚せい剤を入手するための恐喝事件や窃盗事件
		②自己使用分をうかすための密売や新しい乱用者の勧誘
		③覚せい剤精神疾患に関連した粗暴犯,特に覚せい剤精神病に基づく凶悪な犯罪
		④その他
B	家庭問題	①暴力,別居,離婚などの重大な家族問題
		②子どもの学校問題や非行問題の誘発
		③その他
C	職業問題および経済問題	①怠業,失業などの職業生活の破綻
		②金銭問題の頻発と経済生活の破綻
		③その他
D	社会的地位の低下	①けんかなど対人的不適応行動の頻発と友人,近親者からの離反
		②覚せい剤の注射仲間の形成
		③その他
E	その他	組織暴力団へ資金を提供し,社会の健全を阻害する.

〔麻薬・覚せい剤乱用防止センター:薬物乱用の事例に学ぶ(健康に生きよう part 3).p.55, 1990 より〕

現することがあることから,離脱症状とはいいがたく,身体依存は現在のところないとされている.

c 覚醒剤精神病

1日数十mgの大量の覚醒剤を2〜3か月静脈注射していると,統合失調症に類似した精神病状態に陥るものが多い.これを覚醒剤精神病と呼ぶが,統合失調症様症状のほかに,気分障害が出現することもある.活発な幻覚が認められ,幻覚では幻聴が最も多く,次いで幻視が多い.幻嗅,幻味,幻触も認められる.妄想には,関係妄想,被害妄想,注察妄想,追跡妄想などがみられる.こうした妄想のなかで,迫害から身を守ろうとして逃走したり,逆に傷害行為に及ぶこともある.

覚醒剤の使用を中止すると,大半は1か月以内に症状が軽快するが,一部の症例では統合失調症様症状が残存する.こうした精神病状態は統合失調症のそれと鑑別が困難である場合が多いが,覚醒剤精神病の場合は疎通性が保たれている症例が多い.覚醒剤精神病では,覚醒剤の使用中断によって精神症状が消退したのち,少量の依存性薬物の使用や感覚刺激,ストレスなどで覚醒剤使用時と類似した異常体験が出現することがあり,フラッシュバック(flashback)と呼ばれている.

5 大麻関連障害

a 急性中毒と乱用

吸煙直後から1〜2時間効果は持続する.まずはじめに出現するのは感覚の異常である.視覚が鋭敏となり,色彩が鮮明に感じられたり,物が歪んで見えたりする.聴覚も鋭敏となり,時間や空間の感覚の異常もみられる.時間の流れがゆるやかに感じられたり,身体の浮遊感などもみられる.性感の亢進もみられる.幻覚も出現し,要素的なものから場面的なものまである.気分の変化は周囲の状況によって左右され,集団で使用したときは多幸感が出現し,多弁多動となる.また状況によっては,不穏,興奮,不機嫌状態になることもある.思考は観念奔逸的でアイデアが次々と浮かぶが,まとまりは悪い.稀にパニック状態に陥ることもある.

わが国では大麻を栽培したり,野生大麻を乾燥して使用するなど,若者を中心に広がっている.

b 依存

精神依存は形成されるが,アルコール,覚醒剤,モルヒネに比べ弱い.吸煙中止後に過敏,不穏,食欲減退,不眠などが生じることがあるが,身体依存や耐性はないとされている.

c 大麻精神病と動因喪失症候群

大量の大麻を長期にわたって吸煙し続けると幻覚・妄想状態となることがあり,使用中止してもこれが長期間残存することがある.また,大麻の慢性吸煙者のなかに,感情の平板化,関心や自発性の減退,精神運動における反応の鈍化,集中

力や能動性の低下が生じることがあり，動因喪失症候群と呼ばれている．

6 モルヒネ関連障害
a 急性症状と乱用

モルヒネの急性症状は，疼痛患者，非疼痛患者，依存症者で異なる．

疼痛患者では，疼痛と精神的緊張の緩和をもたらす．一方，モルヒネ未経験者では悪心，めまいなどの不快症状が出現することがある．しかし，非疼痛患者の一部には依存症者と同様に多幸感，陶酔感，絶頂感が生じる．多幸感，陶酔感，絶頂感は最初から生じる場合もあるが，多くは数回の反復使用後に生じる．

暴力団関係者の間に乱用がみられるが，薬物を入手しやすい医療関係者の間でも乱用されることがある．

b 依存

耐性，精神依存，身体依存ともに急速に形成されるのが特徴である．精神依存はきわめて強く，「薬なしでは生きていけない」という強い不安と強迫的な欲求があり，薬物を得るためには手段を選ばなくなる．ただし，疼痛患者の場合は比較的精神依存が形成されにくい傾向がある．身体依存も連用すると2週間前後で形成される．

離脱症状は多彩であるが，自律神経症状が最も著しく"自律神経の嵐"とも呼ばれる．あくび，くしゃみ，流涙，鼻漏，流涎，下痢，発汗，散瞳，立毛，悪心・嘔吐，体温上昇，呼吸頻数，四肢の疼痛と弛緩，全身の筋けいれんなどがみられる．激しい不安，苦悶もみられ，易刺激的，易怒的となる．耐性の形成も著しく，依存症者では使用量が初期使用量の100倍に達することもある．

c 性格変化

慢性的なモルヒネ使用者では道徳感情は鈍麻し，真面目に何かをしようとする意欲に欠け，家庭や職場での責任感がなくなる．虚言が多くなり，詐欺，窃盗，暴力行為など，反社会的行為がみられるようになる．

7 コカイン関連障害
a 急性中毒

気分が高揚し，多幸感，陶酔感が出現し，コカイン酩酊と呼ばれる状態となる．次いで，精神的な弛緩状態となり，抑うつ的となる．

米国では鼻粘膜への吸着，吸煙の形で乱用されている．わが国ではコカイン乱用はほとんどみられなかったが，最近，密造品の一部が密輸されており，流行の危険がある．

b 依存

前述した多幸感，陶酔感が出現するために強い精神依存が形成される．記銘・記憶障害，集中困難などがみられる．一部に被害妄想，追跡妄想がおこり，反社会的行為を引き起こす原因ともなりうる．幻覚もみられ，蟻などの小動物が見える幻視や，これらが体の上を這い回るといった幻触がみられる．幻聴も出現し，激しく出現すると，そのために不安となったり，行動不能となることもある．

c コカイン精神病

長期の連用により，覚醒剤精神病類似の精神病状態に陥ることがある．

8 幻覚剤関連障害

幻覚剤として，作用が確認されている薬物は現在80種類にのぼる．ここでは，代表的な薬物としてLSDについて述べる．

a 急性中毒と乱用

LSDは米国で学生などの間で用いられて社会問題化したことはあったが，わが国での乱用はほ

とんどない．

きわめて微量で多彩な精神症状を呈する．症状としては知覚異常が多く，特に幻視が多くみられる．すなわち，周囲が明るく華やかな色彩に変化し，物が歪んで見えたりする．閉眼時には幻想的な情景的幻視も出現する．こうした異常体験のなかで恍惚感に浸り，現実世界を超越して宇宙と一体化するという神秘的な体験をすることがあり，サイケデリック体験と呼ばれている．

b 依存と後遺障害

身体依存はないといわれている．また，精神依存の程度も他の依存性薬物に比べ軽い．耐性の形成は認められている．このほか，断薬後数週から数か月して使用時と同様の幻覚・妄想状態が認められることがあり，フラッシュバックと考えられている．

9 その他

近年，危険（違法）ドラッグなどと称される薬物が流通している．それは，規制した薬物とは異なるものの，類似した構造や作用をもつ新たな薬物のことで，次々に新しく製造され，若者の間に広がっている．わが国では，2010年ころから特に問題になっているのが危険（脱法）ハーブである．

これは乾燥させたハーブの葉に，幻覚や妄想，興奮を引き起こす化学物質を混ぜ込んだもので，タバコのように煙を吸う使用法が一般的である．化学物質としては，大麻の精神活性成分に類似の「合成カンビノイド系」が主流で，そのため「合成大麻」とも呼ばれる．摂取した場合には，一過性に幻覚や妄想が生じ，時間や空間の感覚が異常になるため，車を運転すれば暴走事故につながる．また，頻脈や血圧上昇，吐気や嘔吐，錯乱や意識障害が生じ，救急搬送される場合もある．

国は，指定薬物を構造が似ている物質をまとめて違法とする「包括指定」を導入し，こうした危険ドラッグの規制強化をはかろうとしている．

D 家族の問題

依存症者の家族関係はアルコール・薬物問題の発生に伴って徐々に変化し，依存症者をとりまく全体の病理にまで発展する．家族内にアルコール・薬物関連問題が発生すると，家族はそれを直視しないばかりか，しばしばアルコール・薬物問題が家族内にあることを認めようとしない（家族の否認）．家族内では情緒的交流が失われ，家族内での役割も変化していく．たとえば，依存症者の妻は，一家の支柱としての役割や，子どもに対しては父親の役割までも果たすようになり，子どもと疎遠となっていく父親とは対照的に，子どもとの関係を強めていく．また，依存症者の夫に対しては，妻はしばしば母親の役割をも果たすようになる．

依存症者は，いわゆる"どん底体験"，"底つき体験"を経て，酒や薬を断つことを決意することが多い．いわばどうしようもなくなって，酒や薬を断つのである．依存症者は酒や薬を入手するために，借金をしたり，時には詐欺や窃盗までもしてしまう．また，社会的責任を果たさず，無責任にふるまったりもする．

こうした場合，しばしば親きょうだいや配偶者がその後始末に走り回る．その結果，親きょうだいや配偶者の「本人のために」という思いとはうらはらに，依存症者はいつまでたっても"底つき体験"をしないために依存状態が進展してしまう．このような家族の世話焼き行動はイネイブリング（enabling）と呼ばれ，結果として依存症という病気を支えてしまう．また，こうした家族のことをイネイブラー（enabler）という．

さらに，こうした行動を家族が続けていると，「この人には私が必要なのだ」という思いが強くなる反面，依存症者に必要とされている役割を失うことに無意識のうちに強い不安をもつようになる．こうした家族は，依存症者以外との対人関係においても，上述したような不健康なパターンを

示すようになる．こうした対人関係上の不健康なパターンを"共依存"という．

本人への対応を効果的に行うための考え方とスキルを家族に提供するためのツールとして，CRAFT(Community Reinforcement And Family Training：コミュニティ強化と家族トレーニング)がある．CRAFTではそれまで家族がやってきたがうまくいかなかった方法に替わる効果的な方法を提案し，練習と実践を繰り返しながら，家族が本人への対処スキルを習得することを援助する．

E 治療と回復

1 薬物療法

各種のアルコール・薬物依存間で治療法に大差はない．依存を生じた薬物は中断するか，離脱症状による苦痛や身体的衰弱を考慮して漸減する方法がとられる．たとえば，モルヒネ依存に対してはmethadoneに置換し漸減するmethadone維持療法が行われている．また，従来アルコール依存症の治療ゴールは断酒であった．しかし最近は，軽症のアルコール依存症者で明確な合併症を有しないケースでは，飲酒量の低減も治療目標となりうると考えられるようになった．薬物療法も対症療法がほとんどであり，不安，焦燥に対しては抗不安薬や抗精神病薬が，気分障害に対してはリチウムや抗うつ薬が使用される．また，精神病状態に対しては抗精神病薬が使われる．

アルコール依存症の再発予防のためには，断酒を目標としたアカンプロサートと，飲酒量低減を目標としたナルメフェンが使用されるようになった．いずれも飲酒欲求を減少させる効果が期待できる．また，飲酒により不快な反応が現れる抗酒薬としてジスルフィラムとシアナミドが使われる．

2 精神療法

a 支持的精神療法

アルコール・薬物依存症の回復の核心は，「生活体験を通しての社会性の再獲得」にある．したがって，患者が"しらふ"での生活をするうえで直面するあらゆる問題について点検し，その解決を支援することが治療の基本となる．できるならば，最初の1か月間は毎日通院させることが望ましい(現実にスタッフの問題で週2〜3回に限定せざるをえないことも多いが)．そして，日々の過ごし方の具体的な内容を聞き取り，患者が直面する現実の諸問題への解決に向けての患者の努力に対して支持を与えることが重要である．

また，自助グループである断酒会やAA(alcoholics anonymous)，NA(narcotics anonymous)の例会への参加を促す．診察の際には集団療法や自助グループに参加した感想を聞くことが必要である．

アルコール・薬物依存症の治療目標は，その依存物質の摂取を完全に止め続けることである．特に違法薬物については断薬が唯一の治療目標である．しかし，アルコール依存症においては，患者が断酒に応じない場合には，治療からドロップアウトする事態を避けるための選択肢として，まず飲酒量低減を目標とする方法もある．

b 集団精神療法

アルコール・薬物依存症の精神療法としては，他の精神疾患と同様，個人精神療法が重要なことは論を待たないところであるが，集団精神療法もきわめて有効である．アルコール・薬物依存症者は情緒的に他から孤立しているために仲間集団との交流を通してこれを打破する必要があること，治療者に対する強烈な"もたれかかり"は個人精神療法では受け止めきれないことがあること，集団精神療法が自助グループへの参加を容易にすることなどから，集団精神療法は治療技法として優

れていると考えられている．

最近は，外来における集団精神療法の方法にもいくつかの工夫がみられる．たとえば，初心者数名を対象とし，コメディカルスタッフを中心として週1回小グループでの集団精神療法を行い，1か月間計4回参加した患者を通常の大グループでの集団精神療法に参加させる方法が報告されている．通院を始めて間もない患者には教育的アプローチが必要であり，いきなり大グループに入れると，回復段階の違いや会合そのものに慣れていないために反発を感じたり，素直に自らを語ることができないなどの傾向がある．こうしたことを克服する意味からも，小グループでの集団精神療法は優れた方法である．

c 減酒療法

従来，治療ゴールは断酒であった．しかし，前述したように，軽症（一部は中等症も含まれる）のアルコール依存症者に対する治療が重要になる．治療ゴールも断酒だけではなく，飲酒量の低減も選択されるようになる．いくつかの国のアルコール依存症治療ガイドラインでも飲酒量の低減は治療目標となっている．

飲酒量低減のための心理療法としてはブリーフ・インターベンション（brief intervention; BI）が有効といわれている．BIでは，AUDIT（Alcohol Use Disorders Identification Test）などのスクリーニングテストで患者の飲酒問題およびその程度を客観的に評価し，フィードバックすることから始まる．次いで現在の飲酒を続けた場合の危険について情報提供し，飲酒量低減でどのようなリスクを回避できるかについての助言を行う．カウンセリングでは飲酒問題の直面化は避け，「否認」などは介入時に扱うテーマとしない．実際，「健康」をテーマとして早期介入を行うことにより，患者が示す否認や抵抗は比較的少ない．こうしたアプローチののち，患者が7〜8割の力で達成できそうな具体的な飲酒量低減の目標を自ら設定してもらう．この技法では動機づけ面接やコーチングといった面接法を用いるが，介入のキーワードは，「共感する」，「励ます」，「ほめる」である．

d 回復の評価

以上のような種々の精神療法的アプローチを行いながら，何を基準として患者の回復を評価するのかは難しい問題である．基本的には「生活体験を通しての社会性の再獲得」を判定するために，多面的な検討が必要である．しかし，アルコール依存症に強くみられる"否認"（飲酒問題それ自身の否認，飲酒問題以外には何の問題もないとする否認）を基準として，患者の回復を評価することが有益であるとする報告が多い．

3 地域ネットワークとチーム・アプローチ

アルコール・薬物依存症の治療を医療機関単独で行うには限界があり，保健所や福祉事務所職員のアルコール・薬物依存症治療への参加が必要である．それは地域への啓蒙や受診勧奨，受診同伴などの治療導入の部分に役割をもつのみならず，たとえば保健所における家族教室や患者に対する訪問業務を通して，患者の回復に対する重要な役割を負っている．こうしたアルコール・薬物依存症者やその家族にかかわる団体，行政機関，医療機関がその連携を通して系統的な援助網（地域ネットワーク）をつくりあげていくことが重要な課題であり，今後は，むしろそうした地域ネットワークのなかで医療は何をしなければならないかを模索する段階にきている．

さて，アルコール・薬物依存症の外来は，アルコール・薬物依存症に対するデイケアユニットとして発展していくことが望ましいが，そのためにはアルコール依存症治療のための訓練を受けた医師，作業療法士，精神保健福祉士，臨床心理士，看護師などのスタッフが必要であり，スタッフ間の情報の徹底と治療方針についての一致が要求される．

4 自助グループ

a アルコール依存症者の自助グループ

前述のように，断酒会とAAとがある．両者とも基本的な活動は集会（ミーティング）で，自らの体験談を語ることであるが，それをめぐって論議をすることはなく，いわゆる「言いっ放し」，「聞きっ放し」の形で会は進行される．また，それ以外のことが語られることはきわめて少なく，「体験談に始まり，体験談に終わる」という姿勢が貫かれている．ミーティングは両者とも当事者本人の参加が基本であるが，わが国への導入の際に病院関係者が役割を果たしたこともあり，保健医療・福祉関係者の参加が認められている．ただ，AAでは当事者だけのミーティングもある．

両者の違いは運営方法にあり，AAでは「匿名性・無名性」（anonymous）を重視し，ミーティングでも社会的立場はおろかフルネームを出すこともしない．「アルコール依存症のXX（実名を名乗る必要はない）です」という自己紹介で体験談が始まるが，こうしたやり方（伝統）によって「メンバーのプライバシーは守られ，さらには個人として認められたいというエゴに歯止めがかけられ，全員が平等である」ことが確保される．家族や友人のためにアラノンという別の組織もある．

一方，断酒会では選ばれた会長や役員が世話役・まとめ役を行い，「匿名性・無名性」を守ることはルールになっていない．地域・都道府県・全国レベルまでの組織が明確で，家族も参加して体験談を話すことがすすめられている．

b 薬物関連問題の自助グループ

NAとダルク（drug addiction rehabilitation center）がある．NAの運営はAAとほぼ同じであり，家族や友人のためにはナラノンという集まりが設けられている．一方，ダルクは1986年から開始され，今では全国に90か所の社会復帰施設を通所・入所の形で運営し，回復のための援助活動を展開している．

c 自助グループの役割

アルコール・薬物依存からの回復に自助グループの果たす役割はきわめて重要であり，自助グループへの参加なしに回復は困難といえる．したがって，こうした依存症の治療や援助には，地域の自助グループとの連携は欠かせない．

- 精神作用物質による精神障害は，乱用，依存，後遺障害に分けられる．
- 乱用は，身体的・社会的障害や苦痛を引き起こす不適切なアルコール・薬物の使用様式である．
- 依存は，精神依存，身体依存，耐性の変化よりなっている．
- 精神依存は依存の中心であり，薬物によっては身体依存，耐性の変化が認められない依存もある．また，薬物によって離脱症状は異なり，精神依存の強度にも差がある．
- 後遺障害（中毒）とは，摂取を中止したのち比較的長期に神経・精神症状が持続することであり，フラッシュバック，パーソナリティあるいは行動の障害，残遺性気分障害，認知症，他の持続性認知障害，遅発性精神病性障害などが含まれる．
- 治療は精神療法が主体であり，集団療法の効果が広く認められている．また自助グループ（AA，NA）への参加も推奨される．系統的な援助網（地域ネットワーク），家族へのアプローチも必要である．

第8章 てんかん

学習目標
- てんかんの概念，および発作症状や精神症状の特徴について学ぶ．
- てんかんの原因別の分類とその主なものについて学ぶ．
- てんかんの経過と予後，治療，ケアとリハビリテーションについて学ぶ．

A てんかんとは

1 定義と概念

てんかん（epilepsy）は，WHOの定義では「さまざまな原因でおこる慢性の脳障害で，大脳神経細胞の過剰な放電に由来する反復性発作を主な特徴とし，これに多様な臨床症状および検査所見を伴うもの」とされている．すなわち，反復性の発作症状のほかに，知能障害や性格変化，精神病症状などを伴うものもあり，脳波にてんかん特有の変化をみることも特徴の1つである．社会生活にあたって持続的な薬物療法や生活指導を要する．

てんかんは発生原因により，特発性てんかんと症候性てんかんに大別される（➡ Advanced Studies-1）．

（1）特発性てんかん（idiopathic epilepsy）
素因以外に発作をおこす原因が不明なものをいう．

（2）症候性てんかん（symptomatic epilepsy）
大脳皮質形成異常，胎生期・周産期を含む損傷や外傷，炎症や血管疾患，腫瘍などの脳器質性障害のほか，代謝性・免疫性の疾患などによるものをいう．

なお，発熱，アルコールや高血糖，薬物などの代謝障害や中毒でおこるものは，病型不明てんかん（特殊症候群）とされる．

2 発症の頻度，年齢など

てんかんの有病率は人口の約0.5〜0.8％で，民族や地域による差はほとんどみられない．特発性てんかんと症候性てんかんの比は約3対1で，若年者では特発性が多いが，中高年者では症候性を考え，その原因を検索しなければならない．

男女差はほとんどない．発病年齢では，幼少時期から思春期までに発病するものが最も多く，20歳以降では急激に減少する．しかし，60代以降に再び上昇する．

Advanced Studies

❶てんかんの病型分類

国際抗てんかん連盟（International League Against Epilepsy; ILAE）は，てんかんの遺伝子診断や画像研究の進歩を背景に，2010年に「てんかんの病型分類」を年齢依存性や原因別などに改訂し，1989年の「特発性」と「症候性」の区分をやめた．2017年には，てんかんの病因を，①構造的，②素因性，③感染性，④代謝性，⑤免疫性，⑥原因不明とした．ただ，この分類は教育の場ではわかりにくいとの意見もあり，本書では表2を含め1989年の区分で記すことにする．

▶表 1　てんかん発作型の国際分類の概略

1. 全般起始発作（全般発作）
　A. 全般運動発作
　　強直間代発作（大発作），間代発作，強直発作，ミオクロニー発作，脱力発作（失立発作）など
　B. 全般非運動発作（欠神発作）
　　定型欠神発作，非定型欠神発作，ミオクロニー欠神発作など

2. 焦点起始発作（部分発作）
　A. 焦点意識保持発作（単純部分発作）
　　1. 焦点運動起始発作
　　　間代発作，強直発作，ミオクロニー発作，脱力発作，てんかん性スパズム
　　2. 焦点非運動起始発作
　　　感覚発作，自律神経発作，認知発作，情動発作など
　B. 焦点意識減損発作（複雑部分発作）
　　1. 焦点運動起始発作で始まり，続いて意識障害が発症するが，自動症発作や運動亢進発作を伴うもの・伴わないもの
　　2. 意識障害で発症し，自動症発作や運動亢進発作を伴うもの・伴わないもの
　C. 焦点起始両側強直間代発作
　　焦点運動起始発作から，両側の強直間代発作に発展するもの

3. 起始不明発作
　A. 起始不明運動発作
　B. 起始不明非運動発作

4. 分類不能発作

〔ILAE, 2017 より一部改変．（　）は 1981 年分類の命名〕

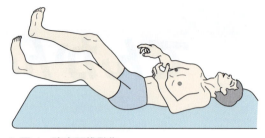

▶図 1　強直間代発作

3 遺伝素因

　特発性てんかんに関する遺伝学的研究では，てんかん患者の子では 4～6％，同胞 4％，甥姪 1.5％ に出現する〔Conrad（コンラッド）による〕．また，一卵性双生児でのてんかんの発病の一致率は 86.3％，二卵性双生児ではわずかに 4.3％ となる．このように，特発性てんかんの発症には遺伝素因の関与が大きいことを示している．

　また，脳の局所損傷による発作でも，その家族の臨床発作や脳波異常の出現率は一般人口よりも高率であり，症候性てんかんの出現にも遺伝素因の関与は否定できない．

B　てんかんの発作型と症状

　ILAE は，2017 年，てんかん発作の型を臨床症状や脳波所見などから，発作の始まりから全大脳をまき込む全般起始発作と，発作が大脳の一部から始まる焦点起始発作へと名称を改訂している（▶表 1）．ここでは，主な発作型について解説する．

1 全般起始発作

　全般起始発作（generalized onset seizure）は，両側性のけいれんなどを伴う全般運動発作と，意識障害だけを伴う全般非運動発作（欠神発作）に大別される．以下，表 1 に示す下位分類を説明する．

a 強直間代発作（tonic-clonic seizure）

　全身のけいれん発作で，全般性強直間代発作（generalized tonic-clonic seizure; GTC），大発作（grand mal）ともいう．欠神発作やミオクロニー発作を合併するものもある．

　突発する意識消失とともに運動が停止し，直後に強直性けいれん，次いで間代性けいれんをおこす．全体の時間はたかだか 1 分以内である（▶図 1）．

　強直性けいれんでは，両腕は肘関節で軽い屈曲位，下肢は伸展位をとる．最初に地上に転倒することもある．このときに，呼気や吸気により叫び声を出すこともある〔初期叫声（initial cry）〕．続

いて，間代性けいれんに移行する．全身の細かい震えが出現し，次第に大きくなって，筋肉に強い収縮と弛緩とが交互におこり，手足がガクッガクッと大きく揺れるようになる．眼球には眼球振盪，下顎には噛むような運動がおこるため，舌縁に噛み傷をつくることがある．また，口からしばしば泡をふく．けいれんの間隔は伸びて，やがて完全に停止する．強直-間代期を通じて瞳孔は散大し，対光反射も瞬目反射も消失する．呼吸は停止し，チアノーゼをきたして顔色は紫色になる．尿や便の失禁がみられることもある．

　けいれんが終わると呼吸は回復し，数分間から数時間深い眠りに入る〔終末睡眠(terminal sleep)〕．時には手や足，身体を無意識に動かす自動運動をみることがある(発作後もうろう状態)．意識が回復したあとには，全身倦怠，頭痛，悪心，身体各所の疼痛などを訴えることが多い．

　発作後にこの間の完全健忘を残すことが特徴であるが，時には発作前にさかのぼって，いわゆる"逆向(性)健忘"を示すこともある．

　脳波では，発作中には左右対称的な棘波，鋭波，棘徐波複合が全領域に出現する．

b 間代発作(clonic seizure)

　全身，特に四肢に律動的な間代性けいれんが出現し，意識障害も伴うものである．

c 強直発作(tonic seizure)

　四肢や体幹に数秒程度の比較的短時間の強直状態がおこる発作で，乳幼児に多い．

d ミオクロニー発作(myoclonic seizure)

　瞬間的に全身あるいは四肢・体幹の筋肉に強いけいれん〔ミオクローヌス(myoclonic jerks)〕がおこり，身体をピクッとさせ，手足を屈曲し，頸部を前屈する．筋の収縮は1回または数回おこる．意識障害はないことが多い．脳波では多棘徐波複合がみられる．

　発病年齢は欠神発作よりやや高く，思春期が主で，多くは強直間代発作と合併する．

e 脱力発作(atonic seizure)

　筋の緊張低下が発作的におこるために倒れたり，体が崩れる発作である．脱力が急激で持続が短い場合〔瞬間的に首をたれる点頭発作や，崩れるように倒れる失立発作(astatic seizure)など〕と，比較的ゆっくりと10数秒以上も続く場合とがある．

f 欠神発作(absence seizure)

　短時間の意識障害を主症状とする発作で，意識障害のみのものと，自動症や軽い間代けいれん，脱力，強直，自律神経症状などの随伴症状を伴うものとがあり，かつ定型欠神発作と非定型欠神発作とに分けられる．

(1) 定型欠神発作(typical absence seizure)

　何の前ぶれもなく突然，意識が瞬間的にあるいは数秒～数十秒間ほど消失し，突然に回復する．発作がおこると，患者は会話中，急に話を中断したり，持っていたものを落としたりする．眼は固定し，茫乎とした表情をする．姿勢は一瞬グラッとすることはあっても，倒れることはむしろ少ない．発作が終われば，今までしていた動作を続ける．

　随伴症状を伴うものには，

- 唇を動かす，舌なめずりをする，揉み手あるいは自分の衣服を引っぱるといった単純な動作を繰り返す自動症欠神
- 姿勢筋の緊張低下がおこるために力が抜けて転倒したり，崩れるように座り込む脱力欠神発作
- 筋の緊張が高まり，上半身を後屈させる後屈欠神

などがある．

　発作は頻回におこる傾向があり，また過呼吸によって誘発されやすく，発作中には3Hzの両側周期性の棘徐波複合(3Hz spike and wave complex)という特徴的な脳波所見が脳の全領域に出現する(▶図2)．

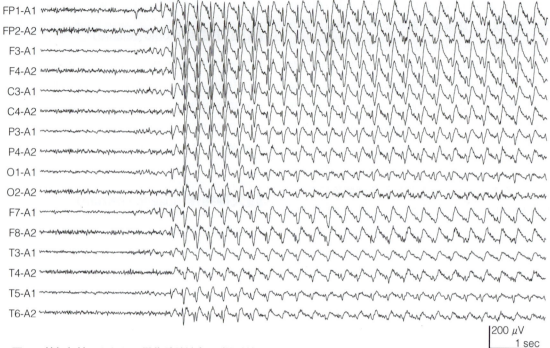

▶図2　若年欠神てんかんの発作時脳波（24歳男性）
発作時脳波には，起始部より全般性の3Hz棘徐波複合が出現している．〔武田洋司医師・田中尚朗医師のご厚意による〕

(2) 非定型欠神発作（atypical absence seizure）

筋緊張の変化が著しいものや発作の始まりや終わりがそれほど突然ではないもので，脳波では不規則な棘徐波複合などがみられる．

(3) ミオクロニー欠神発作
　　（myoclonic absence seizure）

上肢を間代性にピクピク外転しながら挙上し，3Hzの全般性棘徐波を伴うものを指す．

2　焦点起始発作

焦点起始発作（focal onset seizure）は，従来，部分発作（partial seizure）といわれたもので，発作中も意識（awareness）を保持する意識保持発作と，意識が障害される意識減損発作に大別される．意識保持発作は従来の単純部分発作に，意識減損発作は複雑部分発作に該当し，それぞれが運動症状を伴う運動発作と伴わない非運動発作に区分される．以下，意識の有無に分けて解説する．

a 焦点意識保持発作（focal aware seizure）

主として大脳皮質の一定部位にてんかん発作をおこす焦点（focus）があり，この支配領域に症状が出現する発作である．焦点の部位によって出現する発作も，焦点運動起始発作では間代発作，強直発作，ミオクロニー発作，脱力発作など，焦点非運動起始発作では感覚発作，自律神経発作，認知発作，情動発作などのタイプがある．強直間代発作の直前におこる前兆（アウラ）は，この群の発作を指す．

(1) 焦点運動起始発作
　　（focal motor onset seizure）

一側の大脳皮質の体性運動野（中心前回）に焦点があれば，反対側の顔や手など一群の筋に限局したさまざまなタイプのけいれんがおこる．この発作が持続的に，あるいは短い小休止をはさんで継

続するものを持続性部分てんかんという.

また，焦点発作の興奮が隣接する皮質部位から反対側皮質に波及する場合，発作は焦点に対応する身体部位から始まって，興奮の伝播に応じて順序よくけいれんがおこり〔行進する(march)〕，やがては全身けいれんに至る．これを焦点起始両側強直間代発作(focal to bilateral tonic-clonic seizure)，通称 Jackson(ジャクソン)型発作と呼ぶ．

けいれんが一側半身に限局している間は意識消失はないが，全身けいれんに移行すれば意識は消失する．発作の終了直後に発作開始部位に出現した一過性の麻痺を Todd(トッド)麻痺という．

(2) 感覚発作(sensory seizure)

一側の大脳皮質の体性感覚野(中心後回)に焦点があれば，しびれ感，疼痛，感覚異常などが発作性におこる(体性感覚発作)．ほかにも，視覚発作，味覚発作，嗅覚発作などを伴うものもある．強直間代発作に発展するものが少なくない．

(3) 自律神経発作(autonomic seizure)

自律神経症状が発作性に出現する．最も多いのは腹部症状で，悪心・嘔吐，腹痛，便意などである．いずれにしても持続時間は数秒〜数分で，発作時以外は異常を認めない．

(4) 認知発作(cognitive seizure)

従来の精神発作(psychic seizure)で，意識障害はないか，あっても軽度で，患者は自覚しているので自覚発作(subjective seizure)ともいわれる．失語，幻視〔第3章の図5(→30ページ)参照〕，既視感，未視感，妄想様体験，強制思考などの異常体験が発作性に出現する．夢幻状態(dreamy state)となって，その際に錯覚，幻覚をきたすこともある．

(5) 情動発作(emotional seizure)

恐怖や不安，興奮，怒り，喜び，恍惚，笑い，泣きなどの情動の変化を示すが，主観的な感情変化を伴う場合も伴わない場合もある．

b 焦点意識減損発作
(focal impaired awareness seizure)

意識障害を伴い，あとに健忘を残す発作である．焦点意識保持発作で始まり意識障害に移行するものと，最初から意識障害を呈するものに大別され，かつ，おのおのに意識障害だけのものと自動症発作(automatism seizure)に引き続くものとがある．

通常は意識障害に引き続いて，自動症発作と呼ばれる比較的秩序だってはいるが，その場の状況にそぐわない自動的な行動が出現する．すなわち，舌なめずり，口のもぐもぐ運動，表情の異常表出運動，ボタンいじり，立ったり座ったりするなどの異常行動がみられ，長時間続くときは徘徊したり，より複雑な行動をする．数秒〜数時間に及ぶこともある．これを運動亢進発作(hyperkinetic seizure)という．また，突然もうろう状態となり，駆け出すのを疾走発作(running fit)という．以前の精神運動発作とほぼ同一と考えてよい．

焦点意識減損発作を有する症例は精神症状を示すことが多く，しかも抗てんかん薬による発作の抑制が困難な場合が少なくない．

C てんかんの病型と併存症，精神障害

1 国際分類について

ILAE では，発作症状と脳波所見，病巣部位，病因，年齢などを加味して，てんかんの病型を全般てんかんと焦点てんかんに改訂し(2017年)，それぞれをさらに特発性と症候性に分け，てんかん症候群を記している(1989年)(▶表2)．

(1) 全般てんかん(generalized epilepsy)
①特発性のもの：全般起始発作をもち，脳損傷は見いだされず，小児・思春期に初発する原因不

▶表2　てんかん病型とてんかん症候群の国際分類
（要約）

1. 全般てんかん
1.1 特発性（年齢に関連して発病）
- 小児欠神てんかん
- 若年欠神てんかん
- 若年ミオクロニーてんかん
- 覚醒時大発作てんかん
- 上記以外の全般性特発性てんかん
- 特異な賦活法で誘発される発作をもつてんかん

1.2 症候性（潜因性）
- West症候群（乳児けいれん，点頭てんかん），Lennox-Gastaut症候群など
- 種々の脳疾患に合併するもの

2. 焦点てんかん（局在関連てんかん）
2.1 特発性（年齢に関連して発病）
- 中心・側頭部に棘波をもつ良性小児てんかん
- 後頭部に突発波をもつ小児てんかんなど

2.2 症候性
- 側頭葉てんかん，前頭葉てんかん，頭頂葉てんかん，後頭葉てんかんなど

3. 全般焦点合併てんかん

4. 病型不明てんかん（特殊症候群）
- 熱性けいれん
- アルコール，薬物，子癇，非ケトン性高血糖などによる急性代謝障害あるいは中毒でおこる発作

〔ILAE, 1989, 2017より一部改変．（　）は1989年分類の命名〕（→ Advanced Studies-1）

明のものである．発症年齢順に，小児・若年欠神てんかん，若年ミオクロニーてんかん，覚醒時大発作てんかんなどが含まれる．また，特殊な刺激で誘発されるてんかんも含まれる．

②症候性のもの：West（ウエスト）症候群，Lennox-Gastaut（レンノックス・ガストー）症候群などがあるが，非特異的病因のものや種々の脳疾患に合併するものも含まれる．

(2) **焦点てんかん(focal epilepsy)**

従来の局在関連てんかん（localization-related epilepsy）である．焦点起始発作をもつもので，全般化することもしないこともある．この群の多くは脳損傷を原因とする症候性のもので，側頭葉てんかんのほか，前頭葉てんかん，頭頂葉てんかん，後頭葉てんかんなどがある．

特発性には，家族性に出現する良性小児てんか

んなどがある．脳波では焦点性の突発性あるいは非突発性の異常脳波を示す．

2 代表的なてんかん

a 全般てんかん

(1) **強直間代発作を主症状とするもの**

特発性てんかんにみられる強直間代発作はてんかんの40～50％を占め，主に思春期に発病する．発作回数は比較的少なく，1か月に数回ないし1年に数回程度で，年齢とともに減少する．発作は朝方や夕方に多く，覚醒てんかんに属するものが多い．抗てんかん薬にもよく反応し，70％の症例では発作は完全あるいはほぼ完全に消失し，予後は良好である．

症候性てんかんにおいても強直間代発作がみられる．この場合には特発性のものより非対称性の要素を含み，他の発作型を合併したり，脳の障害による精神神経症状を示すものが多く，抗てんかん薬への反応も不良なことが少なくない．

(2) **欠神発作を主症状とするもの**

幼児期・学童期に発病し，成長とともに発作が消失するなど予後良好なことが多い．なかには強直間代発作など，他の発作型に移行するものもある．

(3) **West症候群**

乳児けいれん(infantile spasm)，点頭てんかんともいわれる．生後6か月～1歳までをピークとして，乳幼児期にほぼ限定しておこり，発作の抑制は困難で，かつ重篤な精神・神経障害を残す原因不明の脳症である．

発作型はミオクロニー発作，強直発作，脱力発作などがさまざまに組み合わさり，頻回に認められる．典型的には，全身の筋肉の緊張が高まり，頭部や上半身を深く前屈させ，両腕を振り上げて，両脚を屈曲する（てんかん性スパズム）．前屈の際に筋肉の収縮が緩徐で持続的な場合は，あたかも礼拝しているように見えることもある．

本発作の特徴の1つとして，数秒～10数秒程度

の短い間隔をおいて発作を反復するが，これをシリーズ形成という．1シリーズに数回〜数10回の発作がおこる．

脳波では，高振幅棘波が全般性に不規則に出現し，ヒプサリスミア(hypsarrhythmia)と呼ばれる．

(4) Lennox-Gastaut症候群

3〜6歳の小児に発症し，発作の抑制は困難で，かつ多くは重い知能障害を残す原因不明の脳症である．West症候群から移行することも多いといわれる．

発作の型は多様であるが，全身の強直性けいれんを主症状する発作と意識消失を主症状とする非定型欠神が多い．West症候群のようにシリーズを形成しないが，頻度は1日数回以上のことが多い．

脳波では，広範な2Hz前後の棘徐波複合が特徴的で，また睡眠中に1〜3秒続く律動性の多棘波をみる．

b 焦点てんかん

(1) 側頭葉てんかん(temporal lobe epilepsy)

側頭葉に焦点をもつもので，焦点意識減損発作の多くはこれに属しているが，焦点意識保持発作から焦点意識減損発作へと発展することもある．精神症状を呈しやすい．間欠期の脳波では側頭部に限局した棘波がみられ，特に傾眠期に出現しやすいことが特徴である．

c 特殊なてんかん

(1) 反射てんかん(reflex epilepsy)

感覚刺激によって誘発されるてんかんで，反射発作を主徴とする．視覚反射発作が最も多く，点滅光や赤色光，コントラストの強い図形が発作を誘発しやすく，光過敏性てんかんともいわれる．テレビ画面の光のちらつきによるテレビジョンてんかん，読書による読書てんかん(reading epilepsy)，自分の手を太陽に向けて眼前で律動的に振ることで発作をおこす自己誘発てんかん(self-induced seizure)もある．ほかにも聴覚反射発作，体性感覚反射発作，運動誘発発作などがある．

(2) てんかん発作重積状態(status epilepticus)

各種てんかん発作が短い間隔で次々に反復し，長時間にわたって出現し，このために意識障害が持続する状態である．

強直間代発作が重積する場合には，重篤な意識障害，高熱，心臓衰弱，肺炎，脳腫脹をきたし，放置すると死亡することがある．

欠神発作の重積状態(absence status；非けいれん性てんかん重積)では，軽い意識障害，注意障害，自動症，精神活動の遅鈍化などがみられるが，特別の障害は残さない．

こうした重積状態には，速やかに抗てんかん薬(ジアゼパムやフェニトイン)の静脈注射などを行い，発作を止めなければならない．

(3) 進行性ミオクローヌスてんかん
(progressive myoclonus epilepsy)

ミオクロニー発作と強直間代発作が合併し，末期には認知症に陥る家族性進行性の疾患である．思春期またはそれ以前に発症し，次第に発作は全身に頻発するようになり，10〜20年の経過で死亡するものが多い．単一の疾患ではなく，先天性代謝障害や変性疾患などを基礎とする症候群と考えられている．

3 てんかんの併存症

てんかんでは学習や精神・心理，行動の問題などの併存症(co-morbidities)を伴うことが多い．軽微な学力の特異的発達障害から知的障害，広汎性発達障害，うつ病などの精神症状，心理社会的問題まで，その種類や重症度はさまざまである．重症のてんかんでは脳性麻痺や歩行障害などの運動障害や異常運動，脊柱側彎症，睡眠障害，胃腸障害などがある．このため，早期の発見と適切な治療，心理社会的支援が重要である〔ILAE，2017〕．

また，てんかん発作の抑制の困難な患者では，

粘着性と爆発性を特徴とする性格の変化，あるいは認知や記憶など知的機能の低下をみることがある．てんかん性放電が脳の発達や精神機能に障害を及ぼすためと推測される．

4 てんかんに伴う精神障害

てんかん発作に関連する場合と発作に関連しない場合がある．

てんかん発作に関連する場合は，発作後，数時間から数週間にわたって生じる一過性のもので，全般強直間代発作や焦点意識減損発作後におこることが多い．臨床的には幻覚，妄想，興奮，恍惚などの症状をみる．

発作に関連しない場合は，持続的に幻覚妄想や作為体験などがみられ，統合失調症との区別ははなはだ困難である．感情的な疎通性が保持されていることや陰性症状が軽微であることが相違点であるといわれているが，必ずしもすべての患者に当てはまるわけではない．精神病症状が顕著な期間の脳波にはてんかん性異常がみられないことがあり，これを強制正常化（forced normalization）という．

D 経過と予後

てんかんの経過と予後は，てんかん発作や精神障害，社会生活，生命予後などの面から考える必要がある．

1 てんかん発作の予後

薬物療法の発達により，てんかん発作の予後は次第に改善されつつある．てんかん患者全体の70％近くで，発作は完全に抑制するといわれている．

一般に，特発性てんかんの予後がよく，症候性てんかんでは不良である．発作型では焦点起始発作よりも全般起始発作のほうが予後はよい．全般起始発作では，欠神発作が最も予後がよく，治療による発作消失率は70～80％であり，続いて強直間代発作，ミオクロニー発作と続く．焦点起始発作では，焦点意識保持発作は良好であるが，両側強直間代発作を伴うものの寛解率は低く，特に焦点意識減損発作にそれを伴うものでは予後は不良である．West症候群やLennox-Gastaut症候群などは最も不良である．

2 精神障害，社会生活面などの予後

West症候群やLennox-Gastaut症候群は脳に重篤な傷害をもつため，重度の知能障害を伴う可能性が高い．また，側頭葉や脳全般の傷害に起因するものでは，性格の変化を呈する可能性がある．一方，特発性てんかんではこのような障害は少ない．

生命予後では，発作による重積状態や事故（墜落や転倒など）を直接死因とすることが多く，その予防が重要である．

E 検索と診断の手順

1 一般的検索

まず発作の確認から始まり，発作型を明確にする．さらに，周産期や乳幼児期における脳損傷や遺伝素因，発作以外の精神・神経症状や身体症状などの検索も必要である．

また，脳CTやMRI，血液検査などにより脳疾患や全身疾患の有無を精査して，特発性か症候性かの鑑別を行う．発作型の診断には，それぞれにある程度特異的な脳波所見が認められるため，脳波検査は必須である．

2 心因性けいれん発作との鑑別

心因性の解離性けいれん発作では，けいれんは多様かつ不規則で，発作の持続も長く，数十分から数時間にわたり，チアノーゼもみられない．背景になんらかの心因や特有の性格傾向がみられることが多く，家族をはじめ周囲の者から状況や経過を聞くことで，おおよその判断が可能である〔第11章E(➡170ページ)参照〕．

てんかん患者が心因性の発作を呈することも時にみられる．この場合には，心因によって誘発されたてんかん発作との鑑別を含め，発作時の脳波検査も行いながら慎重に判断しなければならない．

3 熱性けいれんについて

38℃以上の発熱に伴って生じた全身けいれんで，脳の感染や電解質の不均衡など明らかな原因のないものを熱性けいれんという．初回発作は生後7か月～3歳未満の間が圧倒的に多く，1歳代にピークがあり，5歳までに95%が発症する．

てんかんへの移行は単純型の熱性けいれんではきわめて少ないが，反復けいれん，持続の長いけいれん，1歳未満の発症の例などでは移行の頻度が比較的高い．熱性けいれんにも家族歴があることに留意すべきである．

F てんかんの治療

1 基本的事項

まず第1に，薬物療法により，てんかん発作を止めることが必要である．第2に，発作の誘発をできるだけ少なくするために，過労や過度の飲酒，睡眠不足，精神ストレスの多い環境などを避けるよう，健康管理の指導が重要である．第3に，発作による事故や災害の予防のために，本人や家族への指導が大切である．たとえば，入浴時の熱傷や溺死，路上歩行中の転倒や交通事故，作業中の墜落などである．

2 てんかん発作への対応

治療や訓練の場面で，てんかん発作に遭遇することがある．この場合には，冷静沈着に対応して発作によるけがや事故を防ぐことと，発作の様子や経過を観察することが重要である．

けいれん発作の場合には，まず転倒の防止をはかり，安全な場所へ誘導する．けいれんが終わり，意識がまだ回復しない段階では気道の確保と誤嚥の防止のため，側臥位にして顔を横に向けた状態を保つ．もうろう状態の際には，突発的な行動に注意しながら，患者ならびに周囲の安全に配慮することが必要である．

非けいれん発作の場合は，もうろう状態にならないかぎり，静かに見守りながら発作の終了を待つ．

発作を繰り返す重積状態の場合には，速やかに医師に連絡しなければならない．

発作の様子や経過は，薬物療法を効果的に進めるうえで非常に重要であり，あとで担当医に報告することが必要である．

3 薬物による治療

a 一般的原則

発作の治療には抗てんかん薬(antiepileptic drug)を用いる．てんかんに伴う精神障害には抗不安薬や抗精神病薬を用いることもある〔第19章B項「薬物療法(向精神薬療法)」(➡235ページ)参照〕．

抗てんかん薬には多くの種類があるが，それぞれに有効な発作があるため，薬物の選択には発作型の診断が前提となる．本教科書では第一選択薬について記す(▶表3)．選択が不適切な場合に

▶表3　第一選択薬として用いられる抗てんかん薬と対象となる発作型，副作用

一般名	発作型	主な副作用	商品名(例)
バルプロ酸ナトリウム	強直間代発作，欠神発作，ミオクロニー発作	肝機能障害，体重増加，脱毛	デパケン
フェニトイン	強直間代発作，焦点起始発作	発疹，失調，眼振，複視，歯肉増殖，多毛	アレビアチン
フェノバルビタール	強直間代発作，焦点意識減損発作	眠気，発疹	フェノバール
エトスクシミド	欠神発作，ミオクロニー発作	胃腸障害，眠気，発疹，白血球減少	ザロンチン
カルバマゼピン	焦点起始発作	眠気，ふらつき，嘔吐，発疹	テグレトール
クロナゼパム	ミオクロニー発作	眠気，脱力	リボトリール

は，発作の抑制に効果がないだけでなく，かえって増悪させることもある．また，長期連用による副作用を少なくするため，発作の抑制に十分かつ最小の投与量を用いることが大切である．

服薬は規則正しく，かつ発作がおこらなくなっても続け，2～3年以上発作のない場合のみ，脳波所見を参考に漸減していく．効果が不十分なときには，薬物の血中濃度を測定し，治療濃度の範囲内かどうかを確認しながら治療を進めていくことが原則である．

発作には，月経周期と関係しておこったり，夜間だけにおこったり，あるいは睡眠から覚めるときにおこるものもある．このような場合には，予想される発作前に薬の量をやや増やして服薬する方法もある．

なお，薬物抵抗性の場合には，発作焦点を切除する手術治療や迷走神経に電気刺激を加える方法により改善する例もある．

b 抗てんかん薬の主な副作用（▶表3）

各薬物の副作用に関しては，日常生活や社会生活への影響にも注意が必要である．

(1) 中枢神経系への副作用

最も多いのは眠気，鎮静などによる意識水準の低下である．フェニトインでは運動失調や眼振など小脳症状が出現しやすい．

(2) 皮膚症状

皮膚症状も頻度の高いもので，なかでも発疹が最も多い．通常は服薬の中止で消失する．フェニトインでは長期の服薬で歯肉増殖や多毛が出現しやすい．

(3) 消化器症状

多くの抗てんかん薬では投与初期に悪心・嘔吐，腹痛，食欲低下，便秘，下痢などがみられるが，エトスクシミドでは特にその頻度が高い．

(4) 造血系への副作用

抗てんかん薬のほとんどに，再生不良性貧血，白血球減少症などをおこす可能性がある．なかでもエトスクシミドには注意すべきである．

(5) 催奇形性

バルプロ酸ナトリウム，カルバマゼピンは，妊婦の投与に慎重を期すべきである．

G ケアとリハビリテーション

1 患者や家族の抱える心理的・社会的困難

てんかん患者とその家族はさまざまな心理的・社会的困難を抱えていることが多い．

第1は，生活全般が消極的になることである．発作が時間と場所に無関係に生じ，かつ症状も激烈で周囲に恐れや拒否の感情を生じやすく，本人と家族はたえず発作への不安と恐怖，ひけ目などを抱いて生活するためである．

第2に，運転免許の取得禁止や就労の困難など，社会生活面でさまざまな不利を被ることである．

第3に，遺伝や服薬の問題など，結婚や妊娠，出産にかかわる不安などがある．

多くが幼少時から発作が出現するために，両親や教師の監督下で規則的な服薬や生活の制限を強いられる結果，依存的で自主性に乏しく，社会性の発達も遅れがちになりやすい．そのため，高学年になるにつれて不登校や家庭内暴力など社会不適応の状態を示すことも決して少なくない．

このように，てんかんを有することで，社会生活や社会参加が大きく制限されているのが実態である．

2 本人や家庭，学校への対応

患者の年齢にもよるが，まず患者自身が病気の特徴と治療に関する正確な知識をもち，困難を克服していけるよう継続的に援助することが重要である．不適応状態を呈し，社会的に孤立した状態にある場合には，個人的ケアにとどまらず，デイケアや作業療法，集団精神療法，生活技能訓練などを通じて，不安の解消，対人的社会性の訓練や仲間づくりを促すことが必要になる．ほかにも，生活自立の訓練や支援，雇用・就労にかかわる職業リハビリテーションのサービスも欠くことができない〔第20章E項「職業リハビリテーション」（→268ページ）参照〕．

家族や教師に対しては，発作への対処にとどまらず，社会生活を通じての心身の発達を配慮してもらいつつ，情報交換も含め互いの連携を強めなければならない．

3 社会的対策

長い間，てんかんへの有効な治療法がなく，精神疾患とみなされてきたこともあり，社会一般の誤解や偏見は今も強く，かつ福祉や就労対策は非常に遅れている．こうした状態が患者や家族の心理にも複雑に反映しているといえよう．

現在，わが国では患者・家族や専門家などよりなる民間の団体〔日本てんかん協会（波の会）〕が中心になり，啓発活動や学習会，行政への要望，就労支援の活動を展開しているが，正しい知識の普及と同時に，てんかんの特性に配慮した施策が今後よりいっそう重視されなければならない（→Advanced Studies-2）．

H 理学・作業療法との関連事項

てんかんは脳外傷や脳性麻痺，精神遅滞に合併することが多いため，これまで理学・作業療法とのかかわりは，このような患者の治療・訓練場面における発作時の対応などに限定されがちであった．しかし，てんかんの患者は精神機能面でも心理的・社会的にも大きな困難を抱えており，広い意味でのリハビリテーション的対応が求められていることを理解しなければならない．

Advanced Studies

❷ てんかん患者への施策

●障害者総合支援法と精神保健福祉法
通院医療費の公的助成やさまざまな障害福祉サービス，生活障害を有する者への障害者手帳の交付などは，障害者総合支援法や精神保健福祉法に基づいて行われている〔第20章B項「精神保健福祉法の主な内容」（→259ページ）とC項「障害者総合支援法の主な内容」（→261ページ）参照〕．

●障害者基本法
2011年の障害者基本法の改正で，てんかん患者も「その他の心身の機能の障害がある者」（第2条）とされ，同法の対象とされた．

●障害者雇用促進法
第2条の「障害者のうち，精神障害者であって省令で定める者」（第6号）に含むとされ，同法の対象とされている．

- てんかんは，反復する発作症状を主とし，精神障害も伴う慢性の脳障害で，原因から素因による特発性てんかんと脳などの基礎疾患による症候性てんかんに大別される．
- てんかん発作は全般起始発作と焦点起始発作に大別され，前者には強直間代発作や欠神発作などがある．
- てんかん患者には長期にわたる薬物療法と生活指導，リハビリテーション的対応が必要である．

第9章 統合失調症およびその関連障害

学習目標
- 統合失調症がどのような病気かについて学ぶ.
- 統合失調症の急性期・慢性期による精神症状の特徴, 社会生活における制限の特徴について理解する.
- 統合失調症の病型や診断基準を理解する.
- 統合失調症の経過と予後を理解する.
- 統合失調症の治療法とリハビリテーションの基本について理解する.

A 統合失調症とは

　統合失調症(schizophrenia)〔病名については, 第1章のNOTE-1(➡6ページ)参照〕は精神疾患の中核である. 精神科臨床にはさまざまな課題があるが, 本症の克服は今も重要な課題である. 本症は, ほぼ次のような特徴をもっている.

①主として青年期に発病し, 中年期以後の発病は稀である.
②明確な原因はいまだ明らかでないが, 脳に生化学的あるいは構造的な変化が生じているとする研究が注目されている.
③症状は複雑であるが, 精神内界の不調和に基づく自己と外界との関係に障害が生じ, 妄想や幻覚, あるいは無為や自閉などを特徴とする.
④近年の薬物療法や心理社会的治療法の進歩により, 多くの患者が通院しながら地域で社会生活を送ることが可能になっている(➡NOTE-1).
⑤その一方, 今なお社会生活に困難を有していたり, 長期の入院を余儀なくされる場合も決して少なくない.
⑥"いわゆる"内因性精神障害の代表である.

B 疫学

1 出現頻度

　世界各国の報告をまとめると, 生涯のうちに統合失調症に罹病するのは人口の0.7%(0.3〜2.0%；生涯罹患率), ある一時点で罹患しているのは人口の0.46%(0.19〜1.0%；時点有病率), 1年間の

NOTE

1 「心理社会的」(psychosocial)の用語

　近年, 薬物療法や身体療法以外を"心理社会的"治療・リハビリテーションとする用語が用いられている. これはE.H. Erikson(エリクソン；1902–1994)がフロイトの影響を受けつつ提唱した, 人間の発達を個人の欲求・要求と社会的期待や要求との相互作用の所産としてとらえる「心理社会的理論」に由来する. したがって, 心理社会的治療・リハビリテーションとは,「対人関係を通じて行われる発達的観点からの治療・リハビリテーション」を意味し,「心理的・社会的」とは同一ではない.

　DSM-IV-TRの第Ⅳ軸は「心理社会的および環境的問題」であるが, これが「心理的・社会的」に近いと考えられる. このため, 本書では「心理社会的」を「心理的・社会的」と区別して用いる.

新たな発症は人口10万人あたり15人(8～40人)とされる(厚生労働省による).

2 発病年齢と性差

発病年齢は男性が女性より早く,最も多い年代は男性が15～25歳,女性が25～35歳とされる.児童期や40歳以降の発症は稀で,それぞれを児童統合失調症〔第18章 B.4.a項の「児童統合失調症」(→221ページ)参照〕,遅発性統合失調症という.

従来,発病の頻度に性差はないとされてきたが,診断基準に基づいて狭く診断した最近の報告では男女比は1.4対1で男性に多いとされている.また,男性のほうが後述する陰性症状が出現しやすく,女性より予後が不良という.

3 生まれ月による発症の差

北半球では本症の患者は1～3月により多く生まれ,南半球では7～9月により多く生まれているとされる.このため,冬季出生は罹病の危険性を高める要因(ハイリスク)と考えられている(→136ページ).

C 精神症状の特徴

精神症状は,のちに述べるような幻聴や,被害的な色彩を帯びた妄想がそろった場合には,誰がみても病気と感じられるが,行動面,精神面の症状はきわめて多彩である.

また,病初期ないし増悪期と慢性期では大きく違うため,縦断的にみていくことが必要である.さらに,中心となる症状によっても,臨床像に大きな相違が出現する.

したがって,ここではまず症状を表現面と精神内界に分け,その後,急性期と慢性期の違いについて述べる.

1 表現面に現れた症状

a 病初期ないし増悪期

多くの患者は周囲との奇妙な違和感をもち,自身もそうした自覚があることが多い.周囲から見ても様子が違って妙によそよそしかったり,ふさぎこんだり,場合によっては部屋に閉じこもるといった様相を呈する.夜も眠れない状態が続き,家族の会話なども含め,周囲に対して過敏に反応したり,猜疑心が強くなる様子もみられる.

また,口数がめっきり減り,果ては昏迷状態を呈したり,逆に意味のよくわからない言葉を発し,それまでにみられない粗暴な行為を急に呈したり,理由のわからない突発的な家出や自殺をはかることもある.そのため,どのようなことを考え,何を感じているのかをとらえることができない〔感情移入(→ NOTE-2)ができない〕.こうした状態は服薬を中断し,しかも単独で生活しているために,症状の増悪に気づかれない場合にもみられる.

増悪期を含め,幻聴や妄想がある場合には人を寄せつけず,硬く冷たい顔つきをし,何かが患者の中でおこっていることを直感的に感じとることができる場合があるが,これをプレコックス感(→NOTE-3)という.

NOTE

2 感情移入

自分の心を対象のなかに移し,対象の感情を感覚的に知覚することをいう.精神医学では,他者の心の内に自分の心を移し入れて,他者の感情をともに体験することにより,他者の感情を主観的に了解することをいう.

3 プレコックス感(Praecoxgefühl〈独〉またはpraecox feeling)

オランダの精神医学者 H.C. Rümke(リュムケ)が提唱した概念.統合失調症者と出会ったときに観察者が抱く特有の感情.統合失調症者とまわりの世界との独特の関係に由来する感情ないし体験である.表情の硬さ,冷たさ,態度のぎこちなさ,感情疎通性のなさ,奇妙な唐突さなどとともに,病者から直感的に受ける印象である.

振り返ってみると，発病のころから次第に生活態度のまとまりが欠けるようになり，日常生活のごく普通の行為，たとえば洗面や食事といったことにもだらしなくなってきたことに気づかされる．

b 慢性期

慢性期に入ると身だしなみや入浴，掃除などの身辺処理，あるいはまわりの出来事に対する関心が乏しくなり，何もしないで終日ボーッとして家の中で過ごすことが多くなる．その一方，他者との関係でささいなことに過敏で傷つきやすくもなり，外出や他人との接触を避け，自分の内に閉じこもろうとする．

同一の姿勢をとり続けるカタレプシーや同一の行動を繰り返す常同行為，場にそぐわない"しかめ顔"や"とがり口"，"わざとらしい奇妙な行為"など，「荒廃した」と表現されるような患者は治療の進歩により現在ではほとんどみることはない．それでも，病室に閉じこもり接触がとれない患者や，内的体験，特に幻聴に影響されて独り言を言ったり，独り笑いする患者は，現在でもみることは稀ではない．

また，社会生活や家庭生活が可能な場合でも，考え方が一方的で，譲らない頑固さが目立ち，協調性のある行動をとれなかったり，他者と十分な接触がとれない患者も少なくない．

2 精神面に現れた症状

a 精神機能の変化

(1) 感情

急性期あるいは増悪期では，異常な内的体験のために不安が強く，おびえた状態にある．また，感情の表現がぎこちなくなり，自分から「感情がうまく働かない」，「感情を出せない」，「感情がわかなくなってしまった」と訴える場合もある．

慢性期では，周囲への関心も物事に対する興味も，さらには感情の表出が乏しくなり（感情鈍麻あるいは感情の平板化），場合によっては，不機嫌で，他人を寄せつけないことも少なくない．逆に，空虚なよそよそしい快活さ（児戯的爽快）（→NOTE-4）を示すこともある．

(2) 思考

知能が低下するというよりは，思考の形式，特に思考のまとまりが悪くなる．論旨のつながりが不明瞭となり，何を言いたいのか周囲が理解できない（連合弛緩）．増悪期や慢性期に思考がまとまらなくなったり，判断力が低下する場合には本人も自覚でき，この点を患者に問うと肯定することも少なくない．

さらに病状が進行すると，思考はより断片的になって，いわゆる滅裂思考を呈するほか，患者だけにしか理解できない独自な言葉をつくる場合もある（言語新作）（→ NOTE-5）．しかし，今日ではこうした患者もみることは少ない．

(3) 意志発動

急性期や増悪期に意志発動が低下する場合には，食事・洗顔などもしなくなり，極端な場合には，昏迷状態や無言，拒絶などを示す．また，ある動機に対して，ただちにそれと正反対の動機が強く現れるために，はじめの動機を実行に移すことが妨げられてしまう場合があり，これは行為の途絶として表現される．一方，意志発動が亢進した場合には，行動にまとまりを欠いた突飛な行動を示すこともある．一見，意識障害を思わせるが，いずれの場合にも内的体験に影響されることが多

NOTE

4 児戯的爽快

表面的な，わざとらしい愛想のよさで，真の爽快さではない．特別うれしいことがないのに，うれしそうにし笑ったりする．内容の伴わない喜びの表出である．統合失調症でみられる．

5 言語新作

自分自身しか通じない新たな言葉をつくり出すことをいう．そうした言葉は個人的なものにすぎないため，コミュニケーション機能を果たすことができず，つくり出した個人にだけ通じる特有な独自の意味合いをもっている．

く，この点を問うと肯定することが多い．

慢性期に入ると，これまで述べてきたような症状は薄れ，意欲の低下した状態がみられるようになる．極端な場合には，終日自室に閉じこもって何もしない無為・自閉の状態に陥る．

b 特有な内的体験

(1) 幻覚

本症で特徴的なのは幻聴で，音よりは人間の声である場合が多く，ぼんやりして何もしていないときに聞こえることが多い．幻聴によって行動が支配されることもしばしばで，拒食や自殺の原因になる．「他人が自分に何かと話しかけてくる」，「他人が自分のことについて話し合っている」という対話性幻聴が特徴で，これに応答して，幻聴に語りかけてしまうことがある（独語）．幻聴を「幻の声」，「腹の中から聞こえる声」などと患者自身が表現することもある．

内容は干渉や悪口が多いが，なかには面白いこともあり，1人で笑ってしまう（独笑）．また，他人が知らないはずの自分の秘密について話しかけてくるために，自分のことが他人に筒抜けになっているような気がすることもある．

さらに，本を読んでいると"声"が先に読んでしまったり，考えたことがそのまま声になって聞こえてくることもある（思考化声）．思考障害の一種と考えられるが，幻聴に類似の症状と考えることも可能である．

そのほかにも，被害的な意味づけをもった体感幻覚がみられることがあるが，これは身体的被影響体験とも関連する体験である．幻視は少ない．

(2) 妄想

病初期には「まわりの雰囲気が変わってしまった」，「周囲が妙によそよそしい」，「底知れぬ不気味な感じがする」などの妄想気分が出現し，これが周囲の状況とあいまって個々の妄想が形成される．また，「外で歩いている犬を見て，自分が誰かに狙われている印だとわかった」など，ある知覚された現象に妄想的な意味づけをする妄想知覚もみられるが，これらは本症に特徴的な症状である．「心の中にある考えや確信がふと思い浮かぶ」という妄想着想も出現する．

内容としては，被害妄想，関係妄想，注察妄想，迫害妄想など，被害的なものが多く，うわさしたり被害を与えるのが見知らぬ他人という特徴がある．このために周囲に対して疑い深くなり，さまざまな行動面の問題が出現する．

(3) 自我意識の障害

自分で考え行動していることの自覚を"自我意識"というが，この面に現れる障害である．

病初期や増悪期では自己と外界の間に不気味な対立が生じていると認識され，この時期には離人体験も存在する．しかし，本症に特徴的なのは作為体験（させられ体験）である．これは行為の主体が自分ではなく，他の何者かによって自己の行動があやつられ，させられてしまうと感じる体験である．

このような障害が思考の面に現れる場合には，外から考えが吹き込まれると体験する思考吹入，他者によって考えが干渉される思考干渉，自分の考えが不特定多数の他人に知れわたってしまう思考（考想）伝播などがある．

3 精神症状のまとめ：陽性症状と陰性症状

急性期や増悪期には，精神運動興奮，幻覚や妄想，思考滅裂，作為体験など，正常な精神活動にはみられない異質な症状が出現するが，こうした症状は陽性症状といわれる．この時期，診断は陽性症状の確認でなされる．

慢性期には，会話や表情が乏しくなり，精神運動の緩慢，感情の鈍麻・平板化，自発性や活動性の低下，無為・自閉など，正常な精神活動の減弱ないし欠落した症状が顕著になるが，こうした症状は陰性症状といわれる．この時期，一般的には幻覚や妄想は断片化するが，逆に同一の妄想が体系化されて強固に残っていたり，思考滅裂や常同

行為を示したり，奇妙な服装や表現を呈することもあり，陽性症状もさまざまな程度に混じり合うことが少なくない．慢性期の患者が初めて来院した場合には，思春期・青年期における陽性症状の出現や受療歴の確認が診断に重要である．

4 中核となる症状をめぐって

統合失調症の症状は複雑で多彩なため，これらの諸症状のなかでどれが重要で中核的なものか検討されてきた．以下にその概略を示す．

a 基本症状と副次症状

E. Bleuler（ブロイラー）は，基本症状と副次症状に分けた．そして，観念連合の障害，情動の異常，両価性，自閉性（ドイツ語の頭文字から"4つのA"といわれる）を本症に特徴的な基本症状とし，幻覚や妄想，あるいは緊張病症候群などの前景に立つ症状を他の精神疾患においてもみられる副次症状と考えた．

b 一級症状と二級症状

K. Schneider（シュナイダー；1887–1967）は診断上価値の高い一級症状とそれほどでもない二級症状に分けた．一級症状には対話形式などの幻聴や妄想気分，自我意識の障害に基づく諸症状があげられているが，これは ICD-10 の基本的な考え方となっている（▶表 1）．

5 精神症状の評価

本症に対する薬物療法の効果判定や脳の構造と機能障害の程度に関する画像研究で用いられる症状評価尺度は，陰性症状評価尺度（scale for the assessment of negative symptoms; SANS），陽性症状評価尺度（scale for the assessment of positive symptoms; SAPS），陽性・陰性症候群評価尺度（positive and negative syndrome scale; PANSS）などである〔詳細は，第 4 章 F.2.e 項「統合失調症の症状評価尺度」（➡ 61 ページ）参照〕．

▶表 1　Schneider の一級症状と二級症状

一級症状	1. 思考化声 2. 対話（議論）の形をとる声が聞こえる 3. 自分の行動にいちいち言葉をさしはさむ声が聞こえる 4. 身体的被影響体験 5. 思考奪取 6. 思考干渉 7. 思考伝播 8. 妄想知覚 9. 感情，意欲，意志の領域における他からの作為や被影響
二級症状	上述した以外の妄覚，妄想着想，困惑，抑うつ性および上機嫌性気分変調，感情貧困化など

D 病型

1 病型とその特徴

a 歴史的な病型分類

(1) Kraepelin（クレペリン）の分類

19 世紀末までは，破瓜病（Hebephrenie〈独〉）と緊張病（Katatonie〈独〉）は，それぞれ単一の疾患と考えられていた．しかし，1899 年に E. Kraepelin はこれらと妄想痴呆（dementia paranoides）とを合わせて早発痴呆（dementia praecox）とし，のちに単純痴呆（dementia simplex）を加えて 4 亜型とした（➡ Advanced Studies-1，132 ページ）．

(2) Bleuler の分類

E. Bleuler は名称を統合失調症（Schizophrenie〈独〉）と改め，かつ Kraepelin のように単一疾患とはみなさず，疾患群（Gruppe der Schizophrenien〈独〉）としたものの，亜型分類は以下のように Kraepelin を受け継いだ（➡ Advanced Studies-2，132 ページ）．

①破瓜病

②緊張病
③妄想型
④単純統合失調症

このうち①，②，③は古典的な3病型といわれる．

b WHOの国際分類(ICD-10)

ICD-10を表2に示す．ICD-10には，前項で解説したヨーロッパ系の精神医学の見解が取り入れられている．一方，米国精神医学会の分類DSM-5では，第4版(DSM-IV)に記載された5つの病型はなくなり，わずかに「緊張病」が残されている〔資料2に補足(→283ページ)〕．ICD-10の分類は国際的に共通する点では学術面や統計上は便利であるが，経過により病型が変わる場合もあり，臨床にそのまま持ち込むには不便な点が少なくない．

ここではICD-10の病型について解説する．なお，古典的3病型の特徴は表3に示す．

(1) 古典的な3病型

①妄想型統合失調症

比較的固定した妄想を主体とし，幻聴を伴うことが多く，最も一般的な病型で，発病は破瓜型や緊張型より遅い傾向にある．

妄想では被害妄想，関係妄想，誇大妄想などが，幻聴では患者を脅したり命令する幻声，口笛の音やハミングや笑い声など要素的幻聴などが多い．一方，感情や意欲，会話の障害，および緊張病性の症状はあまり目立たない．

経過としては，寛解するもの，慢性持続性のものなど，さまざまである．

②破瓜型統合失調症

通常15〜25歳の間に発病し，妄想や幻覚は一時的であったり，断片的であるなど，あまり目立たないまま，陰性症状，とりわけ感情の平板化と意欲低下が急速に進行するため，予後の

Advanced Studies

❶ Kraepelin(クレペリン)の考え方

Kraepelinは，原因や特異的な身体所見をとらえることができない破瓜病や緊張病などの症状と経過(予後を含む)を検討して，早発痴呆(dementia praecox)としてまとめた．Kraepelinが重視した末期の欠陥状態は，認知症とも単なる知能の解体とも異なるが，全体として終末像を念頭におきながら本疾患を輪郭づけたのである〔第1章のKraepelinの項(→8ページ)参照〕．

このような予後に診断の重点をおく考え方は，次の2つの矛盾をはらむ．すなわち，経過をみていかなければ診断ができないという問題と，いわゆる欠陥状態を終末像として示すものは統合失調症のすべてではなく，また治療によって予後が変わるという問題である．こうしたみかたは当時からもあり，Bleulerの登場を待つことになる．

❷ Bleuler(ブロイラー)の考え方

BleulerはKraepelinの考え方に依拠しながらも，より理論化して統合失調症をとらえようとした．その際に，経過よりも特徴的な精神状況に注目し，かつ統合失調症を疾患群と考えたが，これはさまざまな病態も含み，疾病の概念が広がることとなった〔第1章のBleulerの項(→9ページ)および本章131ページも参照〕．

▶表2 ICD-10における統合失調症(F20)の病型

F20.0	妄想型統合失調症(paranoid schizophrenia)
F20.1	破瓜型統合失調症(hebephrenic schizophrenia)
F20.2	緊張型統合失調症(catatonic schizophrenia)
F20.3	鑑別不能型統合失調症(undifferentiated schizophrenia)
F20.4	統合失調症後抑うつ(post-schizophrenic depression)
F20.5	残遺[型]統合失調症(residual schizophrenia)
F20.6	単純型統合失調症(simple schizophrenia)
F20.8	他の統合失調症(other schizophrenia)
F20.9	特定不能のもの(schizophrenia, unspecified)

〔WHO(編)，融 道男ほか(訳)：ICD-10新訂版．p.29, 医学書院，2005より〕

▶表3 統合失調症の古典的3病型

病型	状態像の主体をなすもの	発病および経過
1. 妄想型	内的体験の異常(妄想，幻覚)	発病がやや遅く，陰性症状は比較的軽い
2. 破瓜型	感情および意志の鈍麻(無感情，無為)	比較的若年者に徐々に発病し，経過が長く障害が著しい
3. 緊張型	意志発動の異常(興奮と昏迷)	急激に発病し，寛解しやすい

不良がちな病型である.

思考の障害も著しいため，会話は一貫性を欠き，まとまりがなく，行動は予測しがたく，孤立傾向にある．宗教や哲学のほか，抽象的なテーマに表面的でわざとらしく没頭していて，患者の思考を理解することがとうてい困難な場合もある．

③緊張型統合失調症

精神運動性障害の急激な発症，多動と昏迷，命令自動と拒絶など，極端から極端へと交替する症状を示すものの，比較的寛解しやすい病型である．原因は明らかでないが，わが国では稀になっている．以下の特徴的な症状がみられる．

- 昏迷（周囲への反応の著明な低下，自発運動や活動の減退）
- 興奮（外的刺激とは無関係，無目的な興奮）
- 保持（不適切，奇異な姿勢の自発的な保持）
- 拒絶症（指示や意図に対する動機のない抵抗）
- 硬直（患者を動かそうとする努力に抗する固い姿勢の保持）
- 蝋屈症（カタレプシー，外的にとらされた位置への手足や身体の保持）
- 命令自動症（指示への自動的な服従），単語や語句の保続など

(2) 残遺（型）統合失調症

すでに妄想や幻覚は目立たなくなり，陰性症状だけが長期に続いている慢性経過にある統合失調症である．以前は，症状が固定したという意味で欠陥統合失調症，あるいは欠陥状態などと称していた．

(3) 単純型統合失調症

前述の3病型とは異なり，幻覚，妄想などの精神病的なエピソードがないまま，残遺型統合失調症に特有な感情鈍麻，意欲低下などが潜行性，進行性に発展する稀な病型である．行動は奇妙で，社会的機能が徐々に低下するにつれて，放浪したり，自分の世界に没頭したり，怠惰で無目的な状態がみられる．明確な診断は困難なことが多い．

(4) 統合失調症後抑うつ

統合失調症の陰性症状が残存している状態に生じる抑うつ性のエピソードをいう．遷延することはあるが，重症であったり多彩なことは稀である．症状の発現が，精神病症状の消退により明らかになったものか，統合失調症に対する心理的反応か，統合失調症の症状かなどは必ずしも明らかではない．また，従来型の抗精神病薬によるものか，意欲減退や感情の平板化によるのかも明確ではない．ただ，この抑うつ症状が生じることで自殺の危険性は増大する．

E 成因ないし病態

1 生物学的成因論

a 遺伝

数多くの研究が素因遺伝性を強く示唆している．表4と図1に示すように，発病の割合は血縁が深いほど高くなる．

一卵性双生児の研究によると，その一致率は50％程度であり，遺伝性のみだけでなく他の要因も加味されなければならないとされる．一方，一卵性双生児のうち養子に出されたケースの研究では，養子に出されて義理の父母に育てられた子ど

▶表4 特定の母集団における統合失調症の有病率

母集団	(％)
一般人口	1.0
統合失調症患者の同胞（双生児を除く）	8.0
片親が統合失調症の子ども	12.0
一方が統合失調症患者の二卵性双生児	12.0
両親が統合失調症の子ども	40.0
一方が統合失調症患者の一卵性双生児	47.0

〔H.I. カプラン（著），井上令一ほか（訳）：カプラン臨床精神医学テキスト. p.223, メディカル・サイエンス・インターナショナル, 1996より〕

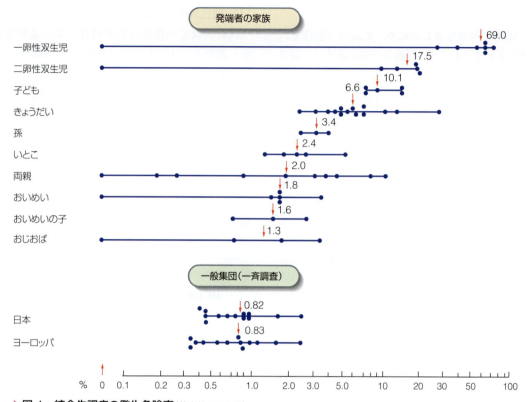

▶図1 統合失調症の発生危険率（井上英二による）
〔笠原 嘉：精神分裂病．笠原 嘉, 武正建一, 風祭 元（編著）：必修精神医学, 改訂2版, p.111, 南江堂, 1991より許諾を得て転載〕

もと実の親に育てられた子どもとを比べると，本症に罹患する割合は同率といわれる．これは遺伝あるいは胎生期の影響が生後の影響よりも強いことを示唆する所見である．

また，二卵性双生児の本症発病率は，きょうだいよりもはるかに高いが，このこともまた胎生期環境の重要性を示すものとされる．

現在の遺伝研究は，患者とその家族における統合失調症の表現型を決定する因子の検索に向けられてきているが，現時点では確定されたものはない．異所の遺伝因子が組み合わさっておこるというのが最も妥当な見解とされている．

b 神経化学的研究

「統合失調症は脳内ドパミン作動性神経の過剰活動によりもたらされる」という仮説は，2つの研究から発展してきた．第1は，抗精神病薬の効果はドパミン2型受容体（D_2受容体）（➡ NOTE-6）への拮抗作用と関係があるという研究である．第2は，ドパミン活性を増加させる薬物，たとえば覚醒剤（アンフェタミン）は本症にきわめて類似した精神症状を発現させるという事実である．

その後，陽性症状は中脳辺縁系ドパミンの過活動である一方，陰性症状は前頭葉系ドパミンの機能低下およびセロトニン系の活動亢進によると考えられている．このため，ドパミンと拮抗関係にあるセロトニン2型受容体に対して抑制作用を有する新規抗精神病薬の陰性症状への効果は，前頭葉系ドパミンの賦活によると説明されている．

c 脳画像解析

以前から第3脳室の拡大が指摘されていたが，近年の脳画像研究により，こうした所見が注目されている．

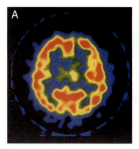 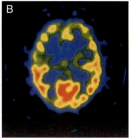 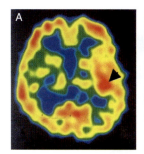 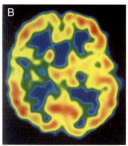

▶図2 健常者と統合失調症患者の安静時SPECT画像

健常者(A)に比べ，患者(B)では前頭葉活性の低下が明らかである．〔鈴木道雄，倉知正佳：SPECT．臨床精神医学講座S10，精神科臨床における画像診断，III 精神分裂病，p.411，中山書店，2000より〕

▶図3 幻聴の活発な時期と消退した時期のSPECT画像の比較

幻聴の活発な時期(A)では左上側頭葉領域に活性が高く(矢印)，幻聴が消退した時期(B)ではほぼ均一な血流分布を示す．〔鈴木道雄，倉知正佳：SPECT．臨床精神医学講座S10，精神科臨床における画像診断，III 精神分裂病，p.414，中山書店，2000より〕

(1) 脳CT・MRIによる形態学的研究

脳CT・MRIを用いた研究では，側脳室や第3脳室の拡大，前頭葉の萎縮，さらに側頭葉・海馬の容量減少と左右差などが報告されている．

(2) SPECT・PETによる脳血流の研究

SPECTやPET(→ NOTE-7)を使用した研究では，前頭葉の血流や糖代謝の低下(hypofrontality)の報告が多く，前頭葉機能の低下と陰性症状あるいは認知機能障害との関連が示唆されている(▶図2)．また，幻聴を有する急性期には左聴覚領などに高集積を認め，幻聴が消えると高集積も消失したとの，当該部位でのなんらかの代謝亢進を示唆する報告も注目される(▶図3)．

d 神経病理学的研究

剖検脳についての病理組織学的な研究で注目される報告は側頭葉の辺縁系萎縮および海馬神経細胞の異常などである．

これらの変化は進行性の変性や外傷などの結果ではなく，神経系の発生や分化の異常，すなわち胎生期における神経の発達異常によると推測されている．

e 精神生理学的研究

脳波，誘発電位などを用いた研究のほか，眼球運動の障害が注目されている．これらの研究では，本症者は感覚刺激に対して体質的に過敏であり，脳は生理的には過度覚醒(hyperarousal)の状態にあること，さらに注視点が狭いなど，注意集中の障害などを問題とする考え方が多い．つまり，本症者は緊張の高い状態にあり，たくさんの情報刺激を適切に処理することができず，また逆に1つの情報に焦点をしぼることが困難であるという．

NOTE

6 ドパミン2型受容体(D_2受容体)

神経伝達物質はシナプスにおいて一方の神経線維の終末から分泌され，他方の細胞に興奮性または抑制性の刺激伝達を行うが，この刺激伝達を受け取る側の蛋白構造を受容体という．そのなかで，ドパミンを伝達物質とする受容体をドパミン受容体と呼び，D_1，D_2などいくつかのサブタイプがある．

7 ポジトロン放出断層撮影法 (positron emission tomography; PET)

陽電子が消滅するときの消滅放射線を同時計測し，コンピュータ処理を行い，断層像を作成する方法．標識化合物を体内に投与し，横断面の体内分布を画像として表示することにより，各種臓器内の生理・生化学的変化，物質代謝を究明することができる．PETで精神神経活動を物質代謝という観点から研究することにより，精神疾患の病態，薬物の作用機序などを明らかにすることが期待される．

また，目標物への正確な追跡に関しても，しばしば眼球運動障害（eye movement dysfunction）が 50〜85% にみられるという（正常対照群では 10% 以下）．これは薬物療法や精神症状の影響は受けず，また本症者の親または子にもみられるので，素因との関連が注目されている．

f 認知・行動機能の研究

上記のような生化学的・生理学的障害を背景にして，認知や行動の障害，あるいは情報処理の過程に障害があるとする考えである．皮膚電気伝導反応の乏しさ，慣れの遅さなどに基づく刺激への反応性の異常，誘発電位の短潜時成分の振幅増大などに基づく刺激処理系の障害，P300 振幅の減少などに基づく組織制御系の障害などがこうした考えの背景にある．

こうした障害は，本症における知覚や認知，思考，記憶，実行機能などの障害，さらには社会生活でのさまざまな困難の背景とも考えられ，新規抗精神病薬の効果判定やリハビリテーションの目標としても注目されている障害である．

g 神経発達学的研究

前項での脳変化が発病に近接した時期に始まるのではなく，人生早期の神経発達の障害によるとする研究で，近年，興味ある所見が集積されつつある．

第 1 に，胎生期・周産期に障害のあった率が本症で高いこと．一方のみ発病した双生児でも，発病した側は出産時の体重が低かったとか，出産時に障害があった場合が多いとされる．

第 2 に，出生月は晩冬から早春に出生した者に高率であり，さらに，インフルエンザなどウイルス疾患の流行した年に生まれた人に発症が多いという報告もある．これらは妊娠後期に母体が感染し，それが胎児の脳にも影響を及ぼし，前述のような神経病理学的所見をもたらすと推測する．

第 3 に，初発年齢は男性は女性に比べて数年早いことが指摘されているが，性ホルモンの差により脳の神経発達が男性では遅れるためではないかとの説明もある．

以上，胎生期から発育期の脳に微細な障害が生じ，それは乳幼児期や小児期には認知や運動機能の異常，あるいは統合失調質的行動として現れ，神経が成熟に向かう青年期以降に本症を発症するというものである．

2 心理的社会的成因論

統合失調症の発症や再発が，恋愛や結婚，分娩，就学や就職，家庭や職場でのトラブルなど，さまざまな心理的・社会的ストレスを契機とすることは一般に認められている〔NOTE-10（➡ 141 ページ）参照〕．

家族関係におけるストレス因に関しては，親や養育者にしばしばみられるある種の批判的，攻撃的，あるいは逆に過保護を特徴とする態度，すなわち感情表出（➡ NOTE-8）の高い家族（high EE family）では再燃度が高いといわれる．

3 成因論のまとめ：脆弱性−ストレス・モデル

"脆弱性−ストレス・モデル"（vulnerability-stress model）は，前記の生物学的諸研究，発症や再発などに関する心理的社会的研究や臨床研究などに基づく折衷的あるいは包括的な成因説である．しかし，この考え方は，抗精神病薬による薬物療法にとっても，再発防止に向けて心理教育や

> **NOTE**
>
> **8 感情表出（expressed emotion; EE）**
> 統合失調症患者に対して親や養育者の表出した感情を測定したものをいう．このなかで，批判的，攻撃的，過保護的態度を high（高）EE といい，再発の要因の 1 つといわれる．逆に，こうした態度を少なくすることにより，再発の頻度を減少させることが期待できると考えられている．

生活技能訓練(social skills training; SST)を行ったり，社会的な支援体制を確立するなど，リハビリテーションを推進するうえでも有効で説得性を有しており，現在最も有力な理論となっている．以下にその概要を記す．

まず第1に，本症は中枢神経系の脆弱性を基盤にしていることで，これは遺伝的素因や胎生期などでの軽微な神経発達損傷などにより決定されている．このような生物学的脆弱性を有する子ども〔高罹病危険児(high risk children)〕は，注意や認知，情報処理などの面で微細な障害を有していたり，性格的にも過敏で非社交的，適応が不良などの心理学的な脆弱性を併せもっている．

第2に，このような脆弱性を有する子どもが，思春期や青年期に至り，人生的課題の解決を迫られたり，さまざまな心理的社会的あるいは身体的ストレスに直面し，それが本人の対処能力を超え，脳の機能に障害が生じれば統合失調症が発症する．この場合，脆弱性が大きいほど発症に要するストレスは小さく，発症の時期も早くなる．

第3に，発病によって，脳機能の障害は増し，生物学的脆弱性や心理的脆弱性はいっそう大きくなるため，よりささいなストレスによって容易に悪化したり，再発するようになる(再発準備性の亢進，あるいは履歴現象)．なお，この場合のストレスの内容は，個人によって異なる．

第4に，こうした悪化や再発を防ぐためには，
①抗精神病薬の服薬により，脳機能の異常を軽減させたり，脆弱性を緩和すること
②SSTなどによって，本人のストレス対処能力や力量を高めること
③本人をとりまく社会的な支援を強化して，さまざまな心理的社会的ストレスを軽減すること
などが必要になる．

F 社会生活場面での制限

近年，治療法の進歩によって，多くの患者が通院しながら地域で生活している．しかし，こうした場合でも，社会生活を送るうえでさまざまな困難を有しており，これらは，本症による精神の障害(mental disability)，活動制限(activity limitation)，生活障害，あるいは"生活のしづらさ"などといわれ，以下の特徴を有している．

1 日常生活

これは日々の生活を送るうえで必要なことをスムーズに行うことが困難な状態である．

たとえば，食事に際して何をどうつくってよいかがわからない，部屋を掃除・整頓したり，顔を洗い髭を剃り，入浴して清潔を保ったり，季節や状況にふさわしい身だしなみを整えることなど，身辺処理が適切にできない．また，バスや地下鉄など交通機関を上手に利用することが難しい，買物に出かけたり役所や郵便局などに出かけても必要な用事を足すことができない，自分の生活を豊かにするために趣味などを活用することが下手である．

このような毎日の生活に必要なものや手段の利用法がわからない，あるいは十分に使用できない状態は日常生活に必要な技能(living skill)が習得できていなかったり，拙劣であることを意味している．

こうした困難は，一般に社会経験のまだ不十分な若い時期に発症した患者や入院期間が長く，生活の訓練が十分でない患者に，より顕著にみられる傾向にある．

2 対人関係

一般に，本症者の多くは，発症前から内向的，非社交的で，対人関係が不得手な傾向にあるが，発病によってその程度がいっそう強くなる．

たとえば，近隣や職場の人などに必要なときに挨拶がきちんとできない，適切な応対ができない，場にそぐわない話をしてしまう，気遣いができない，知らない人とは打ちとけて話せないなど，人

付き合いが下手な状態である．また，他者と話していてもユーモアや比喩がわからない，他者の問いかけに必要以上に自分のことを話しすぎ，自分の秘密を保てないこともある．さらに，断わることが下手なために，さまざまな負担を抱えすぎて調子を崩してしまうことも少なくない．職場において，休憩時間の過ごし方が大きな負担となったり，通院しても主治医に自分の訴えをうまく伝えられない場合も少なくない．

これらは対人関係の技能あるいは社会的技能（social skill）の拙劣さでもある．

わが国では，不特定多数を対象にする対人サービスの三次産業の比重が大きく，統合失調症者の就労先においてもこうした仕事が少なくないが，こうした臨機応変的な能力を求められる業種は最も不得手なものである．

3 作業・就労

デイケアや家事の場面などを含めた広い意味での作業・就労面での制限であるが，特に就労場面で問題となる．

具体的には，疲れやすい，持続して注意の集中ができない，仕事の手順がなかなか覚えられない，てきぱきと処理できず時間がかかる，機転がきかない，同時に複数のことができないなどして現れる．

対人関係の能力と作業能力とは，必ずしも相関するものではない．仕事の種類によっては，対人関係が不得手でも就労が継続されることはよく経験することである．この面での改善は職業リハビリテーションの重要な目標となる〔第20章E項「職業リハビリテーション」（→268ページ）参照〕．

4 問題解決

これは，なんらかの解決を求められる問題に直面した場合に特有な行動パターンとして現れる困難で，精神症状が悪化する要因になりやすい．

たとえば，問題の処理にあたり名目や世間体にこだわりやすい，ささいなことと重要なこととの区別がつかない，同じ間違いを繰り返しやすい，手順をふまず，段階を飛び越えて願望を実現しようとする，注意されたり叱責されると混乱しやすいなどである．さらに，変化にもろい，手順が変わると疲れて調子を崩しやすい，融通がきかない，現実検討能力が低下するため，仕事を探したり大学を受験する場合などで，現実味を欠いた願望になりやすいこともある．

5 精神機能障害との関連

本症者にみられる上記の諸困難は，いわゆる陰性症状よりは，発症によってもたらされた注意機能や認知機能，情報処理過程での障害などと密接に関連することが指摘されている〔本章 E.1.f項「認知・行動機能の研究」（→136ページ）参照〕．また，長期に入院生活を余儀なくされた患者においては，社会参加が長期にわたって制約されてきたために生じた二次的な障害，あるいはホスピタリズムとしての側面が大きいこともある．

こうした活動制限は，社会生活の評価尺度〔第4章G項（→61ページ）参照〕によって評価され，生活支援を含むリハビリテーションの主要な対象となる．

G 経過と予後

統合失調症では急性症状が消失しても，再発・再燃し，障害を残すことがあるために，治癒とは断定できず，急性症状の有無や病識，障害の有無などとの関連で，寛解（完全寛解と不完全寛解に分けられる）（→NOTE-9）や軽快といっている（▶表5）．

▶表5　統合失調症の転帰

	急性症状	病識	障害
完全寛解	(−)	(+)	(−)
不完全寛解	(−)	(±)	(±)
軽快	(±)	(−)	(+)

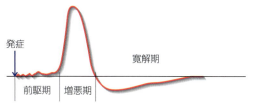

▶図4　急性期の経過

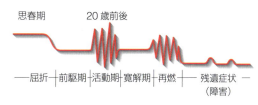

▶図5　統合失調症の一般的な経過

1 経過にみられる特徴

a 急性期の経過(▶図4)

　急性期は，治療経過から，おおよそ前駆期，増悪期，寛解期(前期，後期)に大別される．

　前駆期では，周囲に対する違和感が増し，音や人の声に過敏となり，漠然とした不安が強く，考えもまとまらなく，自分の部屋に引きこもったりする．神経衰弱様症状あるいは抑うつ気分などを訴えることもある．そのうちに幻覚・妄想や精神運動不穏などが著しくなり，増悪期(急性エピソード)に移行する．多くはこの状態で入院する．入院後は集中的な薬物療法が開始され，精神症状は徐々に軽減・消失し，やがて寛解期に至る．

　寛解期の前期はおおよそ退院を前後にはさむ時期である．この時期ではまだ消耗感や疲労感，集中困難がみられ，作業能力も低下しており，睡眠過剰の状態が続いていることが多い．不安や抑うつ気分が強い場合もある(統合失調症後抑うつ)．まだ休息を必要とする脳機能の回復過程に相当し，数か月から年余にわたる．それらはやがて徐々に回復し，ほぼ発症前の水準に回復する(寛解後期)．

NOTE

9 寛解(remission)
　一般に病気や痛みが一時おさまることを意味するが，統合失調症や躁うつ病では症状が消失しても治癒といわずに寛解と呼んでいる．それは統合失調症では病勢が停止したり軽快しても，再燃・再発しやすく，長期にわたり，抗精神病薬の服用が必要なためである．

　作業療法やデイケアが症状消退期や寛解前期から開始される場合には，自殺の予防も含め，スタッフには細心の注意が求められるし，家族にもこの時期の状態への理解や支援が必要とされる．

b 長期の経過

　長期の経過における，前駆期，発症(活動期)，寛解と再燃(再発)，残遺症状(障害)の状況を図5に示す．すなわち，再燃を繰り返すことによって，多少の障害が生じてくるのが一般的な経過である．特に発症してから数年間は再燃が起こりやすいため，服薬の継続による予防が重要な課題となる．

　一方，長期的には病状は安定してくることが多く，10年以上を経過すると再燃しにくくなり，こうした時期を静止期，安定期などともいう．

c 長期予後からみた経過

　長期予後からみた本症の経過はさまざまであるが，ごく大略として，従来は次のようにいわれていた．
①持続的な経過をとり，障害を残すものが1/3
②周期的な経過をとり，障害を若干残すものが1/3
③比較的良好な経過をとり，障害の軽いものが1/3
　しかし，経過と予後は，国情により，時代によ

▶表6 統合失調症の病型と時代による発病率の比較（M. Bleulerによる）

病型	発病率 1941年	発病率 1965年
1. 急速に精神荒廃に至るタイプ	5〜18%	0%
2. 慢性的経過ののち精神荒廃に至るタイプ	10〜20%	8%前後
3. 急速に軽度残遺型に至るタイプ	5%以下	4%前後
4. 慢性的経過ののち軽度残遺型に至るタイプ	5〜10%	20%前後
5. 急性の増悪を繰り返したのち精神荒廃に至るタイプ	5%以下	3%前後
6. 急性の増悪ののち軽度残遺型に至るタイプ	30〜40%	22%前後
7. 急性の増悪ののち治癒に至るタイプ	25〜35%	39%前後
8. 非定型経過	5%	4%前後

〔笠原 嘉：精神分裂病．笠原 嘉，武正建一，風祭 元（編著）：必修精神医学，改訂2版，p.115，南江堂，1991より許諾を得て改変し転載〕

り，病型により，さらには治療・リハビリテーションの進歩によっても大きく変わる．表6に統合失調症の病型と時代による予後の相違を示す〔スイスのM. Bleuler（ブロイラー；1903-1994）による〕．これによると，20余年の時代変化を通じて，進行性で高度の障害を残すものが減少し，再燃・再発の経過をたどりながらも，障害が軽度もしくは治癒に至るタイプが増加している．

この結果は約50年前のものであるが，現在ではさらに大きな変化がみられているはずで，日常臨床の経験からは，治癒例や軽度障害例の増加が推測される．また，軽症例，神経症性障害との区別あるいは病型の不鮮明な例も増加している．

2 社会的予後

病者の生活が地域に移るにつれて，予後を精神症状や障害の程度ではなく，社会的予後や社会適

応で判断することが求められる．ただ，この場合，精神障害者の福祉や就労を支援する法制度・援助体制，社会資源の質や量，家族関係や社会・産業構造，差別・偏見の有無とその程度などが大きく関与する．

WHOの社会的予後に関する調査では，競争型社会である先進国よりは発展途上国のほうがはるかに良好であり，その背景として一次産業に主体をおく家族共同体的社会のほうが受け入れがよいことが指摘されている．わが国では社会参加は徐々に進んでいるものの，生活や働く場の確保は依然として厳しく，社会的自立はもとよりQOLの向上が大きな課題である．

3 生命的予後

死亡率は，時代，地域，入院・在宅を問わず，一般住民の2～3倍にのぼるといわれている．それは，肝障害や心疾患，イレウス，糖尿病などへの罹患など，抗精神病薬の長期服用，高喫煙率，栄養の偏りや運動不足などの生活習慣，あるいは健康管理の状態と深く関連する．

また，本症では自殺の増加が注目されている．これは一般住民の20～30倍ともいわれる．自殺は，病的体験に支配され衝動性の亢進している急性増悪期，不安・抑うつ・焦燥感など情動がいまだ不安定な軽快・寛解期，種々の社会的重圧にさらされる慢性期にみられる．

また，新規抗精神病薬による目覚め現象(awakenings)による自殺にも注意が必要である．さらに，通院治療や地域ケアが進むにつれて慢性期患者の自殺が多くなる傾向にあり，救急を含む地域でのサポート体制の構築が急がれている．

4 予後を左右する因子

統合失調症の治療やリハビリテーションにあたり，予後予測を行うことは困難であるが，経験的には以下のようなことが指摘されている．なお，この場合の予後とは，精神症状を指すこともあるし，社会適応を指すこともある．

①家系に重い負因のある者のほうが，ない者に比べて予後は不良である．
②病前性格として，社交的で快活，情味のある循環気質のほうが，非社交的で内気，鈍感などの統合失調気質よりも予後がよい．
③発病や再発の誘因が明らかな者のほうが，誘因の不明な者よりは予後がよい．
④急激な発病のほうが緩徐な発病よりは予後がよい．病型としては緊張型が最もよく，破瓜型が最も不良である．
⑤急激な発症でも思考や感情の障害などの顕著な者のほうが予後が不良である．
⑥病像に，躁うつの気分障害の色彩をもつ者のほうが概して予後がよい．
⑦発病してから治療までの期間が短い者のほうが予後はよい．
⑧既往に何回か寛解している者では寛解の可能性が大きい．
⑨遅くに発病し，社会経験を有する者のほうが，学業途中で早くに発病した者よりは予後がよい．
⑩積極的に物事を切り開いていこうとする者〔生活臨床(→NOTE-10)でいう能動型〕が，何事にも受け身的な者(受動型)に比べて予後がよいとは限らない．

NOTE

10 生活臨床

1965年代以降，群馬大学の江熊要一らによって行われた統合失調症の再発防止と社会的予後の改善を目的とする指導指針．統合失調症者を，現実に挑戦し続ける能動型と変化を求めない受動型の2つの「生活類型」に分け，前者は再発や破綻をきたしやすく，後者は安定し適応しやすいことを明らかにした．

また，再発の契機となる生活上の出来事・価値意識(異性，金銭，体面など)を「生活特徴」として，生活場面における再発防止の方法を「生活類型」との関係で具体化し，地域での精神保健活動の発展に寄与した．

ただ，ここで留意すべきことは，目の前の個々の患者に最も必要なのは適切な治療やリハビリテーションであり，それらの総和が予後に大きな影響を与えるということである．

H 鑑別すべき精神障害

1 器質性精神障害など

以下の各疾患では本症に類似の精神症状を呈するが，鑑別はそれほど困難ではない．
- 覚醒剤中毒では，注射痕やそれまでの特殊な生活歴，覚醒剤の使用を聞き出すことが必要である．
- てんかん，特に側頭葉てんかんでは，発作症状やてんかん性の脳波異常の確認が重要である．
- Huntington（ハンチントン）病では，遺伝歴や不随意運動，脳画像での尾状核萎縮に注意が必要である．
- 全身性エリテマトーデス（SLE）では基礎疾患の確認で鑑別は容易である．

2 神経症性障害

入眠困難あるいは疲労などの自覚症状が前面に出てくる統合失調症では，神経症性障害に類似することも多い．しかしよく聞いていくと，幻覚や妄想などの異常体験を訴え，鑑別が可能となる．

神経症性障害でも強迫性障害，社交恐怖，離人・現実喪失症候群は本症と類似する場合があるし，本症の初期にはこれらの症状を呈し，やがて確定されることもあるので，長期に経過をみることが必要な場合もある．

3 うつ病

本症でも急性期が消退したあとにうつ状態を示すことがあり，鑑別が必要なことがある．また，自殺を企てて，その後，初診する患者では，しばしば鑑別が困難なことがある．もちろん特有な病的な体験がとらえられれば鑑別は容易である．しかし，昏迷状態では，経過をみなければ鑑別できない場合もある．

4 躁病

躁病では一般に興奮状態を示していても，行為や談話内容にまとまりをもつ場合が多い．一方，本症では周囲の状況に無関係で，目的の不明瞭な衝動行為がみられる．

5 パーソナリティ障害

パーソナリティ障害のなかでも，統合失調質パーソナリティ障害，妄想性パーソナリティ障害などでは症状がきわめて類似している．一方，境界型パーソナリティ障害では衝動的な行為に走りやすく，移り気で，しかも自分自身がそうした不安定さに苦しんでいることを訴え，それなりに疎通性があることが特徴である．

これらのパーソナリティ障害の治療においては，本症に移行する可能性を多少とも念頭におきながら，長期的に経過をみていく必要がある．

I 治療とリハビリテーション

1 基本的な考え方

今日，統合失調症の治療およびリハビリテーションは，前述した脆弱性–ストレス・モデルに基づいて，以下のような考え方で行われている．
①薬物療法，精神療法やリハビリテーションなどの心理社会的治療など，"生物–心理–社会的"

(bio-psycho-social)な要素が，急性期や慢性期などにおける比重の相違はあっても，全体としてバランスよく展開されていなければならない．

②従来からの入院や外来などの医療に加えて，保健や福祉，さらには職業リハビリテーションを含めた総合的な展開が不可欠である．

③ノーマライゼーションの観点から，患者を地域での生活の主体者として位置づけると同時に，生活を支援するさまざまな活動が必要になる．

④症状や経過，再発の要因などにおける個人差がきわめて大きいため，個別性に配慮した多様なサービスが豊富に準備されていなければならない．

⑤治療やリハビリテーションは長期にわたるため，患者個々のライフサイクルにおける課題の解決を含め，継続的なかかわりが求められる．

⑥病期や進行状況によっては病識を欠いた行動も生じうるため，非自発的な入院治療が避けられないこともあるが，治療の実際面はもとより法制度面でも人権擁護の視点を明確にする．

⑦歴史的な誤解と偏見・差別を取り除くため，正しい知識の普及をはじめ，さまざまな啓発活動や行政対応が必要である．

2 病期による治療とリハビリテーション

a 初発時

多くの場合，患者本人は自分が病気だという自覚をもつことがなく，周囲に対して警戒的であり，自発的に治療を受けようとすることは少ない．したがって，まず家族だけが相談に来たり，家族にすすめられて受診することが多いため，治療への導入には細心の注意が必要である．

治療の第1段階は外来的な薬物療法であるが，精神症状のために拒否的な場合もあるので，時間をかけて説得し，服薬してもらうように導く．場合によってはためらわず入院治療に移行させることもある．その場合でも，治療者や医療機関との信頼関係はのちのちまでも大きな影響を与えることになるので，時間をかけてていねいに行うことが基本となる．

突発的な行動が受療の契機となる場合には，医療保護入院あるいは措置入院のような非自発入院が必要なこともある．自殺企図や暴力行為などには細心の注意が必要であるが，治療への導入を急いで患者を追いつめたり，だましたりしてはならない．

治療が外来で開始されるときには，薬物は少量から漸増する形で投与されるが，入院の場合には身体状態の把握と合わせて，より強力な薬物療法や，場合によっては電気ショック療法が行われる．そして，徐々に落ち着いた段階で，作業療法やレクリエーションの開始，家族への説明と働きかけ，試験外泊など，退院に向けてチーム・アプローチに基づくさまざまな活動が行われる．

b 急性増悪期

基本的には初発時に準ずる．ただ，服薬の中断による再発の場合には，何が服薬を阻害していたかに注意を払う必要がある．一般的には，精神症状が安定した段階で感じる眠気やだるさなど，軽微な副作用が原因となることもあるし，「とにかく社会復帰には服薬を終えることが重要」と本人や家族が考えている場合もある．また，拒薬が病状悪化の前兆であることも少なくない．いずれにおいても再発防止には服薬を欠かせないこと，副作用に関してはいつでも担当医に相談することを十分に理解してもらうことが必要である．

また，再発には心理的ストレスが関与する場合も少なくないため，この点にも注意を払うことが，のちの再発予防につながる．具体的には，家族や職場などでの人間関係，仕事上の負担や緊張などが要因となることが多いが，本人に特有な価値意識に基づく場合もある．

○慢性期

　この時期は作業療法やデイケアなど，さまざまな手段を用いて，家庭や社会，あるいは周囲の人たちとのつながりの再構築，あるいは仕事や勉学の場の確保が大きな課題となる．リハビリテーションについては別に記述するが，患者の病状や障害の程度に応じた多様なアプローチが望ましく，かつ，さまざまな職種よりなるスタッフのかかわりが求められる．

　薬物には再発予防の効果もあるため，副作用が出現しない少量を維持的に使うことが基本となる．近年はデポ剤（ほぼ1か月に1回筋注するだけで，毎日の服薬が不要となる．持続性抗精神病薬ともいう）も使われるようになっており，服薬の不規則な，アドヒアランス（→ NOTE-11）の低い患者に対して有効である．

3 各種の治療法とリハビリテーション

a 薬物療法

　統合失調症に有効な薬物は抗精神病薬と総称され，意識障害をおこさずに幻覚・妄想の軽減をもたらす抗幻覚・妄想作用，不安・興奮・焦燥感などを和らげる鎮静作用を有している．これらの薬物には，辺縁系のドパミン作動性神経活動を抑制する働き（抗ドパミン作用）があり，この作用が臨床効果につながると考えられている．

　薬物名や使用量については，第19章のB項「薬物療法」（→ 235ページ）にまとめたが，かつて最も使われていたのはブチロフェノン系薬物，特にハロペリドールである．抗幻覚・妄想作用や鎮静作用，さらには錐体外路系の副作用も強いが，肝機能や心機能の障害などは少ないためである．最初に開発されたクロルプロマジンはフェノチアジン系薬物の代表で，歴史的にもその臨床効果が最もよく知られている．

　一方，近年，セロトニン系にも作用するリスペリドン，クエチアピン，オランザピン，ペロスピロンなどの新規抗精神病薬（非定型抗精神病薬とも呼ばれる）が広く用いられている．それは，これらの薬物は陽性症状への効果が従来の薬物（定型抗精神病薬と呼ばれる）と同等である一方，これまで効果の乏しかった前頭葉機能の低下による陰性症状や認知障害にも効果が認められ，かつ副作用の錐体外路症状が少ないか，まったくないためである〔第19章のAdvanced Studies-1（→ 237ページ）参照〕．

　一般に統合失調症患者がはじめから，進んで服薬することは少なく，拒薬することもしばしばである．したがって，与薬に際しては，100％の服薬承諾を期待するよりは拒薬しない程度のスタンスでよい．錠剤か粉末か，1日3回飲むのか，就寝前1回にするか，デポ剤を用いるかなどの選択も，患者の症状や状況，服薬への態度などによって決めていく．

　患者は精神症状に対しては大きな不安感をもっているので，「聞こえてくる不愉快な声に負けないようにするために」，あるいは「人間関係に対する不必要ないらいらや気配りを取り去るために」といったことを目標に服薬をすすめれば，ずいぶん円滑になる．

　薬物療法も患者に対し一方的に指示するのではなく，よりよい生活を目指すための医師との共同作業の1つという認識をもってもらうことが重要である．このためにも，副作用に関しては，その

> **NOTE**
>
> **11 アドヒアランス（adherence）**
> 　患者が承諾した治療法を医療者の監視なしで継続できる度合い．医療者側の指示に患者がどう従うかという従来の考え方（コンプライアンス）から，患者が主体的に治療を選択し，医療者はそれを維持する援助の役割を果たすという意味が込められている．2001年，WHOは患者自身の治療への積極的な参加（adherenceは「執着心」の意）が慢性疾患治療成功の鍵であるという考え方を推進している．

b 精神療法

患者との間の信頼に基づく治療関係は，服薬アドヒアランス（→ NOTE-11）を高めるためにとどまらず，患者が今後直面するであろう，さまざまな困難を乗り越えて行くうえで重要である．したがって，こうした関係を築くこと自体が広い意味での精神療法となる．

急性期には薬物療法をはじめとする身体療法が優先されるが，たとえ昏迷状態ないし興奮状態にある場合でも，ただそばに付き添っていたり，食事や身のまわりの介助などを含め，心身に対する細やかな配慮（精神療法的な対応）が患者に安心感を与え，かつ精神病に罹患したという深い絶望感を和らげ，退院に向けての意欲を向上させる．

慢性期では個人精神療法あるいは精神療法的な対応がより重要になる．統合失調症への罹患自体が患者の心理的ダメージを増大させる要因であるし，長期間の社会生活の間には幾多の挫折や苦痛を体験することになる．精神療法は患者がこうした危機を克服するうえでも，再発ないし急性増悪を防ぐ対処技能を身につけるうえでも，障害を受容しつつ生きるうえでも，大きな役割を果たす．

集団精神療法も，デイケアにおける患者どうし，または治療者が加わった話し合いを含めて，患者の現実検討能力を高めたり，障害の相互受容を促進する役割を果たすが，何より仲間づくりを通じて，孤立した状態を少なくするために非常に重要である．

医療以外の場でも，地域の作業所や生活共同体的な住居，自助グループなど，社会復帰にかかわる各種の活動やグループも欠くことのできない集団療法的な役割を担っている．

c 家族支援

家族教育または家族心理教育（family psycho-education）ともいう家族支援の活動も非常に重要である．統合失調症の患者をもつ家族は病気の経過を通じてさまざまな苦境におかれているといっても過言ではない．社会的に疎外され孤立したり，患者を含む家族の将来に絶望的になることも決して少なくない．また，たとえ一時的に入院しても，退院後は生活をともにする患者への対応に苦慮することもしばしばである．さらに，病状の増悪時には迅速な対応も求められる．

近年の研究では，患者に対して示す家族の感情や態度（感情表出）が再発を抑制したり，逆に促進する大きな要因となることが明らかにされている〔NOTE-8（→ 136 ページ）参照〕．このため，さまざまな局面で，家族のこうした気持ちを十分に受け止めつつ，病気の特徴とそれに対する治療のあり方，患者への対応，あるいは社会資源や援助制度に関する情報を提供し理解を促すことは，再発を防止したり，治療を円滑に進めるうえでも，さらには家族の機能を正常化するうえでも欠くことができないものである．

また，家族相互による家族会活動は，家族自身の精神的健康を保持・増進するためにも，患者を長期にわたり支えていくための知識や情報を得るためにも，きわめて大事な役割を果たしている．

d リハビリテーション

リハビリテーションの諸活動は，入院治療を通じて行われるか，通院場面で行われるかで異なるが，いずれにしても一貫した計画に基づいて継続的に行われることが必要である．

入院場面では作業療法を中心に，各種のレクリエーションや体力づくりの活動，SST などが行われる．一方，通院場面ではデイケアや作業療法，訪問看護指導などが主なものである．ほかにも，保健所や保健センターなどの保健機関，地域活動支援センターなどの場，あるいは就労支援サービスなどが患者の回復段階に応じて広く活用される．

また，地域での生活自体がリハビリテーションでもあるため，グループホーム，ホームヘルプ

●回復とは

私の分裂病の回復の過程からわかったことを聞いてください。

幻覚、幻聴、妄想があって、病院のお薬をのんで、毎日毎日寝てばかりいた時期。起きるのは、便所へ行く時だけ。フロにもはいらん。　家の外へ出たくない、人とつきあいたくない、家の中でボケッとしていた方が楽しい時。　外出すると、人が多数いるところは神経がつかれてイヤな時期。　家の外へでるのが楽しい時。バスにのって、町を歩くと気分のいい時期。でも、人とつきあう能力はまだ回復していない時期でもあります。　人とつきあえる時期。人と話をして、相手の話を聞いて、適当なあいづちのうてる段階。　企業社会で働いて、職場の人たちのつきあいをさばいて、会社から給料をいただける段階。

病気の回復の段階、私のくぐりぬけてきた世界からわかったこと。　病気の段階。まちがった考えや見えないものが見える。聞こえない音が聞こえるのが強い時期。　病気っぽい段階。このところで、多数の患者さんたちが悩んでいると思います。この時期は、心が眠っています。気持ちの中へ感動を生じるものをつくることが大切と思います。心を生き生きさせることが大切です。　ふつうっぽい段階。ここまでくればしめたものです。眠っている労働能力を少しずつきたえ、みがき、訓練してゆきます。この時期は、かなり社会参加をすることができますので、いろいろな人と会い、「場」をふんで、行動がいきいきしてきます。人間的に成長し大人になったなあと感じる時期でもあります。　ふつうだなあという感じのする段階。もう働けます。健常者の友だちもいます。つめたい、きびしい愛情も消化して、成長してゆきます。　病人から健常者へもどる、薬のいらない段階。お医者さんのいらなくなった段階。私はここはまだわかりません。

▶図 6　統合失調症患者の回復の体験から

〔曽根晴雄：仕事復帰のために―私の体験からわかったこと．精神障害者の主張―世界会議から，pp.40–41，解放出版社，1994 より〕

サービスなど，生活自立を援助する各種の障害福祉サービスの役割は大きく，このような社会資源の整備を欠くことができない．また，自助グループを通して行われるピアサポートの活動は仲間づくりを促し，社会での孤立を防ぎ，生活を支えるうえで大きな役割を果たしている（▶図 6）．

こうしたなかで，近年注目されるのは医療や保健，福祉の領域で展開されている SST である．これは，患者が社会に適応できるように行動パターンを変え，自信を回復することを目的に，対人面での適切な技能を集団場面でのロールプレイなどを通じて向上させる試みである．社会的な技能を反復訓練によって身につけるという点では行動療法であり，さまざまな領域の学習課題（モジュール）を用いる点で一種の認知療法，あるいは心理教育（psychoeducation）でもあるが，こうした精神障害者の社会生活に必要な技能の向上をはかるリハビリテーションの技法が，自助グループ内はもとより，支援者の間により広く普及することが望まれている〔第 19 章「精神障害の治療とリハビリテーション」（➡ 231 ページ）参照〕．

J 他の統合失調症関連の精神障害

統合失調症に関連する障害にはさまざまなものがある．ICD-10 では，統合失調型障害，持続性妄想性障害，急性一過性精神病性障害，感応性妄想性障害，統合失調感情障害などをあげている〔資料1（➡ 280 ページ）参照〕．ここではその主なものを解説する．

1 統合失調型障害

統合失調症と類似した思考・感情・行動面の症状を呈するものの，統合失調症とは診断されないものを統合失調型障害（schizotypal disorder）という．多くは統合失調症の遺伝負因があり，慢性の経過をたどる場合が多い．おおよそ，以下のような様態がみられる．

- 冷たくよそよそしくみえる不適切な感情
- 異様，奇異，風変わりな行動や容姿
- 疎通性に乏しく，社会的ひきこもりの傾向
- 通常の文化的規範に矛盾する奇妙な信念や神秘的考えに基づく行為
- 猜疑的かつ妄想的な観念
- 醜形恐怖的，性的，攻撃的な内容を伴う，強迫的な反復思考
- 錯覚や離人症，現実感喪失を含む異常な知覚体験
- 奇妙さや著しい減裂はないが，曖昧でまわりくどい常同的な思考
- 一過性の幻聴や妄想様観念を伴う精神病様エピソード

2 持続性妄想性障害

長期にわたり妄想のみを呈し，器質性，統合失調症性，気分障害性以外の障害を持続性妄想性障害（persistent delusional disorders）といい，「妄想性障害」と「他の持続性妄想性障害」に分類される．ここでは前者について解説する．

妄想性障害（delusional disorder）とは，単一の妄想あるいは相互に関連した一連の妄想が，持続的に，時には生涯にわたって発展する障害をいう．妄想の内容はきわめて多様で，迫害的，心気的，誇大的なものが多いが，訴訟や嫉妬に関連するものや，「自分の身体が不格好である」とか，「他者から自分が臭いとか，同性愛であると思われている」という確信のこともある．他の精神病的な症状を欠くのが特徴であるが，抑うつ症状が時折現れたり，幻嗅や幻触が出現する症例もある．明瞭な統合失調症状や脳疾患がある場合は除く．

発病はふつう中年期であるが，青年期や老年期に発症することも少なくない．妄想の内容とその出現の時期は，少グループ内の成員を主な対象とする思春期妄想症あるいは中高年の嫉妬妄想や物とられ妄想などのように，患者の生活環境と関連することが多い．その一方で妄想や妄想体系に直接関連するような行動や態度を除くと，感情や会話，行動などは正常である〔第 18 章（➡ 221, 229 ページ）参照〕．

従来のパラノイア，妄想状態，遅発性パラフレニー，敏感関係妄想などを含むが，心因性の妄想反応などは含まない．

3 急性一過性精神病性障害

急性一過性精神病性障害（acute and transient psychotic disorders）とは，死別や失職，戦闘やテロなどの急性ストレスと関連して，突発性または急性（2 週間以内）に発症する精神病状態である．幻覚や妄想，一過性の恍惚感，不安や過敏性などを伴う情動の混乱，あるいは統合失調症様症状など，多彩な症状が出現し，日々あるいは 1 日でもめまぐるしく変化したりしながら経過するが，2〜3 か月以内に完全に回復し，残遺障害を残さない．

従来の急性錯乱状態，反応性精神病，妄想反応，

統合失調症性反応，非定型精神病の一部がこれに含まれる．

4 統合失調感情障害

感情障害と統合失調症の両者の症状を両方備えた病状を統合失調感情障害（schizoaffective disorders）といい，気分障害の主たる症状によって，躁病型，うつ病型，混合型などに区分される．ともにエピソード性に著しい状態で出現する．従来診断の非定型精神病の一部がこれに含まれる．

統合失調症のエピソードのあとに抑うつ症状が現れる場合や，気分障害の経過中に気分に一致しない妄想や幻覚があっても，それだけですぐには該当しない．

治療としては，抗精神病薬のほか，気分障害の症状により抗うつ薬または気分安定薬を用いる．

K 理学・作業療法との関連事項

作業療法と統合失調症とのかかわりは歴史的にも非常に古く，作業療法にとって最も重要かつ主要な対象である．作業療法士にとり，統合失調症者とのかかわりはその病初期からほとんど生涯を通じたものになる．それは入院中はもとより通院中，さらには社会生活での場面を含むことを意味している．

同時に，近年は地域で生活する統合失調症者が増えるにつれて，さまざまな身体疾患や身体の障害を有して理学・作業療法を受療している．

したがって，統合失調症に関してはその複雑な症状や経過，障害の特徴にとどまらず，さまざまな治療・支援技法と近年の脳科学の進歩を背景とする考え方に関しても併せて学ぶことが望まれる．

復習のポイント

- 統合失調症は，精神内界の不調和に基づく外界との関係の障害が中心となり，外面に現れる幻覚や妄想などの陽性症状，意識の低下や感情の鈍麻，自閉などの陰性症状が特徴である．
- 統合失調症を理解するには，縦断的に考えることが必要である．すなわち，表現面の特徴，精神症状，特に幻覚・妄想について急性期と慢性期に分けて理解しておくことが重要である．さらに慢性期には社会生活上で特有な困難がみられる．
- 古典的な3病型のほかにいくつかの亜型分類がある．
- 治療は抗精神病薬を用いた薬物療法を基礎に，精神療法やさまざまなリハビリテーションが行われる．

第10章 気分(感情)障害

学習目標
- 気分(感情)障害の概念および病型の分類について学ぶ.
- うつ病と躁うつ病について,症状や経過の特徴,誘因・病因と発症の機制,治療と援助,リハビリテーションのあり方などに関して学ぶ.
- 他の精神障害で出現するうつ状態や躁状態の特徴についても理解を深める.

A 気分(感情)障害とは

1 概念

気分(感情)障害〔mood (affective) disorders〕とは,気分または感情の障害を主症状とする精神障害をいう.同時に,意志や欲動,思考の障害も伴い,うつ状態や躁状態などとして表出される.

従来,気分の障害を特徴とする精神障害は"躁うつ病"(manic-depressive psychosis)という概念でまとめられてきた.これは,遺伝素因,躁状態とうつ状態の相反する感情障害,経過の周期性と完全寛解,精神荒廃(欠陥状態)を残さないなどを特徴とする疾患単位として Kraepelin(クレペリン)により確立されたもので,統合失調症とともに代表的な"内因性"精神障害と考えられてきた〔第1章のKraepelinの項(➡8ページ)参照〕.同時に,躁状態を呈さない"うつ病"(depression)もこの概念に含むものとされた.

一方,気分(感情)障害は,原因を考慮したものではなく,もっぱら症状に基づく概念であって,内因性精神障害としての躁うつ病よりも幅広い感情の障害を含んでいる.このため,"うつ病"の概念に混乱が生じている現状にある.

2 主な病型

気分(感情)障害は,臨床の実際やICD-10に基づいて,うつ病と躁うつ病に大別される(▶図1).なお,分類や用語などについて国際的な意見の一致はみられていない.

(1) うつ病

うつ状態のみを示す場合をいう.ICD-10では経過から一度のみ発症の"うつ病エピソード"(depressive episode)と,繰り返す"反復性うつ病性障害"(recurrent depressive disorder)に分類している.DSM-5ではうつ病/大うつ病性障害(major depressive disorder)と命名される.

(2) 躁うつ病

躁とうつの両状態を示す場合で,ICD-10では双極性感情障害(bipolar affective disorder)とも

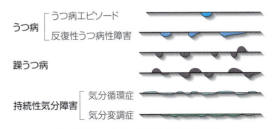

▶図1 気分障害の主な病型と経過模式図

▶表1 うつ状態，躁状態の精神・身体症状の比較

	感情			意欲・行為		思考		身体機能
	気分	身体感情	自我感情	個人面	社会面	形式面	内容面	
うつ状態	●憂うつ ●悲哀，寂しい ●不安，焦燥 ●苦悶 ●無感情	●不調 ●不健康感	●低下 ●自己評価過小 ●自責 ●劣等感 ●悲観的 ●絶望	●制止 ●寡言，寡動 ●昏迷 ●焦燥，徘徊	●閉居 ●厭世 ●自殺	●制止	●微小的：罪責・貧困・心気(妄想) ●虚無妄想	●不眠(浅眠，早朝覚醒)，朝方抑うつ ●食欲低下，やせ ●便秘 ●性欲低下 ●日内変動 ●頭重，頭痛，肩こり，しびれ，発汗，口渇，倦怠
躁状態	●爽快 ●好機嫌 ●易刺激	●好調 ●健康感 ●疲れず	●高揚 ●自己評価過大 ●自信過剰 ●楽観的	●亢進 ●多弁・多動 ●行為心迫 ●精神運動興奮	●やりすぎ ●脱線 ●乱費 ●外出・訪問 ●暴力	●観念奔逸	●誇大的	●不眠(早朝覚醒) ●食欲亢進 ●性欲亢進

〔大熊輝雄：現代臨床精神医学．改訂12版，p.379，金原出版，2013より一部改変〕

いう．

経験的には躁病エピソードのみの反復はないため，単極性感情障害(monopolar affective disorder)はうつ病と同義と考えてよい．

(3) 持続性気分障害

軽い持続性の気分変化を示すものは，持続性気分(感情)障害〔persistent mood(affective) disorders〕と分類されている．

B うつ病

1 有病率・初発年齢・性差

一般人口におけるうつ病の有病率は，6か月有病率で3〜5％，生涯有病率で13〜17％と報告されている．WHOの報告では，人口の3〜5％がうつ病とされているので，全世界で1億2千万〜2億人のうつ病者がいることになる．また，わが国では360万〜600万人のうつ病者がいると報告されており，うつ病は患者数の最も多い精神障害である．

発病は児童期から老年期までを含む全年齢層に認められ，平均年齢は20歳代半ばである．また，その半数は20〜50歳の間に発症し，平均年齢は約40歳といわれている．

また，女性が男性の約2倍罹病すると報告され，性差が指摘されている．

2 症状の特徴(▶表1)

a 感情の障害

うつ状態または抑うつ状態(depressive state)でみられる基本症状は，抑うつ気分(depressive mood)である．誘因の有無にかかわらず，徐々に気分が沈み，憂うつになる．また，周囲の出来事が生き生きと感じられなくなり，さらに進むと喜怒哀楽の感情も薄れ，何事にも無感動となる〔無感情(apathy)〕．テレビや新聞にも興味を失い，趣味や人との会話を楽しむことができなくなる．理由もなく寂しくなったり，悲しくて涙が流れるといった悲哀感や寂寥感を感ずることもある．

自我感情も低下するため，自分を過小評価し，劣等感も強くなり，自分の人生や周囲の物事に悲観的・絶望的となり，自殺念慮(希死念慮)を抱く

ことも珍しくない．

　こうした気分の低下は朝方に強く，夕方に軽くなる傾向があり，これを日内変動という．このため，朝目覚めても気分が悪く，寝床から離れることができない．抗うつ薬を投与しても効果の発現にはおよそ1～2週間程度を要するが，この間に「薬が強くて朝起きられなくなった」などと訴えることもあり，注意を要する．

　不安や焦燥が強いうつ状態では，落ちつきなく室内を歩き回ったり，じっと座っていることができず，立ったり座ったりを繰り返したり，胸内苦悶などの身体感覚の異常を執拗に訴えたりする〔興奮性または激越性うつ病（agitated depression）〕．こうした状態は初老期や老年期に多いといわれる．

b 意欲・行為の障害

　意欲や行為の障害は精神運動制止（抑制）（psychomotor retardation）としてまとめられる．患者は自分が何をやらなければならないかをわかっていても，「頭ではわかっていても身体が動かない」，「何もかもが億劫」などと訴え，行動がスムーズにできない．このために不安や焦燥がいっそう悪化することもある．

　障害の程度が軽ければ周囲に気づかれることなく，なんとか日常のことは頑張ってできるが，新しいことを始めることは困難となり，仕事の能率は低下する．症状が進むと，人に会うのも億劫で，接触を避けるようになり，食事や洗面，入浴など，身のまわりのことすらも自分ではできなくなる．さらに進めば，自発的な動きはまったくみられなくなり，話しかけにも応答しなくなる（うつ病性昏迷）．

　うつ病患者で最も気をつけなければならないことは自殺である．自殺は，症状が軽く，まわりから変調に気づかれない病初期，および退院に向けての外泊訓練中や退院直後などの回復期に多い．それはうつ状態が悪化すると，意欲や行為の障害も重くなり，自殺を決断したり実行することすらできなくなってしまうためである．

c 思考の障害

　思考の障害で最も特徴的な症状が思考制止（抑制）である．これは，「考えることができない」，「頭がからっぽになった」，「何も頭に浮かばない」などと訴えることが多く，質問しても応答が遅く，その内容も乏しい状態となる．勤労者では業務遂行能力の低下として表出される．

　思考内容が障害される場合に出現する妄想は罪業，貧困，心気などの各妄想で，抑うつ気分から二次的に生じるために了解が可能である．たとえば，自分の過去の小さな失敗を重大な罪と思い込んだり，周囲でおこる不幸な問題をすべて自分のせいであるとして自分を責めたり，罪を犯したと警察に出頭することもある．自分が生き続ける限り他人に迷惑をかけ続けると自殺に至ることもある．また，金銭的な心配はないのに仕事に失敗して家族が路頭に迷うと信じ込んでしまったり，自分は癌などに罹患していて，もう助からないと思い込むこともある．

　うつ病にみられる精神病症状は，上記のような気分の変化に一致した妄想や昏迷などを指すのが一般的である．

d 身体症状

　うつ状態で最も多く認められるのは，入眠障害や熟眠障害，早朝覚醒などの睡眠障害であり，ほぼ必発する．睡眠過剰を示し，昼間も傾眠傾向がみられる場合もある．

　次に多いのは，疲労感・倦怠感と食欲低下である．身体がだるく，疲れやすくなるため仕事が長続きせず，はなはだしくなると1日中臥床がちになったりする．また，体重も通常，数kg程度の減少を伴う．悪心・嘔吐，便秘，下痢，胃部不快感などの消化器症状も多くみられる．性欲の低下も多くに認められ，食欲低下とともにうつ病の比較的鋭敏な指標となる．その他，口渇，発汗などの自律神経症状，月経異常，頭重，身体各部位の

疼痛や手足のしびれなどの感覚異常を訴えることも多い．こうした身体症状は，抑うつ気分とともに，うつ病の本質的症状とみなされている．

うつ病のなかには，抑うつ気分や気力の低下をあまり訴えず，身体症状のみが前景にたち，内科などの身体科で治療を続けることも決して少なくない．こうしたうつ病を「身体病の仮面をかぶったうつ病」という意味で"仮面うつ病"(masked depression)ということもある．しかし，詳しく聞くと，気分や意欲の低下を認めることが少なくない．

3 重症度について

うつ病の軽い場合には，本人は苦痛を感じているものの，うつ病とは自覚しておらず，日常の生活や仕事などはなんとか継続できており，身体症状がみられる場合には内科などを受診していることが多い．家族や職場の同僚も多少疲れているくらいにしか気づいていない．このような段階では，外来での服薬で十分に治療可能であり，うつ病患者の多くが該当する．しかし，症状が進行すると，家事や仕事も次第にできなくなるなど，社会生活は障害される．

ICD-10では，うつ病の症状を，3つの"典型的症状"と7つの"その他の症状"に分けている．

① 典型的症状
- 抑うつ気分
- 興味と喜びの喪失
- 活力の減退

② その他の症状
- 集中力と注意力の減退
- 自己評価と自信の低下
- 罪責感と無価値感
- 将来への希望のない悲観的なみかた
- 自傷・自殺の観念や行為
- 睡眠障害
- 食欲不振

これら症状の組み合わせによって，次のように重症度の分類をしている．

① 軽症："典型的症状"が少なくとも2つ，"その他の症状"が少なくとも2つあるとき
② 中等度：同じく2つと3つ
③ 重症：同じく3つと4つ
④ 精神病症状を伴う重症うつ病：妄想や昏迷などを呈する重症

しかし，重要なのはこれら症状の数だけではなく，個々の症状の重さ，もしくは苦悩の深さ，生活障害の程度などである．

4 うつ病の評価尺度

うつ病の評価尺度には，Beck(ベック)やSDS(▶図2)などの自記式尺度もあるが，Hamilton(ハミルトン)のうつ病評価尺度(HAM-D)(▶図3)が広く用いられている〔第4章F項「精神症状の評価」(→60ページ)も参照〕．

HAM-Dでは，抑うつ気分や罪業感などの11項目は5段階で評価し，それぞれ0～4点が与えられる．入眠障害や熟眠障害などの10項目は3段階で評価し，それぞれ0～2点が与えられる．日内変動以下の4項目は，あとで追加されたもので，臨床像の特徴を把握するためのものである．それ以外の17項目が症状の重症度を評価するための項目で，通常，この合計点が16～17点以上を中等度のうつ状態とみなすことが多い．

5 発症の機制

うつ病の発症や再発には，遺伝素因，性格要因，状況要因，生理的・身体的要因，脳の神経化学的変化などが複雑に関与している．

a 遺伝素因について

うつ病者の親族(両親，子，同胞)の有病率は11～15％で，対照群との比較で1.5～3.1倍も罹患しやすく，特に早期発病の反復型では罹患危険率が高くなる．また，双生児での一致率は一卵性双生児では40～50％前後であるが，二卵性双生

次の質問を読んで　現在　あなたの状態に　もっともよくあてはまる　と思われる欄に
○印をつけてください。　すべての質問に　答えてください。

	ないか たまに	とき どき	かなりの あいだ	ほとんど いつも	
1. 気分が沈んで憂うつだ	①	②	③	④	
2. 朝がたは、いちばん気分がよい	④	③	②	①	
3. 泣いたり、泣きたくなる	①	②	③	④	
4. 夜よく眠れない	①	②	③	④	
5. 食欲は　ふつうだ	④	③	②	①	
6. まだ性欲がある（独身者の場合）異性に対する関心がある	④	③	②	①	
7. やせてきたことに　気がつく	①	②	③	④	
8. 便秘している	①	②	③	④	
9. ふだんよりも　動悸がする	①	②	③	④	
10. 何となく　疲れる	①	②	③	④	
11. 気持ちは　いつもさっぱりしている	④	③	②	①	
12. いつもとかわりなく　仕事をやれる	④	③	②	①	
13. 落ち着かず、じっとしていられない	①	②	③	④	
14. 将来に　希望がある	④	③	②	①	
15. いつもより　いらいらする	①	②	③	④	
16. たやすく　決断できる	④	③	②	①	
17. 役に立つ、働ける人間だと思う	④	③	②	①	
18. 生活は　かなり充実している	④	③	②	①	
19. 自分が死んだほうが　ほかの者は楽に暮らせると思う	①	②	③	④	
20. 日頃していることに　満足している	④	③	②	①	

（この欄は記入しない）

▶図2　SDS（自己評価うつ病スケール）〔三京房承認済・本検査の著作権は同社に帰属します〕
各質問ごとに1～4点，合計点は最低が20点，最高が80点で，40点以上を軽症，50点以上を中
等症あるいは重症と判断する．

児ではその1/4～1/2であるなど，遺伝素因の関与が指摘されている．

b 性格要因について

下田光造〔1950〕は，躁うつ病者の病前性格として「熱中性，徹底性，几帳面，真面目，責任感」などを特徴とする執着気質を提唱している．しかし，うつ病者では「几帳面，真面目，責任感」などがより重要と考えられている．

ドイツのH. Tellenbach（テレンバッハ）〔1961〕が提唱したメランコリー親和型性格は，仕事上での正確，綿密，勤勉，良心的で責任感が強く，対人関係では他人との衝突を避け他人に尽くそうとするなど，秩序性を基本とする傾向であり，うつ病はこうした傾向を保持することが困難な状況下で発症するというものである．

いずれも，うつ病患者の性格特徴の一端をよく表している．ただ，近年は予防や再発防止の観点から，ストレス処理ないし対人技能（social skill）の拙劣さを重視する傾向にある．

c 状況要因について

状況要因ないし心理的・社会的ストレスも誘因として非常に重要である．男性では職場関係の出来事（過労や配置転換，昇進，転勤，人間関係，倒産，失職など），女性では個人や家族に関連する出来事（家庭内葛藤，家族の病気，転居，近隣との人間関係など）が多くなる傾向にある．また，思春期・青年期には学校や進路，友人・異性関係のことが，老年期には配偶者の死や病気罹患など，人生のそれぞれの節目で生じる困難がその人の生活状況や性格と関連して誘因となる．

このように，うつ病発症の誘因には，生活の場面，あるいは人生の過程で生じるさまざまな出来事や状況が含まれるが，もちろん本人の性や年代，性格によりその意味は大きく異なっている．

```
【氏名】_____  【年齢】____歳   【外来カルテ番号】_____
【診断】               【評価日】  年  月  日 【得点】    点
```

1) 抑うつ気分	0. なし　1. 質問で初めて述べる　2. 自発的に述べる 3. 非言語的に明らか　4. 質問に応じられないほど極度	
2) 罪業感	0. なし　1. 自責感　2. 罪業念慮　3. 罪業妄想　4. 罪業幻覚	
3) 自殺	0. なし　1. 生きる価値なし　2. 死んだほうがまし 3. 自殺念慮　4. 自殺企図	
4) 入眠障害	0. なし　1. 時々30分以上　2. 毎晩	
5) 熟眠障害	0. なし　1. 時々睡眠が途絶える　2. しばしば床から出る	
6) 早朝睡眠障害	0. なし　1. 覚醒してまた眠れる　2. 覚醒後まったく眠れない	
7) 仕事と興味	0. なし　1. 無気力感　2. 興味減退　3. 能率低下　4. 職場放棄	
8) 精神運動抑制	0. なし　1. 軽度　2. 明らか　3. 面接困難　4. 昏迷状態	
9) 激越	0. なし　1. 軽度　2. 明らか	
10) 精神的不安	0. なし　1. 主観的な緊張・焦燥　2. ささいなことへの心配 3. 客観的に見られる懸念　4. 一見してわかる恐怖	
11) 身体についての不安	0. なし　1. 軽度　2. 明らか	
12) 消化器系身体症状（食欲減退など）	0. なし　1. 軽度　2. 明らか	
13) 一般的身体症状（頭重，易疲労感など）	0. なし　1. 軽度　2. 明らか	
14) 性欲減退	0. なし　1. 軽度　2. 明らか	
15) 心気症	0. なし　1. 体のことばかり考える　2. 健康に気をとられる 3. くどくどという態度　4. 心気妄想	
16) 体重減少	0. なし　1. 1 kg未満/週　2. 1 kg以上/週	
17) 病識	0. あり　1. 病気を認めるが他のせいにする　2. 欠如	
18) 日内変動	0. なし　1. 軽度　2. 明らか　（朝・夕）に悪化	
19) 離人症	0. なし　1. 軽度,非現実感　2. 中等度　3. 高度 4. まったくどうにもならない	
20) 妄想症状	0. なし　1. 疑惑的　2. 関係念慮　3. 関係・被害妄想 4. 被害的幻覚	
21) 強迫症状	0. なし　1. 軽度　2. 明らか	

▶図3　Hamiltonうつ病評価尺度（HAM-D）

これらの状況要因によって引き起こされるうつ病には，さまざまな名前がつけられている．たとえば，転居に際し，主婦にみられる"引っ越しうつ病"，過重な責任・負担からとき放たれたときにおこる"荷おろしうつ病"，昇進により職務内容や立場が変わり，責任が重くなったときにおこる"昇進うつ病"などである．なお，生活上の変化による場合，後述する適応障害との区別が問題となる〔第11章D.3項「適応障害」（→170ページ）参照〕．

d 生理的・身体的要因

うつ病では，生理的・身体的変化も発症の誘因になる．たとえば，女性では妊娠や出産，月経などの内分泌的変化があり，特に出産後には高率にうつ病の発症や再発をみる（産後うつ病）．また，初老期や老年期などの加齢による変化も発症の促

進因子となる．

日照時間が少なくなる晩秋から冬にかけてうつ病を繰り返す場合も，生理的変化を背景にしたものである（季節性うつ病）．さらに，過労（疲弊うつ病），身体疾患への罹患，手術など身体的ストレスも誘因になる．近年，わが国では"過労自殺"の背景としても問題化している．

e 脳の神経化学的変化について

うつ病の病因として，脳内におけるノルアドレナリンやセロトニンなどのアミンといわれる神経伝達物質の作用が低下しているというアミン代謝障害仮説が最も有力である．それは，これらアミンを消失させる降圧薬のレセルピンがうつ病を引き起こす一方，これらの分解を抑制したり，前シナプスからの再取り込みを阻害することにより，神経伝達の作用を促進する薬物（抗うつ薬）がうつ病に特異的効果をもつことなどの臨床的事実によるからである．

f 発症の機制について（▶図4）

以上の諸要因・誘因から，遺伝素因として脳内アミン代謝系などになんらかの脆弱性を有している者が，一方では執着気質などの性格要因をもっていたり，他方では生理的・身体的ストレスや状況要因が加わることによって脳内のアミン系神経伝達機構が障害され，その結果，うつ病が発症・再発すると考えられている．したがって，遺伝素因が強い場合には，状況要因の有無にかかわらず，脳内アミン代謝系に障害が生じてうつ病が発症することになる〔脆弱性-ストレス・モデルについては，第2章 A.2 項（➡ 11 ページ）参照〕．

最近の脳画像解析では，うつ状態においては，前頭葉を中心に脳内糖代謝が著明に低下し，しかも症状消失後も代謝の回復は遅れていることが指摘されている（▶図5）．

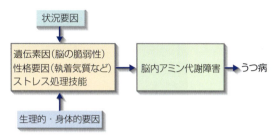

▶図4　うつ病の発症機制

6 うつ病の病型をめぐって

うつ病は，ICD-10 では再発の有無と重症度に基づいて細分類されている．しかし，従来は病因や発病時期，症状，経過などにより，さまざまに命名されており，それらの概略を知ることで，うつ病についての考え方の変遷を知ることができる．

a 内因性うつ病と反応性うつ病

病因に基づく従来の分類では，内因性うつ病（endogenous depression）と反応性うつ病（reactive depression）に分けられていた．

遺伝素因が関係する生物学的な異常（内因）により，特別な誘因なしに発症し，気分の日内変動や精神運動制止，思考制止などを主徴とするものが内因性うつ病である．

一方，反応性うつ病とは，家族や近親者との死別，転勤や失職などの心因により発症したうつ病をいう．しかし，うつ病が進行し，強い精神運動抑制など内因性うつ病像を呈する場合には，もはや心因との関連は了解不能となる．

その後，内因性うつ病がさまざまな状況を契機に発病したり，反応性うつ病も抗うつ薬で改善することなどが明らかになり，このような区分は用いられなくなりつつある．

b 神経症性うつ病

神経症性うつ病（neurotic depression）とは，軽症のうつ病という意味ではなく，病前性格と病像

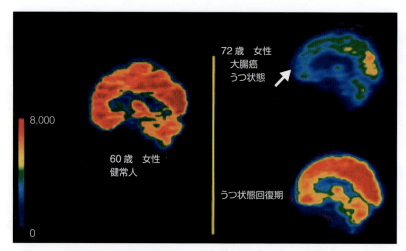

▶図5 うつ病のPET画像解析〔第9章 NOTE-7(➡ 135ページ)参照〕
うつ状態においては前頭葉を中心に脳内糖代謝の著明な低下がみられ，症状の軽減とともに回復するものの，前頭前野(矢印)での回復の遅れが注目される．〔群馬大学・三國雅彦名誉教授のご厚意による〕

に特徴をもつ神経症性障害の一類型を意味している．未熟，ささいなことへのこだわり，不安・葛藤を生じやすい神経症的性格の者が，過大な負担や対人葛藤の状況におかれて発病し，他の神経症性の症状も併存したり，自責傾向より他罰的で，依存性や誇張性もみられたり，抗うつ薬も奏効を示さないなどの特徴をもつ抑うつ状態である〔後述(➡ 160ページ)参照〕．

c 退行期うつ病

退行期うつ病(involutional melancholia)は40代後半から60代前半までの時期に発症するうつ病で，初老期または中年期うつ病ともいう．前述した病前の性格に，自身の健康問題，子どもや配偶者に関する問題，仕事上の困難，失職などの諸要因が加わって発症することが多い．

強い苦悶と焦燥，心気的傾向などを特徴とする病型とするみかたもあるが，この年代に特有かつ深刻な要因を背景に発病したうつ病と考えるべきであろう．老年期うつ病に関しても基本的に同様である．

d 季節性うつ病

季節性うつ病(seasonal depression)とは，日照時間が短縮する11月ころから翌年1～2月にかけて発症し，春には回復するうつ病で，季節性感情障害(seasonal affective disorders; SAD)とも呼ばれる．女性に，しかも高緯度地域で多く，過食や過眠，体重増加などの非定型な症状を合併しやすい．

光照射療法(2,500ルクスを朝2～3時間)が有効なため，病態研究の面でも興味がもたれている．ただ，治療経過中に季節性が不明確になる場合も少なくない．

C 躁うつ病

1 有病率・初発年齢・性差

躁うつ病の有病率は，6か月有病率で0.1～0.9％，生涯有病率では0.2～1.7％と報告されており，うつ病に比べてはるかに少ない．

発病はほとんどが25～26歳までで，平均初発年齢はおおよそ20歳であり，うつ病よりは5～6歳若く，発病における男女差は認められない．

このため，躁うつ病はうつ病に比べ，素因規定性がより強いと考えられている．

2 症状──躁状態の特徴

うつ状態と躁状態とを周期的に反復することが特徴であるが〔表1（→150ページ）参照〕，ここでは躁状態について解説する．

a 感情の障害

最も特徴的な症状は高揚した爽快な気分である．多くは陽気・上機嫌で，いかにも楽しそうな様子が観察される．また，身体感情も亢進し，健康感にあふれ，疲労感を感じることが少ない．自我感情も亢進し，過大な自己評価のために自信に満ちあふれている．このため，職場の仕組みや上司の批判を公然と行うなど，正義感にあふれ，あるいは傲慢な態度が次第に目につくようになる．また，職場や家庭で自分の考えや行動が少しでも妨げられると，怒りを爆発させたり攻撃的になるなど，周囲との摩擦がなにかと目立つようになる．

b 意欲・行為の障害

精神運動が亢進するため，身振り手振りは大きくなり，大きな声で休みなくしゃべり続ける（多弁）．一時もじっとしていることがなく動き回る（多動）．何かやることを見つけ，あたかも何かに追いかけられているかのごとく落ち着きなく活動し続けるが，作業にはまとまりがない．疲れ果て消耗しているように見えても活動をやめることができない（行為心迫あるいは作業心迫）．また，思いついたことを後先を考えず，すぐに口にしたり実行に移すなど，衝動的な行動も目立つようになる（抑制消失）．

自我感情も亢進し，自分は重要な存在であると思い込むため，周囲への配慮を欠くようになる．相手の状況を考えずに知人や友人を頻回に訪問したり，いろいろなところに長時間の電話をかけ続ける．金遣いも荒くなり，車や宝石をはじめ，高額なものを多数買い込んだりする（乱費・浪費傾向）．また，無謀とも思える新しい事業の計画を立てて実行に移し，多大な損害を出すこともある．こうした行動を他から抑えられたり，非難されたりすると，激しく興奮して怒鳴ったり暴れたりするなど，さまざまな面での社会的逸脱行動が顕著になる．

c 思考の障害

まず形式の障害としては観念奔逸が特徴的である．思考の速度が増し，考えが次から次へと浮かぶため，患者は多弁でしゃべり続ける傾向が認められる．しかし，話題が次々に移るために話にまとまりがなくなり，極端な場合には何を話しているのかわからなくなる．ただ，話題と話題の間の文脈や論理的なつながりは保たれるのが普通で，その点が統合失調症でみられる思考障害とは異なる．

思考の内容も誇大的になる．自分の考えは独創的かつ重要で，仕事もすばらしいできばえで偉大な結果をもたらす，自分は高い社会的な地位や立場にふさわしいなどと思い込む．このような誇大傾向に確信性が増すと誇大妄想に至るが，その内容により血統妄想，宗教妄想，発明妄想，好訴妄想などと呼ばれる．被害妄想がみられることもあり，自分が特別な重要人物であるがゆえに他人から狙われるという内容のことが多い．

病識を欠くのが普通で，他人から病院受診をすすめられても従うことはほとんどない．このため，周囲の者が扱いに困ってしまうことが多い．

d 身体症状

睡眠障害がほぼ必発する．しかし，わずかな時間しか眠らなくても苦にはならず，早朝から活動し続ける．食欲は増加することが多いが，食事についての関心が薄れ，食事量が減るため体重は減

少するが，なお活発な活動を続ける．性欲も亢進するため，無軌道に性的関係を求めることもある．こうした状態が長期に続くと疲弊状態が著しくなり，入院が必要となる．

3 重症度について

躁状態は軽躁状態と躁状態とに大別される．

軽躁状態または軽躁病(hypomania)とは，気分が高揚し，気力や活動性も亢進し，多弁で社交的，かつ睡眠の欲求も減少し，注意力や集中力の低下した状態が続いているものの，仕事や社会生活が大きく障害されるに至っていない状態である．躁状態の前駆症状や回復過程にみられる状態とは区別されている．

ICD-10 では，上記の両状態に，うつ病の4重症度を組み合わせている．DSM-5 では，双極Ⅰ型障害(躁のもの)と双極Ⅱ型障害(軽躁のもの)とに分けている．

4 発症の機制について

躁病の病因ないし脳の神経化学的変化は，うつ病ほどには解明されてはいない．

a 遺伝素因

躁うつ病に関する Luxenburger(ルクセンブルガー)の調査[1932]では，一般人口での出現率が 0.44% であるのに，患者の子 24.4%，同胞 12.7% と非常に高いことが報告されている．他の報告でも同様である．双生児の一致率も一卵性双生児は 60〜75% であるが，二卵性双生児は 15% 程度と，発病に遺伝素因が大きな役割を果たしている．

b 体格と性格要因

Kretschmer(クレッチマー)は，躁うつ病者の体型は肥満型が多く，性格も循環病質者が多いと報告している．わが国では肥満に関してはそれほど明らかではないが，躁うつ病者には循環病質あるいは循環気質の者が多くみられる．

下田の執着気質に関しては，「熱中性や徹底性」のほうがより関連深いことが指摘されてる．

c 状況要因と生理的変化

躁うつ病の発症に状況要因や生理的変化が誘因となることは少ない．仕事に際し，熱中して行っているうちに躁状態に発展することはしばしばみられるが，その場合にも軽躁状態の先行が考慮される．一方，風邪による体調不良や仕事上のストレスで軽いうつ状態となり，そのあとに躁状態に移行する場合もある．

d 脳の神経化学的変化

躁状態の病因に関しては，脳内ノルアドレナリンやセロトニンなどの機能亢進とするアミン代謝障害も提唱されているものの，うつ病ほど明瞭ではない．ドパミン代謝，さらには受容体−細胞内情報伝達系などを含め，さまざまな面から研究中である．

5 特殊な状態像および病型

a 躁とうつの混合状態

躁状態とうつ状態が同時におこる混合状態は躁とうつとの移行期にみられることが多い．たとえば，多弁・多動で活動性が高く，客観的には躁状態にみえる患者が，同時に主観的には抑うつ感・悲哀感を自覚し，思考内容も悲観的で，涙を流したりする．また，躁状態とうつ状態が数時間のうちに入れ替わり，現れることもある．躁状態では気分は爽快であるが，このような混合状態ではむしろ不機嫌で興奮や怒り，焦燥感が主要な気分として認められることが多い(興奮性うつ病)．

b 急速交代型気分障害

躁うつ病のなかで，1年間に4回以上のうつまたは躁の病相(エピソード)を繰り返すものは急速

交代型(rapid cycling type)と呼ばれ，近年注目されている．このような患者は気分変調からまぬがれて過ごせる期間がごく短いために，生活や対人関係に大きな支障をきたすことが多い．

抗うつ薬や抗精神病薬による治療が増悪させること，女性に多く，甲状腺機能低下や閉経後，アルコールや薬物の乱用が誘因になることなどが報告されている．

D 持続性気分障害

社会生活上で支障とはならないような気分障害が，軽い波を示しながら年余にわたって続き，本人にかなりの程度の苦痛をもたらす状態である〔図1(➡ 149ページ)参照〕．抗うつ薬が有効な場合もあり，気分障害としてまとめられている．以下の病型に分けられる．

(1) 気分循環症(cyclothymia)

ごく軽い気分の高揚や抑うつが生活上の出来事と無関係に続くが，特に治療を要するほどでもない状態である．躁うつ病患者の近親者に20代の若い時期からみられることが多く，Kretschmerの循環気質者，あるいはSchneiderの発揚者〔第13章の表1(➡ 182ページ)参照〕などが含まれる．

(2) 気分変調症(dysthymia)

ごく軽い抑うつ症状が数年にわたって続く状態である．本人には調子がよいと感じる期間はほとんどなく，いつも疲れや抑うつ，不全感，不眠などを訴えているものの，日常生活には特に支障はない．従来の神経症性うつ病や抑うつ神経症，あるいはSchneiderの抑うつ者〔第13章の表1(➡ 182ページ)参照〕などが含まれる．

E 経過および予後

気分障害の経過は，病相の種類や持続期間，症状のない間欠期の長さなどにより，さまざまである．病相の周期は，通常1か月から数か月であり，完全に寛解し，性格の変化を残さないのが一般的である．病相の頻度は，一生に1回のみのものから，再発に至る間欠期が何十年に及ぶ場合もある〔図1(➡ 149ページ)参照〕．

予後に関しては個々の病相の寛解状態にかかわる病相予後，病相の反復に関する長期予後のほか，うつ病では生命予後からの検討も重要である．

1 うつ病の経過

既述のように20〜30代に発病し，反復するものが一般的である．中年期や老年期，出産後など，心理的・社会的ストレスが大きく，生理的に変化する時期や年代にも発病や再発が多くなる．

近年，治療にもかかわらず，うつ状態が長引く例が少なくないことが指摘されている．難治性，慢性，あるいは遷延性うつ病などと呼ばれ，遺伝素因や性格要因，状況要因などのいずれかが強い場合，神経症的症状を有する場合，慢性疾患に罹患していたり，脳の器質的変化を合併している場合などに多い．また，加齢とともに薬の反応性が低下し，病相の持続期間が長くなる傾向がみられる．

一方，うつ状態の病相が数日程度と短く，しかも頻繁に反復する場合を反復性短期うつ病性障害という(ICD-10)．

生命予後に関して重要なことは自殺である．統計にもよるが，自殺企図はうつ病患者の10〜30％前後に，自殺は10％前後にみられるためである．

2 躁うつ病の経過

発病はうつ病より早く，最初から躁とうつの両病相を繰り返す場合と，最初はうつか躁のみであるが，経過とともに躁うつ病に移行する場合とがある．長期にうつ病を繰り返していても，躁状態が出現した時点で躁うつ病と診断される〔図1(➡ 149ページ)参照〕．近年，経過中に軽躁状態を示す

病型(DSM-5の双極Ⅱ型)の診断と治療の重要性が指摘されている．

病相の反復が頻繁で，不安定な状態が長期に続く場合には，退行状態がみられたり，軽躁状態が持続したりして，性格が変化したような状態がみられることもある．

F 鑑別すべき精神疾患

1 神経症性障害

a 神経症性うつ病

軽症うつ病と神経症性うつ病の鑑別は，神経症性障害がしばしば抑うつ傾向を示すために困難なことが少なくない．しかし，前述したように，葛藤を生じやすい性格傾向，対人関係などストレスの大きい環境状況に加え，不安や苦悶の訴えが誇張的で，攻撃的かつ不機嫌であったり，精神運動抑制や日内変動を欠くことが特徴である．ICD-10では，混合性不安抑うつ障害(F41.2)，気分変調症(F34.1)にほぼ相当する．

b ストレス関連障害

突然の災害や事故に遭遇したり，犯罪や戦争に巻き込まれたり，肉親との突然の死別など，精神的に重いストレスが加わった場合に抑うつ状態が生じることがある．この場合は適応障害や心的外傷後ストレス障害の症状とみなされる．

2 統合失調症

統合失調症では，病初期，急性症状の消失時，慢性期の各時期にうつ状態がみられる．病初期の場合には，意欲や注意力の低下の反面，抑うつ感情や苦悩の訴えは少なく，妄想気分や妄想知覚などが背景にみられる．

寛解期や慢性期にみられるうつ状態は"統合失調症後抑うつ"ともいわれている〔第9章(➡133ページ)参照〕．急性期後の疲弊状態，定型抗精神病薬による過鎮静，意欲減退など陰性症状の一部，罹病への心理的反応などが考えられる．また，脳内にうつ病と類似のアミン代謝障害が生じている可能性も推測される．

3 脳器質性精神障害

脳出血や脳梗塞などの脳血管障害，初老期・老年期の認知症疾患，外傷性脳損傷，脳腫瘍，慢性脳炎，Parkinson(パーキンソン)病などで，躁状態やうつ状態を呈することがある．

躁状態の場合には，性格変化に伴う抑制欠如や多幸，軽度の意識障害を基盤とする発揚状態や興奮などとの鑑別が必要である．

うつ状態はしばしば出現するもので，器質的障害による脳内アミン代謝の障害が推測される(たとえば，多発性脳梗塞やParkinson病などでの線条体や中脳の障害などによる)．また，突然の，あるいは長期の罹病に伴う心理的反応としての抑うつも考慮する必要がある(たとえば，脳卒中後のうつ状態など)．

4 各種治療薬，アルコール依存症，症状性精神障害

治療薬の服用で生ずる抑うつ状態として，降圧薬のレセルピンが以前から知られている．近年はインターフェロンによる肝炎治療中に，数％から65％の幅で比較的重度のうつ状態が発現することが注目される．

アルコール依存症者では，30～40％の頻度で抑うつ状態が報告されており，アルコール依存症の二次性症状としても注目されている．

代謝障害や内分泌障害，膠原病などでも，うつ状態や躁状態はしばしばみられる〔第6章「症状性精神障害」(➡94ページ)参照〕．特に，出産などの生殖過程，ステロイド薬などによる内分泌機能の障害

時には，気分や欲動の異常亢進や減退が高頻度にみられる（内分泌精神症候群）．

G 治療と援助，リハビリテーション

1 うつ病の治療

a 薬物療法

うつ病治療の基本は抗うつ薬による薬物療法である．抗うつ薬には従来からのイミプラミンやアミトリプチリンなどのほか，近年は，副作用のより少ないフルボキサミン，パロキセチン，ミルナシプラン，セルトラリンなどのSSRIやSNRIが第一選択薬として用いられている〔第19章B項「薬物療法」（➡235ページ）参照〕．ただ，効果の発現までに1〜2週間ほどを要するため，このことをあらかじめ説明しておくことが大切である．口渇や眠気，だるさ，悪心・嘔吐などの副作用が生じた場合に無断で服薬を中断したり，症状がすぐに改善しないために絶望感を深める可能性があるからである．症状の軽快とともに漸減するが，再発防止のために回復後もしばらくは服薬が必要である．

不安や焦燥，不眠などが著しい場合には，抗不安薬や少量の抗精神病薬，睡眠薬などが用いられる．

b 電気ショック療法

自殺の危険が大きいとき，昏迷などで薬物療法が困難なとき，慢性化している場合などに行われる．即効性の効果が期待できる反面，記憶障害が一時的にみられることもある．

c 援助とリハビリテーション

うつ病の治療には，患者・家族への心理面や生活面での援助とリハビリテーションも欠くことができない．

(1) 病気の説明と療養の指導

うつ病患者には几帳面，責任感の強い人が少なくないため，意欲や思考の障害を能力不足や怠惰などと自責的に考える傾向にある．したがって，医療者としては患者の苦しみを十分に理解し，受け止める姿勢を示すことがまず重要である．次いで，この状態が脳の代謝もしくは機能の低下によって生じており，症状の改善には休息・休養と抗うつ薬の服用が必要なこと，必ず回復することをそのつど説明し，不安をやわらげることが必要である．

また，学校や職場の変更，離婚などで悩んでいる場合には，病気が回復したのちに決断するように説得する．社会生活がつらく，支障も出始めている際には，思いきって休養をとるなり，入院をすすめる．自分で判断できないような状態の場合には医療保護入院となることもある．

(2) 家族への説明と治療への協力の依頼

家族や周囲では，患者を励ましたり，気晴らしに誘うことで元気を回復できると考えることも多い．したがって，家族には患者の状態が病気であり，休養と薬の服用が回復への早道であること，励ましたり旅行などに連れ出すことは，患者にいっそうの負担を強いる結果となること，回復すれば自然に自分から行動するようになることなどを説明し，治療に協力してもらうことが大切である．

(3) 自殺の予防

うつ病では自殺の予防はきわめて重要な課題である．治療開始にあたっては，自殺念慮を確認するとともに，自殺をしないと約束し，家族にも注意をお願いする．また，回復期に入ってからも気分の波がまだ当分続くことをあらかじめ説明しておくことも重要である．

(4) 職場や生活面での調整と認知行動療法

発病や再発，慢性化の要因が，職場にある場合には，勤務場所や役割の変更なども含め，産業医をはじめ職場関係者の協力による職場環境の改善と復職支援が必要である．家庭内に要因がある場

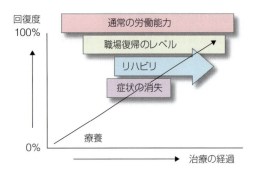

▶図6 うつ症状の消失とリハビリテーション，職場復帰，労働能力の回復に至るプロセス

合には，その解決に向けて家族の協力が必要となる．

患者に，物事のとらえ方や感じ方が必要以上にマイナス方向にぶれる「認知の歪み」や「否定的思考」があり，これがうつ病の背景となっている場合には，再発予防のためにプラスの方向への修正を目指す認知行動療法（cognitive behavior therapy）が個別または集団的に行われる必要がある〔第19章 D.5.c項「認知行動療法」（→246ページ）参照〕．

(5) 回復期のリハビリテーション

リハビリテーションは，通常，うつ症状が軽減・消失したころから開始されるが，この時期はまだ脳機能が低下した状態にある．このため，徐々に生活リズムを整え，適度の外出や買い物，散歩やレクリエーション，テレビ鑑賞やパソコンの利用，新聞や雑誌の購読などを通じて，体力や持久力，集中力の回復をはかることが必要である．こうした活動は患者が自分で工夫しながら行う場合もあるが，作業療法やデイケアでの対人関係やストレスの処理技能の向上をはかる集団プログラムなども含めて，規則的に行うほうがより効果的である．復職や就業を目指す場合には，デイケアや障害者職業センターにおける職場復帰プログラムへの参加も選択肢となる（▶図6）．これらの一定期間の活動を行うことで，自身の業務遂行能力の回復状況の確認が可能で，患者相互のサポートや情報交換を通じて，孤立しがちな療養生活から脱することができる．

慢性化により閉居の状態が続いていたり，社会生活への自信を喪失している場合にも，デイケアや各種の就労支援サービスへの参加を通じて，仲間づくりや社会とのつながりを拡大する工夫が重要である．

2 躁うつ病の治療

a 薬物療法

躁うつ病の治療薬としては，炭酸リチウムのほか，カルバマゼピンやバルプロ酸ナトリウム，ラモトリギンなどの抗てんかん薬が用いられる．これらの薬物には躁病相・うつ病相の軽減・安定化のほか，病相の再発予防の効果もあるため，気分安定薬（mood stabilizer）といわれ，症状消失後も再発予防のために服薬を続ける必要がある．

不眠や興奮が著しい場合には，鎮静作用の強い抗精神病薬や睡眠薬なども用いる．

b 電気ショック療法

興奮が著しく，薬物療法が困難な場合などに即効性を期待して行われる．

c 援助とリハビリテーション

躁状態によって，興奮や社会的逸脱行動が顕著な場合，睡眠不足や食事量の減少などで身体が衰弱している場合には，入院治療が必要である．しかし，説得は困難で，医療保護入院となることが多い．治療を受けた経験があり，躁状態の再燃をある程度自覚している場合には，服薬や入院の説得に応ずることも可能である．躁状態で非自発的に入院した際には，病識はないため，医療者との治療関係を築くことは困難なことが多いが，こうした状態は一時的なものであり，冷静に対処しなければならない．

躁状態の消失後には抑うつ状態に移行することが多いが，躁状態時の逸脱行動に対し過度に自責的となることがないよう，病気の説明とともに心理的支えが必要である．

病状が安定した場合には，いつか再燃の可能性があることを説明し，躁ないしうつの状態の始まりを自覚したならば，早めに治療を受けるようすすめる．

一方，躁うつの周期が頻繁で，職業生活などが長期に中断し，社会的にも孤立している場合には，本人や家族への継続的な援助はもとより，デイケアや地域活動支援センター，自助グループへの参加を通じて，仲間づくりや社会的なつながりを保つ工夫が重要である．

H 理学・作業療法との関連事項

気分障害，なかでもうつ病は今日最も多くみられ，しかも勤労者を含め，誰にでも出現する可能性のある精神障害である．したがって，発達障害はもとより，慢性・難治性の疾患を抱える身体障害や老年障害領域の理学・作業療法の対象者においても，またその家族においても罹患する可能性が大きいことを念頭におく必要がある．

障害者への医療・リハビリテーションに従事する者にとって，うつ病に関する対応のあり方を学ぶことはとりわけ重要である．

- 気分障害は従来の躁うつ病よりも広い概念で，うつ病と躁うつ病に大別される．
- うつ病の発病には，遺伝素因，性格要因や状況要因，生理的・身体的要因がさまざまに関与して，脳の神経伝達物質の代謝に障害がもたらされていると考えられている．
- うつ病の治療には抗うつ薬が有効であるが，自殺の予防や社会生活の回復，再発の防止のために，さまざまな援助やリハビリテーションが必要である．
- 躁うつ病はうつ病とは異なり，遺伝素因が大きな役割を果たしており，躁うつの両病相の軽減安定化と再発予防に効果的な気分安定薬が用いられる．

第11章 神経症性障害

学習目標
- 神経症性障害の概念を学び，ICD-10に基づいて理解する．
- 神経症性障害の種類とそれぞれの臨床的特徴を修得する．
- パニック障害および恐怖症性不安障害の特徴を学ぶ．
- 強迫性障害の種類と症状について理解する．
- 心的外傷後ストレス障害（PTSD）の概念と成立機序について理解する．
- 解離性障害の種類と臨床的特徴について修得する．
- 身体表現性障害の種類と臨床的特徴について修得する．

A 神経症性障害のとらえ方

神経症をはじめ，以下に述べる病態は，以前はいわゆる心因性の精神障害として位置づけられてきた．すなわち，なんらかの心理的原因（心因）によって精神症状が出現した状態である．しかし，誰もが生活上支障をきたすような大きなストレスと，大きくはないが持続的でしかも逃れることのできないようなストレスでは，心因としての性質が違うし，またストレスを受け止める主体の側の要因によっても，心因として作用するか否かが変わってくる．

そこで，現代では内因性精神障害のような精神症状を示さず（▶表1），器質性精神障害のような明らかな身体的原因を含まず，後述するような精神症状から日常生活での困難を呈する病態を，まとめて神経症性障害の項目に入れている．つまり成立機序も多少考慮はするが，現在症の特徴のほうにより力点をおくのが現代の操作的診断の考え方といえる．本章でもそのような考え方に沿って述べる．

また，用語に関する歴史的変遷についてふれると，神経症（neurosis）という用語は，当初 W. Cullen（カレン）によって，運動麻痺やけいれんなどを含む，神経に関連した疾病の総称として用いられた．その後，医学の発達とともに，神経疾患，いわゆる内因性精神病，器質性精神病などが分離され，主に精神的原因によって生じる諸症状だけ

▶表1　神経症性障害と精神病の相違点

	神経症性障害	精神病
障害の性質	不安の病	パーソナリティにも及ぶ病
症状の程度	パーソナリティの一部	パーソナリティが障害されるほか，幻覚・妄想など重い症状あり
現実（環境）との接触，かかわり	保持	障害されることが多い
対人関係	ある程度保持される	自閉
感情の障害	不安，抑うつ	無関心，非現実的な爽快，深い抑うつ
言語的コミュニケーション	あっても軽度	障害されることもある
病識	存在	重いときには欠如

〔西園昌久：図説臨床精神医学講座 5．成人の精神医学[A]，p.76，メジカルビュー社，1988より一部改変〕

が残され，それらを示す用語へと変わってきた．

次に，神経症性障害に関する対照的な2つの考え方について述べる．

1 性格と関連づける考え方

代表はK. Schneider（シュナイダー）である．この考え方では，心因と性格因によって心的葛藤が生じ，それが神経症性障害の発症機序となることは否定しないが，性格因のほうに，より力点をおく．つまり精神症状を呈しやすい性格素因のほうにより重点がおかれることになる．この場合，神経症性障害は性格の障害から発生することになり，心因を重視する心的反応よりは，性格を中心におく性格反応として考えられることになる．

Schneiderは彼の言う「性格障害」を，そのために自分自身が悩む場合と他者を悩ます場合に分けたが，神経症は前者に入ることになり，疾病という面よりは性格や生活スタイルのほうに力点がおかれることになる．

もちろん，性格といっても，誰もが精神に障害をきたすような大きなストレスによって精神症状がもたらされることはある．この場合には神経症性障害とは別に，心因反応というカテゴリーをおく．より深いレベルで性格が反応をおこすことが想定される．妄想反応や解離性障害の一部などが，ここに属することになる．

こうした考え方は現在もなお無効になったわけではなく，たとえば「神経症に心因なし」として，ストレスそのものよりも，その受け取り方を変える工夫をして生活上の困難を取り除こうとする方法は，現代の精神科臨床のなかでも一定の支持を得ている．

2 精神分析的な考え方

S. Freud（フロイト）によって創始された精神分析では，神経症性障害は無意識のなかの解決されていない葛藤によって引き起こされると考える．

それは一見現時点でおこっているようにみえながら，幼少期にその原因があり，現時点で直面する問題はすでに幼児期にその原初的な問題の芽が未解決のまま残されていたと考える．したがって治療もまた，現時点における困難を解決するのではなく，無意識のなかに抑圧された幼少期における葛藤の処理を目指すことになる．

このような考え方は，神経症性障害における精神症状と生活困難を，本人の幼児体験にさかのぼって説明し，理論的には明快で，また治療的にも独特の方法を生み出した．

多くの精神医学教科書で，このような立場を全面的にとる者は少ないが，神経症性障害の病態の解釈，あるいは精神病理学的な考え方に精神分析は大きな影響を与えていることはいうまでもない．

3 本書での考え方

ここでは，主にICD-10を中心とした最近の操作的診断の考え方に基づいて，精神症状の特徴を中心に述べることにし，発生機序については，あえて，あまりふれないこととする．もちろん，神経症性障害では，性格ないしパーソナリティの形成や，ストレスに対する受け取り方は重要なので，そのつどふれることにする．

B 不安および恐怖を中心とする神経症性障害

不安も恐怖もともに"恐れ"の感情であるが，心理学的には通常，対象の有無により，明確な対象への恐れ（恐怖）と対象の不明確なもの（不安）とに分けられる．その際，不安は比較的対象が漠然としているが，恐怖はそれに比べてはっきりしていることが1つの目安となる．また，両者ともにそうした不安や恐怖がおこるのではないかという恐れの気持ち（予期不安）が強いことも共通している．

1 不安を中心とする神経症性障害（不安状態・不安神経症）

症状・発現の様式・治療方法から，全般性不安障害とパニック障害に分ける（▶図1）．

a 全般性不安障害

全般性不安障害（generalized anxiety disorder）とは，不安を抱き，生活上の支障をきたす状態である．一般に女性に多く，しばしば持続的・環境的なストレスと関連している．経過はさまざまであるが，動揺し慢性化する傾向をもつ．一方，身体の不調和に根ざす不安は，基本的には後述する心気状態に分類される．

精神症状の中心は全般的・持続的で，周囲の状況に左右されない不安である．たえずいらいらし，集中が困難で，そわそわして落ち着けず，くつろげない．振戦，筋緊張と筋緊張性頭痛，身震い，めまい，口渇などの身体的訴えがよく認められ，頭のふらつき，発汗，頻脈あるいは呼吸促迫などの自律神経性の過活動がみられる．

不安を引き起こす要因としては，嫁と姑，上司と部下のように逃げられない持続的な人間関係が多くを占める．患者自身や身内が病気になるのではないか，事故に遭うのではないかという恐れが口にされることもある．また，これからおこることに対してあらかじめ余計な不安をもち，そのために悩むこともある．誰しも先行きには不安を抱くし，未来は未知である．したがって，そこに不安が生じるのは当然であるが，不安障害をもつ者はことさら大きく考え，1人で不安に陥ってしまう．

b パニック障害

予知できない強烈な恐れの感情が，一過性，急激かつ反復性におこる状態をパニック発作（panic attack）という．発作が反復すると，また発作がおこるのではないかという持続的な恐れが生じる．これを予期不安という．発作が特定の場所で

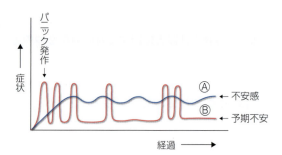

▶図1 全般性不安障害（A）とパニック障害（B）の経過

おこると，患者はそのような場所を避けるようになる（広場恐怖）．パニック発作や予期不安のために生活に支障をきたす状態をパニック障害（panic disorder）と呼ぶ．

主要症状は患者ごとに異なるが，
①動悸・頻脈
②息苦しさ・過呼吸
③このまま死んでしまうのではないかという強い恐れ

の3つが典型的である．そのほかに，めまいや吐き気，手足のしびれ，冷汗，胸痛，非現実感（離人感あるいは現実感喪失）（後述）などもみられる．時に長引くこともあるが，発作は通常，数分間しか続かない．

パニック発作の誘因はなく，客観的には危険がない環境でおこる．のんびりしていたり，通勤中，場合によっては睡眠中におこることもある．患者は恐怖と自律神経症状が次第に高まっていくのを体験し，急いでその場から立ち去ろうとする．発作は1か月の間に数回おこる．パニック発作が恐ろしく，通勤や旅行中の汽車や飛行機の中でおきたらどうしようという不安から1人で外出できなくなる．

はじめは精神科よりはむしろ内科疾患として，心臓ないし呼吸器を専門とする医師にかかることが多い．またパニック発作は強烈であるので救急医療の対象になることもあるが，救急病院に運ばれたときにはすでに落ち着いてしまっているため診断がつかず，さらに患者を不安にさせることも

少なくない.

長期経過をみていくと，うつ病を発症することがあり，また抗うつ薬が効果があることから，うつ病との関連性も考慮されている．このようにパニック障害がうつ病を経過中に示す状態を共病（併存）症（comorbidity）と呼んでいる．この疾患は全人口の1〜3％程度にほぼ一定しておこり，特に30歳代の女性に多いといわれている．特定の性格や心因との関連は必ずしも認められない．

一方，乳酸や炭酸ガスに曝露することによって引き起こされたり，睡眠中に引き起こされたりすることから，一種の脳の機能障害と考える立場もある．また，青斑核におけるノルアドレナリン作動性神経活動の過剰を示唆する立場もある．

C 混合性不安抑うつ障害

不安症状と抑うつ症状がともに存在する状態である．振戦，動悸，口渇，胃の動きなどの自律神経症状が存在する．逆にこのような自律神経症状なしに，単に心配や過度の気づかいだけであれば本障害とはいわない．また同じ症状でも，ストレスや生活上の出来事と密接に関連して出現する場合は，後述する適応障害となる．

不安・抑うつのどちらかが強い場合は，それぞれのどちらかの障害となる．また両症状がともに強い場合は両病名の併記となるが，ICD-10の考え方では抑うつを優先させる．

不安と抑うつの関係はなかなか複雑である．不安が強く持続的に続いているうちに，次第に抑うつ症状を呈することは臨床上しばしばみられる．逆に抑うつでは，なんらかの不安を伴っていることが多い．比較的軽い不安と抑うつ症状が混合している患者は，プライマリケアではしばしばみられるが，より多くの患者が存在する可能性がある．

2 恐怖を中心とする神経症性障害

ICD-10での恐怖症性不安障害（phobic anxiety disorders）である．恐怖（phobia）とはある特定の物事に対する恐れであるが，恐怖の対象によって若干様態が異なる．ここでは，主に特定の場所や空間に対する恐怖と，対人的な恐怖とに分けて考える．

症状としては，軽い落ち着きのなさから著しい恐怖まであり，動悸やめまいから，死んでしまうのではないかという恐れ，自制を失う状態まで多様である．普通は危険でない状況や対象によって恐れ・不安が誘発され，この状況や対象から回避しようとする．恐怖を生じる状況を考えただけでも予期不安を生じる．こうした対象や状況を，他人が危険とも脅威ともみなさないと知っても，不安は軽減しない．

これらは単独におこることもあるが，パニック障害に引き続く症状として，パニックがおこることを恐れるために恐怖が生じることが多い．

a 広場恐怖

広場恐怖（agoraphobia）という用語は広い意味で用いられている．すなわち，単に開放された空間に対する恐怖ばかりでなく，群衆がいるとか，安全な場所に逃げ出すことが困難な場所など，空間に関連する状況に対する恐怖一般が含まれることがある．したがって，家を離れること，店や雑踏・公衆の場所に入ること，列車・バス・飛行機に1人で乗ることなどを含む（ICD-10では，不安は，雑踏，公衆の場所，家から離れての旅行および1人旅のうち，少なくとも2つに限定されて生じるとされる）．出口のないことが恐怖をよりつのらせる．多くは，公衆の面前で倒れ，孤立無援となることを考え，恐怖におそわれる．そうした状況を避けるため，家にこもってしまう者もいる．

女性に多く，成人して早期に発症することが多い．抑うつ症状，強迫症状，社交恐怖を伴うこともある．通常，動揺性を示し，しばしば慢性となる．

b 社交恐怖（対人恐怖）

一定の対人的状況に対する恐怖を社交恐怖（social phobia）と呼ぶ．雑踏のような状況でなく，比較的少人数の集団内で，他の人々から注視される恐れを中核とし，そうした状況を回避するようになる．症状はパニック発作へと発展する可能性もある．回避はしばしば顕著で，極端な場合，ほとんど完全な社会的孤立に至ることがある．青年期に好発し，他のほとんどの恐怖と異なり，男女同じ程度にみられる．

わが国に特徴的とされた対人恐怖には，集団の中に入ると緊張して食事ができなかったり，あるいは他人と話ができないといったものもあるが，自分の顔が赤くなるために対人関係がとれない（赤面恐怖），自らの顔が他人に醜く見えたり（醜形恐怖），あるいは目つきが鋭くなって他人に不愉快な影響を与えるとして人間関係を保持することができない（視線恐怖）とするものが中心である．

なかには，自分の体から嫌な臭いが出ているとする訴えがある（自己臭恐怖）．おなら，わきが，便の臭い，口臭などであるが，このように自己の体の中から他者に対して不愉快な感じを与えるものが出ているという症状は，神経症性の恐怖状態にとどまるものもあるが，なかには妄想的となって，のちに統合失調症に移行することがある．

これらの諸症状は一部は妄想的な確信のもとにおこることもあるが，一般に自己に対する評価を自己自身で下すのではなく，他者の顔つきや表情などのなかに見いだそうとする心性がその心的基礎としてあるとされ，症状そのもの，あるいは恐怖の対象となっているものの処理より，むしろ，自己評価や自と他の関係性についての矯正が治療の要点になることが多い．

c 特異的（個別的）恐怖症

特定の動物への接近，高所，雷，暗闇，尖端，特定の食物の摂取，特定の病気に対する恐れなどのように，特定の事物や状況に限定してみられる恐怖症である．パニック状態が誘発されることもある．状況への恐れは，広場恐怖とは対照的に，動揺する傾向はない．通常，小児期あるいは成人早期に生じ，持続することがある．

C 強迫を中心とする神経症性障害

自分ではどうすることもできないある種の考えにとらわれて（強迫思考），種々の行動の障害（強迫行為）がおこり，このために日常生活が困難になってくるような状態を強迫性障害（obsessive-compulsive disorder）〔または強迫神経症（obsessive-compulsive neurosis）〕という．このような状態の中心となるのが強迫観念であるが，これは次のような特徴をもつ．

①自己の意図や信念に抗して常同的な形で，繰り返し浮かんでくる．
②ほぼ常に苦悩をもたらすものであり，そのように考えることが不合理であることがよくわかっている．
③多少とも不安を伴い，押さえつけようとすると，不安はさらに増加する．
④本人の意志に反してはいるが，自身の思考として認識される．

ここまでいかなくても，いつもある考えが心の中に優位を占め，なかなか振り払えない場合，それを支配（優格）観念という．この場合には今述べたように，他の考えに勝って心の中にある考えが存在しているわけであるが，強迫的な要素は少ないといえる．

以上のような強迫観念がさらに発展すると，ある種の行動を実行しないではいられず（強迫行為），また実行することによって不安が除かれるようになる．時にはそうした行動が，一定の順序に従って儀式的な形をとることもある（強迫儀式）．強迫行為・強迫儀式は何度も繰り返される常同行為である．それらは不愉快で有害であるが，実際

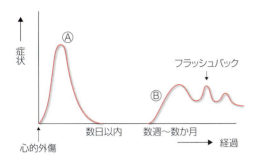

▶図2 急性ストレス反応(A)・心的外傷後ストレス障害(B)：発症と時間経過

にはおこりそうもない出来事を避けるためと考えられている．一般に患者はこの行為を無意味で効果がないと認識でき，繰り返し抵抗しようとする．

ICD-10では確定診断のためには，強迫症状，強迫行為，あるいはその両方が，少なくとも2週間連続してほとんど毎日存在していることを前提とする．強迫性障害は，男女で同頻度にみられ，基礎となっている性格には，しばしば顕著な強迫的な特徴が存在する．発症は通常，小児期か成人早期である．経過はさまざまであるが，慢性化しがちである．

D ストレス関連障害 (▶図2)

1 急性ストレス反応

通常の生活ではおこらないような，例外的な強い身体的・精神的ストレスの直後ないし数分以内に引き起こされ，数時間から数日以内でおさまる著しく重い一過性の障害を急性ストレス反応(acute stress reaction)という．

症状は多様であるが，典型的な例では，意識野の狭窄，注意の狭小化，刺激の理解不能および失見当識が初期に出現する〔眩惑(daze)という〕．加えて，抑うつ，不安，激怒，絶望，過活動，ひきこもりなどがみられるが，1つの症状が長い間続くことはない．

ストレス環境から逃げ出すことが可能な場合には数時間以内で消失する．ストレスが持続するか，取り消すことができない場合，症状は通常1〜2日後に軽くなり始め，約3日後に最も小さくなる．

ストレスとしては，患者本人あるいは家族などのごく近しい知人の安全・健康に対する重大な脅威（自然災害，事故，暴行など），肉親との相次ぐ死別，自宅の火災のような，患者の社会的立場や人間関係の突然かつ脅威的な変化である．身体的消耗や老齢などの要因があると，この障害をおこす危険は高まる．個人の脆弱性と対処能力は急性ストレス反応の発生と重篤度に関連しており，強いストレスにさらされたすべての者がこの障害をおこすわけではない．

2 心的外傷後ストレス障害(PTSD)

大震災や犯罪への被害や遭遇などのストレスが終わったあともなお，心気状態，不安状態あるいは抑うつ状態が持続的に続くことがある．こうした状態を心的外傷後ストレス障害(post-traumatic stress disorder; PTSD)という．

ここでいうストレスとは，誰にでも大きな苦痛を引き起こすような，日常の生活に比べて著しく脅威的・破局的な性質をもった出来事や状況である．たとえば，自然災害，人工災害，激しい事故，他人の変死の目撃，拷問，テロリズム，レイプ，犯罪の犠牲などである．PTSDは，これらのストレスに対する遅延ないしは遷延した反応である．

典型的な症状としては，無感覚と情動鈍化，他人からの離脱，周囲への鈍感さ，アンヘドニア，トラウマを想起させる活動・状況・手がかりからの回避，回想や夢のなかで，反復してトラウマを再体験するエピソード(フラッシュバック)である．稀には，ストレスや反応を想起させるような刺激に誘発されて，恐怖，パニックあるいは攻撃性が急激に生じることがある．一般に，自律神経の過

覚醒状態，強い驚愕反応，不眠が認められる．不安，抑うつも伴いやすく，自殺念慮も稀ではない．
　トラウマ体験ののち，数週から6か月以内の潜伏期間を経て発症する．経過は動揺するが，回復は期待できる．一部は多年にわたり慢性の経過を示し，持続的パーソナリティ変化へ移行することがある．
　強迫的，無力的といった性格傾向や神経症の既往などの素因は，発症を容易にするとか，経過を悪化させるといった要因にはなるかもしれないが，それらだけから発症を説明することはできない．

3 適応障害

　重い身体の病気といったような生活上のストレスに対して，順応が生じる時期に発生する主観的な苦悩と情緒障害を適応障害（adjustment disorders）という．
　症状は多彩で，特異性・重篤度を示すものはない．具体的には，抑うつ，不安，心配，現状への対処・計画・継続の困難感，日課の遂行の障害などである．時には突発的な行動や暴力をおこしてしまいそうだと感じるが，実際にはめったにない．しかし，青年期で素行障害を伴っている場合は注意を要する．小児では，夜尿症，幼稚な話し方，指しゃぶりのような退行現象がみられることがある．
　ストレスとしては，死別などの人間関係に関するもの，転居や転勤，転職のように，社会関係に関するものなどがある．個人的素質や脆弱性は，たとえばPTSDなどの場合よりも，適応障害の発症と症状の形成のほうで，より大きな役割を演じている．しかし，ストレスなしにこの状態がおこることはない．

E 解離を中心とする神経症性障害

　従来のいわゆるヒステリーに相当するのが，解離を中心とする神経症性障害である．これまで，精神症状を解離症状（それを示す場合を解離型），身体症状を転換症状（それを示す場合を転換型）とする分類が一般的であった．しかし，ICD-10では，過去の記憶，同一性と直接的感覚の意識，身体運動のコントロールの間の統合が失われることが共通しているとして，解離性（転換性）障害〔dissociative(conversion)disorders〕にまとめている（➡NOTE-1）．
　一般に解離性障害では，意識的で選択的な自己コントロール能力が，日ごと・時間ごとにすら変化するほどに障害されるが，トラウマ的な出来事，解決困難な耐えがたい問題，対人関係の破綻などに時期的に密接に関連して生じる．
　催眠などを除き，一般に解離状態の発症と終了が突然おこることは稀である．発症がトラウマ的な出来事と関連している場合，数週間ないし数か月後には寛解する．しかし，解決困難な問題や対人関係上の困難と関連している場合は，慢性的な状態に発展することがある．
　また，他人には明らかな問題や困難をしばしば強く否認する．また，自分自身で問題を認めたとしても，それを解離症状のせいにする傾向がある．
　軽度で一過性のものは青年期，特に少女にみられるが，慢性例は若年成人に多い．また，ストレスに対してこうした反応パターンができあがり，中年や老年においてもなお本障害を呈することもある．
　ここでは，精神症状を主とするものと身体症状を主とするものに分けて解説する．

NOTE

1 解離症群/解離性障害群と変換症/転換性障害
　DSM-5では，精神症状を示すものを解離症群/解離性障害群（dissociative disorders）とし，身体症状を示すものは変換症/転換性障害（conversion disorder）として「身体症状症および関連症群」に含め，両者を区別している〔資料2（➡ 284ページ）参照〕．

1 精神症状を主とする解離性障害

人間は生活上困難な事態に直面すると,「忘れたい」,「消えてなくなればよい」,「別世界に飛んで行きたい」と願うが,これが広い意味での解離と呼ばれる状態である.こうして現実逃避が行われるが,それには以下の病型がある.

(1) 解離性健忘

最近の重要な出来事に関する記憶喪失が主症状である.健忘の範囲と程度は日ごとに異なるが,完全な健忘は稀であり,通常は部分的,選択的である.

健忘に伴う感情状態は多様である.抑うつ,困惑,苦悩などで,他人の注意をひく行動がみられることもあるが,落ち着いた対応も多い.

健忘は,事故や近親との死別のようなトラウマ的出来事に関係する.もちろん器質的な原因はなく,通常の物忘れ,疲労では説明できない.

一般に若年成人に最も多く,老年者では稀である.

(2) 解離性遁走(フーグ)

解離性健忘の病像をもち,家庭や職場から離れて旅をする.遁走期間中の健忘があるにもかかわらず,その間,自分の身体の管理(食事,洗面など)はしており,また行動は第三者からみると正常に映ることが多い.乗車券を買う,方角を尋ねる,食事を注文するなどの,他人との単純な社会的関係は保たれる.

旅はまったく未知の場所もないではないが,以前に知っていて,本人にとって情緒的に意味をもつ場所である場合もある.通常2～3日のみだが,時には長期間にわたり,程度が驚くほど完璧なこともあり,症例によっては,新たな同一性を獲得する(それまでとまったく違う人になってしまう)こともある.

(3) 解離性昏迷

昏迷〔第3章 G.4 項(➡ 27 ページ)参照〕が症状の中心である.随意運動の減弱ないし欠如,光・音・接触などの外的刺激に対する反応の著しい減弱あるいは欠如がみられる.長い時間,動かないまま横たわっていたり,座っていたりする.発語や自発的・意図的な運動は欠如する.筋緊張,姿勢,呼吸,共同眼球運動はあり,睡眠状態や意識障害に陥っているのではない.しかし,きわめて重い場合は,ある程度の意識障害があると考えざるをえないこともある.身体的原因の証拠は認められない.他の解離性障害と同じく,ストレス,対人関係,社会関係の心因がみられる.

(4) トランスおよび憑依状態

自分が自分であるという同一性の感覚が失われ,神・狐などの動物・霊魂などに取り憑かれているようにふるまう状態.昔みられた,いわゆる狐憑きがこれに相当するが,最近では新宗教や悪質な自己啓発セミナーによって,このような状態が引き起こされることがある.

2 運動および感覚の解離性障害

困難な問題に遭遇するとき,取り組む気力や体力がなく,一時的に退いて休息をとり,身体の一部が故障する形でそうしたストレスから逃れようとする心理はわれわれの内にある.このように心的な葛藤が身体症状として現れる状態を転換(conversion)と呼ぶが,身体症状は解剖学的に説明できない運動麻痺やけいれん発作,感覚障害などが中心である.

精神状態と社会的状況を調べてみると,こうした身体機能の喪失による生活能力の低下が,不快な葛藤からの逃避,あるいは周囲への依存や憤慨を間接的に表現するのに役立っていることが多い.この点は,他人からみればかなりはっきりしているが,本人は否定する.このような能力低下はまた,周囲の状況や患者の感情状態で変化することが多く,他人の注意をひこうとする意図が認められる.

ストレスと関連して発展することが多いが,明らかでないこともある.能力の低下を静かに受け

▶図3 左上肢の脱力を訴え，高く挙上できない解離性障害の女子中学生〔上野撮影〕

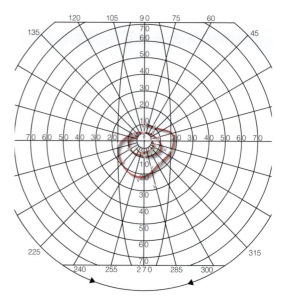

▶図4 解離性障害にみられた求心性らせん形視野狭窄
〔資料は上野による〕

入れること（"満ち足りた無関心"）もあるが，一般的ではない．病前の対人関係や本人の性格に問題点が認められ，親族や友人が類似した症状を呈していたのを本人が見ていたこともある．

身体症状には以下の病型がある．

(1) 解離性運動障害

四肢の全体的ないし部分的な麻痺および運動能力の喪失が中心である．麻痺は部分的で，弱く緩徐な運動を伴うこともあるし，完全なこともある（▶図3）．下肢を中心とした失調が前景に出ることもある．

神経学的には説明のできない奇妙な歩行がみられたり，介助なしに立つことができなくなる（失立失歩）．誇張された振戦や動揺が認められることもある．ほかに，無動，失声，構音障害がみられることもある．

(2) 解離性けいれん

てんかん発作に類似する発作であるが，持続時間が長く，咬舌，転倒による打撲，尿失禁はまずみられず，意識消失はないか，せいぜい昏迷かトランスの状態である．身体を弓なりにそらす後弓反張は，従来よくみられた本状態の代表的な症状である．

(3) 解離性感覚障害

皮膚感覚の鈍麻や脱失であるが，その領域は神経学的に説明できない〔たとえば，片側の手袋靴下型感覚障害（手袋と靴下が当たる部分のみに感覚障害がおこるもの）〕．

視覚の障害もみられるが，完全な喪失は稀で，視覚の鋭敏さが消失したり，視野がぼやけ，視野が筒状になったりする（円筒状視野狭窄）であることが多い（▶図4）．訴えにもかかわらず，運動や行動は保たれている．聴覚や嗅覚の脱失は，皮膚感覚・視覚の喪失に比べてほとんどみられない．

F 身体表現性障害

身体表現性障害（somatoform disorders）では，診察・検査で特別な所見がなく，症状にはいかなる身体的基盤もないという医師の保証にもかかわらず，医学的検索を執拗に要求し，繰り返し身体症状を訴える．なんらかの身体的障害があるにしても，それらから症状の性質や程度，患者の苦悩，

あるいは，とらわれは説明できない．また，症状が生活上の出来事，困難，葛藤と密接な関係をもつときでさえ，患者は心理的原因の可能性について話し合おうとすると抵抗する．解離（転換）による身体症状のような自己顕示性や演技性，いわゆる疾病利得的な色彩は存在したとしても顕著ではない．対応の仕方を間違えると医療に不信をもたれてしまうし，いわゆるドクターショッピングする者も多い．

1 身体化障害

身体化障害（somatization disorder）の主な症状は多発性で繰り返し，しばしば変化する身体症状である（ICD-10では少なくとも2年間の持続の必要性を記述している）．身体のあらゆる器官におこるが，疼痛，悪心・嘔吐などの消化器系症状，瘙痒感，灼熱感，うずき，しびれ，痛みなどの皮膚感覚が最もよくみられる．性および月経に関する訴えもよくある．

ほとんどの患者は多くの医療機関を受診した長く複雑な病歴があり，数多くの検査を受けて何も発見できず，手術を受けていたりさえする．普通，抑うつと不安が存在し，治療を要する場合がある．

経過は慢性・動揺性で，男性よりも女性にはるかに多く，通常は成人早期に始まる．社会，対人関係，家族内関係がうまくいかなくなることも多い．抗不安薬や鎮痛薬などの薬物への依存・乱用が生じることもある．

2 心気障害

心気障害（hypochondriacal disorder）〔または心気状態（hypochondriacal state）〕は，重篤で進行性の身体的障害に罹患しているという頑固なとらわれが中心症状である．繰り返される検査で，適切な身体的説明ができないにもかかわらず，症状の基底に重篤な身体的疾病が存在するとして頑固に主張し，医師の忠告や保証を受け入れない．執拗に身体的愁訴や身体的外見へとらわれる．正常な感覚や外見が，患者にとっては異常で苦悩を与えるものと解釈される．一般に，身体の1つか2つの器官へ注意が集中する．

顕著な抑うつと不安がしばしば存在する．50歳以降に初めて出現することは稀で，また症状の経過は慢性かつ動揺性である．いわゆる疾病恐怖（ある特定の疾病への恐怖）もこの障害に含まれる．男女両方におこり，特別な家族的特徴はない．

病気についての知識が一般化しているのは喜ばしいことだが，そうした知識が逆に一部の者には不安を引き起こすことがあるし，また医師の何気ない一言が患者の病気に対する不安感を強く抱かせることになることもある．

森田正馬（まさたけ）（1874～1938年）は"神経質"という概念をつくって，独自の観点からこの状態についてふれている．彼によれば，われわれが健康なときに感じているさまざまな感覚をもし違和感をもって解釈すると，余計にそうした違和感や身体不調が強く感じられる．このようなヒポコンドリー性基調と精神交互作用によって，身体に対する不安感をますます抱くのが彼のいう神経質であるが，この一部はここに述べた心気状態と共通する心性である．森田の神経質は，第19章「精神障害の治療とリハビリテーション」で述べる森田療法（➡246ページ）との関連において重要である．

3 身体表現性自律神経機能不全

身体表現性自律神経機能不全（somatoform autonomic dysfunction）とは，自律神経の支配とコントロール下にある心血管系，消化器系，呼吸器系，泌尿・生殖器系などの器官に症状を呈するため，心臓神経症，心因性過呼吸，しゃっくり，胃神経症，神経性下痢などと呼ばれるものである．ほかにも，心因性空気嚥下症，胃けいれん，過敏性腸症候群，心因性尿意頻回，排尿困難などがあるが，それらの器官には明らかな構造・機能障害

は確認されない．

通常は，動悸や発汗，紅潮，振戦など，自律神経系の亢進徴候を示すものが多いが，一過性の鈍痛や疼痛，灼熱感，重たい感じなど，主観的で非特異的な症状を示すものもある．発症に関連する心理的ストレスや問題が確認できる場合もあるが，そうでない場合も少なくない．いわゆる「自律神経失調症」に相当する．

G その他の神経症性障害

1 神経衰弱

神経衰弱（neurasthenia）という用語は，従来は慢性的なストレスによって注意集中困難をきたしているような状態を指す用語として使用されてきた（神経衰弱状態）．

現在，この障害は，次に述べる２つの一方を中心とする状態をいう．１つは，精神的な努力をしたのち，ふだんに増して疲労が大きくなるという訴えである．仕事や家事などに対する能率の低下がみられ，注意集中困難をきたす状態である．もう１つは，同じように精神的な努力ののち，身体的あるいは肉体的な衰弱や消耗が強調され，筋肉の鈍痛・疼痛とくつろげない感じが訴えられる状態である．

ともに，めまい，筋緊張性頭痛，全身の不安定感のような不快な身体感覚を伴う．ほかに，健康状態の悪化への心配，易刺激性，アンヘドニア，軽度の抑うつと不安がみられる．睡眠はしばしば障害されるが，睡眠過剰が目立つこともある．

2 非現実感を中心とする状態

離人・現実感喪失症候群（depersonalization-derealization syndrome）もしくは離人状態（depersonalization state）という．「自分が自分でないような」，「外界との間に薄い膜があるような」，「周囲としっくりいかない感じ」などと表現される離人感，「外界でおこっていることが生き生きと感じられない」という非現実感を中心とする．

自分自身の精神活動・身体・周囲が非現実的で疎隔ないし自動化されているように，質的に変化していると訴える．自分自身で考え，想像し，思い出しているのではなく，自分の運動と行動が自身のものと違い，生気なく，分離され，何か奇妙に思われる．周囲は色彩と生命感を欠いているように見え，人工的ないし人々が不自然な演技をしている舞台のように感じられる．症例によっては，あたかも自分自身を遠くから眺めているかのように，死んだかのように感じる場合もある．情緒が喪失したという訴えが頻繁にみられる．

この障害を純粋・単独の形で経験する者は少なく，うつ病，パニック障害，強迫性障害と関連して生じる．また精神的に健康な個人が疲労，感覚遮断，幻覚剤中毒，あるいは入眠・覚醒現象としても生じる．

青年期では単独で生じることもあるが，また統合失調症の初期症状であることもある．言語化しづらい症状であり，こちらから前述のような例をあげて初めて存在することが明らかになることもある．

H 治療と援助

1 治療についての考え方

神経症性障害の治療は，次の３段階に分けて考える．
①症状の基盤となっている心的な葛藤や不安を取り除く．
②症状が出現する心的な過程を，患者自身が理解するように導く．
③葛藤や不安が生じても，自分で処理できるよう

な心構えを形成させる．

治療にあたっては，患者への理解を深めていくことが必要であり，患者との間に治療上の良好な関係が成立することが治療の出発点となる．

2 薬物療法

基本的には抗不安薬を用いる．ジアゼパムなどのベンゾジアゼピン系の抗不安薬〔第19章の表7（➡241ページ）参照〕が代表的であるが，副作用の眠気・だるさなどに対しても注意が必要である．これらの薬物は比較的安易に用いられる傾向がある．症状が消失してもそのまま服用が継続される場合があり，慢性的な依存（常用量依存）が形成されることもあるので注意を要する（何かの理由で急に止めると，離脱症状を引き起こす）．

また長期に効果をもつ血中濃度の持続性が長いものと，半減期が短く即効性があるものがあるので，使い分けも重要となる．

3 精神療法

状態像によっても異なるが，薬物療法と並んで精神療法は重要である．この場合，神経症性障害を引き起こすような生きにくさ，生活上の困難や習慣などに関して，患者自身が目を向け，自分で気づいていくように，患者とともに考え，示唆していく態度が望ましく，安易に患者の自己理解に先立って，心因，生活上の問題点，葛藤のおこしやすさなどについて指摘するのは避けたほうが治療上好ましい．

いずれにしても，時間をかけて傾聴していく態度が必要である．自殺などの行動化がおこってくる場合には，速やかに入院治療に踏み切るが，背景にパーソナリティの障害が存在していることもあり，その場合には，治療の条件について明確に設定しておく必要がある．

神経症性障害のあるものに関しては，同じ疾病をもつ者が互いに連携し合って助け合っていく一種の集団精神療法的な治療が有効なことがある（パニック障害の自助グループなど）．

J 理学・作業療法との関連事項

1. 理学・作業療法場面では，神経症性障害領域の患者と対応する機会は増えていくと考える．
2. 神経症性障害の理解は，性格特徴と状況因が中心であり，直接のきっかけとなる心因はそう大きな場所を占めるものではない．
3. 身体疾患の治療中に付随するさまざまな心配事やストレスから，精神症状や身体症状が発生することがある．つまり，神経症性障害やストレス関連障害がもともとの疾病や傷害に重なっておこる事態である．
4. 同じように日常生活のなかでは現れなかったような神経症傾向が疾病を通してあらわになり，新しく神経症性障害が出現することがありうる．
5. 障害受容の過程において，神経症性のさまざまな障害が現れてくる可能性にも留意しなければならない．

- 神経症性障害の発生機序には2つの考え方があるが，現在は精神症状の様態から考えるのが主流である．
- パニック障害，解離性障害などが現代では注目されている．

第12章 生理的障害および身体的要因に関連した障害

学習目標
- 生理・身体的要因と関連した精神障害には，どのようなものがあるか理解する．
- 生理・身体的側面と精神障害の関連について理解する．

A 生理的レベルと身体的レベルの障害

 食をとること，眠ること，性を営むことは，いわゆる本能に属する人間の基本的な行為である．身体的レベルの障害では，こうした領域でさまざまな問題が出現することはよく知られている．たとえば，胃潰瘍になれば食事に困難を呈するし，ナルコレプシーでは睡眠覚醒の異常が出現し，肥満によって喉が塞がれば睡眠時無呼吸症候群が生じる．また，ホルモン障害がおこれば満足な性生活が送れなくなる．

 本章では，このような身体レベルと生理的レベルから生じる精神障害について，精神医学の視点から取り上げる．

B 摂食障害

 摂食障害（eating disorders）は古くから存在したとは考えられるが，第二次大戦後，先進国において注目されるようになった，食に関する障害である．精神科以外に内科や小児科でも取り上げられる．症状的には，食が減少する神経性無食欲症と，逆に増加する神経性大食症に分けて考える．この両者を繰り返す者も多い．

1 神経性無食欲症

 神経性無食欲症（anorexia nervosa）は，意図的な体重減少が特徴であり，中学生から20歳代前半の若い女性に多い．女性に比べ男性に生じることは少なく，ほぼ10：1ほどである．ただし，若い女性以外にも思春期に近い子どもや年長の女性にもみられる．

 症状の特徴は，食事をとらないことと，やせることである．きっかけは「ダイエットを志した」，「友人から太っていると指摘された」といった，たわいないことであるが，やがてやせに固執し，食事をとらなくなる．やせるために喉に手を突っ込んで吐いたり，下剤を使って強制的に排泄したりする．女性ではしばしば無月経を伴う．時にCTないしMRI検査で脳の全般的萎縮をみることがあるが，可逆的である．

 体重が平均の15％を下回ったり，あるいはbody-mass index (BMI)〔体重(kg)/身長(m)^2〕で17.5以下が，ICD-10での診断の前提になる（ただし16歳以上のとき）．診断基準に関しては，わが国では独自なものがつくられている（▶表1）．

 やせに関して，本人は「さらにやせたい」と述べることが多く，基本的に肥満への恐怖が存在しており，食事を嫌悪するため，精神医学的な治療よりも点滴や栄養補給などの生物学的な治療が優

▶表1　神経性食欲不振症の診断基準

1	標準体重の −20% 以上のやせ
2	食行動の異常(不食，大食，隠れ食いなど)
3	体重や体型についての歪んだ認識(体重増加に対する極端な恐怖など)
4	発症年齢：30 歳以下
5	(女性ならば)無月経
6	やせの原因と考えられる器質性疾患がない

〔厚生省特定疾患・神経性食欲不振症調査研究班，1989 より〕

先されることも稀ではない．以前は女性になること，あるいは成熟した大人になることに嫌悪があるとされてきたが，必ずしもそうではなく，むしろ"食べる"という人間にとって日常化された行為がうまく保持されなくなった状態と考えられるようになってきている．根本的な原因はまだ明らかになっていない．心理機制や性格特徴に関しても，特異的な要因はない．また，予後調査によれば，回復していない患者では，かなりの数のものが神経性無食欲症の同じ症状を慢性的に示している．

2 神経性大食症

神経性大食症(bulimia nervosa)は発作的に繰り返される過食と体重のコントロールに過度に没頭することが特徴である．神経性無食欲症の経過中に過食になる場合もあるが，最初から過食をもって，神経性大食症が発症することもある．信じがたいほどの大量の食事をとり，食物だけでなく飲み物を大量にとったりもする．このような無茶食い，暴食発作(binge eating)が特徴的である．年齢の分布と性別は神経性無食欲症に似ているが，発症年齢はやや高い傾向がある．

もちろん，このような発作は一定程度健常者にもみられる．試験などの急激なストレスが加わると，ついおやつに手が出たり，あるいは持続的なストレスにさらされている主婦が過食傾向を呈することがあり，その裾野は広いといえる．神経性大食症のほうは患者自身が困り，また治療意欲も無食欲症に比べると若干高いといえるが，両者が混合する場合には治療は困難である．また，この両者，特に神経性大食症では，のちにうつ病に移行する場合もあり，ちょうどアルコール依存症の多くがのちにうつ病を併発するように，類似した心的機制があるのではないかとも考えられる．

3 治療と援助

当面は生理的な部分の障害，すなわち著明なやせが治療の対象になる．したがって，まずあまりにそれが激しい場合には，本人の希望は尊重しつつも，たとえば，体重の回復や身体管理などに取り組まなければならないことになる．これらは主として身体的な治療と管理になる．

次に，摂食障害の背景にある心性に対する治療が必要である．精神療法が主体になるが，摂食障害ではまず治療関係の内容を明確にしていく必要がある．それとともに，両親を含む家族療法を加えていかなければならないことも多いが，その際には，症状に対する両親の間の責任の押し付け合いや，患者のこと以外の両親間の直接的な問題に立ち入ることはあまり治療的ではない．むしろ，両親に対して中立公平な立場に立つように努め，あくまでも親の子ども理解を援助して，親の機能を高め強化することが重要である．

C 非器質性の睡眠障害

情緒的な原因が主な原因と考えられる睡眠障害を非器質性睡眠障害(nonorganic sleep disorders)という．不眠，過眠，睡眠・覚醒スケジュール障害，睡眠時遊行症，睡眠時驚愕症，および悪夢などが含まれる．

Kleine-Levin(クライネ・レヴィン)症候群(→NOTE-1)などの器質的原因による睡眠障害，睡眠時無呼吸症候群(→ NOTE-2)のような挿間性の運動

障害，ナルコレプシー(→ NOTE-3)を含む非心因性の過眠などは入らない．

1 不眠症

一般に不眠症（insomnia）とは，睡眠の質および/または量が不十分な状態がかなり長期間（少なくとも1か月以上，週3回以上）持続している状態をいう．不眠症のなかでは入眠障害の訴えが最も多く，次いで睡眠維持困難と早朝覚醒の訴えが多い．しかし，通常これらが合併していると訴える．不眠が反復すると，不眠への恐怖が増大し，不眠に考えがとらわれてしまうことがある．ここに悪循環が生じ，病状を長引かせてしまう．

睡眠はさまざまな身体的状態で障害される．痛み，夜間の医療的な処置，身体的不調和などによって不眠が出現する．しかし，そうした要因がないにもかかわらず，不眠を呈する場合がある．また，うつ病や神経症性障害など，なんらかの精神障害がある場合に不眠を呈することもあるが，単独に不眠だけが出現することがある．いわゆる不眠症である．

したがって，不眠を訴える場合，その背景に精神症状，身体症状がないかどうかを確認する必要があるが，現実には睡眠障害だけが出現し，治療の対象になることがある．

治療に際しては，睡眠のメカニズムや睡眠覚醒リズムなどについて十分説明する必要があるが，同時に睡眠薬の効用と限界，あるいは副作用についても述べておく必要がある．

特に睡眠障害の患者では，眠りたいけれども睡眠薬は飲みたくないという，薬物に対する嫌悪感をもつ者も多いので，症状に応じて十分に説明することが必要である．

2 過眠症

過眠症（hypersomnia）は，日中にひどく強い眠気があり，自分で不適切とわかっていても寝てしまうような状態である．睡眠障害は毎日おこり，少なくとも1か月以上続くか，あるいはより短い持続期間が反復し，患者にひどい苦悩を与え，日常生活の通常の活動の妨げとなる．もちろん，いわゆる睡眠不足のためではない．ナルコレプシーとの鑑別は必要である．一般にうつ病では不眠となるが，逆に一部のうつ病では過眠となる場合がある．

3 睡眠リズムの障害

個人の睡眠・覚醒スケジュールと患者の環境にふさわしい睡眠・覚醒スケジュールが同期しないために，結果として不眠あるいは過眠の訴えが生じる．この睡眠リズムの障害の原因は心因性のこともあるし，器質的原因が推定されることもある．パーソナリティ気分障害などの精神科的な病態が認められることもある．

勤務時間帯がしばしば変わる人，時差のある地域間を旅行する人たちでは，しばしばサーカディアン・リズムの変調がおこる．また適切な睡眠・覚醒スケジュールよりも位相が進んでしまう人たちもいる．

NOTE

1 Kleine-Levin（クライネ・レヴィン）症候群
周期的ないし間欠的に傾眠状態となり，以下に述べる諸症状を示す症候群．主な症状は，過眠，過食，性欲亢進，うつ状態，興奮状態，統合失調症様状態などの精神症状で，数週間あるいは数年の間隔で周期的に発症する．多くは10歳代の男子にみられる．

2 睡眠時無呼吸症候群
夜間睡眠時に呼吸停止が頻回におこり，睡眠が著しく妨げられる状態．このため患者は日中の眠気を訴える．

3 ナルコレプシー（narcolepsy）
日中におこる短時間の睡眠発作，驚きや笑いなどの情動によって誘発される脱力発作，入眠時幻覚，入眠時に生じる一過性の脱力（睡眠麻痺）などを特徴とする原因不明の疾患である．

4 睡眠時遊行症（夢遊病）

睡眠時遊行症あるいは夢中遊行症〔いわゆる"夢遊病"(sleepwalking)〕は，睡眠と覚醒が組み合わさった意識の変容状態である．夜間睡眠のはじめのころに患者は起き上がり，周囲を歩き回る．時々寝室を抜け出し，時には実際に家から出て行き，時には負傷する危険もある．しかし，多くの場合，誘導されると再び睡眠に入る．翌朝覚醒した際，通常，睡眠時遊行中の出来事を思い出せない．

睡眠時遊行症の特徴は次のようである．
- 主症状は夜間睡眠のはじめの1/3までの間に睡眠中に起き上がり，周囲を歩き回るエピソードである．
- エピソード中，患者はぼんやりと何かを見つめるようであり，他からの働きかけに対する反応が鈍く，目覚めさせるにはかなりの困難がある．
- 覚醒時，睡眠時遊行中の出来事に関して思い出すことができない．

5 睡眠時驚愕症（夜驚症）

睡眠時驚愕症（夜驚症）〔sleep terrors(night terrors)〕は，睡眠中に，絶叫，激しい体動，自律神経興奮（体動，心悸亢進，過呼吸，瞳孔拡大，発汗など）を伴う恐怖のエピソードである．患者は睡眠のはじめの時間に恐怖の叫びをあげて跳び起き，時に駆け出す．覚醒を促そうとしても，患者の恐怖をさらに助長するだけのことが多い．睡眠時驚愕症と睡眠時遊行症は密接に関連している．

6 悪夢

悪夢（nightmares）とは，不安や恐怖を伴う夢の体験である．この夢体験はきわめて鮮明で，夢の内容を細部まで思い出すことができる．しばしば類似した主題の悪夢が繰り返し生じる．典型的なエピソードでは，ある程度自律神経系の興奮は生じるが，絶叫あるいは体動は認められない．患者は目覚めると意識は清明で，周囲の者と会話ができ，夢体験の内容を話すことができる．

三環系抗うつ薬，ベンゾジアゼピン系薬物などもも悪夢の原因となる．また，レム睡眠を抑制する薬物（非ベンゾジアゼピン系睡眠薬など）の急激な離脱がレム反跳をもたらし，夢と悪夢が増加することがある．

7 睡眠障害の治療

さしあたっては，不眠が治療の対象となる．入眠困難，熟眠困難など，不眠症の種類を検討しながら，適切な睡眠薬を選ぶことになる．場合によっては，眠ることに対する恐怖（睡眠恐怖）が主体になっていることがあり，この場合には，直接的な睡眠薬だけでなく，抗不安薬を適宜使うことが望ましい．

その他の睡眠障害や睡眠覚醒リズム障害に関しては，その状態を明らかにするとともに，必要であれば終夜脳波検査などの生理的な検査を行って，適切な薬物療法を行っていく必要がある．

D 性関連障害

食欲や睡眠もそうであるが，性に関する様態は個人差が大きいため，性関連障害は複雑で議論が多いところである．性の機能の障害に関するものには，インポテンスや性欲低下などがある．

性機能不全には自分が望むように性的関係をもてない種々の状態，たとえば性に対する興味や楽しさの欠如，インポテンス，オルガズムの抑制や欠如がある．

性に対する人間の諸反応は心身両面の過程であり，その機能不全も心理的身体的過程がともに関係する．しかし，インポテンスや性交疼痛では，心理的・器質的原因のどちらがより重要であるか

を決めるのは難しい.

女性では，性体験の主観的な質に関する愁訴が多くみられる傾向がある．たとえば，女性がオルガズムを経験できなければ，性欲は次第に失われていく．一方，男性では，たとえば勃起や射精についての不全を訴えても，性欲は続いていることが多い．

E 理学・作業療法との関連事項

1. 神経性無食欲症および神経性大食症などの摂食障害の患者が，徐々にデイケアや理学・作業療法の対象となる傾向にあるが，青年期にはこうした心性が背景にあることを理解しておく必要がある．
2. 睡眠障害では，夜間の不眠の結果，日中の理学療法や作業療法の場面で眠い様子を示し，逆に夜間の睡眠が十分でないことがわかることがある．
3. 本章で取り上げた障害は，生理的な原因を考えなければならない一方，心理的・性格的な諸要因をも加味して考えなければならず，多元的な視点が必要となる．また，さまざまな場面を通じて理学・作業療法でも対応する機会が増えている領域でもある．

- 現代のわが国で注目されているものに，摂食障害（神経性無食欲症および神経性大食症）がある．
- 睡眠障害にはいくつかの型がある．

第13章 成人のパーソナリティ・行動・性の障害

学習目標
- パーソナリティ障害の概念を理解する.
- 操作的診断体系（ICD，DSM）のなかでのパーソナリティ障害の位置づけについて学ぶ.
- 代表的なパーソナリティ障害の類型とその特徴について学ぶ.
- 習慣的な行動の障害，性における障害の概要について理解する.

A パーソナリティの障害

1 パーソナリティとは

人間の情意の面を示すといわれる性格と，知的な面を示す知能を合わせたものを一般に人格と呼ぶが，精神医学における人格はむしろ性格に近く，しかもその人自身といった意味を示す言葉として用いられることが多い〔第2章のNOTE-1（➡13ページ）参照〕.

従来このような意味での人格の障害を人格障害と呼んできたが，ICDなどのpersonality disorderは，現在わが国ではパーソナリティ障害として訳され，呼ばれる．この障害はこれまで述べてきた精神疾患・精神障害と同じレベルにおくことは必ずしも適切ではない．この点については後述する．

パーソナリティに関する考え方は多様であり，どれ1つとして完成されたものはない．ただし，部分的にいくつかの点は妥当性をもって考えられてきている．

a パーソナリティ形成の背景

まず，パーソナリティ傾向には遺伝的なものを含めた生物学的な背景があることである．これは一卵性および二卵性双生児の比較研究を背景とする．しかし，双生児でも，パーソナリティがすべてにわたって同じということはない．人間の活動性，感情面における根本的な気分，行動特性といった，いわば内部感情における基本において，一致度が高い傾向があるということである．

一方，パーソナリティは生物学的基盤だけで形成されるものではなく，成長・発達における対人間関係に由来する部分が大きいことはいうまでもない．したがって，「氏と育ち」の両方から形成されることになる．また，現在はそれほど取り上げられないし，その妥当性を疑う向きもあるが，Kretschmer（クレッチマー）の研究では，体格とパーソナリティの間には一定の関係があると考えられている．

b パーソナリティの分析

人格のうち知的な面は知能検査により知りうるが，性格にはさまざまなパーソナリティを検索する検査が用いられる．しかし，質問紙法のように本人の自己陳述にだけに依拠するわけにはいかず，一方，投影法のように，精神分析でいう無意識層での"抵抗"（➡Advanced Studies-1, 182ページ）を結果の解釈に加味すると，困難な問題も生じる．パーソナリティの複雑さを考えれば，パーソナリ

▶表 1 ICD-10 パーソナリティ障害の下位分類と，Schneider および Kretschmer の類型との対応

ICD-10 パーソナリティ障害		Schneider	Kretschmer
F60.0	妄想性	敏感性自信欠乏者 狂信者 偏執性抑うつ者	
F60.1	統合失調質	情性欠如者	統合失調質（分裂病質）
F60.2	非社会性	気分易変者 情性欠如者 意志欠如者	
F60.30	情緒不安定性・衝動型	爆発者	
F60.31	情緒不安定性・境界型	気分易変者	
F60.4	演技性	顕示者	
F60.5	強迫性	強迫性自信欠乏者	
F60.6	不安性（回避性）		
F60.7	依存性	無力者	
(F34.0	気分循環症)	発揚者 抑うつ者	循環病質

〔永島正紀ほか：図説臨床精神医学講座 5．p.197，メジカルビュー社，1988 より改変〕

ティの偏りや障害はより困難な問題となる．したがって，心理面でなく行為だけを取り上げ，パーソナリティそのものを問わない行動主義的な考え方も生じる．

C パーソナリティ障害のとらえ方

操作診断でも，パーソナリティ障害を疾病と並列させないものも多い．DSM では，第 3 版（DSM-Ⅲ）以降，第Ⅰ軸の疾病とは別に，第Ⅱ軸にパーソナリティの障害をおいている．この場合，疾病とは別のレベルでパーソナリティの様相を考えるが，臨床の実際では疾病と同様に重要である．

従前の「人格障害」という名称は日本精神神経学会の『精神神経学用語集』では記載されているものの，最近では「パーソナリティ障害」のほうがより広く使用される．

一般に，パーソナリティ障害の分類は一定の理論に従って分類するよりは，具体的な記述を心がけ，類型的に分けたほうがよく，これまでさまざまな試みがなされてきた．たとえば，先に述べた Kretschmer の分類があり，Jung（ユング）は内向・外向という心的エネルギーの方向で分け〔第 3 章 E 項「性格とその障害」（➡ 21 ページ）参照〕，Schneider（シュナイダー）は自己が悩むか周囲が悩むかを加味して類型化した．これらはいずれも，それぞれにみるべきところがあるが，どれ 1 つとしてそれだけで十分なものはない．

本書では主に ICD-10 に基づいた類型について述べることにする．表 1 に，ICD-10 と Schneider

Advanced Studies

❶抵抗（resistance）

精神分析を唱えた S. Freud（フロイト）が行った自由連想法は，患者の無意識に接近しようとするものであった．ところが，やがて患者は，意識的には連想を分析医に報告しようとしているのに，連想がとだえたり，言い間違いをしたり，言いよどんだりして進まないことに気づいた．Freud は，この現象は患者が意識的に治療者にさからっているのではなく，患者の無意識に抑圧されているものを，自由連想法によって意識化させようとするために，おこってくる防衛のためであると考え，この現象を"抵抗"と呼んだ．彼は，この抵抗は，転移，無意識過程，幼児期体験とともに，精神分析の人間理解を特徴づける重要な概念とした．

およびKretschmerの分類との対応を示す．

2 パーソナリティ障害の類型

a 妄想性パーソナリティ障害

古来，偏執狂といわれた性格の大部分が妄想性パーソナリティ障害(paranoid personality disorder)である．すべてを悪意にとり，疑い深く，被害者意識が強く，自分勝手に一方的な意味づけをする．他人に退けられたり，拒まれたりすることに過度に敏感で，いったんそうした状況を体験すると，ずっと恨みを抱き続け，悔られたり，辱められたり，軽蔑されたりしたことを忘れない．時に配偶者や交際相手が自分以外の者と関係をもっていると理由なしに疑う．過度の自尊心をもっており，時には世間一般におこる出来事についても「陰謀がある」などと根拠のない疑いを抱く．統合失調症の被害妄想に類似する．

b 統合失調質パーソナリティ障害

統合失調質パーソナリティ障害(schizoid personality disorder)は，統合失調症における無関心，疎通性の乏しさ，自閉，無感動などと類似した性格傾向が前景に立つものである．他者との交流が少なく，家族とも密接な関係をもたない．社会的に超然としていて，狭い領域でほかになすことのできないような成果を上げることもあるが，過度に空想と内省に没頭し，人を寄せつけず，孤立した生活を送る．したがって，親密な友人と信頼できる人間関係をもたない．統合失調症の単純型との鑑別はしばしば困難である．

c 非社会性パーソナリティ障害

非社会性パーソナリティ障害(dissocial personality disorder)では，フラストレーションや挫折体験に対する耐性が低く，暴力的な攻撃性の発散に走りやすい．時に持続的な易刺激性が存在する．他人の感情に対して冷淡で無関心で，他人を非難する傾向を有し，社会との衝突を合理化する傾向が著しい．人間関係を築くことが困難ではないのにもかかわらず，持続的な人間関係を維持できない．罪悪感を感じることができず，罰を受けても学ぶことができない．社会的規範，規則，責務に対し，著しく無責任で無視する．

d 情緒不安定性パーソナリティ障害

情緒不安定性パーソナリティ障害(emotionally unstable personality disorder)は，感情が不安定なため，結果を考えず衝動に基づいて行動する傾向が著しい．あらかじめ計画を立てる能力がきわめて乏しい．強い怒りが突発し，しばしば暴力行為にいたる．こうした衝動行為は，他人に非難されたり，じゃまされたりするとよけいにひどくなる．

衝動性が前景にある衝動型と，情緒不安定，自己像あるいは自我同一性(→ NOTE-1)が不明瞭で空虚感がある境界型パーソナリティ障害があるが，両者とも衝動性と自己統制の欠如という特徴が共通している．

(1) 衝動型(impulsive type)

情緒の不安定と衝動が統制できないのが特徴である．暴力や威嚇行為が，突発する．

(2) 境界型(borderline type)

情緒の不安定さの特徴のほか，(性的なものを含む)自己像が不明瞭ないし混乱している．たえず空虚感がある．激しく不安定な対人関係に入りこむ傾向をもち，そのため感情的な危機を繰り返し，自暴自棄にならぬように過度な努力，自殺の脅しや自傷行為を伴う．

> **NOTE**
>
> **1 自我同一性(ego identity)**
>
> E.H. Erikson(エリクソン)による精神分析的概念．精神発達をとげるなかで人はさまざまな自己の側面(たとえば，家族のなかでは兄，学校では高校生，部活動ではキャプテンなど)を体験する．これらを統合的かつ相互に矛盾なく引き受け，他者や集団との間にも連帯感共有の価値観をもって基礎づけられる自己像をいう．

▶表2 DSM-5における境界性パーソナリティ障害（抜粋）

301.83 境界性パーソナリティ障害
（borderline personality disorder）

対人関係，自己像，情動の不安定および著しい衝動性の広範な様式で，成人期早期に始まり，種々の状況で明らかになる．以下のうち5つ（またはそれ以上）によって示される．

(1) 現実に，または想像の中で見捨てられることを避けようとするなりふりかまわない努力
(2) 理想化とこき下ろしとの両極端を揺れ動くことによって特徴づけられる不安定で激しい対人関係の様式
(3) 同一性の混乱：著明で持続的に不安定な自己像または自己意識
(4) 自己を傷つける可能性のある衝動性で，少なくとも2つの領域にわたるもの（例：浪費，性行為，物質乱用，無謀な運転，過食）
(5) 自殺の行動，そぶり，脅し，または自傷行為の繰り返し
(6) 顕著な気分反応性による感情不安定性（例：通常は2～3時間持続し，2～3日以上持続することはまれな，エピソード的に起こる強い不快気分，いらだたしさ，または不安）
(7) 慢性的な空虚感
(8) 不適切で激しい怒り，または怒りの制御の困難（例：しばしばかんしゃくを起こす，いつも怒っている，取っ組み合いの喧嘩を繰り返す）
(9) 一過性のストレス関連性の妄想様観念または重篤な解離性症状

〔日本精神神経学会（日本語版用語監修），髙橋三郎・大野 裕（監訳）：DSM-5 精神疾患の診断・統計マニュアル．p.654, 医学書院，2014 より〕

こうした境界型パーソナリティ障害（borderline personality disorder; BPD）は，現代の青年期臨床では重要かつ治療困難な対象である．DSM-5では表2のような特徴をあげているが，(1)にあげられている，他人，特に治療者から見捨てられるのではないかという恐れと，それを回避しようとする努力は治療上のさまざまな問題を呈するし，また(2)の他人を good と bad の2つに極端に分けてしまう態度は，精神分析における splitting（→ Advanced Studies-2）の機制との関連で興味がもたれている．

e 演技性パーソナリティ障害

演技性パーソナリティ障害（histrionic personality disorder）とは，旧来のいわゆるヒステリー性性格障害である．誇張され，演技的な自己表現と，浅薄で不安定な感情の表出が特徴で，被暗示性に富む．また自分の身体的な魅力を追い求め熱中する．自分が注目の的になるような外見や行動をとる．自己中心的で身勝手，一方で他人に理解されたいという熱望をもつ．感情は傷つきやすく，欲求達成のために他人を操作する．

f 強迫性パーソナリティ障害

強迫性パーソナリティ障害（obsessive-compulsive personality disorder）は，過剰な疑いと警戒感情が基本にあり，精神的に固く強情である．規則，順序，予定などにこだわる．過度に誠実，几帳面で，また人間関係をこわすほど没入し，完全癖のために仕事を終わりにできない．時に自分のやり方に正確に従うよう他人に強要する．社会慣習に対して杓子定規で融通がきかないこともある．

g 不安性（回避性）パーソナリティ障害

不安性（回避性）パーソナリティ障害〔anxious（avoidant）personality disorder〕は，Schneider の自信欠乏者に相当する．いつも緊張と心配が感情を支配しており，また自分が社会に不適格で，人柄に魅力がなく，他人に比べてどこか劣っていると考え，自信をもてない．したがって，「他人に批判・拒否されるのでは」と過度の緊張・心配にとらわれ，いつもびくびくしている．好かれていると確信できなければ，他人とかかわることに乗り気になれず，他人との接触を伴う社会的・職業

Advanced Studies

② splitting

splittingは統合失調症でかつていわれていたような精神の分裂を意味することもあるが，それとは違った特殊な術語として精神分析で用いられる．最も有名なのはM. Klein（クライン）の概念である．"対象の分裂"は幼児にとって原始的な防衛機制であるが，それに伴って"よい自分"と"悪い自分"という自我の分裂が生じるという．このような対象の2分は，たとえば境界型の心性の理解にも応用される．

的活動を回避する．

h 依存性パーソナリティ障害

依存性パーソナリティ障害（dependent personality disorder）は，自分のことを自分1人でできないという恐れがあり，自分を無力・不完全・精力に欠けると感じ，1人でいると不安・無力感を感じる．そこで自分の生活上の決定を他人にしてもらおうとし，他人からの助言や保証がなければ，決断できない．その結果，他人の要求や意志に過度に従い，依存している相手には，たとえ正当なことでも要求しない．また，親密な関係をもっている人から見捨てられるのではという恐れにとらわれる．

3 治療と援助

a 基本的な考え方

先に述べたように，これらの障害に対しては，疾病とは別の次元で取り扱う考え方がある〔DSM-IVまでは疾病に関する第I軸に対して，パーソナリティ障害は第II軸として別に扱われていた〕．本書ではICDに準拠して，一応疾病と同じ次元で考えるが，特に治療的面に関しては，治療者が考える障害をただちに治療の対象とするのではなく，そうした障害をもっているゆえに生じる，本人の不都合や周囲への影響に本人が気づいて，自分なりに成長・発達していくことを援助する方向が中心となる．

特にパーソナリティ障害において重要なのは，治療構造を明確にしておくことで，治療者にもできることとできないこと，提供できることとできないことがあることをはっきりさせ，本人の納得のうえで治療にあたることが必要である．さもないと，いたずらに行動化するだけで，パーソナリティの成長・発達に寄与しないことがある．薬物療法は副次的で，かつ患者の了解のもとに行う必要があるが，睡眠，食事などの日常生活の健康の確保は大事である．

b 対応のあり方

個々の類型によって異なるが，先に述べたように，治療構造をはっきりさせることを前提に，広い意味での精神療法的な対応が中心となる．もちろん粘り強く傾聴することや，背後にある患者の辛さに共感することは当然必要であるが，全体としては患者の揺れ動きに振り回されずに，率直に対応していくことが肝要である．

パーソナリティ障害は，それだけ単独で精神科を受診することは少なく，うつ状態や不安状態といった症状の背後にあって，治療を始めて，初めて発見され前面に出てくる場合も多い．したがって，当初前景に出ている精神症状をとりあえずの対象として，その背後にあるパーソナリティ障害に治療的影響を及ぼそうとする方向もしばしば必要である．

自殺などの行動化がおこる場合は，やむなく入院治療に踏み切ることも必要であるが，その場合にもなるべく短期間で，しかも入院治療の目標をはっきり定め，到達地点をはっきり定めたうえで行ったほうがよい．入院治療においては，他の患者との交流も本人の成長を促す因子になることもあるが，逆に争いや必要以上に親密な人間関係が形成されて，かえって治療に困難をきたす場合もある．

B 行動（習慣および衝動）の障害

行動の障害では，自分自身あるいは他人を損なうような行為，しかもその反復が特徴である．止めようとする意志はあるものの，これらの行為を自己統制することができないのが特徴的である．ある場合には犯罪として明らかになることもあり，治療の対象とみるべきかどうかについて議論の対象となることもある．

もちろん，本人が自己統制できず，かつなんとかしたいと切実に願っている場合は，精神科でも

できるかぎり援助しようというのが，これらの状態に関する基本的な姿勢である．ここでは，そのなかでも主なものについて簡単にふれることにする．

1 病的賭博

病的賭博は反復する頻回の賭博行為で，たとえば，自己の仕事にさしさわるような多額の負債，あるいは法律違反による賭博用の金の捻出が行われる．また負債の支払いを回避しようとする．単なる金儲けや楽しみのための賭博とは一線を画するいわゆるギャンブル依存症である．この場合には，かなりの損失に達して自己や家庭の危機が訪れると，病的賭博者とは異なり賭博を止める．

わが国では国内の競馬や海外でのカジノなども含むが，圧倒的に多いのがパチンコ・パチスロに依存するパチンコ依存症である．男女比では男性に高く，またアルコール症の場合と同じく，自殺企図にも注意しておかねばならない．当事者会などの集団精神療法が大きな役割を果たしている．

2 病的放火

金銭の搾取や復讐といった明確な動機がなく，火が燃えること，あるいは消火活動が行われることに興味を示し，繰り返して放火をすることを病的放火という．ストレスを晴らすために行われるものも，このなかに含まれることがある．

3 病的窃盗

病的窃盗は，窃盗それ自身が目的である．盗んだ品物の換金が目的であったり，自分がその品物が欲しいからではない．家庭の主婦あるいは若い女性などの万引き行動の一部も，このなかに含むことができる場合もある．

4 抜毛症

抜毛症とは，抜毛することによって満足感を得るものである．こうした自己破壊的活動は一種のマゾヒズムと考えることもできるし，また場合によっては，手首自傷症候群（→ NOTE-2）と類似する心的機制をもつこともある．

5 治療と援助

基本的な考え方はパーソナリティ障害と同様である．

病的賭博などの行動の障害に関しては，1対1の精神療法によるよりは，むしろグループにおける集団精神療法のほうが，行動の修正が行われやすい．治療というよりも，習慣性の変化を目指すことになる．

C 性の障害

ここでは，性機能そのものの障害ではなく，性に関する同一性，あるいは通常とは異なる性の対象の嗜好が問題となる．

1 性同一性障害

性同一性障害とは，生来性の自己の身体的な性と精神的な性の離齟(そご)から生じるものである．小さ

NOTE

2 手首自傷症候群(wrist cutting syndrome)

主として思春期，青年期の情緒発達障害で，ささいな失意の体験に誘発されて，主に手首をかみそりで切るものである．はっきりした動機が明らかでないことも多い．何回も自傷し，自殺に至ることは少ない．流れる血を見て我にかえり，かえってさばさばしていることも多い．一種の自己破壊行為ともとれる．

いころから自分の生まれつきの身体的な性に不快感をもっていて，時には自分の身体的な性と逆の性を自覚した生活を送り，服装を変えたりする．

もちろん半陰陽や性染色体異常などの障害や，統合失調症などの精神障害は，このなかから除外される．なかには，こうした不一致のために苦しみ，自殺にまで至るような症例もある．

わが国では1998年に初めて性別適合手術が行われた．そして2004年に性同一性障害特例法が施行され，手術を受けることなどを条件に家庭裁判所で戸籍の性別変更の審判を受けられるようになった．また文部科学省も「性同一性障害に係る児童生徒に対するきめ細かな対応の実施等について」という通達を2015年に出している．

米国精神神経学会はDSM-5で診断名をGender Identity DisorderからGender Dysphoriaに変更したのを受け，日本精神神経学会も邦訳で「性同一性障害」から「性別違和」に変更している．

なお世界保健機関（WHO）の総会で了承された「国際疾病分類」改定版（ICD-11）では，性同一性障害は「精神障害」の分類から除外された．

2 性嗜好障害

性嗜好障害とは，通常の性の対象とは異なる対象に，性的な満足を感じるものである．このうち露出症や錯視症は，犯罪行為として疾病とは別の形で取り扱われることがある．フェティシズムのうち異性の服装を着用することによって性的興奮ないし満足を得る状態は，性同一性障害での服装の変化などとは異なる．

また，苦痛を受けることによって性的興奮を感じることはマゾヒズム（masochism），逆に苦痛を与えることを嗜好するものはサディズム（sadism）と呼ばれてきた．

3 治療と援助

性の障害，特に性同一性障害については，精神療法やホルモン療法のほか，一部では性転換手術による外科的治療が行われるようになりつつある．

D 理学・作業療法との関連事項

1. 理学・作業療法を進めていくうえで患者理解は欠かせないが，とりわけ患者のパーソナリティを理解することは重要である．ただし本章で述べたパーソナリティ障害には，一般的なパーソナリティより，かなりかけ離れたものもある．
2. パーソナリティや行動の障害の多くは，疾病というよりは，人となりを示すものであるから，それ自身を治療の対象とすることは困難であるが，患者の全体的な理解のなかでは重要である．

- パーソナリティ障害には精神医学の診断体系のなかで特別な位置づけが与えられている．
- 臨床場面で問題となっているものに，境界型パーソナリティ障害がある．

第14章 精神遅滞［知的障害］

学習目標
- 精神遅滞の知能発達障害の程度による分類ならびに社会生活面での障害を学ぶ．
- 精神遅滞をもたらす原因とその主なものの特徴について学ぶ．
- 精神遅滞の予防，診断と治療，ケアとリハビリテーション，福祉などの社会的処遇について学ぶ．

A 精神遅滞とは

1 概念

精神遅滞（mental retardation）とは，精神の発達停止または発育不全の状態で，発達期に明らかになる認知，言語，運動および社会的能力など知能水準にかかわる能力の障害を特徴とし，その結果，社会生活への適応が困難となる状態をいう．したがって，単一の病名ではなく，原因は多種多様である．以前には精神薄弱（mental deficiency）といわれていたが，現在では社会的・行政的に知的障害という．

2 頻度

一般人口における発現頻度は 2～3% 前後である．未成年者の精神遅滞者のうち，軽度の者は成長するにつれて社会適応性を獲得するので，就学時に調査すると，頻度はもう少し高く，3～4% に達する．

精神遅滞では，軽度遅滞が最も多く，70～80% を占め，中度遅滞が 10～20%，重度・最重度遅滞が約 5% とされている．また，女子より男子のほうがやや多いといわれている．

3 分類

a 知能発達障害の程度による分類

精神遅滞の程度は，知能検査の結果得られた知能指数（IQ）を基準として分類されているのが普通であるが，呼称や分類基準は研究者や国によって若干の差異がある．また，IQ の数値は絶対的なものではなく，IQ と日常生活能力の程度とは必ずしも一致しない．

以下，ICD-10 に基づいて述べる（▶表1）．

(1) 軽度精神遅滞（mild mental retardation）

IQ が 50～69 の範囲内のもので，軽愚（debility）とも呼ばれていた．言語習得がいくぶん遅れるものの，大部分は日常必要な言葉を用い，独立した生活が可能である．実地の能力が要求される仕事を行う潜在的な力をもっているため，彼らの能力を向上させ，自立と社会参加を促すような教

▶表1 精神遅滞の分類

	ICD-10 の IQ カテゴリー	従来の慣用 IQ	精神年齢
境界知能	70～80		
軽度精神遅滞	50～69	50～70（軽度）	8～12 歳
中度精神遅滞	35～49	20～50（中等度）	6～9 歳
重度精神遅滞	20～34		3～6 歳
最重度精神遅滞	0～19	0～20（重度）	

育が必要である．

一方，抽象的思考などの高等な精神活動は不十分であり，情緒的および社会的に著しく未熟な場合には，結婚生活や育児などへの対処能力は乏しく，文化的伝統や習慣に従うことは困難である．精神年齢は8〜12歳程度である．

(2) 中度(中等度)精神遅滞
（moderate mental retardation）

IQが35〜49の範囲のもので，言語の理解や表現の発達が不良で，身辺処理や運動能力の発達も遅れ，一生保護が必要なものもいる．成人になってからは，課題が注意深く構成され，熟練した監督下では単純で実際的な仕事は可能であるが，完全に自立した生活は困難である．この群では諸能力間の相違が目立ち，言語的課題よりも視空間技能でより高い水準に達する者，不器用さが目立つものの社会的交流や単純な会話を楽しむ者などもいる．ほとんどに器質的病因が存在する．精神年齢は6〜9歳程度である．

(3) 重度精神遅滞 (severe mental retardation)

IQが20〜34のものをいい，臨床像や器質的病因，合併症の存在などは中度精神遅滞と類似しており，ほとんどに著しい運動障害が認められる．精神年齢は3〜6歳に達するが，物事を正確に理解し，適応していくことは困難で，日常生活での身辺処理にも他者の介助を要することが多く，独立した生活を送ることは難しい．

わが国では従来，中度と重度を合わせて中等度，あるいは痴愚(imbecility)と呼んでいた．

(4) 最重度精神遅滞
（profound mental retardation）

IQが20未満で，白痴(idiocy)とも呼ばれていた．言語の理解も表現もほとんど発達せず，他人との意思疎通も困難で，動くことも著しく限られ，失禁もみられるなど，全面的な介助を必要とする．多くは脳の器質的障害により，いろいろな身体奇形，けいれん発作などを合併することが多い．

(5) 境界知能
（borderline intellectual functioning）

IQが70〜80の範囲のものをいう．

b 原因による分類

発生原因により，次の3群に分けられる．

(1) 知能の正規分布の下位群に属する精神遅滞

正常知能群から連続的に移行するもので，生理的精神遅滞とも呼ばれる．家族内に精神遅滞者が存在する率が高く，遺伝素因の関与も大きい．精神遅滞者の70％前後を占めるが，その程度は比較的軽く，粗大な身体的異常を伴うことはない．

(2) 病理的原因による精神遅滞

出生前あるいは生後の発達期間中に，中枢神経系の損傷によっておこるもので，多様な原因がある(▶表2)．多くは脳および身体各部の形態的・機能的異常を伴い，精神遅滞の程度も重い(▶図1)．

(3) 心理的・環境的原因による精神遅滞

幼児期に学習が行われるような環境がまったく与えられなかったためにおこるものである．また，生来性の盲や聾など感覚器の障害があり，放置された場合にも知能の発達が障害されることがあるが，わが国ではきわめて稀である．

B 頻度の高い精神遅滞

ここでは，臨床で扱われることの多い精神遅滞について概説する．

1 生理的精神遅滞

ほぼ正規分布を示す知能指数の平均を100，標準偏差を15とすると，生理的精神遅滞は標準偏差の2倍以上の偏りを示す知能指数70以下の知能下位群が該当する．

大部分は軽度ないし中度の精神遅滞に属し，運動機能の発達も遅れる．日常生活は学齢期に達す

▶表2　病理性精神遅滞をきたす原因

感染・炎症	出生前	先天梅毒，トキソプラズマ症，先天性風疹症候群
	周産期・出生後	単純ヘルペス脳炎，エイズなどの脳炎・髄膜炎，各種のワクチン接種後脳症
化学物質，薬物など	出生前・出生後	喫煙(子宮胎盤循環不全，子宮内胎児発育遅延など)，メチル水銀(胎児性水俣病)，アルコール(胎児性アルコール症候群)，ビリルビン脳症(核黄疸)，ポリ塩化ビフェニール(PCB)，ダイオキシン，ある種の抗てんかん薬など
外傷または物理的作用	出生前損傷	胎内での無酸素症，放射線被曝
	周産期の機械的損傷	種々の原因による難産のためが多い
	出産時の窒息	胎盤早期剥離，前置胎盤，臍帯巻絡などによる胎盤循環障害
	生後の損傷	脳挫傷，生後の窒息，脳梗塞など
代謝，発育または栄養障害	先天性代謝障害	アミノ酸代謝異常(フェニルケトン尿症)，糖質代謝異常，脂質代謝異常，核酸代謝異常，金属代謝異常など
	内分泌障害	クレチン病
	栄養不良・飢餓	蛋白カロリー栄養失調症(クワシオルコル)
粗大な脳疾患		結節硬化症，Sturge-Weber(スタージ・ウェーバー)病など
染色体異常	常染色体の異常	Down(ダウン)症候群，脆弱X症候群など
	性染色体の異常	Klinefelter(クラインフェルター)症候群，Turner(ターナー)症候群，XXY個体など
出生前の原因不明な影響		小頭症，先天性水頭症(脳水腫)，脳回形成異常(無回脳，小回脳，大回脳など)，大頭症
		先天性穿孔脳，その他の頭蓋骨奇形を伴うもの(狭頭症など)
その他の原因		未熟児に伴うもの

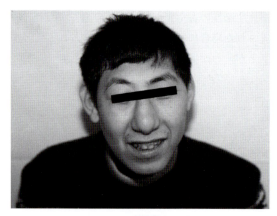

▶図1　小頭症による精神遅滞
頭囲増大の著しい遅れがみられる(頭囲42cm).

ればほぼ自立でき，教育によりかなりの程度の知識や技能を習得して社会生活に適応できるものが多いが，新しい状況を判断し，的確に処理する能力に乏しい．WISC検査では言語性IQより動作性IQのほうが高く，動作的，具体的，経験的操作の段階から，論理的，抽象的操作の段階へと進展しにくい．

環境の影響を受けやすく，恵まれた環境では単純な労働の熟練者となりうるが，劣悪な環境で幼少時に道徳的観念が確立されないと，社会的問題行為をおこすこともある．

2 脳性麻痺を伴う精神遅滞

脳性麻痺(cerebral palsy)ではしばしば精神遅滞を伴い，その約50％はIQ 70以下である．脳性麻痺の病型は痙直型(spastic type)とアテトーゼ型(athetotic type)に大別されるが，大脳皮質や白質に障害を示す痙直型で，重い精神遅滞を合併する傾向にある．また，早くからてんかん発作を合併するものほど，知能障害の程度が重い．

原因としては，未熟児や周産期の障害が多い．また，新生児期に母子間のRh型血液型不適合(母

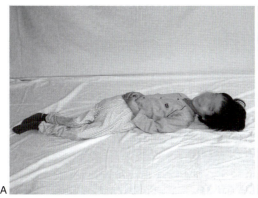
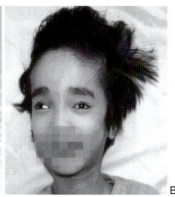

▶図2 水頭症による大頭症
A：寝たきりの状態(重症心身障害)，B：頭囲の異常増大(66 cm)と眼位の異常

親 Rh−)により胎児赤芽球症がおこり，大脳基底核が高濃度のビリルビンにより障害される核黄疸(nuclear icterus：ビリルビン脳症ともいう)もある．

知能と運動障害がともに重度の重複障害を呈するものを重症心身障害児(者)と呼ぶが(▶図2)，脳性麻痺によるものが多く，てんかん発作や感覚器障害，行動・情緒面の異常などを伴うことが多い．

近年，脳性麻痺幼児の早期療育が活発に試みられており，運動障害が軽度にとどまれば，合併する精神遅滞も軽くなる可能性がある．

3 てんかんを伴う精神遅滞

てんかんのうちでも，乳幼児期の症候性全般てんかん，脳器質障害を有する局在関連てんかんは精神遅滞をおこしやすく，てんかん発作が頻発し，難治であるほど精神遅滞も重くなり，思考や行動の緩慢化，粘着性など性格の偏りを示すものが多い．生後1年以内に発病するWest(ウエスト)症候群や幼児期のLennox-Gastaut(レンノックス・ガストー)症候群の多くでは精神発達が遅れる．

学童期(児童期)以後に発病した特発性全般てんかんは知能発達に影響しない〔第8章 C.2.a 項「全般てんかん」(→ 120 ページ)参照〕．

4 Down 症候群

Down(ダウン)症候群は，当初 J.L.H. Down(ダウン；1828-1896)により，その顔貌がヨーロッパ人でも蒙古人種に似ているとの理由で，蒙古症(mongolism)と名づけられた精神遅滞の特殊型である．全出生児1,000人中に1〜2人の割合でみられ，母親の高齢出産で頻度が増加する．

今日では染色体異常によっておこることが明らかにされており，大多数では常染色体 G 群の No. 21 が 3 個あり〔21 トリソミー(21-trisomy)〕，全染色体数が 47 個ある(正常では 46 個)．

最も特徴的な症状は特異な顔貌である．眼裂が狭く，内下方から外上方につり上がって斜位を呈し，両眼の間隔が広い．約 80% にエピカントス(epicanthus；内眼角の皮膚のひだ)が認められる．しばしば斜視や眼球振盪，結膜炎などがみられる．耳介は薄く小さく，舌は大きく，ひだが多い．歯列も不整である．頭蓋は短頭型で，頸部は太く短く，身長も低い(▶図3A)．手指は短く，第5指はしばしば内方に彎曲し，屈曲線が1本で，中指骨の形成が悪い．手掌は扁平で，母指球，小指球の発達が悪く，猿線がみられる(▶図3B)．

全身の筋緊張は低下し，関節は過伸展する(▶図3C)．心奇形の合併も多く(50%)，抗体産

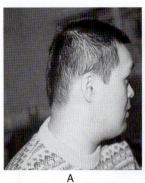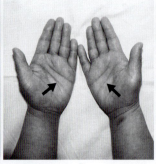

▶図3 Down症
A：頭蓋骨の前後径が短い（短頭型），B：手指は短く，猿線がみられる（矢印），C：全身の筋緊張低下と関節過伸展

生能の低下のため，容易に感染症にかかりやすい．また，40代以後，てんかん発作をみることがある．早期老化して，Alzheimer（アルツハイマー）病に類似した脳病理所見を呈する．

精神遅滞は中～重度のことが多いが，人なつこく温和な性格のために社会生活に適応しやすい．

5 結節硬化症

結節硬化症（tuberous sclerosis）は，精神遅滞，けいれん発作，顔面部の皮脂腺腫（adenoma sebaceum）を3大主徴とする優性遺伝性疾患である．

皮脂腺腫は，両頬部に左右対称性にみられ（▶図4），5歳ころまでに約半数で出現する．初発症状として乳幼児期から皮膚白斑がみられることがある．脳室内や眼底などにも同様の腺腫性結節が多発し，時に石灰沈着がおこる．

6 フェニルケトン尿症

フェニルケトン尿症（phenylketonuria；PKU）は，先天性代謝障害による精神遅滞のなかでも，その病態生理が初めて解明され，早期治療が可能となった疾患である．

肝臓におけるフェニルアラニン水酸化酵素の先天性欠損のために，食物として摂取されたフェニ

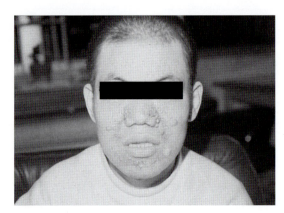

▶図4 結節硬化症
両頬部に皮脂腺腫がみられる．

ルアラニンがチロシンへと正常に代謝されず，組織内および血中に蓄積し，尿中にはフェニルアラニンの異常代謝物質であるフェニル焦性ブドウ糖が排泄される．脳障害の発現機序は中枢神経系におけるフェニル焦性ブドウ糖の異常蓄積によると考えられている．

発生率は8万人に1人前後で，常染色体劣性遺伝である．

本症では，精神遅滞，けいれん発作，脳波異常，メラニン色素欠損（赤毛，白色皮膚）などを示す．精神遅滞は生後6か月から1年以内に始まり，早期治療が行われないと，精神運動興奮，多動，刺激性などを伴う中度ないし重度の精神遅滞となる．

精神遅滞の予防のためには，早期診断が重要で

ある．生後早期の血液によるマススクリーニングにより，血中のフェニルアラニンの高値が検出された場合，生後3か月以内に低フェニルアラニン・ミルクによる治療を開始することで正常な精神発達が可能となる．

フェニルアラニン負荷試験により本症のヘテロ保因者を発見できるので，本症の血縁者は負因者どうしの結婚を避けるようにすれば，本症の発生を予防できる．

7 クレチン病

クレチン病(cretinism)は，先天性甲状腺機能低下症(congenital hypothyroidism)による精神遅滞である．甲状腺形成不全などによる甲状腺ホルモンの不足が胎児の脳発達を障害すると考えられている．

生後6か月ころより，身体発育の遅れ，厚く乾燥した皮膚，巨大舌，低体温などの症状が現れ，精神発達が遅滞する．

この疾患も，生後早期の血液スクリーニングにより早期発見でき，甲状腺ホルモンによる治療が可能である．

C 精神遅滞の医療

1 随伴症状への対応

精神遅滞ではさまざまな異常行動や問題行動，精神症状などを伴うことが多く，精神遅滞が重度になるにつれて，頻度も多く重篤になる傾向にある．具体的には，興奮，怒り，攻撃，恐怖などの精神症状，食事や食行動，排泄，睡眠，運動(多動，不穏，衝動行為)などにおける異常である．

これらには，乳幼児期から発達の節目で出現する比較的持続的な場合と，思春期・青年期に一時的に出現する場合がある．多くは精神遅滞児・者をとりまく環境のなかで，さまざまな葛藤が生じ，それへの反応として表現される不適応行動である．葛藤への反応閾値が低かったり，刺激への脆弱性が大きいことに加え，表現方法が未熟なために各個人に特有の短絡的な行動やあり方で表現される．この場合，鑑別は困難ではあるが，うつ病や統合失調症などを合併していることも少なくない．

また，身体疾患への罹患，基礎疾患の増悪などの場合も，苦痛や症状を言語表現によって伝えることが不可能・不十分なために，さまざまな行動によって表現されることがある．

したがって，こうした症状に対しては，家庭や学校，福祉や保健・医療の各関係者が速やかに連携して，問題の発見や把握に努め，環境調整を含めた対応が重要である．特に，身体面に関する十分な観察や検査，医療的対応は欠くことができない．

2 予防

a 遺伝性疾患への予防的配慮

先天性代謝異常の大部分は常染色体劣性遺伝なので，家系に素因の疑われる者どうし，あるいは近親婚などを避けることで，ある程度の予防が可能である．このような遺伝性疾患の予防相談は遺伝カウンセリングの対象とされる．

また，妊娠中に超音波検査や妊婦の血液検査を行うことで，胎児の代謝異常や染色体異常などの出生前診断が可能である．ただ，この場合も倫理的問題を伴うため，慎重な対応が求められる．

b 脳器質性障害の予防

重症心身障害児の大部分は，妊娠初期から周産期前後，さらに新生児期，乳幼児期の脳障害に起因しているため，アルコール摂取や喫煙の制限，風疹予防を含む妊産婦への保健指導の徹底，周産期の十分な管理，乳幼児への保健指導が重要である．特に，核黄疸は出生直後の新生児への交換輸

血により予防可能である.

C 早期の発見と治療による予防

先天性代謝・内分泌異常のあるものは，新生児期のマススクリーニングで早期発見による予防と治療が可能である．また，これらの近親者においても保因者の発見が可能であり，その場合にも，ある程度の対処が可能である．

3 診断と鑑別診断

心理学的所見と身体的所見を総合的に考慮して，できるだけ早期に診断することが重要である．乳幼児期の精神身体発達の程度，頸のすわり，起立や歩行開始の時期，排尿便の習慣の確立の有無など，発育歴が最も参考になる．精神遅滞が重く，身体症状の存在するときには乳児期の診断が可能であるし，軽度の場合には 2〜5 歳ころに主に言語機能の遅れによって診断される．

各種の標準化された知能検査や発達検査も有用である．就学予定年齢の前後にはこうした検査が 1 つの目安として用いられる．

鑑別診断としては，小児期までは心理的・環境的要因による見かけ上の精神遅滞，青年期以降では破瓜型統合失調症，器質性精神障害などである．一方，思春期や青年期の精神遅滞児・者にみられる心因性の精神運動興奮は統合失調症と誤診されやすい．

4 治療，ケアおよびリハビリテーション

具体的には，以下があげられる．
①先天性代謝障害やクレチン病，エイズなどへの早期の原因的治療である．水頭症に対する脳外科的治療も含まれる．
②早期からの心身機能に対する感覚統合療法〔第 15 章の Advanced Studies-2（➡ 201 ページ）参照〕を含む発達促進的な訓練やてんかんへの薬物療法

である．特に，てんかん発作の抑制は，知能障害の進行を防ぐうえでも重要である．
③精神症状や異常行動，問題行動に対する生活指導や環境調整，行動療法，抗精神病薬を含む薬物療法なども重要である．

D 社会的処遇

社会適応を少しでも改善し，地域での生活自立と社会参加を促進するためには，医療と教育，福祉，雇用・就労における幅広い施策と地域での支援が重要である．

"ノーマライゼーション"（normalization）を例にあげると，デンマークやスウェーデンにおける知的障害者施設入所者の処遇改善を出発点に提唱されており，その思想は「知的障害者の権利宣言」〔国連，1971〕（▶表 3）に，今日では障害者権利条約〔国連，2006〕に継承されている．

1 教育

精神遅滞や合併症の程度に応じて，幼小児期からその個人の発達と自主性を最大限保障するような教育が必要である．長年，「特殊教育」（special education）と呼ばれていた障害児教育は，学校教育法の改正で，2007 年から「特別支援教育」として実施されている．それに伴い，従来の養護学校は「特別支援学校」，特殊学級は「特別支援学級」と呼称が変更され，障害区別もなくなった．また，その「自立活動」では地域のリハビリテーション医療や福祉との連携協力が強調されている．

2 福祉

18 歳までは児童福祉法，それ以上は知的障害者福祉法と障害者総合支援法が対応している．近年は施設入所中心から地域での自己決定を尊重する生活自立重視の方向にあるが，障害者権利条約の

▶表3 知的障害者の権利宣言(1971年12月20日，第26回国連総会決議)

総会は，
　国際連合憲章のもとにおいて，一層高い生活水準，完全雇用および経済的，社会的進歩および発展の条件を促進するためこの機構と協力して共同および個別の行動をとるとの加盟国の誓約に留意し，
　この憲章で宣言された人権と基本的自由並びに平和，人間の尊厳と価値および社会的正義の諸原則に対する信念を再確認し，
　世界人権宣言，国際人権規約，児童の権利に関する宣言の諸原則並びに国際労働機関，国連教育科学文化機関，世界保健機関，国連児童基金およびその他の関係機関の憲章，条約，勧告および決議においてすでに設定された社会の進歩のための基準を想起し，社会の進歩と発展に関する宣言が心身障害者の権利を保護し，かつそれらの福祉およびリハビリテーションを確保する必要性を宣言したことを強調し，
　知的障害者が多くの活動分野においてその能力を発揮し得るよう援助し，かつ可能な限り通常の生活にかれらを受け入れることを促進する必要性に留意し，
　若干の国は，その現在の発展段階においては，この目的のためにかぎられた努力しか払い得ないことを認識し，
　この知的障害者の権利宣言を宣言し，かつこれらの権利の保護のための共通の基礎および指針として使用されることを確保するための国内的および国際的行動を要請する．
1　知的障害者は，実際上可能な限りにおいて，他の人間と同等の権利を有する．
2　知的障害者は，適当な医学的管理及び物理療法並びにその能力と最大限の可能性を発揮せしめ得るような教育，訓練，リハビリテーション及び指導を受ける権利を有する．
3　知的障害者は経済的保障及び相当な生活水準を享有する権利を有する．また，生産的仕事を遂行し，又は自己の能力が許す最大限の範囲においてその他の有意義な職業に就く権利を有する．
4　可能な場合はいつでも，知的障害者はその家族又は里親と同居し，各種の社会生活に参加すべきである．知的障害者が同居する家族は扶助を受けるべきである．施設における処遇が必要とされる場合は，できるだけ通常の生活に近い環境においてこれを行うべきである．
5　自己の個人的福祉及び利益を保護するために必要とされる場合は，知的障害者は資格を有する後見人を与えられる権利を有する．
6　知的障害者は，搾取，乱用及び虐待から保護される権利を有する．犯罪行為のため訴追される場合は，知的障害者は正当な司法手続に対する権利を有する．ただし，その心身上の責任能力は十分認識されなければならない．
7　重障害のため，知的障害者がそのすべての権利を有意義に行使し得ない場合，又はこれらの権利の若干又は全部を制限又は排除することが必要とされる場合は，その権利の制限又は排除のために援用された手続はあらゆる形態の乱用防止のための適当な法的保障措置を含まなければならない．この手続は資格を有する専門家による知的障害者の社会的能力についての評価に基づくものであり，かつ，定期的な再検討及び上級機関に対する不服申立の権利に従うべきものでなければならない．

批准でこうした方向がよりいっそう鮮明になる．

　児童と成人との区別は実際的ではないため，行政施策の一元化がなされており，(知的)障害児も障害者総合支援法における居宅介護，行動援護，短期入所などの「介護給付」や移動支援事業，日中一時支援などの「市町村地域生活援助事業」のサービス対象とされる．

　児童福祉法と知的障害者福祉法の事業やサービスを以下に記すが(▶表4)，障害者総合支援法や障害者雇用促進法のサービスに関しては第20章C・D項(➡261，264ページ)を参照のこと．

(1) 知的障害児・者への療育手帳の交付

　重度の「A」とその他の「B」に区分されるが，「重度」はおおむねIQで35以下，重複障害の場合にはIQが50以下で，常時介護を要する程度をいう．いずれもJRや航空の運賃の割引対象とされる．

(2) 相談援助・相談支援

　児童相談所や保健所・市町村保健センター，障害児支援利用施設援助や継続障害児支援利用援助，知的障害者更生相談所や知的障害者相談員などによるサービスである．

(3) 就労支援

　知的障害者職親委託制度がある．

(4) 居宅支援

　次項の通所サービスとの一体的利用が可能である．

(5) 通所サービス

　市町村における障害児通所支援(医療型を含む児童発達支援，放課後等デイサービス，保育所等訪問支援)である．

(6) 入所施設サービス

　都道府県における障害児入所支援(福祉型と医療型の障害児入所施設)である．

▶表4 （知的）障害児・者への福祉施策

	事業・施設の種類・名称		概略
障害児	相談援助	児童相談所	児童やその保護者からの相談に応じ，必要な調査判定，助言や指導，一時保護などを行う施設
		保健所 市町村保健センター	地域の公衆衛生と健康増進のため，保健師が障害児の相談支援を担当
	障害児相談支援	居宅サービス（指定特定相談支援事業者による）	継続を含むサービス利用支援のための「計画相談支援」と障害児や保護者らからの相談などの「基本相談支援」とを提供
		通所サービス（障害児相談支援事業者による）	継続を含む「障害児支援利用援助」を行うもの
	障害児通所支援	児童発達支援	地域で生活する障害児や家族への支援と地域の障害児を預かる施設に対する支援を行う「児童発達支援センター」および通所利用障害児への支援を行う「児童発達支援事業」とがあり，それらを提供
		医療型児童発達支援	運動機能などに障害のある児童に対し，児童発達支援に加えて治療も行うもの
		放課後等デイサービス	就学中の障害児に放課後や夏休みなどの長期休暇中，生活能力向上のために訓練などを継続的に提供
		保育所等訪問支援	保育所などを利用中や利用予定の障害児を訪問し，集団生活の適応のための専門的支援を提供
	障害児入所支援	福祉型障害児入所支援	障害児施設に入所し，保護，日常生活の指導，独立自活に必要な知識・技能を付与するもの
		医療型障害児入所支援	重複障害など，重い障害をもつ児童に対し，治療も併せて提供する障害児入所支援
知的障害者	相談	知的障害者更生相談所	知的障害者福祉司を配置し，医師や判定員による判定・相談，地域巡回などを行う施設
		知的障害者相談員	市町村が委託し，知的障害者や保護者の相談や援助などを担当する者
	就労支援	知的障害者職親委託制度	職親に委託し，就労に必要な素地を与え，雇用の促進，職場での定着性を高める制度

3 職業リハビリテーション

知的障害者福祉法における職親委託制度のほか，障害者総合支援法と障害者雇用促進法による雇用促進・就労支援策が進められており，障害者雇用率制度も1998年から適応され，雇用が義務化されている．詳細は，第20章E項「職業リハビリテーション」（→268ページ）を参照してほしい．

E 理学・作業療法との関連事項

精神遅滞に関しては，従来，理学・作業療法は脳傷害などによる身体機能の改善面にかかわることが主であった．しかし，近年は障害児への早期療育の面からも関心がもたれ，知的機能に対するさまざまな試みがなされつつある．

また，精神遅滞者が他の精神障害や身体疾患への罹患を通じて理学・作業療法の対象となることもあるが，このような場合でも，できるだけ本人の自己選択・自己決定を尊重する対応や処遇が望まれる．

- 精神遅滞は知能発達の障害程度により，軽度，中度，重度，最重度の4段階に分類され，かつ社会生活面での障害もそれとともに重くなる．
- 精神遅滞の原因には，遺伝素質の関与の大きい軽度のものと，病理的原因により脳に障害のみられる重度のものに大別される．
- 精神遅滞には予防可能な疾患もあるため，早期の診断と治療，リハビリテーションが重要である．
- 精神遅滞児・者に対しては，社会生活面はもとより，教育や福祉，職業面での援助が必要とされる．

第15章 心理的発達の障害

学習目標
- 心理的発達障害の概念を精神遅滞との比較で学ぶ．
- 特異的発達障害と広汎性発達障害の臨床的特徴を学ぶ．
- それぞれの障害に対する治療やリハビリテーション，教育の現状を学ぶ．

A 心理的発達の障害とは

心理的発達の障害(disorders of psychological development)とは，精神遅滞のような知的機能の全般的な遅れとは異なり，言語や視空間技能，協調運動などの特定の技能領域の遅れ，および社会的コミュニケーション機能などに偏りを示す発達障害で，前者を特異的発達障害(specific developmental disorders)，後者を広汎性発達障害(pervasive developmental disorders; PDD)という．

ICD-10では，各種の特異的発達障害と広汎性発達障害に共通する特徴として，以下をあげている．
① 発症は乳幼児期あるいは小児期で，しかも正常発達の時期はない．
② 中枢神経系の生物学的成熟に深く関係した機能発達の障害あるいは遅滞である〔第5章のAdvanced Studies-6(➡ 90ページ)参照〕．
③ 寛解や再発がみられない安定した経過である．
④ これらの障害は成長するにつれて次第に軽快する．
⑤ 家族的素因はあるが，原因は化学物質などの環境要因とする見方が有力である．
⑥ 男子は女子の数倍多くみられる．

しかし，心理的発達の障害のなかには，上記の諸特徴とは異なり，正常発達の時期を有するもの〔Landau-Kleffner(ランドウ・クレフナー)症候群，Rett(レット)症候群など〕や，障害される諸機能が"遅れ"というよりは"偏り"であるもの(小児自閉症など)も含まれている．

わが国では行政上，これらの発達障害に多動性障害〔第18章 B.3.a 項(➡ 217ページ)参照〕を加えて，"発達障害"としているが，発達障害は精神医学ではもともと精神遅滞も含めた概念である(▶図1)(➡ NOTE-1)．DSM-5では，これらの心理的発達障害に精神遅滞や多動性障害などを加え，神経発達症群/神経発達障害群(neurodevelopmental disorder)としている．

ここでは，特異的発達障害と広汎性発達障害に大別して解説するが，これらの障害パターンの特徴は，正常発達と精神遅滞との比較で，図2のように理解される．

NOTE

1 「発達障害」の用語について

2005年施行の発達障害者支援法では「自閉症，アスペルガー症候群，学習障害，注意欠陥多動性障害など」を「発達障害」と定義し，2007年からの特別支援教育においても6.3%程度在籍率の「学習障害，注意欠陥多動性障害，高機能自閉等」を「(軽度)発達障害」として通級指導の対象にして以降，この用語は広く用いられている．

しかし，これは行政用語であって，医学概念ではないことに留意すべきである．たとえば，ICD-10の「心理的発達障害」には多動性障害〔注意欠如多動性障害；ADHD〕は含まれておらず，小児医学では脳性麻痺を含め，神経系や心身機能全般の発達遅延を「発達障害」と見なしているためである．

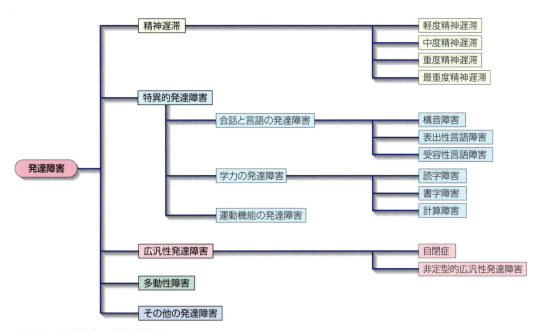

▶図1 発達障害の分類試案より
〔山崎晃資：発達障害の概念．臨床精神医学, 26(5):563, 1997 より一部改変〕

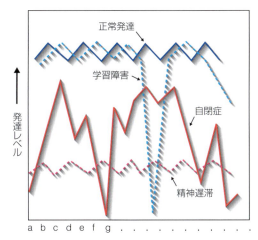

▶図2 発達障害のパターン
〔山崎晃資：発達障害の概念．臨床精神医学, 26(5):558, 1997 より〕

B 特異的発達障害

特異的発達障害とは，①会話および言語，②学力(学習能力)，③運動機能など，特定の領域の遅れを示す障害である．これらの遅れは学齢期に顕在化するために，まず教育分野で注目され，"学習障害"(learning disability; LD)と呼ばれた．①②は，いわゆる"聞く"，"話す"，"読む"，"書く"，"計算する"，"推理する"などに著しい困難を示すために言語性学習障害，③は運動機能の困難を示すために非言語性学習障害ともいわれている（→ Advanced Studies-1, 200ページ）．

こうした障害は学齢期の小児の数％にみられるといわれ，その治療と教育，リハビリテーションが重視されている．

1 臨床型

a 会話および言語の特異的発達障害

会話および言語の特異的発達障害(specific developmental disorders of speech and language)は，発達の初期から"聞く・話す"能力，すなわち言語習得の正常パターンが障害されるものである．診断には，言語の遅れのほかに，読字や綴字の困難，対人関係の異常，情動的・行動的障害もしばしば伴うこと，言語能力の遅れと知的機能の

レベルに著しい"ずれ"が存在すること，重篤な聾や特定の神経学的あるいは他の構造的異常がないことなどが重要である．以下のサブタイプがある．

(1) 特異的会話構音障害
　　　（specific speech articulation disorder）

　言語能力は正常な水準にあるものの，精神年齢に相当した語音の使用ができない状態（構音障害）で，発達性構音障害ともいわれる．非言語的知能は正常範囲にあるものの，構音障害の程度がその小児の精神年齢の正常範囲を超えており，しかも明らかな神経学的異常や発声器の異常を認めない場合が該当する．

(2) 表出性言語障害
　　　（expressive language disorder）

　言語理解は正常範囲だが，精神年齢に相当した表出言語の使用，すなわち"話す"ことができない状態で，発達性運動失語ともいわれる．しばしば語音の産出の遅滞や異常を伴い，学齢期の児童では，交友関係の困難，情緒障害，行動上の混乱，多動と不注意などを随伴することも稀ではない．

(3) 受容性言語障害
　　　（receptive language disorder）

　精神年齢に相当した言語理解ができず（すなわち"聞く"ことができず），そのため表出性言語も著しく障害される状態で，発達性感覚失語ともいわれる．社会的，情緒的，行動上の障害を伴うが，社会的相互関係，ごっこ遊び，親への甘え，身振りの使用など，非言語的コミュニケーションは正常かごく軽度の障害で，自閉児とは異なっている．

(4) てんかんに伴う後天性失語[症]
　　　（ランドウ・クレフナー症候群）
　　　〔acquired aphasia with epilepsy
　　　（Landau-Kleffner syndrome）〕

　Landau-Kleffner症候群とは，正常な発達をしていた小児が全体的な知能は保ちながら，受容性および表出性の言語能力を失う障害で，3～7歳の間に発症し，多くはてんかん性けいれん発作を伴う．原因は不明であるが，なんらかの炎症性脳疾患の可能性が示唆されている．2/3 は重度の受容性言語障害を残し，1/3 は完全に回復する．

b 学力の特異的発達障害

　学力の特異的発達障害（specific developmental disorders of scholastic skills; SDDSS）は，"読み"，"書き"，"計算"などの技能の，正常な習得パターンが発達早期から損なわれ，学力に特異的で重大な障害がみられる症候群である．多くは，ある種の生物学的な機能不全に由来する認知過程の異常から生じるが，他の障害（たとえば，精神遅滞，神経学的欠損，情緒障害）に併発することはあっても，それによる結果ではない．以下のサブタイプがある．

(1) 特異的読字障害（specific reading disorder）

　読字力の発達の著しい特異的障害を主徴候とするもので，発達性失読症，読字障害（dyslexia）ともいわれ，アルファベット文化圏では7～8%程度と多く，社会的認知度も以前から高い．近年の画像研究では，左半球頭頂葉の角回（読字中枢）は

Advanced Studies

❶文部科学省の学習障害の定義とICD-10の特異的発達障害との違い

　現在，行政で用いている文部科学省の定義は以下であるが，これは ICD-10 の「運動機能の特異的発達障害」は含めていないため，「特異的発達障害」と同一ではないことに留意すべきである．

　「全般的な知的発達の遅れはないが，聞く，話す，読む，書く，計算する，推論するなどの特定の能力の習得と使用に著しい困難を示すさまざまな障害．背景には中枢神経系のなんらかの機能障害が推定されるが，その障害に起因する学習上の特異な困難は主として学齢期に顕在化するが，それを過ぎても明らかにならないこともある．

　視聴覚障害，知的障害，情緒障害などや，家庭，学校，地域社会などの環境的な要因が直接の原因となるものではないが，そうした状態や要因とともに生じる可能性はある．また，行動の自己調整，対人関係などにおける問題が学習障害に伴う形で現れることもある」．

〔文部省：「学習障害及びこれに類似する学習上の困難を有する児童生徒の指導方法に関する調査研究協力者会議」の中間報告, 1995 より〕

音読課題でも有意に血流が低下していること，音読訓練で活性化することが報告されている．

(2) 特異的綴字[書字]障害
　　（specific spelling disorder）

書字力の発達の著しい特異的障害を主徴候とするもので，特異的書字遅滞ともいわれる．

(3) 特異的算数能力障害[算数能力の特異的障害]
　　（specific disorder of arithmetical skills）

計算能力の特異的障害であり，発達性算数障害ともいわれる．

(4) 学力の混合性障害
　　（mixed disorder of scholastic skills）

算数と，読字あるいは綴字（書字）の両方が明らかに損なわれている状態である．

c 運動機能の特異的発達障害

運動機能の特異的発達障害（specific developmental disorder of motor function）は協調運動の発達の重篤な障害，すなわち極端な不器用さを示す．具体的には，歩き方全体がぎこちなく，走る，跳ぶ，階段の昇降を覚えるのが遅い，靴ひもを結ぶこと，ボタンのかけはずし，キャッチボールの習得に困難をきたしやすい．また，微細および粗大な運動が不器用で，物を落としたり，つまずいたり，障害物にぶつかったり，書字も下手で，描画力も不良なことが多い．

こうした障害は，知能の全体的遅れや先天的・後天的な神経系障害によっては説明できず，むしろ視空間-認知課題での遂行障害と関係していると考えられている．また，WAIS 知能検査では，動作性 IQ が言語性 IQ に比べてかなり低く，平均して 15 前後の差異があることも指摘されている．

神経学的には微細および粗大な協調運動の拙劣所見が認められ，不器用な子ども症候群，発達性失行などとも呼ばれる．

以前には微細脳機能障害症候群（minimal brain dysfunction syndrome; MBD）と診断されたが，MBD にはさまざまな病態を含むため，現在は用いられていない〔第 18 章の Advanced Studies-1（→ 218 ページ）参照〕．

d 混合性特異的発達障害

混合性特異的発達障害（mixed specific developmental disorders）は，会話と言語，学力，運動機能などの特異的発達障害の混合したものである．

2 診断とリハビリテーション

おおよその障害像が明らかになるのは学齢期である．乳幼児期にはほとんどが言語発達の遅れや多動を示すため，5歳くらいまでの鑑別診断はきわめて困難で，後述する多動性障害〔第 18 章 B.3.a 項（→ 217 ページ）参照〕と診断されることも少なくない．その場合も特異的発達障害の可能性を考えて，徐々に落ち着いて集団内でよい関係が発展するような働きかけが必要である．

学齢期になり，それぞれの特異的な能力障害が明らかになれば，それを改善するための専門的なリハビリテーションが必要となる．学校内や児童関係機関，保健医療機関などにおいて，教育関係者や作業療法士，言語聴覚士，臨床心理士などにより，さまざまな学習訓練や感覚統合療法（→ Advanced Studies-2）などが行われている（▶図 3）．

Advanced Studies

❷ 感覚統合療法（sensory integration therapy）

南カルフォルニア大学の A.J. Ayres（エアーズ；1920-1988）によって創始された学習障害児を対象にした訓練技法で，前庭覚や固有覚，触覚などの感覚刺激を与えることで，脳機能の統合を促すことが有効とされている．特異的発達障害（学習障害）のほか，言語発達の遅れや多動性障害，精神遅滞，自閉症などの小児のほか，老年期認知症などにも行われている．

〔参考文献：エアーズ（著），宮前珠子，鎌倉矩子（共訳）：感覚統合と学習障害．共同医書出版社，1981．佐藤 剛（監）：感覚統合 Q & A（子どもの理解と援助のために）．共同医書出版社，1998〕

▶図3　学習障害児に対する感覚統合療法
作業療法士が市内の小学校を巡回しながら、体育館の一角で対象児童を訓練していた。〔1985年、アメリカ・ミネソタ州ロチェスター市の小学校にて、著者撮影〕

3 経過と予後

　特異的発達障害は、広汎性発達障害にみられるような対人的関係や社会性に大きな障害がなく、各領域の障害も成長や治療教育によって改善する。しかし、こうした機能の改善に比べ、長期的な社会適応状態は必ずしも良好ではないこと、素行障害や精神病状態を併発する者の比率も他の発達障害よりもはるかに高く、それも非言語性学習障害で目立つことなどが指摘されている。

　その背景として、身体感覚的に自己を把握する能力、自己の行動をモニターする機能がうまく育ちきれず、他者との相互関係や社会的行動の調整が十分にできないため、適応に破綻を生じやすいためと考えられている。したがって、成人以降もなんらかの長期的な社会的支援、すなわち、本人の心理的支持や家族支援を目的に精神療法やカウンセリングなどが必要となる。

C 広汎性発達障害

　広汎性発達障害は、一般の子どものように、こちらの働きかけに反応を示さず、言葉もほとんどなく、何かを尋ねても返事をしない、物を置く場所や食事の時間などが一定でないと気が済まないなど、相互的な対人社会関係や言語などコミュニケーションパターンの質的障害（歪み、遅れなど）と、奇妙な限局した常同的反復的な活動などを特徴とする一群の障害である。これらの異常は5歳以内には明らかになり、あらゆる状況においてみられることが特徴である。

　以下のサブタイプに分けられるが、Rett（レット）症候群や他の崩壊性障害では、正常な発達ののちに重篤な機能障害が生じるなどの点から、この障害に含めることに関する見解は一致していない。

1 臨床型

a 小児自閉症

　小児自閉症(childhood autism, ICD-10)あるいは自閉症(autism)は、1943年、L. Kanner（カナー；1894–1981）によって早期幼年自閉症(early infantile autism)と命名されて報告され、Kanner症候群などとも呼ばれた。

　Kannerは、本症について以下の3点を大きな特徴としてあげている。

① 生後の早期から母親やその他の家族、周囲に正常な感情的反応を示さず、極端な自閉と孤立の状態にあること
② コミュニケーション手段としての言語機能が著しく障害されており、通常の会話ができないこと
③ 身のまわりの状況の変化を極度に嫌い、同じ状態を保つことを強迫的に執拗に要求したり、機械的物体に異常に執着すること

　以上に加えて、認知や言語、社会情緒、感覚などに、さまざまな症状が気づかれている（▶表1）。なかでも、目を合わせない、名前を呼んでも振り向かない・返事をしない、大きな音に耳を押さえるなどの聴覚過敏、流れる水や回転するものなどに強く惹かれる、欲しい物を自分で指させず、他

▶表1 自閉症でみられる症状

主として"認知"に関係すると思われるもの	特異な単純記憶．手鏡．部分模倣．特定の模様．手順．並び順への執着．奇妙な眺め方．横目にらみ．字義どおりの理解
主として"言語"に関係すると思われるもの	言葉をしゃべらない．オウム返し．耳が聞こえないようにふるまう．奇妙な発語．状況と無関係な言葉の常同的反復．語用の主客逆転
主として"社会情緒面"に関係すると思われるもの	視線が合わない．指さしができない．クレーン現象．パニック．特定の人や物への奇異な愛着行動．一方的な強迫的なかかわり方．羞恥感情．優劣に関係する情緒的反応の欠如
主として"感覚"に関係すると思われるもの	きわめて強い偏食．醤油やソースを飲む．痛覚．触覚や聴覚の過敏あるいは鈍麻．飛び跳ねるなどの感覚運動．羽ばたくような腕の動き．特定の音や場所での耳塞ぎ．自傷．反復する単純な発声

〔橋本大彦，太田昌孝：小児自閉症．臨床精神医学，26(5)：570，1997より〕

人の腕をその物まで持っていく(クレーン現象)，思いどおりにいかないとすぐにかんしゃく発作(いわゆる"パニック")をおこすなどはよくみられるものである．

ICD-10では，3歳以前に現れ，前述のように相互的な社会的関係，コミュニケーション，限局した反復行動の3つの領域に異常がみられるほか(▶表2)，女児に比べ男児に3~4倍多く発現すること，恐怖症や睡眠障害，摂食の障害，かんしゃく発作，自傷行為なども一般的な症状として伴うこと，著しい精神遅滞が約75％に認められることなどを特徴としてあげている．知能が正常な場合を高機能自閉症という．

本症の有病率には諸説があるが，わが国では0.2％，または軽度を含めて約1％と，増加傾向にあるといわれる．また，近親者の発症頻度は約5~10倍であることが知られている．

D 非定型自閉症

非定型自閉症(atypical autism)は，発症年齢または診断基準で，小児自閉症の3特徴すべてを満たさず，小児自閉症とは異なった状態を示す．しばしば重度の精神遅滞児や言語理解の重篤な特異的発達障害児に出現する．非定型小児精神病，自閉的傾向を伴う精神遅滞ともいわれる．

▶表2 自閉症の診断基準

1	以下の2~4に示す3領域の障害あるいは異常行動に該当するものが，すべて3歳以前から存在する
2	**全体的な精神発達に相応しない社会的相互作用の発達の質的障害** (たとえば，他人への関心が乏しい，視線が合わない，他人への共感性が欠如する，かかわられることを嫌がる，模倣あるいは社会性のある遊びの欠如あるいは異常)
3	**言語を含むコミュニケーション能力の発達の質的障害** (たとえば，喃語，ジェスチャー，指さし，あるいは話し言葉の発達の障害，反響音の存在する時期が長いこと)
4	**反復的または常同的な行動** (たとえば，横目をつかって見る，手をヒラヒラさせる，体をゆする，グルグルと回る)， **あるいは執着的な行動，興味および活動のパターン** (たとえば，物の臭いを嗅ぐ，感触を楽しむ，回転運動を好む，特定の物を持つことに執着する，習慣などのささいな変化に対する抵抗，発展性の乏しい遊びの反復)

〔中根 晃：自閉症と学習障害．臨床精神医学，24(8)：1044，1995より〕

E Asperger症候群

Asperger(アスペルガー)症候群は，1944年，オーストリアの小児科医 H. Asperger(1906-1980)によって報告されたもので，小児自閉症と同様に関心と活動の範囲が狭く，行動も常同的反復的で，社会的相互関係の質的障害を特徴とするものの，言語や認知の発達に遅れは示さないものをいう．

知能は正常であるが，動作は著しく不器用で，やはり男児に多く出現することが特徴である．具体的には，他者の視線や表情，顔の同定が苦手，

会話での冗談や比喩，皮肉，社会的嘘がわからない，身振り・手振りの理解が困難で字面どおりの理解にとどまるなど，非言語的コミュニケーションが不得手，親しい対人関係がつくれない，新しい環境になじめず忌避する，特定のものや事柄に対する強い関心，などである．幼児期にも，1人遊びを好む，集団で遊ばない，他の子どもにあまり関心がない，同じ遊びを繰り返す傾向が強いなどの諸特徴がみられている．

発症頻度に関しては，非定型自閉症も含めた広い意味では自閉症よりも多いことが知られている．

高機能自閉との異同を含め，近年，教育や職業リハビリテーションの領域で注目されている症候群である．小児自閉症とをまとめて自閉症スペクトラム(spectrum；連続体)障害とする概念も提唱され，DSM-5 に採用されている．

かつては，自閉性精神病質，小児期の統合失調質障害といわれた．

d Rett 症候群

Rett 症候群は女児にみられる X 連鎖優性遺伝の進行性脳障害で，男児は重度で出生できない．生後 7〜24 か月までは正常に発達していたものの，それまでに獲得していた手の動きや言葉が失われ，頭囲の増加が減るなどで発症する．手をもむ常同運動，過呼吸，目的をもった手の動きの消失が特徴で，次第に体幹失調や失行，側弯などの脊柱変形，舞踏病様運動などが出現する．

約半数では，青年期以後には脊髄の萎縮をきたし，重度の運動障害を呈するようになる．てんかん発作も大部分におこり，重度の知能障害に至る．

e 他の小児期崩壊性障害

Rett 症候群以外の崩壊性障害(other childhood disintegrative disorder)で，2歳までの正常な発達のあとに，言うことをきかない，いらいら，不安・過動などの前駆症状のあとに，物事への興味が乏しくなり，続いて，言語も含めそれまでに獲得した技能がすべて失われ，大小便も失禁するようになることを特徴としている．幼児性認知症，崩壊性精神病，Heller(ヘラー)症候群，共生精神病などともいわれる．

f 精神遅滞[知的障害]および常同運動に関連した過動性障害

この過動性障害(overactive disorder associated with mental retardation and stereotyped movements)とは，重度の精神遅滞を伴い，多動や注意障害，常同行動などの特徴を示すものである．

2 治療とリハビリテーション，経過と予後

広汎性発達障害の原因や病態として，中枢神経系になんらかの脆弱性や成熟障害があると推測されてはいるものの，今なお不明である．このため，本態に迫る薬物療法はいまだ確立されていないが，認知と情緒の障害の改善，適応的技能の獲得，不適応行動の減弱を目的に治療や教育，リハビリテーションがなされている．

具体的には，感覚統合療法や遊戯療法，行動療法などの，認知やコミュニケーション機能を含め，各種の発達促進的なアプローチが，それぞれの段階に応じた治療プログラムとして早期から実施されている(▶図 4)．これには作業療法士，臨床心理士などの医療関係職種にとどまらず，保育関係者や教育関係者なども参加し，児童精神科の病院や診療所，児童相談機関，教育機関，特別支援学校・学級，通常学級など，さまざまな場所で長期に行われる．

特別支援教育や就労支援の場では，聴覚的理解より視覚的な情報処理が優れていることのほか，言語のみより動作を伴った学習が有効であること，同時に2つ以上の処理ができない，注意の変換が困難でこだわりが著しいなどの自閉症の障害特性に合わせて，場所や活動の流れ，課題の数

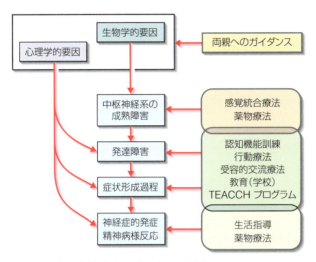

▶図4 自閉症性障害の成り立ちと対応
TEACCH: treatment and education of autistic and related communication handicapped children
〔山崎晃資：私の治療法—自閉性障害．精神科治療学，18(10):1227-1232, 2004 より〕

などをあらかじめ見てわかるように工夫する「環境の構造化」が支援のプログラムとしては有効で，広く実施されている．

自閉症を含む発達障害児・者への処遇については，すでに2005年の発達障害者支援法により各都道府県に発達障害者支援センターが設置され，自閉症を含む発達障害児・者や家族への相談支援，関係機関への普及啓発が行われている．その後，2011年に障害者基本法が改正され，法の対象に「精神障害(発達障害も含む.)」と明記された結果(第2条第1項)，発達障害も各種福祉サービスの対象になった．自閉症児を含む発達障害児の場合には児童福祉法の障害児相談・障害児通所・障害児入所などの支援サービスを受けることが可能になり，自閉症者も含めて障害者総合支援法における障害福祉サービスや相談支援，地域生活支援事業等の対象とされている〔詳細は第14章D.2項「福祉」(➡ 194ページ)，第20章C項「障害者総合支援法の主な内容」(➡ 261ページ)参照〕．

こうした働きかけにより，症状に多少の改善を示す場合があるものの，社会適応を含め，長期的な予後は決してよくはなく，うつ病や強迫的行動などさまざまな精神障害を合併することも少なくない．近年は年長あるいは成人の発達障害者を主な対象とする施設が全国的に増えているが，知的障害児・者と同様に，家族や地域社会で生活するための技能習得もぜひ必要であり，障害特性に合わせた長期にわたる障害福祉サービスや職業リハビリテーションなど，さまざまな支援が必要である．

一方，これら治療・リハビリテーションの過程で，興奮や暴力，破壊行動，自傷，多動，不眠などの激しい問題行動や症状が出現する場合には，一時的に入院させたり，抗精神病薬が投与されることもある．

D 理学・作業療法との関連事項

心理的発達障害は脳の成熟過程になんらかの障害が推測されるものの，いまだ原因や病態が不明な障害の一群である．しかし，近年は，治療・訓練法である感覚統合療法の効果を通じて作業療法

の役割が注目され，治療技法の向上や病態解明に
期待が寄せられている領域でもある．

- 心理的発達障害は，コミュニケーションや協調運動，学習能力などでの著しい障害を示し，多くは原因不明で，男児に多いという特徴を有する．
- 心理的発達障害は臨床像から，特異的発達障害と広汎性発達障害に大別される．
- 心理的発達障害の原因や病態の解明，治療とリハビリテーションは今後の大きな課題である．

第16章 コンサルテーション・リエゾン精神医学

学習目標
- コンサルテーション・リエゾン精神医学の概念を理解する.
- コンサルテーション・リエゾン精神医学はどのような対象で必要とされるかを学ぶ.
- コンサルテーション・リエゾン精神医学で求められる対応のあり方について理解する.

A コンサルテーション・リエゾン精神医学とは

コンサルテーション・リエゾン精神医学(consultation-liaison psychiatry; CLP)とは,精神科が他科の医師,看護師,その他のスタッフと密接に連携をとり合いながら,患者の主疾患とそれから生じる苦痛,心理的負荷,医療者や他患者との人間関係などの精神・心理的問題の相談や治療にあたるもので,相談連携精神医学ともいう(→NOTE-1).

以下のような場合に,他科の医療者からの要請に応じて医療活動が行われるため,精神科以外の診療科が活動領域となる.

①身体症状を示す精神疾患
　心身症や身体表現性障害,慢性疼痛など,身体症状に精神・心理的問題が深くかかわる場合
②身体疾患による精神症状
　内分泌疾患,全身感染症,産褥期,代謝性の障害・疾患,血液疾患,肝臓障害,腎障害などにおいて精神症状を呈する場合
③癌や難治性疾患において,病名の告知や治療の遂行に困難や摩擦を呈したり,それに精神的要素が関与している場合
④医療側や他の患者とのトラブルなどで,患者心理が問題となる場合

⑤手術,ICU(intensive care unit;集中治療部),CCU(coronary care unit;冠動脈疾患集中治療部),人工透析,移植などにおける精神的問題
⑥臨死状態やターミナルケアにおける精神的問題
⑦救急医療・災害時における精神医学的問題
⑧他科の医療スタッフの精神保健,精神・心理的問題への相談

コンサルテーション・リエゾン精神医学は,わが国では1977年ころから,主として総合病院の精神科を中心に展開されており,このため総合病院精神医学ともいわれる.

NOTE

1 コンサルテーション・リエゾン精神医学 (consultation-liaison psychiatry; CLP)

- **コンサルテーション(consultation)**
　他の診療科の患者の態度や行動を観察して,患者の不安など精神・心理的問題を判定し,患者とその科の治療チームとの間を連絡してコミュニケーションを保たせ,患者−医療者間に横たわる不信・誤解・葛藤などを和らげる作業を行う.

- **リエゾン(liaison)**
　他の診療科の医師・看護師の要請に応じて定期的に治療チームに参加して,患者の心理・精神状態について診断的見解を述べ,適切な助言や処置を行い,患者−医療者の関係を治療に効果的になるよう導く.

B コンサルテーション・リエゾン精神医学が必要となる場合

1 身体症状を示す精神疾患

a 心身症

消化性潰瘍，幽門けいれん，緊張性頭痛，片頭痛，蕁麻疹，喘息，頻尿など，発病に精神・心理的要因が関与する場合である〔第17章B項「心身症とは」(→212ページ)参照〕．

b 身体表現性障害

他覚的所見や身体的基盤，器質的障害がないにもかかわらず，身体症状を強く訴えたり，医学的検索を執拗に要求するなど，背景になんらかの心理的問題がうかがわれる場合である〔第11章F項「身体表現性障害」(→172ページ)参照〕．

c 慢性疼痛

疼痛は，神経の侵害刺激による感覚と，それによる不安や恐怖などの心理的要素を含む．このため，慢性になると後者の要素が多くなり，精神状態によって痛みの程度が左右されるようになる．また，疼痛を強く訴えたり，服薬を強く求めるなどの行為によって，鎮痛や快感，周囲からの同情，経済的報酬などがもたらされれば，疼痛が実際に存在しなくてもこうした行為が増強される．このような場合には精神医学的対応が必要になる．

2 身体疾患による精神症状

身体疾患による精神症状は，症状性精神障害(あるいは症状精神病)と呼ばれる．詳細は，第6章「症状性精神障害」(→94ページ)参照のこと．

3 癌や難治性疾患の精神的問題

癌をはじめ，治療が困難であったり，生命予後の厳しい難治性疾患の患者では，家族や医療者などの周囲を含め，以下のような問題を生じやすく，それぞれにカウンセリングやケアが要求される．

(1) 病名告知後の継続ケア

他科での診断病名の告知に際して，患者の心理的反応を程度予測して不測の事態に備える．さらに患者の心的受容に向けて誘導作業を準備する．また，継続ケアを要するのは，抑うつや絶望から自殺を企図する場合，否定や否認，無視の態度をとる場合，被害的で孤立感を深め，自己愛的になる場合などである．

(2) 家族への対応

患者に気を遣いすぎて，不安や不眠，抑うつ状態が生じたり，緊張から疲労やパニック障害を示す場合である．乳幼児・小児の患者をもつ家族の精神保健や精神状態への対応も必要となる．

(3) 医療者や介護者への対応

患者対応に気を遣いすぎたり，頻回にわたる訴えや無理な要求への対応で心的疲労に陥り，神経衰弱状態や抑うつ，不眠などが生じた場合である．

治療に対する不満は時として医療者に向けられることがあり，こうした場合に医療者への心理的支援が求められる．すなわち，治療者や介護提供者(caregivers)へのケアもコンサルテーション・リエゾン精神医学に求められる．

4 療養中の心理的問題

病気に罹患すること自体が苦痛を伴うものであるが，入院ともなると，さらに不安や恐怖，焦燥，抑うつ，絶望感，自責感などが生じてくる．たとえば，早期あるいは完全な回復への焦りから心理的余裕がなくなり，自己中心的な思考や行動がみられたり，医療者への態度も依存から不信，攻撃へとめまぐるしく変わったり，家族や他の入院患

者との間でもささいな事柄からトラブルが生じたりする.

こうした療養あるいは治療にマイナスとなる状況がある場合，それらをいち早く察知し，軽減につながる対応の仕方を提供することが求められる.

5 手術などの治療下における精神障害

a 手術

手術は心身に大きな侵襲となるが，ほかにも原疾患や生命にかかわる不安・恐怖，家族との分離，経済的問題などが精神的ストレスとなる.

(1) 手術前

手術への不安や恐怖，うつ状態は，原疾患への不安も加わって増大する．手術の説明が十分でなかったり，誤解がある場合には精神症状が強くなる．このため，術前に麻酔科医が患者の問診や面談を行うなど，主治医と患者の間をとりもつことで，症状がかなり軽減する.

(2) 手術後

せん妄はよくみられる精神症状で，このときには，人が見えるなどの幻視，病院を自宅と勘違いしたり，夜を昼と間違える失見当識，他人に攻撃的になるなどの精神運動興奮，ベッドから起き上がったり，点滴チューブをつけたまま歩こうとしたり，他患者のチューブを引き抜くなどの異常行動を呈する．とりわけ，心臓手術では術後3～4日目にせん妄状態をみることが稀ではない（postcardiotomy delirium）.

b ICU や CCU

ICU や CCU では，24 時間にわたる生命危機への管理体制にあるため，感覚遮断現象や睡眠障害からせん妄を呈しやすく，また死の恐れを強く体験するため，不安や抑うつ状態に陥りやすい.

c 透析

自分の命を透析に委ねることは精神的負担となるため，抑うつ感や身体的不全感，性的機能低下がみられたり，時に激しい精神運動興奮やパニック発作もみる．透析持続により認知症がみられることもある．時に，言語障害，けいれん，ミオクローヌスが出現する.

d 臓器移植

移植治療そのものによる幻覚，妄想，せん妄のほかに，移植状況が生み出す緊張や負担から，死や拒絶反応への恐怖，抑うつなどのさまざまな心理的反応がみられる．このような場合には早期からの積極的なカウンセリングが必要である.

6 臨死状態やターミナルケアにおける精神的問題

臨死状態やターミナルにある患者は，以下に示すような原疾患による身体的苦痛や死の不安，家族関係や経済上での問題などを抱えている.

①原疾患による症状や化学療法，放射線療法などによる苦痛・疼痛など
②死の不安や恐怖，自分をわかってくれないことへのいら立ちや孤立感，家族や残される者への罪責感など
③高額な治療費や死後の財産処理など，経済的問題についての心配など

こうした状態にある患者との関係で重要なことは，まずしっかりした信頼関係を築くことである．続いて，困っている問題を根気よく聞き出し，その1つひとつに対して患者の希望を取り入れながら解決方法を模索していく．その場合，本人の状況や抱える問題を医療者や家族，友人などにも説明し，協力を求めたり，治療の変更も検討する.

特に尊重すべきことは，患者のこれまでの人生と人生観，価値観，幸福感であり，これらが踏みにじられれば，患者は人生の満足を感じないまま

鬼籍に入ることになる．

7 認知症患者の他科治療への同意の問題

近年，認知症患者の他科治療に本人同意を得ることが困難になる事例が増えている．生活に支障をきたしている事例における疾患や治療理解の困難と同意能力の問題である．成年後見制度でも治療同意はカバーできず，医療者や家族と本人の意思の相違が感情的問題に発展する事態が生じる．こうしたケースにはリエゾン・コンサルテーション精神医学が求められ，問題の解決に向けて法学と医学の共同研究が始まっている．

8 救急医療・災害での精神科的問題

救急医療における精神科の役割は増加している．突発的な障害や病気の発生自体がもたらす精神的ショックや過大な心理的負担により，患者の示す精神症状はきわめて多岐にわたり，急性かつ重篤である．

交通事故などの事故ではパニック，精神運動興奮，幻覚妄想，意識障害，せん妄などが，身体疾患の急性増悪ではパニック，不安や緊張，幻覚妄想などがみられることが多い．また，救急医療では精神障害者の自殺企図や精神運動興奮，うつ病性昏迷，てんかん発作，パニック発作などもよくみられる．

したがって，搬入時からの緊密な協力体制と精神科的対応が重要である．近年，災害時の現場や避難場所における精神保健，精神障害予防の観点からのかかわりが求められ，また精神障害者の精神運動興奮，パニック発作，うつ病悪化，てんかん発作などへの加療も求められる．

9 医療従事者の精神保健

入院中の患者には病気以外にも種々の悩みがあって，それらが治療に悪影響を及ぼしたり，主治医や看護師などスタッフがその対応に追われることも決して少なくない．患者が処置や容態悪化に際して，さまざまな対応，理不尽あるいは早急な対応などを執拗に要求する場合には，スタッフの精神的負担は増し，極度に疲労・緊張した状態に至ることも稀ではない．また，過労自殺に陥ることもある．

長時間過重労働の常習化により過緊張状態が続き，睡眠時間も減少し，うつ病が発症するためで，こうした事態への予防もコンサルテーション・リエゾン精神医学に求められる．医療スタッフの緊張を緩和し，精神状態の安定をはかることは，患者・医療者間の関係悪化を防ぎ，治療を促進するためにも大切である．このため，医療スタッフの相談にのり，問題解決の方向をともに考えることも重要なコンサルテーション・リエゾン精神医学である．

C 理学・作業療法との関連事項

1. コンサルテーション・リエゾン精神医学でみられる問題はリハビリテーションの患者においても同様におこりうる問題である．
2. 理学・作業療法の対象となる患者においても，なんらかの精神・心理的問題が関与している症例は決して少なくない．
3. 精神科領域においても，リエゾン患者を対象にした作業療法があり，特に慢性疼痛に対する集団療法などがその例としてあげられる．
4. 自らを含めた医療従事者にも精神保健にかかわる問題が生じやすいため，その相談，対応，治療が必要になる．
5. 他科との連携はリハビリテーションにおいても必須であり，コンサルテーション・リエゾン精神医学の理念と共通するものがある．

- コンサルテーション・リエゾン精神医学は，他科と協力して患者の治療を心身面から行うことが目的である．
- 精神・心理的問題を抱えていたり，精神症状を呈しているため，スタッフが対応に困難と感じる他科の患者がその対象となる．
- コンサルテーション・リエゾン精神医学では基礎疾患に対する医学的知識，精神障害に関する知識，患者心理，患者−治療者関係，医療チーム内の心理的把握などが必要となる．
- 複雑化した現代医療では医療従事者への心理的支援，問題解決も非常に重要である．

第17章 心身医学

学習目標
- 心身医学の概念および心身症の発現機序について学ぶ．
- 心身症として考えられている多様な疾患について学ぶ．
- 心身症の治療の基本について学ぶ．

A 心身医学の概念

　心身医学または精神身体医学(psychosomatic medicine)とは，広義には，病気を精神と身体の両面から総合的に眺め，心身の相互関係(心身相関)をすべての医学領域にまで拡大しようとする総合医学としての立場である．狭義には，心身症(psychosomatic disease)を対象とする医学を指す．通常，後者を意味しており，ここでは心身症について概説する．

B 心身症とは

1 定義と概要

　心身症とは，その現れた状態は身体疾患であるが，発病に際して精神・心理的なストレス要因が考えられるような一群の病気を指している．日本心身医学会では「器質的な身体病変を認めるか，あるいは病態生理が明らかで，独立した疾患とされており，その発症や経過に心理社会的因子の関与(心理社会的因子と自律神経系，内分泌系，免疫系などの機能変化との相関)が認められる病態」(1989年)と定義している．

　ここで注意すべき点として，心身症という概念は独立した疾患概念を指すものではなく，たとえば高血圧症や消化性潰瘍，蕁麻疹のように，すでに身体医学の立場から分類記載されている疾患や病的状態について，これを心身相関の立場から整理し直したものである．このため，各疾患ごとに，また各症例ごとに精神的要因の関与が異なるので，これをあまり厳密に定義することの意義は小さい．

　しかし，精神的要因が関与する割合の比較的高い疾患群の診断や治療には有用な概念であるので，わが国では広く使用されている．

　心身症の条件として，以下があげられる．
①発病要因，およびその後の症状の経過で，精神的要因，特に情動要因が重要な役割を果たしていること
②身体症状をもち，これが自律神経支配下にある単一の器官を通じて表出されること
③身体組織の病理的変化をもつものが中心であり，生理的・機能的障害については特定の固定した型をとるものを含めること

　なお，神経症性障害は主として精神的原因によって生じる精神障害を指すのに対して，心身症は身体の疾患および障害を示す．しかし，心身症の概念を広くとると，神経症性障害との境界が不明確になる(▶図1)．

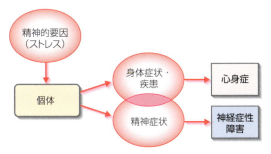

▶図 1　心身症と神経症性障害との関係

▶表 1　心身症としての疾患および病態

循環器系	本態性高血圧，本態性低血圧，神経性狭心症，発作性頻拍，期外性収縮などの不整脈，血管れん縮（Raynaud（レイノー）病，Buerger（バージャー）病など）
呼吸器系	気管支喘息，神経性呼吸困難（過換気症候群を含む），神経性咳嗽など
消化器系	胃・十二指腸潰瘍，慢性胃炎，胃下垂，機能性ディスペプシア，潰瘍性大腸炎，過敏性腸症候群，胆道ジスキネジー，神経性食欲不振症，心因性多食症，心因性異食症，神経性嘔吐症，腹部緊張症，食道けいれん，噴門および幽門けいれんなど
内分泌系	肥満症，糖尿病，心因性多飲症，甲状腺機能亢進症など
神経系	頭痛（緊張性頭痛，片頭痛），めまい，感覚・運動異常，失神，慢性疲労，書痙，痙性斜頸，チックなど
骨-筋系	関節リウマチ，筋痛・背痛，線維性筋痛症，脊椎過敏症，頸腕症候群などの疾患，関節痛，むちうち症など
皮膚系	神経性皮膚炎，皮膚瘙痒症，アトピー性皮膚炎，円形脱毛症，多汗症，慢性蕁麻疹，湿疹など
泌尿生殖器系	排尿障害（尿漏，神経性頻尿，排尿困難），月経障害（月経困難症，無月経など），婦人不定愁訴症候群（更年期を含む），不感症，性交障害（インポテンス，腟けいれん）など
耳鼻咽喉科領域	Ménière（メニエール）病，咽喉部異物感症などの疾患，嗅覚障害，難聴，耳鳴，嗄声など
眼科領域	眼精疲労，視力障害，眼瞼下垂，眼瞼けいれんなど
小児科領域	小児喘息，起立性調節障害，再発性臍疝痛，腸管運動失調症，遺尿症，周期性嘔吐症，幽門けいれんなどの疾患，心因性発熱，嘔気，心悸亢進，心臓痛，呼吸困難発作，睡眠異常，息止め発作，チック，尿閉，夜驚症，憤怒けいれん，吃音など
手術前後の状態	腹部手術後愁訴，頻回手術など
口腔領域	顎関節症，ある種の口内炎（再発性，アフタ性および更年期症），異味症，唾液分泌異常，歯ぎしり，咬筋チック，口腔異常感症（歯痛，舌痛症）など

2　心身症としての諸疾患

心身症として取り上げられている疾患および病態を表 1 に示す．代表的な疾患には，気管支喘息，胃・十二指腸潰瘍，神経性皮膚疾患，過敏性腸症候群，関節リウマチ，本態性高血圧，甲状腺機能亢進症などがある．しかし，これらの疾患がすべての場合に心身症というわけではなく，精神的原因が重要な場合に限られる．

たとえば，消化性潰瘍であればピロリ菌による感染が一義的原因の場合や，気管支喘息でアレルゲンが特定されている場合などは心身症とはいえない．

3　発生機序

心身症の発生に関しては，精神分析学に基づく心理学的理論を背景にして発展してきたが，今日では生理学的基礎に基づいて理解されている．すなわち，なんらかの強い持続的な感情緊張状態（すなわち，種々のストレス状況）におかれると，交感神経系や下垂体・副腎皮質系の適応反応に半持続的な障害をおこし，これが自律神経系支配下の諸器官の機能障害，すなわち身体症状となって現れるとするものである．

一方，心身症を呈しやすい性格も指摘されている．たとえば，M. Friedman（フリードマン）と R.H. Rosenman（ローゼンマン）が 1959 年に指摘した，野心的，競争的，情熱的完全主義者で，敵意をもちやすく，いつも時間に追われているという"A 型行動パターン"では狭心症や心筋梗塞がおこりやすいなどというものである．また，

P.E. Sifneos（シフネアス）が1973年に提唱したアレキシシミア（alexithymia；失感情）の概念も同様である．アレキシシミアとは，感情を感じ取ることと感情を言語化することが制約されている状態を指す．心身症患者は，真面目，仕事熱心で，社会的には過剰適応的であるが，想像力が貧弱で，精神的葛藤を言語化することが困難であり，このため情動はもっぱら行動や身体症状という形で処理されるというものである．

このように心身症は，生物学的・心理的・社会的諸要因が関与して出現すると考えられる．

C 心身症の診断と治療

診断には，身体症状あるいは機能障害が恒常的に存在すること，その発現に精神的原因が主要な役割を果たしていることなどの確認が必要である．このためには，十分な身体的検索に加えて，出生以来の生活歴，元来の性格傾向，家庭や学校などにおける生活環境とそこから生ずる各種のストレス要因，発病前後の状況などを含めた病歴を詳しく調べなければならない．勤労者であれば，職場環境や労働状況は特に重要である．

治療には，精神面と身体面に対する双方が必要とされる．精神面の治療には，さまざまな形の精神療法が中心となる．補助療法として自律神経調整作用を有する抗不安薬が用いられる．ほかにも，自律訓練法，行動療法，バイオフィードバック療法，作業療法などの非言語的治療法も有効である．生活指導や労働環境の調整なども欠くことはできない．場合によってはストレス軽減のために入院による治療も必要になる．いずれにしても，自分の病気の発現には，性格も含めて心理的・社会的ストレスが深く関与していることを理解し，こうしたストレスをうまく対処しながら生活するスタイルを確立するように指導・援助することが不可欠である．

心身症の治療は，精神科でも行われているが，以前から内科領域でも関心がもたれ，"心療内科"と標榜して診療することが可能である．また，対象者の年齢や性，症状によっては小児科や婦人科，泌尿器科や歯科をはじめとする身体各科で扱われることも少なくない．

D 理学・作業療法との関連事項

心身症が理学・作業療法の対象となることは決して多くはない．しかし，心身症の学習を通じて，どのような病気でも発症や経過に精神的要因が大なり小なり影響を及ぼすこと，さらに医療者の責務として理学・作業療法の治療過程において好ましい精神的影響を与えようと努めることの意義を理解することが重要である．

- 心身医学は，精神的原因により発病する身体疾患である心身症を対象とするが，その主なものには本態性高血圧や気管支喘息，消化性潰瘍などがある．
- 心身症の発生には，生理的機能や性格，生活や労働環境など，さまざまな次元の要因が関与している．
- 心身症の治療には，身体面の治療のほか，精神療法や抗不安薬による薬物療法，自律訓練法や作業療法などの非言語的治療法も有効である．

第18章 ライフサイクルにおける精神医学

学習目標
- ライフサイクルの観点から，小児期・青年期，成人期，初老期，老年期の精神・心理特性について学ぶ．
- 小児期・青年期に特有な行動や情緒，社会的な障害の特徴，予防や治療について学ぶ．
- 成人期・初老期のメンタルヘルスの問題，ならびに老年期の精神障害と精神症状の特徴について学ぶ．

A ライフサイクルと年代の区分

本章ではライフサイクルの観点から，各年代における精神・心理的特徴とメンタルヘルス（mental health；精神保健）の問題，精神障害の特徴について述べる．

人の心理発達区分の名称やそれに対応した年齢は，研究者によりかなり相違がある．たとえば，青年期は通常11～20歳，成人期は21～40歳，初老期は41～65歳未満とする区分である．しかし，この区分は高校卒業後の進学が一般化し，就職年齢や結婚年齢も徐々に遅くなり，さらに平均寿命が延長している今日のわが国の実態に即しているとはいいがたい．

本書では，こうした現状を考慮して，青年後期を20代前半まで，成人期を26～49歳，初老期を50～64歳とし，さらに老年期も細区分した（▶表1）．ただ，発達の様相は個々人でかなり異なり，社会的文化的影響も強く受けるため，この年齢区分も多分に便宜的なものである．

B 小児期・青年期の精神医学

1 精神・心理発達の特性

この時期は，乳児期，幼児期，学童期，青年期に大別され，さらにそれぞれが細区分される（▶表1）．

a 乳児期～幼児期

母子相互の関係，あるいは養育態度が，子どもの精神発達やパーソナリティ形成にとり，大変重要な時期である．

乳幼児は，授乳，抱擁，愛撫など肌の触れ合い（スキンシップ）による母親の愛情の保証によって，初めて精神的に安定して発達することができる．また，離乳や大小便のしつけ，行動制限など，"しつけ"として多くの欲求不満を経験するが，このような訓練も親の愛情のもとに適正に行われれば，子どもは自分の欲求を抑制することを学び，欲求不満に対する耐性が高まる．

しかし，過保護や放任，過干渉など，養育に欠陥があれば，このようなしつけは十分に行われず，欲求不満に対する耐性の低いパーソナリティが形

▶表1　人の発達・年代区分

区分	年齢(歳)	備考
乳児期(infancy)	0〜1	
幼児期(early childhood)	1〜6	
前期	1〜3	
後期(学童前期)	4〜6	
学童期(elementary school years)	7〜11	小学生に相当 児童期ともいう
青年期(adolescence)	11〜25	
前期	11〜14	中学生に相当
中期	15〜17	高校生に相当
後期	18〜25	大学生〜社会人初期までに相当
成人期(adult)	26〜49	壮年期ともいう
初老期(presenium)	50〜64	向老期，退行期，更年期，あるいは成熟期，熟年期ともいう
老年期(senium)	65〜	
前期	65〜74	
後期	75〜	
超高齢期	85(90)	

成される可能性が少なくない．

幼児期の後期には自我が芽生え，それまでの従順さがなくなり，両親に反抗して自己を主張するようになる（第一反抗期）．

b 学童期

小学生の時期で，児童期ともいう（→ NOTE-1）．一般的に，学童期後半の精神生活はまだ両親や家庭，学校などの保護下にあるため，かなり安定しているといわれる．それは，一定の枠内で集団をつくっているものの，そのなかではまだ性的役割をもっておらず，自我も確立していないために，個人と集団との葛藤が少ないからでもある．

c 青年期

11〜25歳の時期で，前期〔11〜14歳；中学の時期に相当し，思春期(puberty)または破瓜期とも

いう〕，中期（15〜17歳；高校の時期に相当），後期（18歳〜20代前半）に区分される．

この時期は性的成熟を背景にして，身体面では，性機能と体力を備えた成人へと成長する"子ども"から"大人"への転換期である．精神面でも，知的能力の発達，性衝動を含む感情興奮性の増大を基礎に，自我の発見，自我同一性(identity)の確立などがなされる"疾風怒濤"の時期で，かつ両親や社会の矛盾を批判し攻撃する能力をもち，言語や行動で表現するようになる（第二反抗期）．

そのため，心理的不安定が性的逸脱や暴力行為，非行など，さまざまな問題行動として表現されやすい時期である．

また，身体面での早熟化の一方で，社会の複雑化に伴って経済的・社会的自立は遅れぎみであり，20代前半を通じてそのための模索が続くことが多い．

2 小児期・青年期の精神障害の特徴

心理的発達障害を除く小児期・青年期にみられる精神障害は，精神遅滞児を含め，以下の特徴を示す〔第14章 C.1項「随伴症状への対応」(→ 193ページ)参照〕．

NOTE

1 小児・児童・child の年齢区分と定義

ICD-10でいう小児期(childhood)とはおおむね11歳まで，青年期はそれ以降から18歳までをいい，それ以降は成人(adult)としている．日本児童青年精神医学会では，児童を11歳ころまでとしている．

法行政的には，児童は児童福祉法や労働基準法，さらに国連「児童の権利条約」では18歳未満をいい，小児や子ども(child)と同義である．学校教育法では小学生をいい（中学生・高校生は生徒），母子福祉法では20歳未満としている．また，少年に関しては，児童福祉法では小学校就学から18歳未満をいい，少年法では20歳未満をいう．

このように，児童や少年などの年齢区分や用語の用い方は立場により，かなりの相違がある．

a 年齢や発達段階に応じて症状が異なること

それぞれの年齢や発達段階に特有の問題や症状が生じるが，低年齢ほどパーソナリティの構造が未熟で未分化なため，自分の感情や思いを言語化し，正確に他者に伝えることができない．そのため，症状の表現が単純で，行動の変化や習癖の異常，身体症状として現れやすい．また，生活年齢に比べて精神的発達レベルが低い場合にも表現の仕方が変わってくる．

10歳ころを過ぎると，次第に大人と同じような症状を呈する．また，青年期に一過性に出現する混乱状態や行動化を精神障害と区別することは必ずしも容易でない．

b 環境の影響を受けやすいこと

子どもはパーソナリティ的に独立していないために，周囲の人に依存しやすく，家庭や学校など環境の影響を直接受けやすい．そのために，子どもにさまざまな症状や行動の変化が生じたときには，本人をとりまく家庭や学校，社会状況などを多面的に検討することが必要である．

3 行動および情緒障害

ここではICD-10に基づいて，精神遅滞や心理的発達障害以外の，主として小児期・青年期にみられる行動や情緒の障害を概説する．

a 多動性障害

多動性障害（hyperkinetic disorders）は，DSM-5では注意欠如・多動症/注意欠如・多動性障害（attention-deficit/hyperactivity disorder; ADHD）とも呼ばれ，学齢児の数％にその存在が疑われている．発達の早期（通常5歳以前）に発症し，注意の障害が高度なために持続的な課題を遂行できず，次から次へと活動がめまぐるしく移る傾向があり，しかもコントロールのない過動を伴う状態

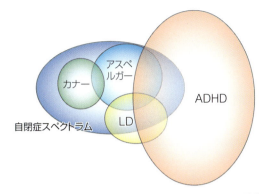

▶図1 自閉症スペクトラム，ADHD，LDの関係
ADHD：注意欠如・多動性障害，LD：学習障害，カナー：Kanner症候群（小児自閉症），アスペルガー：Asperger症候群〔内山登紀夫：ADHDの診断．臨床精神医学，37(2)：151，2008より〕

である．社会的関係でも抑制に欠け，危険な状況にも向こうみずであったり，社会的な規則を衝動的に無視することもみられる．

走り回る，座ったままでいるべきときに席から立ち上がったり，過度にしゃべり騒ぐ，順番を待てない，もじもじそわそわしているなどの状態も含まれる．また，しばしば学習の障害や運動の不器用さも伴う．

このような注意の障害と多動，衝動などの行動特徴は学齢期を通じて持続し，3割程度は成人期までには改善する．しかし，学齢期に入って特異的発達障害（いわゆる学習障害）の特徴が次第に明瞭になる場合もあるし，高機能の広汎性障害との鑑別も注意すべき点である（▶図1）．成人期になっても生活に障害をきたす症状が持続したり，さまざまな不適応状態から，抑うつ不安状態を呈したり，反社会的なパーソナリティ障害，薬物・アルコール依存などを合併するものも少なくない．男児は女児の数倍多いものの，青年期以降では男女比は変わらなくなるといわれる（➡ Advanced Studies-1，218ページ）．

多動性障害と次項に述べる素行障害を合併する場合は，多動性素行障害という．

多動性障害では前頭葉のドパミンやノルアドレナリン神経系になんらかの機能不全があり，これ

が注意機能の障害に関連していると考えられている．このため，治療薬として，わが国ではメチルフェニデート塩酸塩の長時間作用薬（商品名：コンサータ）や選択的ノルアドレナリン再取り込み阻害剤のアトモキセチン（商品名：ストラテラ），小児用のリスデキサンフェタミンメシル酸塩（商品名：ビバンセ）が使用されている．これらは前頭葉のドパミンやノルアドレナリンの機能改善を通じて注意欠如の症状を改善させる．このほか，交感神経の働きを抑えることで過活動や衝動性を抑えるグアンファシン塩酸塩（商品名：インチュニブ）も使用されている．このように，脳の病態が解明され，現在，薬物治療が有効な唯一の障害である．

ケアやリハビリテーションに関しては，基本的には心理的発達障害に対する場合と同じである．

B 素行障害

素行障害（conduction disorders）とは，暴力やいじめ，人や動物への残虐行為，破壊や放火，盗み，繰り返しの嘘，怠学と家出，頻繁な興奮，重大な規則違反，持続的で激しい反抗など，反社会的，攻撃的，反抗的な行動パターンが反復し持続する状態をいう．

素行障害には，以下のような4つのサブタイプがある．

①異常行動が家族内の母親あるいは父親などに限定されるタイプ（家族限定性素行障害）

②単独で違反的，反社会的行動を行うタイプ（個人行動型〔非社会型〕素行障害）

③同年配の仲間と集団で反社会行動あるいは攻撃行動を示すタイプ（集団行動型〔社会型〕素行障害）

④すぐに感情を爆発させ，自分から対立状態をおこし，過度の無法と非協力，権威への抵抗を示す小学生低学年のタイプ（反抗挑戦性障害）

ほかに，こうした素行障害に，抑うつや不安，その他の情緒的混乱が混じる混合性障害もある．

素行障害は，法行政的には"非行"や"少年犯罪"を意味する．警察庁の統計によれば，1960年をピークに減少傾向にあった青少年の凶悪犯罪は，1990年ころから増加傾向にあるといわれる．しかも，近年の非行は，特に問題家庭に育ったわけでもなく，表面は適応的な少年が重大非行や反復非行をおこしたり，真の動機や加害・罪悪感がはっきりしないなどの特徴が指摘されている．こうした特徴を有する少年による殺人事件が連続していることなどを理由に，少年法での刑事罰の対象年齢が「16歳以上」から「14歳以上」に引き下げられた．

C 小児期の情緒障害

小児期に発症する情緒障害は，従来，成人にみられる神経症性障害とは区別して，小児（児童）神経症（child neurosis）と扱われてきた．それは，この時期の情緒障害は正常発達でみられる症状が一過性に強調されたものが多く，成人にまで続かないためである．しかし，年齢が高くなるにつれて，成人の神経症性障害の症状に近づく．

(1) 分離不安障害
　　　（separation anxiety disorder）

保育所や幼稚園に行くときに，母親と別れたり，別れそうになるときに不安になり，泣いたりするのは普通みられることである．分離不安障害とはこの程度がひどい場合で，不登校の原因ともなる．

Advanced Studies

❶微細脳機能障害症候群（minimal brain dysfunction syndrome; MBD）

多動性障害と"運動機能に特殊な発達障害"を合わせもつ状態はこのように呼ばれた時期もあった．これは，こうした症状を示す小児には通常の神経学的検査で検出されるような粗大な神経症状はないが，微細な神経症状（soft sign）が認められるとのことで，脳に微細な損傷あるいは機能障害が想定されたためである．しかし，この脳の微細障害という概念自体が不明確で，さまざまな障害が含まれるため，現在では用いられていない．

(2) 恐怖症性不安障害
　　　（phobic anxiety disorder）

　子どもが，テレビや絵本を見て暗所や怪物などに恐怖を生じることはよくみられることである．恐怖症性不安障害は，特に広場恐怖などが頻回・持続性に強く出現する場合をいう．

(3) 社交不安障害（social anxiety disorder）

　人見知りがひどいため，両親など親しい人には普通に接することができるが，他の大人や仲間に対して恐怖や回避を示し続け，そのため対人関係形成が障害される状態で，回避性障害ともいう．

(4) 同胞葛藤症（sibling rivalry disorder）

　幼小児では，すぐ下に同胞が生まれた場合，対抗意識や嫉妬から多少とも情緒障害を示すことが多い．たとえば，一度身につけた排尿排便の自立を失うなどである．同胞葛藤症とは，その程度や持続時間が異常で，心理的・社会的障害を伴っている場合をいう．症状が軽い場合には，物を分け合うのをいやがったり，親しくしない程度であるが，重くなると，下の同胞に敵意を示し，身体を傷つけたり，かんしゃくやひきこもりなどの不機嫌，親への反抗などを示す．

d 小児期・青年期の社会的機能障害

　広汎性発達障害とは異なり，深刻な環境の歪みなどによる社会的機能の障害である．明らかな性差は認めない．

(1) 選択性緘黙（elective mutism）

　他人の話を理解し，かつ話す能力をもっており，家族や親しい友だちとは話すが，学校の中や見知らぬ人に対してはほとんど話さない状態である．どんな状況でもしゃべらないのを全緘黙症という．

　ほかにも，ひきこもりや対人不安，敏感など，なんらかの社会的な情緒障害をもっていることが多いため，早期の治療が必要である．

(2) 反応性愛着障害
　　　（reactive attachment disorder）

　近年，わが国では子ども虐待（child abuse）が大きな社会問題となっており，2000年に児童虐待防止法が施行されるに至った．この児童虐待とは，保護者による身体的虐待（暴力），性的虐待（わいせつ行為など），心理的虐待（非難や脅迫，過度の懲罰，無視），養育の拒否・怠慢（ネグレクト；衣食住の世話をしない，放置，学校に行かせない）などを意味し，子どもの性格形成に深刻な影響を与えるものである．

　反応性愛着障害とは，こうした扱いを受けた幼児にみられる他者への恐れと過度の警戒，友だちとの交流が乏しいなど社会的関係の異常をいう．ほかにも，自分や他人への攻撃性，励ましへの無反応，みじめさ，無感情，恐怖などの情緒障害を伴っている．被虐待児症候群ともいう．

(3) 脱抑制性愛着障害
　　　（disinhibited attachment disorder）

　乳児期から施設で育てられた子どもにおこりやすい障害で，ホスピタリズムあるいは施設症候群ともいう．正常児では愛着が両親などに選択的に向けられているが，本障害では愛着の対象が拡散しすぎている状態となる．幼児期には誰にでもべったりまとわりつく行動が，さらに大きくなると誰にでも親しくして注意を引こうとする行動などがみられるため，仲間との親しい信頼関係は形成されにくい．乳児期に世話してくれる人が頻繁に変わるため，愛情の対象を選択して培う機会が失われていたことによる．

e チック障害

　チック（tic）とは，通常，限局した筋群に突発的，無目的におこり，不随意的，急速で反復的，非律動的な運動や発声をいう．通常，ある時間は抑えることができたり，再現することができ，ストレスで増悪し，睡眠中は消失する．

　症状から運動性と音声性に，またそれぞれは単純型と複雑型に分けられる．

①単純型
- 運動性チック：まばたき，しかめ顔，首ふり，肩すくめなど

- 音声性チック：咳払い，鼻すすり，吠えるなど

②複雑型
- 運動性チック：自分を叩いたり，飛んだり跳ねたりなど
- 音声性チック：状況に合わない特定の単語を繰り返す，汚言（coprolalia；社会的に受け入れられない，しばしば猥褻な単語の使用など），同語反復（palilalia）など

経過からは，①一過性，②慢性，③Tourette（トゥーレット）症候群に分けられる．

一過性は最も普通のもので，慢性は1年以上持続する．両者とも家庭や学校，風邪などのささいなストレスでおこりやすく，症状も変化する．学童前期から学童期の男児に多い．

Tourette症候群は，小児期あるいは青年期に発症し，音声性および複数の運動性症状を合併し，1年以上続く慢性のチックで，成人期まで持続するのが普通である．以前は予後不良といわれていたが，治療にはドパミン拮抗薬が有効であり，多くが社会的に適応している．遺伝素因やなんらかの生物学的要因が推定されている．

f その他の行動および情緒の障害

(1) 非器質性遺尿症（nonorganic enuresis）

本人が意図しないのに尿をもらす現象を遺尿（enuresis）といい，夜間におこるものを夜尿という．排尿自立を達成しないまま続く一次性と，排尿自立したあとに発生する二次性とに分けられる．

成因として，家族性あるいは素因，排尿機能や脳の覚醒機序の未熟などの身体的要因，家庭内葛藤（同胞の誕生，過干渉で支配的な養育）や集団場面での緊張などの心理的・社会的要因がある．

治療には，子どもの自信や自尊心に配慮しつつ，支持的な精神療法や行動療法，家族指導と同時に，イミプラミンなど三環系抗うつ薬の就寝前内服が効果的である．

(2) 非器質性遺糞症（nonorganic encopresis）

不随意的に不適切なところに便をもらす状態を指し，遺尿症と同様に身体的要因や心理的・社会的要因などが複雑に関与している．また，ある程度の情緒および行動の障害を伴っていることが多い．異臭や不潔などから必要以上に叱責され，子どもに拒否感や不安・緊張感などが生じないように，家族カウンセリングも必要になる．

(3) 哺育障害（feeding disorder）

乳児期から幼児期における拒食と極端な偏食で，長期に続いたり，体重減少がみられる場合などをいい，神経性無食欲症は除く．

母親が摂食を強制したり干渉したとき，保育に自信を欠いているとき，あるいは離乳の際におこり，軽度のものはしばしばみられる．

(4) 異食症（pica）

栄養にならない物質（土，絵の具のかすなど）の摂食を繰り返すもので，精神遅滞児にみられることが多い．

(5) 常同運動障害（stereotyped movement disorders）

随意的に反復する常同的で，癖のような運動である．身体を傷つけない運動としては，身体ゆすり，頭ゆすり，抜毛，毛ねじり，指はじき癖，手叩きなどがある．自傷行為としては，頭突き（叩頭），顔叩き，目突き，手や舌噛みなどがある．精神遅滞児にみられることが多い．

(6) 吃音［症］〔stuttering（stammering）〕

吃音症とは話の流暢さが著しく障害され，どもる状態で，軽度のものは幼児期に一過性のリズム障害として，青年期から成人期には持続的なものがよくみられる．単音や音節，単語を頻繁に繰り返したり，話のリズミカルな流れをさえぎる頻繁な口ごもりや休止を特徴とする話し方である．

学校で他人の前で話す・読むなどの不安・緊張などをきっかけにどもり，いったんどもると予期不安や緊張によってさらに増悪する．このため，ゆっくり話すように指導しつつ，不安・緊張を解消するなどの支持的な精神療法が重要で，障害の

著しい場合には言語教室などでトレーニングを行う．

(7) 早口症(cluttering)

会話の際，突発的に速くしゃべったり，急に休止するなど，会話の速度やリズムに異常があり，語句の間違いも多いため，話の内容が不明瞭となるものである．

(8) その他の習癖

指しゃぶり，特に親指しゃぶりは1歳ころまでに始まり，次第に減少して，小学校入学までにはなくなる癖である．子どもの関心を他の活動に向ける努力が必要である．

爪かみもやや年長児に比較的みられる習癖で，青年期から成人期にも続くこともある．なんらかの焦燥，緊張の現れとも考えられており，他の癖と同様，子どもの年齢に応じた遊び・活動により，不安や緊張感の解消に努めることが重要である．

4 その他の精神障害

a 統合失調症，気分(感情)障害など

小児期の精神障害では，一般的に低年齢になるにつれ，自覚症状よりも行動面の変化，たとえば周囲の人との感情的接触障害，無関心，社会的ひきこもり，奇異な常同的行動などとして現れることが多い．

したがって，診断においては，精神遅滞や心理的発達障害，脳損傷，重度の神経症性障害などを含め，他の精神障害と注意深く鑑別する必要がある．

(1) 児童統合失調症(childhood schizophrenia)

学童期(6～12歳)に発病する児童統合失調症は稀なものである．自閉症との異同が問題になった時期もあるが，近年は成人の統合失調症の診断基準に当てはまる状態が小児に出現したものと考えられている．

精神症状は成人のそれと同様であるものの，精神発達や年齢差を反映し，若年では異常体験や漠然とした不安が，年長児では幻聴や妄想が多い傾向にあり，年齢が増すにつれて症状は多彩になり，成人のそれに近づく．前駆症状として，発症の前から学業成績の低下や集中力の低下などがしばしば気づかれている．また，発症には，転校や入院，肉親の死などの心理的・社会的ストレスが先行することも知られている．

治療では，薬物療法に加え，精神療法や環境調整などが重視される．予後に関しては，発症前の適応水準が低い場合には不良であるなど，成人のそれと基本的に同一である．

(2) 気分(感情)障害

うつ病は従来，10歳以前にはほとんどみられないといわれていたが，最近では学童期から発症することが明らかになっている．そして思春期ころから増加するが，一般に年齢が低いほど行動制止や意欲の減退，身体症状が前景にみられたり，病像が非定型で錯乱や昏迷を示す傾向がある．年齢とともに抑うつ気分や絶望感などを表現するようになる．不登校の背景ともなるので注意を要する．

躁うつ病は青年期からみられるようになる．

b 思春期妄想症

「自分の身体から嫌な臭いが出て，そのために周囲に迷惑をかけ，嫌われる」，「自分の視線が他人に不快な感じを与えている」とする妄想的な確信を抱く，比較的重症の対人恐怖の一群である．自己臭恐怖，視線恐怖などがあり，青年期の男子に現れやすく，ICD-10では持続性妄想性障害に含められる〔第9章J.2項「持続性妄想性障害」(➡147ページ)参照〕．自己臭恐怖の場合には，おなら，大便，腋臭，性器の臭い，口臭などが，自分とある程度の関係をもつ一定の範囲に広がり，その人たちが「くさい」と話していたり，鼻をつまんだり，自分を敬遠するので，自分が臭いを発しているのを確信する．このため，入浴を頻繁にしたり，内科や肛門科などを受診したりする．ひどくなると学校にも行けなくなる．

ほかには，自分の容貌などが他人より醜く，周

囲に不快感を与えると確信し，形成外科や美容形成外科を受診したりする醜形恐怖（dysmorphophobia）もある．

治療は必ずしも容易ではないが，発達促進的な生活指導や環境調整，精神療法が必要で，時には薬物の投与も行う．全体として年齢とともに徐々に軽減・消失する．なかには他の妄想や幻覚が出現し，統合失調症に移行することもある．

C 不登校

(1) 概念および類型

不登校（non-attendance at school）とは，心身の病気や経済的な事情（家庭の生活困窮）などの登校を阻む明確な理由がなく，非行的な怠け（怠学）などがないにもかかわらず，学校に行かない，あるいは学校に行くことを拒否する状態をいう．近年，不登校は増加しており，教育的にも社会的にも大きな問題になっている．学年別には，小学5～6年ころから多くなり，中学生で急増する．高校生では退学率などから中学生よりもさらに多くなると推測される．

発現には，本人の性格や自己評価，学習到達度，友人関係，学校のあり方，家庭養育環境，さらには社会一般の規範など諸要因が複雑に関係しており，決して一様ではない．しかし，不登校者の姿からは通常，以下の類型が指摘されている．

第1は学校恐怖（school phobia）である．これは養育者や家庭から離れることが不安となり，学校へ行けなくなるなど，分離不安を背景とするもので，保育所・幼稚園児や小学生によくみられる．

第2は，登校拒否（school refusal）で，本人なりの理由をあげて登校を拒否したり，逃避するもので，学校での不安や緊張が強い場合である．この場合には，本人は学校のことや成績や進学などを内心では気にしているため，他人から不登校を指摘されると，不安が増大し，自傷行為や家庭内暴力などの行動化が生じることが多い．

第3は無気力（school drop-out）で，学校への関心や登校への意欲がなく，非行に走るわけでもなく，次第に学校に行かなくなるもので，高校生に多くみられる．

そのほかに，非常に引っ込み思案で，交友関係などの社会性が未発達，知的水準が正常範囲の下位にある場合に学業や交友にも自信がもてずに学校に行けなくなる場合（萎縮型ともいう），境界知能にあるため，学業についていけないまま放置され，劣等感や不安・緊張が強まり，成績のみが評価される学校生活が耐えがたくなる場合などが指摘されている．文部科学省の区分では学業不振や学習困難などとされている．

(2) 実際の姿

小学生にみられる学校恐怖の場合，朝学校に出かけるころになると，登校をいやがり，家人がいくら説得したり，叱っても行こうとせず，同時に，頭痛や腹痛，下痢，悪心・嘔吐なども出現することが多い．

中・高校生の登校拒否では，最初から朝起きようとしないことが多いが，家庭内では普通にふるまい，学校の授業時間が終わる夕方から夜間，休みには買い物などに外出したりする．本人はある程度登校せねばならないと考えているため，親や教師が登校を促すと明日は行くと答えるが，翌朝になるとやはり登校できない．

軽い場合には毎月曜日，あるいは夏冬の休暇後の始業日に休む．このように，学校に行かなければならないのはわかっても，行きたくないし，行けなくなるのが不登校の実態である．そのうちに，さまざまな神経症様症状や問題行動がみられることも少なくない．

何もしないでひきこもった状態が長期に持続する場合には，一般には統合失調症やうつ病などが疑われる．しかし，明確な精神障害がなく，長期にわたり，場合によっては年余にわたって続く状態もみられ，近年"ひきこもり"として社会問題になっている．

(3) 治療および対策

各例ごとの背景要因の把握と対策が必要であるが，基本的には不登校をその子どもの心理的・社

会的発達過程の一部として受け止める態度が求められる．

両親へのカウンセリングや指導により，子どもの状態や不登校という事態を十分に理解し，成長を見守る一貫した態度や対処ができるように，担任の教師や教育相談機関，精神保健機関などとも十分な連携・協力をとりつつ，継続的に援助することが大切である．同時に，本人の納得や意欲とも関係するが，フリースクールや塾へ通ったり，単位制や定時制の高校や大学検定試験による大学への進学，アルバイトなどの労働も将来への大事な選択肢である．

本人が診療を望む場合には，十分時間をかけて，学校や家庭での問題や状況について話を聞き，不登校に至る心情やそれに伴う不安などを受容しながら，主に支持的精神療法を行う．集団精神療法やデイケアなどが効果的な場合も少なくない．不安や抑うつが著しい場合には薬物療法も行われる．

d 青年期の問題行動

一般に青年期には種々の内的葛藤が神経症化されるよりは，直接的に行動化(acting out)されることが多い．これは，おおよそ他者に向かう場合と自己に向かう場合に大別できる．

前者は，暴力行為(家庭内暴力，校内暴力など)や破壊，学校でのいじめなどである．重度のものは素行障害であり，非行や犯罪となる．一方，自己に向かう行動には，手首のカット(wrist cutting)などの自傷行為や自殺，薬物乱用，女子では性的逸脱・売春なども含まれるが，前述の不登校をはじめ，摂食障害，境界型パーソナリティ障害，薬物依存など，さまざまな現れ方をする．

ただ，これらの他者破壊的行動と自己破壊的行動とはしばしば共存しており，ある意味では表現型の違いとしてとらえることが治療や援助を考えるうえで重要である．

いずれにしても，こうした青年期の問題行動は増加しており，大きな社会問題，教育問題になっている．その背景は，不登校と同様に複雑であるが，基本的にはわが国の教育や文化，家庭，社会のあり方に深刻な問題が内包されていることの反映と理解される．

5 小児期・青年期精神障害の治療と援助，ケア

個々の障害の項で述べたことを，以下にまとめる．

a 治療関係の構築と精神療法・作業療法

小児では言語的能力が十分ではないため，言葉を用いた精神療法だけでは困難なことが多い．このため，遊戯療法や箱庭療法，さらには絵画など非言語的な方法を用いて，安定した治療関係を構築しつつ，患児の内面を把握し，さらには改善を促すことになる．これらは精神療法としても，作業療法としても行われる．

また，主として行動面の改善を目的に，行動療法によって子どもの健康な部分を強化し，不適切な部分を減弱していく方法も用いられる．

b 家族へのアプローチ

子どもの症状の発現には家庭や学校など，本人をとりまく環境が大きな要因となっていることが少なくない．したがって，原因の究明や治療には家族の協力が欠かせず，場合によっては家族関係の調整，家族への援助や適切な助言も必要となる．具体的には家族面接を通して行われる．

c 関係諸機関との連携・協力

不登校，素行障害や選択性緘黙，反応性愛着障害など，社会的関係にかかわる症状や行動の場合には，小児科はもとより，乳児院，保育所や幼稚園，学校，児童相談所や保護施設，矯正施設などの諸機関と連携し，治療や援助，ケアに向けて，家族を含めた協力関係の構築が必要である．

d 薬物療法

目的とする症状あるいは疾患を明らかにしたうえで，なるべく副作用の少ない薬物を少量から徐々に漸増していく．習慣性のある薬物は投与法に工夫を要する．いずれにしても，治療者との信頼関係が前提になるため，両親はもちろん，本人にも十分に納得のいくような説明が重要である．

C 成人期の精神医学

1 心理的・社会的特性

成人期は壮年期ともいい，26～49歳の時期を指す．身体的にも成熟が完了し，パーソナリティの発達もある程度達成されて，生物学的な意味では最も変化が少なく，安定・充実した時期である．

この時期には男女とも親から離れて自立し，職業を選択するなどして社会の一員として活動するようになるとともに，配偶者を決定して，家庭生活を営むようになる．通常の家庭生活では，男性は一家の経済的支柱として社会のなかで働くが，女性も社会で働くことが一般的となっている一方で，妊娠や出産などを経験する．男女とも育児を通じて父親や母親としてさらに成熟する．

このように，成人期には職業，家庭，育児などを通して現実に直面するので，理想主義に傾きやすい青年期に比べると，思考・行動とも現実主義的になってくる．

2 心身機能の変化と生活習慣病

身体機能は加齢とともに，20～30歳ころを頂点に徐々に低下し，40代では疲労からの回復などを含め，その衰えを自覚するようになる．しかし，これには個人差も大きく，この時期には大きな問題はない．一方，この時期の生活の仕方，すなわち，喫煙や飲酒，栄養の偏り，適度の運動の有無，労働状況などが，生活習慣病発症の大きな背景要因となる．

また，この時期の精神・心理機能の変化においては個人差が大きいものの，総合的な機能の水準は40代に入っても大きな低下はみられない．詳細は初老期の項（→225ページ）を参考にされたい．

3 メンタルヘルスの問題

この時期には，統合失調症や気分障害，神経症性障害，アルコール・薬物依存など，多くの精神障害が発症する．しかし，ほぼ定型的な症状と経過を呈するため，個々の障害に関する解説は各章を参照されたい．ここでは，メンタルヘルスに関する一般的な特徴を記す．

成人期は充実した時期である反面，後述する初老期と引き続いて，身体的・精神的にも，社会的・経済的にも，職場や家庭でかなりの無理が強いられるため，ストレスも大きく，さまざまな問題を惹起することが少なくない．

一般に男性では職場に関連した問題の比重が大きい．たとえば，コンピュータの導入による高度の専門技術化，年功序列の崩壊，企業の倒産とリストラ，長時間過重労働など，職場環境の激変によって，高血圧や循環器疾患，消化器疾患への罹患をはじめとする身体的変調，疲労や不眠といった半健康状態，過労死・過労自殺などが産業保健上の大きな問題となっている．これらの一部は心身症，自律神経失調症，さらに神経症性障害やうつ病などと診断され，内科や精神科で治療がなされている．このうち，うつ病は昇進，配置転換や出向，業績不振，失職などを契機とすることが多く，長期休業，自殺やアルコール依存症にもつながるため，特に注意を要する．

女性では，育児や子どもの学校生活にかかわる問題，たとえば，受験競争やいじめ，非行，不登校などに振り回されたり，PTAを含め親どうしの関係も含め，心労が重なることが多い．また，

夫との関係や年老いた親の世話，近隣との関係など，主として家族内外の身近な問題が神経症性障害やうつ病，妄想性障害，アルコール依存症や覚醒剤中毒などのきっかけとなりうるため，注意が必要である．また，働く女性が増加している現在，男性と同様の，もしくは女性に特有の職場に関連した過労やセクシュアルハラスメントなどの問題も次第に多くなる．

このように働き盛りの成人期にも特有なメンタルヘルスの問題が数多くあるために，特に職場においては労働安全衛生法に基づいて身体面はもちろん，精神の健康に関する教育や啓発，配慮が重視される．

D 初老期の精神医学

1 心理的・社会的特性

初老期は成人期から老年期への移行期であり，50〜64歳の時期を指す．退行期（involution）や向老期などもほぼ同じ用語である．更年期（climacterium）も，主に女性の閉経前後の時期を指すが，更年期うつ病などとして同じ意味に用いられる．これらはいずれも身体機能面での用語である．

一方，心理社会的発達の観点から，E.H. Erikson（エリクソン）はこの時期を「成熟期」とし，わが国でも"熟年"，"実年"などとする呼び方があるが，これらのほうがこの時期の心理社会的特性をより的確に表している．

2 心身機能の変化とその特徴

身体機能は少しずつ低下し始めるが，社会生活に大きな支障をきたすまでには至らないことが多い．しかし，この時期には高血圧症や糖尿病，脳卒中や癌などの生活習慣病への罹患が次第に多くなる．

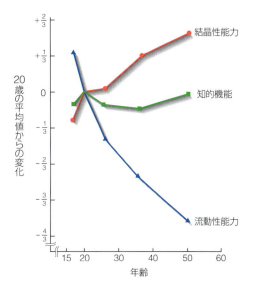

▶図2　年齢による知能の変化
単位は標準偏差（シグマ）

精神・心理機能については，知的能力，記憶機能，学習・認知機能などの低下が問題になる．しかし，知的機能には年齢に伴って低下する能力と，低下せずかえって向上する能力がある．

たとえば，新しい状況や未知の問題に対して柔軟に対応する適応能力は，30代をピークに徐々に低下し，60代以降は急激に低下する．一方，練習や教育など，過去の学習経験を通して確立された判断力は，20代から60代まで徐々に上昇し，その後，緩徐に低下する．前者を流動性能力，後者を結晶性能力といい，両者を総合した知的機能は初老期にはまだ低下しないといわれる（▶図2）．

WAIS-Ⅲでは，前者は類似，算数，積木模様，絵画配列などで，後者は単語，類似，知識，理解，絵画配列で特に必要と考えられている〔Cassel & Horn, 1985〕．

記憶機能では，特に機械的記憶能力は20歳以降は明らかに低下を示し，この時期から次第に著しくなる．論理的記銘などは経験によって増加するので，このころには新しい経験の獲得や学習に大きな障害はない．しかし，追想の障害，特にありふれた人名や物品名がとっさに想起できないことは40代から次第に多くなってくる．

このように，この時期では個々の精神機能に低下がみられ，その衰えを実感するものの，総合的な精神機能の水準はそれほど低下しないことが特徴である．

3 メンタルヘルスの問題

この時期は通常，家庭でも職場など社会の場でも最も責任が重く，期待される役割も大きいので，身体的・心理的・社会的負担が非常に大きくなる．

その一方，男性では人生の後半に入り，自分の能力や到達点の限界が見え，生きがいが低下するという面があり，さらに仕事上での挫折（失敗，離職，退職），近親者や知人の死亡，子どもの教育問題や高齢の両親の介護問題などにより，精神的負担を直接負わされることも多い．また，定年退職も現実の問題となる．

女性では，閉経による内分泌や自律神経の失調と上記の心理的要因とが重なって，さまざまな更年期症状が出現する．さらに，子どもが学校教育を一通り終えて就職したり，結婚したりなど，子どもの成長・独立により母親の役割も希薄になって，いわゆる対象喪失，"荷おろし"のために生きがいがなくなったと感じられたりする．その一方で，新たな嫁・姑の問題の出現に加え，夫の両親の介護問題を契機に，夫婦間の亀裂が深刻な事態に発展する可能性もある．

このように初老期は，ある意味では思春期と同じように，むしろそれ以上に複雑な形で心理的な危機をもたらしやすく，人生の後半に向けて，これまでとは異なった価値観や生き方の模索と形成が求められる．

4 初老期の精神障害

この時期には，前記の状況を背景に，アルコール依存症やうつ病，神経症性障害などに罹患しやすい．

Alzheimer（アルツハイマー）病などの神経変性認知症疾患，脳血管障害関連の精神障害，Parkinson（パーキンソン）病など，加齢に伴う器質的精神障害も徐々に目立ってくる．さらに，糖尿病などの生活習慣病，あるいは甲状腺機能低下症などの身体疾患に伴って出現する精神障害にも注意を要する．

上記の各障害の詳細については，それぞれの章を参照されたい．

E 老年期の精神医学

老年期は前期（65～74歳）と後期（75歳以上），さらに超高齢期（85または90歳以上）に区分されるが，それぞれで心身機能や社会的状況は大きく変わる．

1 身体・脳機能の低下と老年性疾患

老年期に入ると，呼吸・循環器系，運動機能，視聴覚系，神経機能などの身体機能は全般的に低下する．また，骨粗鬆症やAlzheimer病をはじめ，さまざまな老年性疾患に罹患する機会が増し，次第に社会生活や家庭生活に支障が生じ，医療や介護を要する状態に移行する．

2 精神・心理機能の特徴

精神・心理機能の老化については，知的能力，記憶機能，学習・認知機能，判断，意欲・行動力などの低下と性格変化などが問題になる．特に老年後期では，知的能力では総括的知能が，記憶機能でも機械的記憶や追想能力の低下がいっそう顕著になるが，個人差も大きい．一方，一般的知識のような意味記憶や技能などの手続き記憶は低下せず，比較的保持される．

性格面では，自発性の低下，柔軟性の低下，感情の調節障害（易怒性など），社会的内向性などの

変化がおこると指摘されている．しかし，それは高齢者の抱える身体的困難やおかれた社会的状況によるところが大きく，特定の変化は生じないとする考えも少なくない．なぜなら，それまでに形成された人柄が持続し，老年期にはより安定し柔軟性を増すなど，円熟することがごく一般的なためである．

3 社会的特性

老年期には，身体機能（運動能力，視力，聴力など）や精神神経機能がより低下し，さまざまな慢性疾患へ罹患したり，退職などによる人間関係の場の縮小や経済的基盤の弱体化によって，対人接触が少なくなり，次第に関心の範囲が自分の身辺に限られる傾向にある．

しかし，近年は積極的に地域の社会的文化的活動に参加したり，政治的経済的な活動に参加しつつ発言するなどして，自らの人生や生活の質（quality of life; QOL）を高めようとする高齢者の姿を見ることが多くなっている．

4 老年期の精神障害

a 老年期に注意すべき精神障害

老年期には，高齢になるにつれて認知症性疾患をはじめ，さまざまな精神障害が高率に発症するが，特に注意すべき精神障害をICD-10に基づいて以下に示す．詳細は各章を参考にしてほしい．

F0 器質性精神障害〔（　）は原因〕：各認知症疾患のほか，正常圧水頭症（くも膜下出血後），慢性硬膜下血腫（頭部打撲），脳腫瘍（肺癌の脳転移），Wernicke脳症・ペラグラ脳症（慢性アルコール中毒や栄養障害），症状性精神障害（甲状腺機能低下症，糖尿病，服用薬物）など

F1 精神作用物質性精神障害：アルコール依存症，タバコ依存症など

F2 統合失調症等：残遺型統合失調症，持続性妄想性障害，急性一過性精神病性障害など

▶表2　老年期精神障害の背景

A	加齢に基づく身体機能の低下，および身体疾患への罹患
B	加齢に基づく脳・神経機能の低下および障害
C	加齢に基づく精神・心理機能の低下，性格の変化
D	社会的環境的要因
E	既往の精神・身体疾患
F	元来の性格傾向，生活歴など
G	アルコールや服用中の薬物など

F3 気分障害：うつ病（うつ病エピソード，反復性うつ病性障害）

F4 神経症性障害等：全般性不安障害，重度ストレス障害，適応障害，解離性障害，身体表現性障害など

F5 生理的障害等：非器質性睡眠障害など

F6 成人のパーソナリティ障害等：持続性パーソナリティ変化，ギャンブル依存症など

b 一般的特徴

ここにあげる特徴の多くは，身体疾患においても共通する．

（1）原因が多元的なことが多い

老年期の精神障害の発生には多くの要因，すなわち，生物学的・心理的・社会的な因子がそれぞれ複雑に関与していることを念頭におかなければならない．たとえば，元来の性格や生活歴，本人をとりまく環境，既往疾患を含む脳や身体状態，精神・心理面での老化，服用中の薬の影響などである（▶表2）．

（2）意識障害をきたしやすい

一般に身体的・心理的・環境的ストレスへの抵抗力が弱く，容易に脳機能不全の状態に陥り意識障害を呈する．たとえば，発熱や脱水，身体疾患の増悪，検査などによる身体的侵襲，入院・入所による環境変化などにより，夜間せん妄が出現することはよくみられる．

（3）潜行性に進行していることが多い

急な発症にみえても，よく調べてみると，かな

り以前から脳の障害，認知症，性格変化などが徐々に進行し，これらを背景にしている場合も決して少なくないのである．

(4) 非定型的な症状が少なくない

幻覚妄想状態や抑うつ状態を呈する場合なども，性格変化や脳の加齢性変化，生活歴や環境要因も加わるため，成人期の症例に比べて非定型的であり，原因の特定や明確な診断は困難なことが少なくない．

(5) 回復が遅く，慢性化しやすい

うつ病や神経症性障害では，薬の効果も不良で，症状も遷延しやすく，再発しやすい．これは慢性身体疾患，脳の加齢に基づく性格変化や知的機能の低下に，複雑な環境要因や本人自身の問題も加わることが多いためである．したがって，薬物療法のほかにも，家族関係の調整，作業療法やデイケアなど集団（グループ）療法をはじめ，さまざまな精神療法的アプローチや生活支援が必要になる．

C 精神症状とその特徴

老年期精神障害では，意識混濁，せん妄，健忘，認知症などの器質性精神障害に特有の症状のほかに，不安状態や抑うつ状態，心気状態，妄想状態などをしばしば伴う．後者はうつ病や神経症性障害，持続性妄想性障害などにとどまらず，器質性精神障害にも頻繁にみられる症状であるが，老年期特有の病像を呈することが多い．以下にその特徴を解説する．

(1) 不安状態（anxiety state）

この時期に遭遇する身体疾患や認知症への罹患，配偶者や親しい知人の死，退職や転居，経済的困難や虐待などは，大きなストレス因となって日常的にさまざまな「不安」を生じさせる．こうした状況によって発症する不安状態は，全般性不安障害はもちろん，うつ病や神経症性障害，持続性妄想性障害，睡眠障害などの背景になっており，不安・抑うつ状態，心気・不安状態，妄想状態などとして表出される．

(2) 抑うつ状態（depressive state）

この時期は，最も抑うつ状態を発症しやすい時期である．また，認知症疾患の前駆期あるいは初期には自己の知的機能の低下に対する不安としても出現する場合がある．

一方，老年期のうつ病には，以下に示すような特徴を示すことが少なくない．

まず，食欲減退，頭痛，便秘，全身倦怠感などの身体症状や心気的訴えが多い反面，抑うつ気分や思考・行動の抑制（精神運動抑制）などが目立たない場合である．このため，身体症状を主訴に，身体科を受診しやすい（仮面うつ病）．また，不安や苦悶，焦燥感が強い場合（激越性うつ病）には，精神運動抑制が少ないことと関連して，自殺につながりやすく，老年期に自殺が多い背景となる．精神運動抑制が著しい場合には，動作が緩慢となり，記銘・記憶力をはじめ知的機能の低下が前景に出現するため，認知症様状態を呈する（仮性認知症）．認知症とは，気分の日内変動の確認と抗うつ薬への反応などにより鑑別は可能である．

さらに，心気妄想，貧困妄想，虚無妄想，罪業妄想などを形成しやすいこともあげられる．妄想が頑固な場合には後述する妄想状態との区別が困難である．

神経症性の抑うつ状態も多くみられるが，この場合には，配偶者，子どもや嫁など，家族内の持続的な葛藤を背景としたり，気分の日内変動はみられず，訴えが多いわりに抑うつ気分や身体症状は著しくはなく，元来の性格も依存的であったり，心配症のことが多い．

(3) 心気状態（hypochondriacal state）

この時期は複数の病気をもって過ごすことが多くなり（多病性），外界への興味が減少し，生活も消極的な方向に変化し，個人的な興味に関心が移る傾向もあって，自己の健康状態や身体機能のごくささいな変化が大きな関心事になる．こうした状態を背景に，心気症状を呈しやすい時期となる．さらに，家族や他者からの庇護や関心を求める心理として表出されることもある．

老年期の心気状態にはいくつかの特徴がみられる．たとえば，食欲や排泄，疲労感，睡眠など，ごく当たり前のささいな身体的変化にとらわれやすい反面，訴えにはそれほど深刻さがみられない場合があること，さらに，うつ病や妄想状態，認知症などの随伴症状として出現し，しばしば心気妄想に発展することなどである．

(4) 妄想状態 (delusional state)

老年期には妄想状態もしばしば発症するが，器質性・非器質性を問わず，共通する特徴をもつ．

まず，青年期のものに比べ，より現実的で，病前の性格，生活歴や職業歴，夫婦関係，本人をとりまく家族状況などから，ある程度了解可能なことが特徴である．加齢に基づく諸要因，たとえば聴力の低下，記憶力・理解力・判断力の低下，興味や関心の狭小化などによって思考の柔軟性が低下し，誤解や曲解が生じやすくなることを背景に，孤独感や周囲への不信感，健康への不安や疾病への恐怖が要因となって発症するためである．意識障害やせん妄などによって生じた幻覚や妄想の体験がその後の精神状態に影響を与えることもある（残遺妄想）．

妄想の内容としては，被害妄想や心気妄想，貧困妄想，罪業妄想に加えて，配偶者の貞操を疑う嫉妬妄想などが出現しやすい．被害妄想としては，記憶力の低下もあり，自分のものが「盗まれた」，「なくなった」などという"物とられ妄想"が多くなる．妄想の対象も，配偶者や子ども夫婦，嫁，介護者，ヘルパーなど，身近な者が多く，統合失調症のように周囲の不特定の者には広がらない．

d 各精神症状への治療とケア，リハビリテーション

老年者のうつ病や神経症性障害，持続性妄想性障害は，高齢者の増加に伴って対応を求められる機会が増すことは確実である．しかも，前述のように高齢者に特有な問題を背景に出現するため，老年期の患者・障害者のケアとリハビリテーションには身体面はもとより，心理面や社会面も含めた総合的な視点からのチームアプローチがいっそう必要となる．

具体的には，支持的受容的な対応とともに，デイケアや作業療法などの集団的アプローチや訪問などを通じて，家族を含め，多職種による医療的な支援が必要である．さらに，介護保険制度の訪問系通所系サービスの利用，生活援助に関する介護包括支援センターや自治体の福祉課，さらに社会福祉協議会や民生委員など，地域生活を支援するさまざまなサービスの提供や利用，情報提供も欠かすことはできない．

向精神薬による薬物療法においては，高齢に伴う代謝・排泄機能の低下による副作用を避けるためにも，なるべく短期・少量の投与が望ましい．特に，眠気やふらつきによる転倒はもちろん，服薬中はささいな身体状態の変化にも注意を払うべきである．薬物としては，成人と同様，不安状態や心気状態，睡眠障害などに対しては（依存に注意しつつ）抗不安薬や睡眠薬が，抑うつ状態に対しては副作用の少ない SSRI や SNRI などの抗うつ薬が用いられる．また，妄想状態に対しては，眠気や心循環系・錐体外路系の副作用が少ない新規抗精神病薬が第一選択薬となる．

いずれにしても，薬物療法は心理社会的アプローチと併せて行われることで効果が発揮できる．

F 理学・作業療法との関連事項

理学・作業療法においては小児から高齢者までの幅広い年代の患者・障害者を対象とする．したがって，ライフサイクルの節々で示す心理的・社会的特性とメンタルヘルスの課題，あるいは精神障害の特徴についてよく理解しつつ，本人や家族に接することは理学・作業療法の治療・援助技術の向上にとって最も基本的なことである．

- 小児期・青年期は，さらに乳児期，幼児期，学童期，青年期に大別され，それぞれに固有の精神・心理特性を有している．また，この時期には多様な行動・情緒，精神の障害があり，あるものは教育場面でも社会的にも大きな問題となる．
- 成人期は最も安定・充実した時期であるが，男女とも社会で重責を担うために，さまざまなメンタルヘルスの問題も生じることが多い．
- 初老期は成人期から老年期への移行期であるが，心理的にも社会的にも，思春期に次いで，危機がもたらされやすい時期である．
- 老年期には器質性精神障害を中心に精神障害が高率に発生する時期であるが，高齢者の抱える特有な問題を背景に，抑うつ状態や妄想状態なども青年期や成人期とは異なった特徴を呈することに，十分な配慮が求められる．

第19章 精神障害の治療とリハビリテーション

学習目標
- さまざまな精神障害における治療とリハビリテーションの目標ないし到達点について学ぶ．
- 現在，精神障害に対して用いられている主な治療法の種類と特徴，適応などについて学ぶ．
- 薬物療法に関しては，向精神薬の種類と主な薬物の作用，対象とする疾患や副作用，リハビリテーションにおける注意点などについて学ぶ．
- 精神療法に関しては，技法に基づく種類とその特色，対象疾患，実施にあたっての注意などを学ぶ．
- 社会的治療・リハビリテーションに関しては，その概念および歴史，主な活動の種類と概要などに関して地域ケアとの関連で学ぶ．

A 精神障害の治療とリハビリテーションとは

1 インフォームド・コンセントの原則

　精神障害の治療やリハビリテーションを進めるうえでの基本原則は，身体疾患・障害への治療やリハビリテーションと同様に，インフォームド・コンセント(informed consent；説明と同意，または説明と承諾)であり，これは"医療の倫理"とみなされている．

　国連の「精神疾患を有する者の保護及びメンタルケアの改善に関する原則」の原則11では，非自発的患者を除いて「患者のインフォームド・コンセントなしには，いかなる治療も行われない」とし，「インフォームド・コンセントとは，患者の理解しうる方法と言語によって，以下の情報〔注：診断や評価，治療の目的，方法，副作用など〕を，十分に，かつ，患者に理解できるように伝達した後，患者の自由意志により，脅迫又は不当な誘導なしに得られた同意」と説明している〔資料4(➡ 294 ページ)参照〕．わが国の精神保健福祉法でも任意入院に限定してはいるものの，第20条では「本人の同意に基づいて入院が行われるように努めなければならない」としている〔資料3(➡ 286 ページ)参照〕．

　ところで，精神科領域の治療やリハビリテーションを進めるうえで，この原則の適応が困難な場合も決して少なくない．たとえば，増悪期の統合失調症患者，認知症の高齢者あるいは自閉症の小児など，理解力や判断力などが低下しているため，同意や協力を得ること自体が困難な場合である．精神保健福祉法第33条では，このような対象者においては家族等の同意が必要としている〔資料3(➡ 286 ページ)参照〕．しかし，たとえ難しい場面に遭遇したとしても，患者本人の意志あるいは意思(考えや気持ち)が最大限に尊重されるべきであるし，そのように努力すべきである．

2 治療の目標

　一般に，疾病の治療は病的状態を取り除いて健

康な状態を回復することを目標にする．しかし，原因も多様で，複雑な経過を示す精神障害においては，そう単純ではない．たとえば，器質性精神障害には原因的治療による治癒が可能なものもあるが，統合失調症のように容易に再発し，慢性経過をたどる精神障害では，病状の悪化や再発を防ぎ，社会生活面での適応性を向上させることも重要な治療目標になる．また，神経症性障害のあるものや性格的背景を強くもつものでは，自己洞察を深め，新たなパーソナリティの形成に向かうことも治療の目標である．

したがって，精神障害における治療目標は多様であるし，その達成に至る過程も医療にとどまらず，保健・福祉の領域にまたがることが大きな特徴である．

精神障害における治療の転帰(outcome)は，症状面から以下のように分類されているが，これは治療目標を考えるうえで参考になる．

(1) 治癒
病的状態が根治し，再発の恐れもない状態である．身体的基盤を有する精神障害の場合に該当し，後遺障害があるときもないときもある．統合失調症で，欠陥治癒との表現は陰性症状や性格変化をある程度残した慢性期の状態を意味した．

(2) 寛解
症状がまったく消失し，病前の水準に回復した状態を"完全寛解"，著しく改善したものの，一部に症状が残存し，完全な回復とはいえないものを"不完全寛解"という．再発の可能性が存在する統合失調症や躁うつ病など，いわゆる内因性精神障害の転帰に用いている．

(3) 軽快
症状の多少の改善にとどまる状態をいう．

(4) 不変
治療前と同様な状態にとどまる場合をいう．

(5) 悪化
病勢に進行がみられる場合である．

なお，以下のように社会生活や治療の場での状態に基づく場合もある．

(1) 社会的寛解
寛解もしくは軽快し，社会生活を営むのに支障のない状態をいう．"家庭内寛解"とは家庭生活が可能な程度にとどまる状態である．

(2) 院内寛解
症状は消失しているものの，なお退院の困難な状態で，"社会的入院"とほぼ同じ意味である．

3 リハビリテーションの目標と方法

リハビリテーションは「障害者の権利回復」を理念とするが，その目標は，対象者の状況によりさまざまである．たとえば，障害の軽減と機能の回復・維持，健康面の強化，社会適応性の向上，ストレス対処技能の獲得，地域での生活自立，社会参加，就労や就学，生活や人生の質(QOL)の向上などがあげられる．

方法も，"障害(disability)"の各レベル(国際生活機能分類；ICF)に基づいて，治療的アプローチ，適応的アプローチ，社会的アプローチがあり，拠って立つ法や行政面からは医学的リハビリテーション，職業(的)リハビリテーション，社会的リハビリテーションなどに区分されたり，場の特性から地域リハビリテーションと呼ぶこともある．また，対象は「疾病ではなく，障害」とされる一方，疾病のもつ障害特性から"統合失調症のリハビリテーション"，"てんかんのリハビリテーション"などと呼ぶこともある．このように，リハビリテーションという用語の含む内容は非常に多様である．

精神障害では，外傷や先天奇形などとは異なり，疾病と障害，症状と機能障害とを明瞭に区分できない場合が少なくない．現在，精神障害領域におけるリハビリテーションは"慢性精神障害者の生活障害の改善，生活自立や社会参加への援助の活動"と同義に用いられているが，治療目標とされる社会適応性の向上や新たなパーソナリティへの成長や発展，発達の促進などはリハビリテーショ

ンの目標でもある.

このように，医療の実際では治療とリハビリテーションは重なり合っているため，本章では明らかな場合を除いて，治療とリハビリテーションは区分けしないで記すこととする（→ NOTE-1）.

4 治療・リハビリテーションの種類

精神障害の治療・リハビリテーションは，生物・心理・社会的（bio-psycho-social）な観点から総合的あるいは包括的に行われる．ここでは便宜的に，薬物療法，身体療法，精神療法，作業療法，社会的治療・リハビリテーションに大別して概説する．

治療という場合，狭義には医療の場で行われる保険診療を指すが，精神障害への治療は保健・福祉の領域でも実施されていたり，広く保健・医療・福祉にかかわるすべての職種が理解し，身につけるべき考え方や技術の場合もある．リハビリテーションに関しても同様である．

a 薬物療法

医師によって行われる治療法である．精神科薬物療法という場合，次項（→ 235 ページ）で解説する向精神作用を有する薬物による治療を指す．しかし，器質性精神障害では基礎となる疾患により，抗てんかん薬，脳代謝賦活・循環改善薬，抗 Parkinson（パーキンソン）病薬，抗認知症薬，抗ウイルス薬，抗生物質，副腎皮質ホルモンなど，さまざまな薬物が用いられる．

b 身体療法

現在では電気ショック療法（電気けいれん療法，電撃療法）を指し，医師により行われる．インスリン・ショック療法や精神外科は過去のものである．

c 精神療法

主に言語的手段を介して行う治療法で，精神科に特有なものである．主要な対象は神経症性障害などの心因性の障害であるが，うつ病や統合失調症などにおいても重要である．保険診療では，医師や臨床心理士が個人または集団を対象に行うものとされている．しかし，精神療法の考え方や技法はすべての関係職種が身につけるべき素養であり，技術である．

d 作業療法

広義には，手工芸や園芸，レクリエーションなどのさまざまな手段を用いて，心身の健康な部分に働きかけ，それを拡大することによって病的もしくは障害部分の軽減をはかる活動の総称で，日常生活や職業復帰前の訓練や指導も含む．しかし，現在では作業療法士によって行われる保険診療に限定して用いられる．このため，他の職種が行う場合にはレクリエーション療法や体育療法，音楽療法，芸術療法，あるいは園芸療法などと種目に命名して表現されている．作業療法（広義）の歴史的意義については別な個所でふれているが〔本章 E 項「社会的治療・リハビリテーション」（→ 247 ページ），第 20 章 A 項「精神障害者の処遇および医療の歴史」（→ 254 ページ）など〕，治療の実際に関しては専門書に譲る．

e 社会的治療・リハビリテーション

精神療法や作業療法を除き，患者をとりまく社会生活場面の治療的再編成や社会的集団を利用した諸活動の総称で，入院医療に限らず地域ケアや

> **NOTE**
> **1「精神科リハビリテーション」の用語**
> 「精神科」は医療機関の標榜科名であり，「精神科リハビリテーション」は精神科医療内のリハビリテーションを意味する．精神障害者に対するリハビリテーションは，医療にとどまらず，地域での生活自立や就労，社会参加を支援する広範かつ多様な活動からなるため，「精神障害（者）リハビリテーション」が適切であろう．

リハビリテーションにかかわるすべての活動を含む．保険診療はその一部にすぎない．

5 治療・リハビリテーションの場

精神障害に対する保険診療の場は，現時点では身体疾患と同様，外来と入院が主なものである（→NOTE-2）．

a 外来

今日では，外来（通院）医療が患者の意思を尊重する観点から原則と考えられている．これは持続性抗精神病薬やデイケア，外来作業療法，精神療法，訪問指導など，通院医療を支えるサービスが豊富となり，技術が向上したことがその背景にある．さらに，社会生活への影響を最小限にできること，入院体験が患者にとって否定的な要素となりやすいこと，治療効果が社会生活でのほうが正確に評価できること，治療への家族の協力や参加を得やすいこと，地域活動支援センターをはじめ地域で支える社会復帰の場が拡大していることなども重要な理由である．

b 入院

入院医療は，閉鎖病棟あるいは開放病棟で行われる．

(1) 閉鎖病棟

閉鎖病棟への入院が適応とされるのは以下の場合で，精神保健福祉法による入院形態としては医療保護入院や措置入院に該当する．
①異常体験が著しく，不安や興奮が激しい場合

> **NOTE**
> **2「精神病院」から「精神科病院」への用語変更**
> 精神保健福祉法などにおける用語「精神病院」を「精神科病院」に改正する法律が2006年12月から施行された．精神病者の収容施設というイメージの払拭，患者・家族の心理的抵抗感の軽減，専門的医療の提供施設であるとの国民の理解の促進などを制定の理由にしている．

②自殺念慮が強かったり，自殺企図のある場合
③精神障害によって社会的逸脱行為や暴力行為などがある場合
④せん妄やもうろう状態など意識障害があり，突発的行動による危険性が強い場合
⑤重度の認知症により，徘徊して自宅や自室に戻れないような状態の場合

このような状態が軽減・消失した場合には，速やかに開放病棟への転棟や開放的処遇が望まれる．

(2) 開放病棟

開放病棟（有床精神科診療所も含む）への入院は，病状が軽く閉鎖病棟の入院が不要な場合，前記の状態の軽減・消失による転棟のほかに，以下の場合がある．医療法での自由入院，精神保健福祉法での任意入院に該当する．
①諸検査や病状観察，薬物の調整などが必要な場合
②家族関係に問題があるために，家族から一時離したほうがよい場合
③摂食障害などで栄養状態が悪化し，身体的ケアが必要な場合
④再発の徴候がみられる場合

6 治療・リハビリテーションの流れ

精神障害の種類や病期，状態により異なるが，ここでは基本的な治療・リハビリテーションの流れについて解説する．社会的治療・リハビリテーションは，いずれの場合にもこれらの基礎となるものであり，特に慢性期では必須である．

a 統合失調症

急性期の陽性症状が活発な時期には薬物療法が主体であり，時に電気ショック療法も用いられる．症状が軽減するにつれて精神療法や作業療法の比重が大きくなる．薬物療法は再発防止のみならず，陰性症状や認知機能障害の改善にも欠くこ

とができない．

b うつ病・躁うつ病

薬物療法や，時には電気ショック療法も用いられる．うつ病では当初から精神療法は重要であり，症状軽減とともに作業療法も行われる．

c 器質性精神障害

原因疾患に対する治療が基本である．治癒しても機能・形態障害を残す場合，あるいは有効な治療法がなく進行性の経過をたどる場合には，作業療法や理学療法などが機能の維持・回復や身辺処理能力の維持・改善のために重視される．精神症状には薬物療法が，心理的問題が加わる場合には精神療法が必要となる．

d 神経症性障害，他の心因性障害

精神療法が主となるが，病期や症状によっては薬物療法が重視される場合もある．また，経過によっては作業療法も行われる．

e アルコール・薬物依存

初期には身体管理が，その後は精神療法が主となる．精神症状の程度や回復状況によって薬物療法や作業療法なども行われる．

7 治療・リハビリテーションにおけるチーム医療

治療・リハビリテーションを円滑に進めるために，さまざまな医療職種よりなるスタッフがチームをつくり，チームで行う医療をチーム医療（またはチーム・アプローチ）という．

精神科医療には，医師，看護師をはじめ，保健師，作業療法士，精神保健福祉士，臨床心理士，公認心理師など，多くの職種が参加している．これらの職種はそれぞれ単独で，あるいはチームをつくりながら，入院や外来，デイケアなどにおいて，退院指導や訪問指導，生活技能訓練，集団精神療法，作業療法などを行っている．このほか，薬剤師や栄養士，事務系職員も重要な構成員である．

こうした職種が，対象となる患者や家族に関する情報や治療・リハビリテーションの目標を共有し，それを遂行するために，それぞれが意見を交換しつつ自らの役割を確認する定期的な会合をもつことはきわめて重要である．精神科医療においては，こうした各スタッフ間の民主的な討議と連携，協働が何より重視される．

B 薬物療法（向精神薬療法）

1 概念

精神疾患に対して睡眠薬を用いる治療はかなり以前に行われていたが，それは意識状態を低下させ，精神活動全体を抑えつけることであった（持続睡眠療法）．

これに対していわゆる向精神薬（psychotropic drug）は，原則として意識を障害せずに，精神運動興奮・幻覚・妄想などの精神症状だけを鎮静させたり，抑うつ気分や不安感だけを選択的に解消させるという点で画期的な薬物である．

このうち，統合失調症を中心に用いられる抗精神病薬（antipsychotic drug）の始まりは，1950年代にフランスの J. Delay（ドレー）らによって報告されたフェノチアジン（phenothiazine）系の代表的な薬物であるクロルプロマジン（chlorpromazine）である．それ以後，ブチロフェノン（butyrophenone）系をはじめ，今日まで多種類の薬物が開発され，こうした薬物の使用方法も，その主作用・副作用に関する知見の集積をもとに，大きく発展してきている．

多くの向精神薬は脳内の神経接合部（シナプス）に働き，神経伝達機構に作用する．この事実は，統合失調症や躁うつ病などの，いわゆる内因性精神障害の基盤に，脳内神経伝達機構の異常を想定

▶表1　向精神薬の種類

名称	対象となる主な疾患・病態
1. 抗精神病薬	統合失調症，躁病，妄想状態
2. 抗うつ薬	うつ病，抑うつ状態
3. 気分安定薬	躁うつ病
4. 抗不安薬	神経症性障害，心身症
5. 睡眠薬	さまざまな不眠

▶表2　よく用いられる抗精神病薬

		一般名	商品名（例）
従来薬	フェノチアジン誘導体	クロルプロマジン	コントミン
		レボメプロマジン	ヒルナミン
		フルフェナジン	フルメジン
		ペルフェナジン	ピーゼットシー
	ブチロフェノン誘導体	ハロペリドール	セレネース
		ブロムペリドール	インプロメン
		チミペロン	トロペロン
	ベンザミド系化合物	スルピリド	ドグマチール
	その他	クロカプラミン	クロフェクトン
新薬		リスペリドン	リスパダール
		クエチアピン	セロクエル
		オランザピン	ジプレキサ
		ペロスピロン	ルーラン
		アリピプラゾール	エビリファイ
		ブロナンセリン	ロナセン
		クロザピン	クロザリル
		パリペリドン	インヴェガ，ゼプリオン

させる1つの根拠となり，また不安や抑うつといった心理的出来事の物質的基盤を明らかにもしてきた．

向精神薬は，大きく分けると表1のように5種類となる．このほかに精神科治療では，抗てんかん薬（antiepileptic drug）〔第8章の表3（➡124ページ）参照〕や抗認知症薬〔第5章 C.1.e 項（➡76ページ）参照〕，アルコール依存症への抗酒薬（➡NOTE-3）なども用いられる．

2 抗精神病薬

a 抗精神病薬の臨床

強力精神安定薬（major tranquilizer），あるいはその作用機序から自律神経遮断薬ともいわれ，統合失調症などの幻覚妄想状態，不安緊張状態，精神運動興奮などに用いられる．そのほかに，たとえば高齢者のせん妄でも，興奮が強いときは，鎮静のために少量用いられる．

今日では便宜的に，従来薬と新薬に大別される（▶表2）．

従来薬は，フェノチアジン系（クロルプロマジンが代表），ブチロフェノン系（ハロペリドールが代表）など，これまで長い間，用いられてきた薬で，第一世代抗精神病薬や定型抗精神病薬ともいわれる．

新薬（新規抗精神病薬）は近年，わが国で第一選択薬として用いられるようになったリスペリドンやクエチアピン，オランザピン，ペロスピロン，アリピプラゾールなどで，第二世代抗精神病薬や非定型抗精神病薬と呼ばれる．これら新薬の大きな特徴は，①陽性症状への効果は従来薬とは変わらないものの，従来薬では効果の乏しかった陰性症状や認知障害に効果がみられ，再発防止作用も従来薬より優れていること，②従来薬で必発する錐体外路症状があまり出ないことなどである（➡Advanced Studies-1）〔第9章 E.1.b 項「神経化学的研究」（➡134ページ）も参照〕．

NOTE

3 抗酒薬

従来の抗酒薬（シアナマイドなど）は，アルコールの代謝産物である"アセトアルデヒド"（二日酔いの原因）の分解を抑制し，飲酒時に不快感を生じさせて飲酒を遠ざけようとするものであった．一方，新薬のアカンプロサート（商品名：レグテクト）は，中枢神経系に作用して飲酒欲求そのものを抑制するものである．

経口服薬では従来の1日3分服だけでなく，患者の生活状況に合わせて，1日1回就寝前の服薬が行われたり，外来ではデポ剤の注射による治療が行われている．

抗精神病薬の登場によって，精神科治療には大きな進歩がもたらされた．精神科病院内の治療的雰囲気が向上し，開放的治療が行われやすくなり，外来治療が大幅に拡大し，その結果，作業療法やデイケアをはじめとするリハビリテーション活動の発展が可能になった．

抗精神病薬療法の導入後，急性期の精神症状の改善とともに，旧来いわれてきた"いわゆる人格荒廃"へ比較的早く陥っていく統合失調症は少しずつ減少している．さらに，新薬の普及につれて，統合失調症の経過や予後がよりいっそう改善することが期待されている．

b 抗精神病薬の副作用

抗精神病薬には表3のような副作用がある．こ

▶表3 抗精神病薬の副作用

錐体外路症状	パーキンソン症候群
	アカシジア
	急性ジストニア
	遅発性ジスキネジア
	遅発性ジストニア
錐体外路症状以外の副作用	眠気，ぼんやり
	自律神経症状：立ちくらみ（起立性低血圧症），頻脈，口渇，便秘
	食欲増進，肥満，脂質異常症
	皮膚症状；日光皮膚炎，薬疹
	肝障害，脂肪肝
	けいれん
	悪性症候群
	血糖値上昇，糖尿病の増悪

うした副作用は薬の特性だけにはよらず，患者の年齢や身体状態などによる個人差もある．抗精神病薬は入院治療でも外来治療でも，長期間継続して服薬されていることが多いが，あるときから初めて副作用が顕在化してくることがある．また日常生活場面や病棟でみられなくても，作業療法やデイケアの場面で初めて出現することもあるため，作業療法士は抗精神病薬の副作用をよく知る必要がある．

副作用を，錐体外路症状とそれ以外のもの，新薬の副作用に分けて述べる．

（1）錐体外路症状

従来薬でQOLを低下させる最も問題の症状である．

① パーキンソン症候群

筋固縮，前屈姿勢，寡動，よだれなどである．抗精神病薬服用者の15〜45％にみられ，高齢者に多い．

② アカシジア（akathisia；静座不能症）

じっと静かに座っていられず，立ったり歩き回ったりする．患者は「身体がいらいらする」，「じっとしているとつらい．人と話したり，動き回っていると楽になる」などと言う．頻度は

Advanced Studies

❶ 脳内のドパミン神経系と抗精神病薬の作用

下の表に示すように，脳内には4つのドパミン作動神経系があり，陽性症状は辺縁系ドパミン系の機能亢進，陰性症状は前頭葉ドパミン系の機能低下との関連が推測されている．また，慢性期の前頭葉ではドパミン系の機能低下と拮抗する形で，セロトニン系の機能亢進が推測されている．従来薬はすべてのドパミン系を抑制するため，副作用が強い反面，陰性症状に効果が乏しい．

一方，新薬はセロトニン系を抑制し，前頭葉ドパミン系の機能を亢進させるために陰性症状に効果があると考えられている．また，陽性症状に関係する辺縁系ドパミン系は抑制するため，セロトニン・ドパミン拮抗薬（serotonin-dopamine antagonist; SDA）とも呼ばれる．

従来薬と新薬：4つのドパミン神経系への抑制作用

	従来薬	新薬	抑制の作用・副作用
中脳辺縁系	あり	あり	陽性症状への効果
中脳前頭葉系	あり	なし	精神機能の抑制 陰性症状へは無効果
黒質線条体系	あり	少ない	錐体外路症状
視床下部下垂体系	あり	少ない	無月経，乳汁分泌

パーキンソン症候群の場合と同程度である．精神症状が軽快し，服用している抗精神病薬が相対的に過量になった場合などにおこる．

アカシジアでは，平静で落ち着いていた患者に夜間の徘徊や多動，そわそわ感がおこるので，統合失調症状の悪化と間違われやすいが，一般に統合失調症の悪化とアカシジアとは次の点で区別される．

- アカシジアでは身体・手足がいらいらするが，統合失調症の悪化では精神的にいらいらする．患者自身区別していることもある．
- アカシジアでは「治してほしい」と治療者に訴えてくる．統合失調症の悪化では，苦しさを自分で抱えて医療の助けを求めたがらないことが多い．
- 統合失調症の悪化では一般に自分の世界に閉じこもる．

③急性ジストニア（acute dystonia）

比較的多量の服薬で頸部や体幹の捻転と筋緊張の亢進，眼球上転，舌の突出などが急激に出現する．

④遅発性ジスキネジア（tardive dyskinesia）

長期の服薬後にみられるもので，舌を左右に動かし，出し入れしたり，食べるような動きをする口周囲，頬，舌，下顎などのジスキネジアが多い．

⑤遅発性ジストニア（tardive dystonia）

遅発性ジスキネジアと同様に，長期の服用後に，頸部や体幹の捻転などとして出現する（▶図1）．

(2) 錐体外路症状以外の副作用

①薬の種類あるいは個人によって眠気をおこすことがある．「頭がぼんやりする」，「頭が重い」などと訴える．

②抗精神病薬は自律神経遮断作用をもっているため，立ちくらみ（起立性低血圧），頻脈，口渇（➡Advanced Studies-2），便秘などがしばしばみられる．

③食欲増進や体重増加がみられ，脂質異常症，糖尿病，脂肪肝の原因となるため，食事指導や適

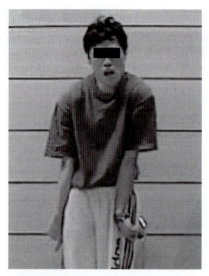

▶図1　遅発性ジストニア
体幹の捻転のほか，顔面や手指に舞踏病様不随意運動もみられる．新薬の普及による予防，軽減・消失が期待されている．
〔佐々木幸哉医師のご厚意による〕

度な運動などが重要である．

④皮膚への副作用として，日光皮膚炎がある．強い日ざしに当たると，皮膚炎をおこしやすいので，屋外での活動の際には注意を要する．薬疹は比較的稀である．

⑤肝機能障害を引き起こしたり，悪化させることがある．

⑥稀に全身けいれんを引き起こすことがある．

⑦悪性症候群（neuroleptic malignant syndrome または syndrome malin〈仏〉）

大量の抗精神病薬を用いたときに，突然に高熱を発し，頻脈，発汗，よだれなどの自律神

Advanced Studies

❷抗精神病薬の副作用としての口渇と水中毒

抗精神病薬によってしばしば口渇がおこるが，水分量をたくさんとりすぎて低ナトリウム血症をおこし，ひいては，けいれんや意識障害に至るような症例が，精神科の入院患者のなかで時にみられる．これらは通常，抗精神病薬による水中毒（water intoxication）といわれ，従来から知られていた口渇より，さらに重篤な副作用として注目されている．

経症状，意識障害，筋硬直，筋れん縮などを示す．血清クレアチンホスホキナーゼ（creatine phosphokinase; CPK）値の著明な上昇がみられる．

(3) 新薬で注目される副作用

認知機能の急激な改善をみることがあり〔目覚め現象（awakenings）〕，病気や将来への不安の高まりや焦りから自殺の危険性が増すことも指摘されている．オランザピンとクエチアピンでは血糖値の上昇があるため，糖尿病患者では禁忌であり，服薬中は定期的な血糖検査が必要である．また，体重の増加（肥満）や脂質異常症も指摘されている．

3 抗うつ薬

a 概念

抑うつ状態に対して用いられる薬物を抗うつ薬（anti-depressive drug）という．従来用いられていたアミトリプチリンやイミプラミンなどの三環系抗うつ薬，ミアンセリンやマプロチリンなどの四環系抗うつ薬に加え，近年は抗コリン作用による副作用の少ない抗うつ薬が急速に用いられてきている．フルボキサミンやパロキセチン，ミルナシプランなどである（➡ Advanced Studies-3）．

抗うつ薬の出現により，うつ病の治療のかなりの部分が外来的に行われるようになり，また軽症のうつ病や身体症状が前景にあるうつ病（いわゆる仮面うつ病）では，内科でも抗うつ薬を用いて治療できるようになった．

b 臨床で用いられる抗うつ薬

表4に，臨床で用いられる主な抗うつ薬をあげる．ほとんど内服で使用されるが，点滴にて使用されるものもある（クロミプラミン）．また，表5に抗うつ薬の主な副作用をあげる．頻度の多いものは眠気やふらつき，口渇，起立性低血圧などで，排尿困難も時にみられる．三環系抗うつ薬は，緑内障への使用は禁忌である．選択的セロトニン再取り込み阻害薬（SSRI）は服用時に悪心・嘔吐をみるほか，セロトニン症候群や退薬症状（離脱症状）に注意が必要である（➡ NOTE-4）．

4 気分安定薬

躁うつ病の治療（主に躁病）や予防に用いる薬物を気分安定薬（mood stabilizer）という．

炭酸リチウム（リーマス®）は，双極性障害（躁うつ病）の躁・うつ両相の精神症状の安定を目的に使用されるが，躁・うつ両相の病相の動揺の安定にも効果があると考えられている．一方，表6に示すような副作用がある．効果を示す用量と中毒

Advanced Studies

❸ 抗うつ薬の作用機序と新しい抗うつ薬

三環系抗うつ薬の抗うつ薬を第一世代，四環系の抗うつ薬を第二世代ともいう．この作用機序は，うつ病のモノアミン仮説（抑うつ症状はノルエピネフリンやセロトニンなどのモノアミンの枯渇が原因であるという仮説）に基づき，モノアミン再取り込み阻害作用にあると考えられた．しかし，これらの薬物の抗コリン作用に起因した副作用が問題にされ，近年，第三世代として，セロトニン再取り込み阻害作用がきわめて高い選択的セロトニン再取り込み阻害薬（selective serotonin reuptake inhibitor; SSRI）やセロトニン・ノルアドレナリン再取り込み阻害薬（SNRI）が開発され，今日では抗うつ薬の主流になっている．

NOTE

❹ セロトニン症候群と退薬症状（離脱症状）

セロトニン症候群は脳内のセロトニン活性が亢進することで発現する症候群である．選択的セロトニン再取り込み阻害薬（SSRI）が注目されるが，セロトニン再取り込み作用の強いクロミプラミンや，セロトニン作動薬物であるトラゾドンなどでも発現する．特徴的な症状は，不安・焦燥・興奮などの精神症状，頭痛・めまい・嘔吐・昏睡などの身体症状で，場合によっては死にいたることもある．

抗うつ薬では急激に服薬を中断すると脳内セロトニンの急激な減少の結果，退薬症状（離脱症状）が生じることがある．離脱症状は，めまい・嗜眠・悪心・抑うつ・鮮明な夢などで，抗コリン作用がある薬物や半減期の短いSSRIでは注意する必要がある．

▶表4　よく用いられる抗うつ薬

	一般名	商品名(例)
三環系抗うつ薬	イミプラミン	トフラニール
	アミトリプチリン	トリプタノール
	クロミプラミン	アナフラニール
	アモキサピン	アモキサン
ベンザマイド系化合物	スルピリド	ドグマチール，ミラドール
四環系抗うつ薬	マプロチリン	ルジオミール
	ミアンセリン	テトラミド
選択的セロトニン再取り込み阻害薬(SSRI)	フルボキサミン	デプロメール，ルボックス
	パロキセチン	パキシル
	セルトラリン	ジェイゾロフト
	エスシタロプラム	レクサプロ
セロトニン・ノルアドレナリン再取り込み阻害薬(SNRI)	ミルナシプラン	トレドミン
	デュロキセチン	サインバルタ
ノルアドレナリン・セロトニン作動薬(NaSSA)	ミルタザピン	リフレックス，レメロン

▶表5　抗うつ薬の副作用（主に三環系抗うつ薬について）

しばしばみられるもの	ときどきみられるもの	稀なもの
● 便秘 ● かすみ眼 ● 眠気(鎮静) ● めまい，ふらつき ● 立ちくらみ(起立性低血圧) ● 発汗 ● 洞性頻脈	● 排尿困難(→尿閉) ● 嘔気，嘔吐，食欲減退 ● 振戦 ● 体重増加	● 発疹 ● けいれん発作 ● 錯乱，せん妄 ● 不整脈 ● パーキンソニズム ● 麻痺性イレウス ● 黄疸 ● 血液障害

〔上島国利：治療. p.1361, 南山堂, 1984 より一部改変〕

量が近いことから，その血中濃度を測定し，臨床検査（血清電解質，心電図，脳波など）を行いながら使用する必要がある．

抗てんかん薬であるカルバマゼピン（テグレトール®），バルプロ酸ナトリウム（デパケン®），ラモトリギン（ラミクタール®）なども気分安定薬として広く使用されている〔第8章の表3（→124ページ）参照〕．

5 抗不安薬

抗不安薬（anti-anxiety drug）は主として神経症

▶表6　炭酸リチウムの副作用

副作用	症状
意識障害	めまい，眠気，傾眠，錯乱，昏迷，けいれん，昏睡
胃腸障害	食欲不振，悪心・嘔吐，下痢，胃部不快感
神経障害	手指の振戦，筋力の低下，筋線維束性れん縮，運動失調，筋緊張亢進，腱反射亢進

性の不安に対して用いられるが，うつ病における不安にも有効である．表7に示すように，ベンゾジアゼピン系の薬物が主体である．これらの薬物は抗不安作用のほか，抗けいれん作用，睡眠作用もあり，抗てんかん薬や睡眠薬としても用いられる．

▶表7 よく用いられる抗不安薬

一般名	商品名(例)
ベンゾジアゼピン系	
ジアゼパム	セルシン, ホリゾン
オキサゾラム	セレナール
ブロマゼパム	レキソタン
ロラゼパム	ワイパックス
メキサゾラム	メレックス
アルプラゾラム	ソラナックス
クロチアゼパム	リーゼ
エチゾラム	デパス
クロキサゾラム	セパゾン
非ベンゾジアゼピン系	
タンドスピロン	セディール

▶表8 ベンゾジアゼピン系抗不安薬の副作用

比較的多いもの(1〜5%*)	中枢神経抑制症状:眠気, 倦怠感, 脱力感, ふらつき, めまい感
	自律神経症状:口渇, 悪心
少ないもの(1%未満*)	(中枢, 末梢)神経または筋症状:嗜眠, 運動失調, 構音障害, 霧視, 複視, 振戦
	自律神経症状:頭痛, 便秘, 血圧低下, 失禁, 食思不振
	アレルギー症状:皮膚発疹
稀だが注意を要するもの	奇異反応:易刺激性, 興奮, 錯乱, せん妄, 多幸症(オキサゾラムでは知られていない)
	身体依存:禁断症状として不穏, 不眠, せん妄, またはけいれん(オキサゾラムでは重篤なものは知られていない)
	急性狭隅角緑内障または重症筋無力症の悪化(オキサゾラムでは知られていない)

* 報告者または(ベンゾジアゼピン系化合物では)薬物によって頻度にいくぶん差がある〔医薬品要覧. p.181, 薬業事報社, 1981による〕.
〔渡辺昌祐:図説臨床精神医学講座 2. 精神科治療学, p.38, メジカルビュー社, 1988より一部改変〕

ベンゾジアゼピン系抗不安薬の副作用としては**表8**のようなものがあるが, 筋弛緩作用によるふらつきが多い. 大量使用に及ぶ依存はわが国では少ないが, 長期連用による, いわゆる常用量依存には注意しなければならない〔第7章 C.1項「睡眠薬・抗不安薬関連障害」(➡ 106ページ)参照〕.

▶表9 よく用いられる睡眠薬とその作用時間

一般名	商品名(例)	作用時間
ベンゾジアゼピン系		
トリアゾラム	ハルシオン	超短時間
ブロチゾラム	レンドルミン	
エチゾラム	デパス	短時間
リルマザホン	リスミー	
ニトラゼパム	ネルボン	
ロルメタゼパム	ロラメット, エバミール	中間
フルニトラゼパム	サイレース	
エスタゾラム	ユーロジン	
クアゼパム	ドラール	
ニメタゼパム	エリミン	
フルラゼパム	ベノジール, ダルメート	長時間
ハロキサゾラム	ソメリン	
非ベンゾジアゼピン系		
ゾピクロン	アモバン	超短時間
ゾルピデム	マイスリー	
エスゾピクロン	ルネスタ	短時間
メラトニン受容体作動薬		
ラメルテオン	ロゼレム	超短時間
オレキシン受容体拮抗薬		
スボレキサント	ベルソムラ	短時間

6 睡眠薬

各種の睡眠障害(不眠)に対して用いられるのが睡眠薬(hypnotics)である. 主にベンゾジアゼピン誘導体が用いられる. 入眠と熟眠のどちらにより効果があるかによって, すなわち作用時間の長短によって臨床的に使い分けられる.

表9に主な睡眠薬と作用時間からみた分類を示す. 睡眠薬はあらゆる精神疾患に用いられるが, 特に統合失調症や躁うつ病の著しい不眠に対しては抗精神病薬との併用も行われる. 一方, 依存性の強い長期経過をもつ神経症性障害患者には, 薬の減量や同一薬物への固執回避なども考慮して用

いなければならない.

C 身体療法（電気ショック療法）

電気ショック療法(electroshock therapy)は，電撃療法または電気けいれん療法(electroconvulsive therapy; ECT)ともいう．向精神薬が開発される以前には，統合失調症や躁うつ病に対して入院および外来で広く用いられていた．

現在では，薬物効果の上がらない場合や，うつ病者で自殺の恐れの強い者，精神運動興奮のきわめて強い場合などに用いられる．即効性があり，長期の薬物療法に比べれば副作用が少ないため，この治療法の利点が再評価されている．

100Vの電流を，左右前額部に電極を置いて数秒間流して，全身の強直間代性けいれんを引き起こす．1日1回，数回～10回で1クールとする（▶図2）．副作用としては，記憶障害，顎関節脱臼などがある．人工的にてんかん大発作をおこさせるので，大発作に対するケアが必要となる．

今日，電気ショック療法を行うには，患者からインフォームド・コンセントを得，さらに麻酔科医の協力のもとに全身麻酔下で行うことが求められる傾向にある．また，通電の方法や電流の波形にもさまざまな改良が加えられてきているが，これを修正型ECT(mECT)と呼ぶ．

D 精神療法

1 概念と定義

精神療法(psychotherapy)という言葉の示す範囲は広く，また他のさまざまな治療技法，看護活動，あるいはボランティア活動の一部もそのなかに重なり合っている．精神療法という言葉を，特

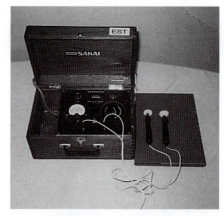

▶図2 通常用いられている電気けいれん治療器

に身体療法に対する用語，つまり非身体的療法という意味で考える場合には，このような広い治療分野を含むことになる．その場合は，たとえば精神障害者の作業所の活動も一種の精神療法ともいえることになる．つまり，励ましやなぐさめ，相談など，心の交流に関係する行為はすべて精神療法のなかに含まれることになる．

他方，精神療法という言葉を狭く考えて，たとえば精神分析や森田療法のように一定のやり方で，しかも訓練を経た者によって行われる治療法だけに用いることがある．精神療法という言葉は，多くはこのような使われ方をするが，この場合は精神科治療のなかの，ことさら精神療法とは呼ばない精神療法的側面を除外してしまうことになるし，逆にあまりに広く用いれば，精神科治療や精神科看護，精神科リハビリテーションにおけるほとんどすべての実践を指すことになってしまう．

2 精神療法の分類

このような事情を反映して，精神療法の分類・整理は立場によって，さまざまであり，唯一どれが正しいというものはない．

本書では，上述した考え方のうちの後者，特に

一定の手法をとる非身体療法的治療全体を精神療法と考える．また精神療法は，主に言語を介在にした個人と個人のかかわり合いに基づく治療を中心とすることは確かであるが，ここでは行動面に働きかけるものなども含めて考えることとする．

こうした立場から，本書では精神療法を大きく2つに分ける．1つは，治療者と患者が主として言葉を介在してかかわり合うもので，多くは力動精神医学を基盤にしている．もう1つは，行動に焦点を当てるもので，学習理論や条件反射理論に依拠するものが多い．

3 主として言語を用いる精神療法

a 精神分析療法

S. Freud（フロイト）によって，19～20世紀初頭にかけて創始された．精神分析療法は力動的精神療法の母胎であり典型である．

現実のなかでなんらかの心理的困難に直面し解決できないと，われわれの心（自我）のなかには葛藤が生じる．自我はその葛藤状況から自らを守るために，さまざまな防衛機制を働かせるが，解決できない場合，多くは葛藤を無意識のなかに抑圧してしまう．これによって一時的に心の安定は保てるが，無意識内の葛藤は折にふれて自我を揺さぶる．その結果，不安を中心とする精神症状や身体症状が表面に現れる．これが神経症性障害である．したがって，その治療では，無意識に抑圧されている葛藤の解決が基本となる．

このための治療上の技法が"自由連想法"である．これは，患者を寝椅子に横にさせ，治療者はその背後にいて，患者の心に浮かんだことをそのまま次々に話させ，治療者はその内容を分析して，患者の抑圧された葛藤を明らかにする．定型的には，1日1回45分程度の面接を日を改め，連続して行う．治療者はまず自分自身が精神分析を受け（教育分析），専門的に訓練を受けて初めて精神分析を行う資格を得る．神経症性障害が主な対象であり，統合失調症，躁うつ病には適用されにくい．

今日，こうした古典的精神分析療法がそのまま行われることは必ずしも多くはなく，なんらかの形で修正され，力動的精神療法の名称で行われている．基本的にはFreudの精神分析を継承しているが，Freud以後の精神分析学の成果を取り入れ，実践的には，より簡略に行われている．

患者の示す心理・行動上の問題を自我防衛機制から理解すること，患者・治療者間の関係〔転移（transference）〕に注目し適切に処理すること，患者の自己洞察を深め自己評価を高めることなどが目標となる．

b 簡易精神療法

精神分析理論にある程度根ざしてはいるが，治療者による分析・解釈をあまりせずに行う精神療法が簡易精神療法である．神経症性障害をはじめ統合失調症やパーソナリティ障害など，すべての精神障害に適応できる．笠原にならって以下に要点を示す〔笠原 嘉，村上 仁ほか（監）：精神医学．3版, p.722, 医学書院, 1976より〕．

①患者が自分の心理を言葉で表現できるよう促し，静かに見守る．
②患者が自分の心理的問題を整理するのを助け，心理世界の立て直しに協力する．
③患者の苦悩に共感することに努め，指示や指導めいたことはなるべくしない（もちろん必要に応じ，指示・激励は与える）．
④患者の治療者への転移感情に注意し，適切に処理する．
⑤患者の無意識世界には立ち入らない．心因の究明を急がない．
⑥患者の努力を評価し，患者自身の自己評価を高めるようにする．

c 集団精神療法

集団精神療法（group psychotherapy）では，数人から10数人の患者グループと1人あるいは2人の治療者がグループをつくって集まり，相互に

対話する．一定のテーマで意見を出し合ったり，個人の発表に対して感想を述べ合ったりする．こうした場では1対1の人間関係とともに，1人対複数あるいは複数対複数の人間関係から生じる治療的な相互効果，いわゆる集団力動が生じる．このような集団力動を通して，各人の心理的特徴や人間関係上の問題点が現れる．

集団精神療法は，このようにして集団場面で初めてみえてくる患者の問題点を明らかにし，かつ集団がもつ治療力を利用する．患者は集団場面において，自分とは違う意見を学び，逆に他人との共通点から自信を取り戻し，助力する喜びを知り，他人とふれ合うことから自分の状態について自覚を深め，論争のなかに自分の姿を見いだして人間関係を学んでいく．

アルコール依存症や境界型パーソナリティ障害，摂食障害をはじめ，統合失調症など，さまざまな精神障害が対象となる．アルコール依存症者の集まりとしては，Alcoholics Anonymous（AA）や断酒会が有名である．精神科デイケアの活動種目にも取り入れられている．

d 家族療法

患者を支える家族は多くの問題に直面する．患者の家族内に，もともと人間関係の歪みがある場合もある．病人が出た結果，家族全体が危機に陥ることもある．

そこで患者だけでなく，患者を含めた家族全体を対象とした精神療法として，家族療法（family therapy）が重要になってくる．家族構成員個々への精神療法，家族全員の小集団療法など，現在の家族療法にはいろいろな技法があるが，基礎理論として共通しているのは「全体と部分は互いに影響し合う」というシステム論である．家族構成員の心理的問題を解決することは，患者の治療上，重要である．

e 現存在分析療法

M. Heidegger（ハイデガー；1889–1976），L. Binswanger（ビンスワンガー；1881–1966），M. Boss（ボス；1903–1990）らによる人間学的研究と，Freudの精神分析理論から形づくられたものである．治療者と患者の出会いにより，患者の症状から明らかにされる現存在の変容（ごく日常的な言葉でいえば，周囲世界とのかかわりについての，感じ方や意味の受け取り方の変化とでもいえようか）を，治療者が患者とともに明らかにしていく過程が治療につながるとされる．

類似のものにロゴテラピー（Logotherapie〈独〉）がある．オーストリアのV.E. Frankl（フランクル；1905–1997）により創始された．治療者が患者と世界観について話し合い，人間のもつ本来的な抵抗力に呼びかけて葛藤の乗り越えをはかろうとするものである．Frankl自身の収容所体験（『夜と霧』として有名）が，この治療法に影響しているともいわれている．

4 主として行動を介在とする精神療法（いわゆる行動療法）

a 行動療法とは

行動療法（behavior therapy）は，1950年代後半から出現し，急速に発達してきている方法である．基本的に人間の行動を一定の法則に基づいて学習されたものと考える．こうした視点からみると，精神症状も同じく学習されたものとなるが，人間にとっては不適応なものである．治療の目的はこの不適応な行動を変化させることにあると考える．

H.J. Eysenck（アイゼンク；1916–1997）は，本療法を力動的心理療法と比較している（▶表10）が，これによって，前述した言葉を介在する治療方法との違いが明らかである．

b 脱感作療法

脱感作療法（desensitization therapy）は，患者自身が避けようとする対象（強迫観念など）に，逃げずに直面させることによって，そうした恐怖の

▶表10 力動的心理療法と行動療法の比較

力動的心理療法	行動療法
1. 公準の形式に決して適切に定式化されない．一貫性を欠く理論に基づく	検証可能な演繹に導く，適切に定式化された一貫性のある理論に基づく
2. 必要な統制的観察または実験抜きに行われた臨床的観察から導かれている	基礎理論と，それから行われた演繹を検定するために特に計画された実験的研究から導かれている
3. 症状を無意識の原因（"コンプレックス"）があからさまになった結果と考える	症状を不適応的な条件反応と考える
4. 症状を抑圧の証拠と考える	症状を誤った学習の証拠と考える
5. 症状論は防衛機制によって決定されると信じる	症状論は，偶発的な環境状況および条件づけ可能性と自律神経不安定の個人差によって決定されると信じる
6. 神経症障害の処置はすべて歴史的に基礎づけなければならない	神経症障害の処置はすべて現在の習慣に関するものである．習慣の歴史的発達には関係しないといってよい
7. 治療は根底にある（無意識の）力動を統制することによって達せられるのであって，症状それ自体を統制することによって達成されるのではない	治療は症状それ自体を統制すること，つまり，不適応な条件反応を消去し，望ましい条件反応を確立することによって達せられる
8. 症状，夢，行為などの解釈は重要な処置の要素である	解釈は，たとえ完全に主観的でも誤りでもない場合にも無関係なものである
9. 症状論上の処置は新しい症状をつくりあげていくことになる	症状論上の処置を行い，骨格的および自律的な条件反応過剰が消去されさえすれば永久回復に導く
10. 転移関係は神経症障害の治療に欠くことのできないものである	個人的関係は，ある状況では有用であることもあるが，神経症障害の治療に欠くことのできないものではない

〔Eysenck, H.J.（編），異常行動研究会（訳）：行動療法と神経症．p.14, 誠信書房, 1964 より〕

対象から自由にさせようとする治療法である．避けようとするから，よけい不安になるので，直面すれば思ったほどでもなかったという体験をさせることが治療の基本である．主として，強迫神経症や恐怖症性不安障害に対して用いられる．

系統的脱感作療法では，患者にあらかじめ不安緩和の訓練をさせておいて，不安のイメージを弱いものから強いものへと段階的に与えながら順次乗り越えさせる．

c バイオフィードバック療法

脈拍，血圧，体温，脳波などの生理学的な指標をもとにして，患者に自ら好ましい状態を体得させる．そのよい状態を持続するよう練習させ，刺激に対するセルフコントロールをはかるものをバイオフィードバック療法（bio-feedback therapy）と呼んでいる．心身症や神経症性障害が主な対象である．

d 催眠療法および自律訓練法

催眠は古くから医療に用いられているが，J.H. Schultz（シュルツ；1884-1970）はこれを応用して自律訓練法（autogenic training）を創始した．いずれも暗示によって症状の改善をはかるものである．

催眠療法（hypnotherapy）では，注意集中と一連の暗示的な誘導によって引き起こされる心理・生理学的状態のもとで，治療者が暗示を与えて症状を除去したり，カタルシスをおこしたりする．神経症性障害，心身症，児童の情緒障害などに用いる．

自律訓練法には，定められた手順があり，一定の方式に従って6段階の訓練を行い，全身の弛緩状態をつくり出し，生理機能の調整や心理的自己統制を行う．不安神経症，強迫神経症，心身症，不眠などに用いられる．

e 心理劇

心理劇(psychodrama)は，J.L. Moreno(モレノ；1889–1974)によって創始された．人間が現実社会のなかで身動きできず，自発的に生活できない状態に陥っている場合，劇の中で自己の希求を反復表現させることによって自発性を回復させることを目指す．

実際の場面では，監督と補助自我と観客の3つの役割がある．補助自我は監督の意を受けて役割的な行為を行い，観客には社会の規範的な反応が求められ，これらが患者に影響を与える．監督は患者を理解し，治療的な指導をする．

f 遊戯療法

遊戯療法(play therapy)は表現力が未発達で治療への動機づけに乏しい児童を対象とし，治療者と子どもがプレイルーム内で一定の時間を過ごし，いろいろな玩具を使用しながら，子どもの心に内在する自己治癒力を発揮させようとする心理療法である．

5 言語と行動の両方が介在する精神療法

a 森田療法

森田療法とは，森田正馬(まさたけ)によって創始された，禅の思想とかかわりの深い，東洋的・日本的な治療法である．不安や恐怖に直面し，現在の状況を"あるがまま"に受け入れ，逃げ出さずに，そのなかで不安・恐怖に打ち勝っていくことを目的とする．

手法としては入院治療が主で，次のような段階を踏む．

①第1期(絶対臥褥療法期)：外部から遮断され，治療者もかかわりをもたぬことで患者は苦悩と対決する．
②第2期(隔離療法期)：外界の事物の観察，軽作業，日記を書くことなどが許可される．
③第3期(作業療法期)：重作業，読書が加わるが，他者との接触は制限される．
④第4期(生活訓練期)：実生活に準じた生活をする．

その期間は第1，2期を1週間以内とし，他は症状に応じて考慮される．神経症性障害(特に不安神経症)，心身症が対象となるが，森田のいう「神経質」(疾病に対して恐れをもちやすく，そのため自己の身体感覚やふと思いついたことが気になり，それがさらに疾病への恐れを生むという悪循環に陥っている状態)がその治療の中心となる．

上述した入院による定式化された治療だけでなく，外来的には，たとえば症状に対する自分の感じ方を日記風につづり，それを治療者と検討しながら症状の除去を目指すような方法もある．いずれにしろ，森田の言う「あるがまま」を，単に理解するのではなく，生活のなかで身につけていくことが目標となる．

b 内観療法

内観療法では，系統的に自己省察を行うことにより，個人の態度やパーソナリティの改善を目指すことを目的とする．与えられた室内で1人で次のような作業を行う．過去，現在の他人とのかかわりにおける自己の態度を回想，反省させる．視点のもち方，手順などは，標準化されている．こうした作業を短期間に集中的に行う．治療者は患者が教示どおりに行っているかどうかを確認，指導する．治療者との面接は毎日4～5分を頻回(8～10回)に行うが，立ち入った交流はしない．浄土真宗の教義を背景とし，吉本伊信(1916–1988)によって始められた．アルコール依存症，心身症，神経症性障害などが対象となる．

c 認知行動療法

認知行動療法(cognitive behavior therapy；CBT)とは，患者の不適応に関係のある行動，情緒，認知を治療の目標にし，不適応な反応を軽減させ，適応的な反応を学習させていく治療法であ

E 社会的治療・リハビリテーション

▶図3 回復期にある摂食障害の患者による箱庭作品
〔栗田紹子医師のご厚意による〕

る．この治療法の提唱者としてはA. Beck（ベック；1921-）が有名である．

不適応な状態には，患者の予測・判断・価値観などの認知の問題が関係し，これらの認知的な要因が情緒や行動に及ぼす影響を認知行動療法では重視する．

実際の治療では，こうした情緒や行動に影響を及ぼしている認知的な要因を治療目標とし，学習理論をはじめとする行動を変容させる技法を用いて，それらを適応的な認知へと変化させ，情緒の安定や行動の修正をもたらそうとする．「自分の考え方を変えると，気持ちや行動が変わる」ことを自覚できるように促し，自己制御の獲得を目指す方法である．うつ病や慢性統合失調症などが主な対象となる．

d 箱庭療法

箱（72×57×7cm）に種々の玩具（人，動物，植物，乗物，建築物，柵，石，怪獣など）を用意して，患者に自由に作品をつくらせることによって治療を行う方法を箱庭療法（sand play）という．

この療法において最も重要なことは，治療者とクライエントとの人間関係であり，それを基礎に"自由にして保護された空間"が与えられると，自己治癒力が活性化され，内界に生じることを箱庭に表現することによって癒されていくという．児童や思春期の症例に用いられる（▶図3）．

1 概念

人間は常に社会的環境と相互作用を営みながら生活しているため，精神障害の発生やその経過は他の身体疾患とは比較できないほど，環境としての社会の影響を受ける．したがって，精神障害の回復にあたって，患者・障害者が生活する環境や集団を治療的に組織・運営したり，活発化させることは非常に重要である．

こうした視点は，歴史的には環境療法（milieu therapy），社会療法（social therapy）などとして，精神科病院における入院環境が主な対象とされてきた．しかし，今日ではノーマライゼーションとバリアフリーの理念に基づいて，患者の生活する地域社会を広く含む活動を意味しており，リハビリテーションの諸活動とほぼ同義的に用いられている．

2 欧米での歴史

近代に入って，精神科病院を治療にふさわしい場に改革しようとする社会的治療・リハビリテーションの動きは，18世紀後半の人権思想の高揚期を背景に，まず鎖などで拘束されている精神障害者の処遇を改善することから開始された〔第20章（→254ページ）参照〕．同時に，こうした動きは，入院中の生活をより豊かにするためにも，治療をより効果的に進めるうえでも，さまざまな手仕事や農作業，音楽やスポーツなどのレクリエーションを導入することと深く結びついて進められたことが大きな特徴である．

第二次大戦後，デイケアが開始される一方，精神科病院のあり方が検討された．その結果，精神科病院自身を1つの治療環境とするために，治療

関係やスタッフ間の関係のあり方などに関して，おおよそ以下の方向が確認された．
①患者の示す症状には，病院の治療環境としてのあり方も否定的に影響していること
②精神科病院は積極的な治療の場として認識すべきで，このためにも閉鎖病棟をできるだけ少なくして，病院を開放化する必要があること
③患者は受け身的な治療・看護の対象としてでなく，主体的に判断し行動するような役割を与えられることが，病気の回復にも重要な意義をもつこと
④病院内でおこるさまざまな事柄が，スタッフにも患者にも明確に伝達されることが望ましいこと
⑤そのためにも病院全体の機構や運営が民主的であることが必要で，あらゆるスタッフによる治療チームの会議や患者を含めた全体的な会議が頻回にもたれる必要があること

1970年代以降は，脱施設化とデイケアの推進によって地域精神保健福祉の活動として展開されたが，上記の基本的な考え方は，こうした活動において生かされていった．

3 わが国の歴史

わが国で官公立の精神科病院が建設されたのは1875（明治8）年以降である．1901年，東京府立巣鴨病院（都立松沢病院の前身）の医長（まもなく院長）に就任した呉秀三（1865-1932）は，患者の人権を尊重し，それまで用いられていた患者の拘束用具を禁止する一方，病院を都内の松沢村に移転させ，作業や院外での運動を推進した〔第20章 A.2項「わが国における処遇」（→255ページ）参照〕．

第二次大戦後の1956（昭和31）年，小林八郎は長期慢性入院患者の治療として「生活療法」を提唱した．それは生活指導（しつけ療法），レクリエーション療法（遊び療法），作業療法（働き療法）とを総合したもので，患者にとっての生活の場である精神科病院をできるだけ治療・リハビリテーショ

▶図4　1960年代の生活療法の一場面
A：農作業，B：雪中運動会での棒たおし
〔故 山下格北海道大学名誉教授所蔵〕

ンの場にふさわしいものにしようとする活動であった．生活療法は，慢性患者に対する治療的働きかけであると同時に，従来の閉鎖的で収容中心の精神科病院のあり方の改革を目指して熱心に推進された（▶図4）．

しかし，欧米諸国のように精神科病院内における患者の人権のあり方，スタッフ間および患者・スタッフ間の関係のあり方，管理・運営体制の民主化などの検討が不十分で，かつ私的精神科病院の急激な増加を背景に，やがて生活療法は患者への画一的な強制・管理，あるいは使役労働であるなどとして批判されるに至った．

患者の人権保障や社会復帰施策が不十分で，隔離・収容的なわが国の精神保健医療のあり方が真剣に検討され，法制度面で改善されたのは1987年の精神保健法制定以降のことである．

4 主な活動の種類と概要

社会的治療・リハビリテーションは広範な領域にわたるが、近年の活発な実践を通じてさまざまな新しい支援技法が生まれ、活用されている。本項では、歴史的にも実践的にも重要な活動の理念とその概要を解説する。技法の詳細については巻末の参考文献を利用されたい。なお、国や地方自治体の精神保健福祉施策ならびに保険診療として実施されているものの解説は次章に譲る。

a 治療共同体

治療共同体(therapeutic community)は、イギリスのM. Jones(ジョーンズ；1907–1990)の実践により1950年代に定着した概念である。これは、入院治療においては患者の生活全体が治療的に運営されなければならないというもので、基本的には前述した環境療法と同一である。ただ、治療共同体という場合には、病院内における患者の生活上の決定をできるだけ患者自身が行えるように配慮することが強調されている。

そのためには、病院内の種々の事柄を決定するにあたって、スタッフばかりでなく患者自身をも含めた会合、特に患者が議長、書記などを務めながらその共同体のメンバー全員が出席して行う会議、すなわちcommunity meetingが定期的かつ頻回にもたれるのが特徴である。また、患者会(patient council)や治療的患者クラブ(therapeutic patient club)なども組織され、患者だけからなる会合で患者どうしの対人的葛藤、興奮患者や自閉的な生活を続ける患者への対応の仕方、スタッフに対する批判などが討議され、患者の積極的な治療参加を促すように配慮された。

こうした理念は、従来の病院が権威的で階層的なシステムであり、このなかで患者が従属的な役割を強いられる結果、主体性や自律性が奪われ、依存的な状態に陥ってしまうとの反省を基礎にしており、精神科病院の構造をできるだけ民主的にし、それを通じて患者の能力を発揮させようとするものである。ただ、この試みはイギリスとアメリカ以外には広がらず、脱施設化の動向に加え、病院の管理運営が困難で職員への精神的負担が大きいなどの理由で70年代には終焉し、この理念は病院外の地域精神保健医療・福祉の活動に継承された。

b 自助グループとその活動

自助グループ(self-help group)とは、同じ病気や障害、ニーズを抱える患者や障害者が互いの気持ちの分かち合いや相互支援、情報交換などを目的に結成した当事者団体を指し、社会一般への啓発活動や施策の改善を求める活動も行っている。

わが国の精神保健領域ではアルコール依存症者の自助グループが最初に発足し、1958年の高知での断酒会に始まり、1963年には全日本断酒連盟を結成して断酒の活動を推進、2013年にはアルコール健康障害対策基本法の成立に尽力した。また、統合失調症の家族は、1965年、各地の家族会活動を結集し、全国精神障害者家族会連合会(全家連)を結成、精神科医療改善の活動を展開していたが、2007年に破産・解散、全国精神保健福祉会連合会が後継組織になっている。その他、薬物依存やうつ病、神経症性障害、摂食障害、発達障害などの自助グループも設立されている〔アルコール・薬物依存に関しては第7章E.4項(→114ページ)参照〕。

統合失調症者に関しては、1980年以降、各地で回復者クラブとして、自主的に、あるいはスタッフの支えによって組織・運営され、仲間づくりや居場所づくりの活動を行ってきたが(▶図5)、1993年、全国精神障害者団体連合会(全精連)を結成、精神障害への差別や偏見の解消、精神保健福祉施策改善の活動を展開している〔第20章 図6(→258ページ)参照〕。さらに、障害者団体や専門職学会などで構成される日本障害者協議会(JD)にも加盟し、障害者施策の改善と障害者権利条約の実行を求めて活動している。

▶図5 わが国初の精神障害当事者の会によって設立・運営されている小規模作業所
1988年札幌すみれ会が募金により建設した（写真左は所長）〔筆者撮影〕．その後，1999年と2013年，募金により改築された．

　このように，自助グループの活動は，多様ではあるものの，基本的には障害者の権利回復を目指すものである．

c 地域での生活自立への支援

　病気の進行や長期の入院により，洗面や更衣，食事，服薬，さらには交通機関や公共機関の利用など，身辺処理（セルフケア）や社会生活の能力が低下し，社会参加が制約されることは決して少なくない．生活自立への支援あるいは援助とは，こうした障害を軽減し，地域での生活自立を目標に行われるケアやリハビリテーションの諸活動を指す．

　入院治療としては，退院（地域移行）と地域での生活自立を目標に，精神科看護や作業療法として，あるいは病棟のチーム・アプローチとして行われる．また，医療保護入院や退院の困難な場合，担当相談員や退院促進支援委員会が地域活動支援センターなどの事業所と連携し，当事者スタッフであるピアサポーターの支援なども得ながら行われる．

　今日，地域で生活する精神障害者への支援は最も重要な課題である．医療的支援としてはデイケアや通院作業療法のほか，訪問看護指導などが主体で，高齢精神障害者には訪問看護ステーションや在宅療養支援診療所も選択肢となる．重症の精神障害者に対して有効性が確認され，わが国でも試行されているACT（包括型地域生活支援）に関しては別に解説する．

　障害者総合支援法による支援は，ホームヘルパーの訪問，共同生活援助（グループホーム）などの障害福祉サービスに加え，相談支援や地方自治体による地域生活援助事業の諸サービスが該当するが，なかでもピアサポートが今後重視される．

　一方，日常の金銭などの管理がうまくできず，生活が困難な場合には，日常生活自立支援事業や成年後見制度の利用も選択肢となる（➡ NOTE-5, 6）．

d レクリエーション療法

　レクリエーション療法（recreation therapy）またはレクリエーション活動は，さまざまな種類の遊びや趣味活動，スポーツやダンスなどの身体運動，旅行，芸術・芸能活動などの総称で，個人的にも大小の集団でも，屋内外でも容易に行われる．このため，病棟の活動としても，作業療法やデイケアにおいても，さらに地域の社会復帰諸施設においても行われる最も基本的な活動である．これらを通じて，患者個人の意欲や感情，さまざまな

NOTE

5 日常生活自立支援事業
都道府県などが社会福祉協議会などに委託して行う事業．対象は日常生活を適切に行うことが困難な精神障害者や認知症高齢者，知的障害者で，本人の希望により日常の金銭管理や貯金通帳の管理などを行うもの．日常生活支援専門員が担当し，利用料負担を伴う．

6 成年後見制度
2000年に施行され，認知症や知的障害，統合失調症などにより，自己の財産管理・処分の判断能力（事理弁別能力）に障害がある者が対象で，「法定後見制度」と「任意後見制度」とがある．前者では，判断能力を欠く場合は後見人，著しく不十分な場合は保佐人，不十分な場合は補助人が保護・支援を担当する．後者は，将来の判断能力の低下に備えて，あらかじめ任意後見人を決めておくものである．

身体機能，対人関係の改善，さらに集団全体を治療的に好ましい状態へと変化させることが可能になる．

レクリエーションは，余暇活動として地域で暮らす障害者にとって，働くこととともに欠くことができないものである．

e デイケア

デイケア（day care）あるいはデイホスピタル（day hospital）は，ナイトケア（night care）を含め，最も重要な社会的治療・リハビリテーションの形態である．

デイケアは1940年代後半に，イギリスのJ. Bierer（ビエラ）やカナダのD.E. Cameron（キャメロン）らにより開始された．Biererのデイケアは"ベッドのない病院"を目指す立場から開始され，地域に独立した治療的患者クラブを創設発展させているが（マールボロ・デイホスピタル），この理念は前記の治療共同体の発展と理解される．すなわち，イギリスでは第二次大戦前後から従来の精神科病院のあり方への批判に基づいて，病院の内外で社会的治療が推進されたことを意味している．一方，Cameronのデイケアは精神科の外来機能の拡充を目的とするものであった．わが国の病院・診療所併設型デイケアおよび独立施設型デイケアの役割は，こうした2つの歴史の流れのなかで理解することもできる．

デイケアは統合失調症患者の社会適応性の向上はもとより，陰性症状や認知機能障害の改善，再発防止に大きな役割を発揮している．さらに，高齢者はもちろん，うつ病や神経症性障害，アルコール・薬物依存，てんかん，高次脳機能障害，青年期・思春期障害などを有する者の回復やリハビリテーションにとっても有用である．

デイケアは精神科医療を在宅・通院中心に移行させるうえでも，リハビリテーションの場を医療から福祉・就労の場へと広げるうえでも，中継点としての役割を果たす．

f 心理教育

心理教育（psychoeducation）とは，患者や家族に対して，病気の性質や治療法，対処方法など，療養生活に要する正確な知識や情報を提供することによって，効果的な治療やリハビリテーションを進めるための教育的援助アプローチの総称である．

当初，統合失調症家族の感情表出（expressed emotion; EE）〔第9章のNOTE-8（➡ 136ページ）参照〕の低下や患者の再発防止を目的に行われた教育プログラムに対して命名された．しかし今日では，アルコール依存症はもちろん，うつ病や心理的発達障害，認知症疾患，脳外傷後遺症など，さまざまな精神障害患者・当事者および家族に対する教育プログラムも含めている．

こうした教育的援助アプローチは，保健・医療においてはインフォームド・コンセントの観点から，服薬アドヒアランスや再発防止をはじめ，患者の療養における主体性を育成したり，疾病・障害の受容促進を目的に行われる．次項の生活技能訓練における服薬・症状の自己管理など各種モジュールを用いたプログラムもこれに該当する．福祉の領域においては，各種の援助制度や社会資源などに関する情報提供を通じて，社会参加や地域での生活自立を援助・促進するために行われる．

このように，心理教育は今後もさまざまな形をとりながら広く展開される重要な援助活動である．

g 生活技能訓練

生活技能訓練（social skills training; SST）とは，社会生活を送る慢性精神障害者の自立支援を目的に，R.P. Liberman（リバーマン；1937–）らによって開発された認知行動療法に基づくリハビリテーション技法で，わが国では1980年代に導入された（▶図6）．

大きな特徴としては，患者が自らの関心に基づいて長期・短期の生活の目標を立て，その方向に

▶図6 Liberman 教授(右から7人目)(アメリカ・カリフォルニア大学ロスアンゼルス校)によるSSTの研修
〔2001年7月,札幌医科大学にて,筆者撮影〕

練習の順序
1. 練習することを決める
2. 場面をつくって1回目の練習をする
3. よいところをほめる
4. さらによくする点を考える
5. 必要ならばお手本をみる
6. もう一度練習をする
7. よいところをほめる
8. チャレンジしてみる課題を決める(宿題)
9. 実際の場面で実行してみる
10. 次回に結果を報告する

▶図7 生活技能訓練(SST)のセッションの流れ
SSTの際に掲示するポスターの一部

向けてスタッフが援助する立場を明確にしていることである。技法としてのロールプレイやモデリング,宿題の設定などにより,社会的行動の学習を促進するような集団の訓練方法を確立しており,その習熟には一定期間の研修が必要である(▶図7)。

また,障害者の社会生活の改善を出発点としているため,訓練の主要な対象は,会話など対人関係技能に加えて,セルフケア,服薬や問題解決,家族関係の調整,就労などの広範な技能であり,そのための訓練課題(モジュール)も作成されている。このため,リハビリテーション医療にとどまらず,保健や福祉,労働,教育や司法の領域においても,家族や当事者の間でも有効な技法として

広く実施されている。

保険診療では対象がいまだ入院患者に限定されているものの,治療に参加する職種に制限はないことも大きな特色である。

h ACT(包括型地域生活支援)

ACT(assertive community treatment)は,1970年代に米国ウイスコンシン州マジソンで開始され,病状や障害が重いため安定した生活が困難な精神障害者を対象に,地域生活を積極的に支援する方法をいう。包括型地域生活支援プログラムとも訳される。地域で生活する障害者を支援するケースマネジメントの手法を用いて,精神科医を含む多職種からなるチームが訪問して,医療から生活支援,就労支援までを含む幅広いサービスを,24時間対応で集中的に提供しようとするもので,精神科病院の入院日数を減少させる効果が確認され,世界各地に広がりつつある。

わが国では2003年から市川市で試行(ACT-J)されて以降,徐々に広がり,20以上のチームが活動している。精神科医や保健師・看護師,作業療法士などの保健医療スタッフに,精神保健福祉士や臨床心理士,公認心理師,当事者スタッフのピアサポーターも加わる多職種のチームが個々の利用者を訪問・援助しつつ,関係機関と連絡調整しながら緊急事態に対応できる体制を整えている。2011年度から精神保健福祉施策にも取り入れられており,従来の入院医療に代わる可能性を含むものとして注目される〔第20章 D.4.b項(➡265ページ)参照〕。

i 集団(精神)力動

社会的治療・リハビリテーションは,病院や地域で生活する患者・障害者はもとより,スタッフを含む集団を基礎にした活動である。こうした集団の中では,個人の精神的な動きとは別に,集団全体としての精神的動きや特徴が生じてきて,個々の構成員の感情や行動さらには疾病や障害の認識や受容にも強い影響を与える。このように集

団に働く精神的な動きを集団(精神)力動(group dynamics)という.

前述の諸活動は,すべてこの集団力動を個人の治療やリハビリテーションに応用することを基礎に実施されているため,社会的治療・リハビリテーションを進めるには集団力動の役割を十分に理解していることが必要である.

F 理学・作業療法との関連事項

本章では精神障害への治療とリハビリテーションの基本原則と目標,方法,さらに各治療とリハビリテーションの種類について解説している.

今日では薬物療法が精神障害治療の基本となっているため,その作用機序や副作用の概要を知ることは病態の理解にもつながり,理学・作業療法に重要な示唆を与えるものである.また,精神療法に関してもその諸特性を学び,必要な治療技法を理学・作業療法に生かすことを忘れてはならない.

社会的治療・リハビリテーションは理学・作業療法の実践と最も強く結びついている.この活動の分野は多岐にわたるし,今後とも急速に進歩するものとみられるが,その目指すところを深く理解しつつ,今後の医療や地域におけるチームアプローチとしての実践に生かしてほしい.

- 原因も多様で複雑な経過を示す精神障害においては,治癒にとどまらず,寛解や軽快,社会生活場面における適応の改善や安定も治療・リハビリテーションの目標である.
- 薬物療法は最も主要な治療法であり,抗精神病薬,抗うつ薬,気分安定薬,抗不安薬などが用いられている.しかし,副作用もさまざまであり,注意深い観察が必要である.
- 主として言語を用いる精神療法は,主に心因性の精神障害を対象とする治療法であるが,精神分析の考え方を基礎として,無意識の内にある葛藤の処理,治療者との転移関係が重要である.
- 精神療法では,ほかにも,集団精神療法,家族療法,行動療法,認知行動療法,森田療法,箱庭療法など,さまざまな技法があるが,その内容と対象を理解して用いることが重要である.
- 社会的治療・リハビリテーションは,患者・障害者の生活する環境や所属する集団を治療的に活用する諸活動の総称であるが,今日ではノーマライゼーションとバリアフリーの視点から,広く地域での生活自立を支援する活動全般を含むものとして重視されている.

第20章 精神科保健医療と福祉，職業リハビリテーション

学習目標
- 欧米諸国とわが国における精神障害者の処遇および医療の歴史を学ぶ．
- 精神保健福祉法，障害者自立支援法に規定される保健医療・福祉の概要を学ぶ．
- 精神科医療の現状と課題について学ぶ．
- 精神障害者の職業リハビリテーションについて学ぶ．

A 精神障害者の処遇および医療の歴史

精神障害者の処遇には，精神障害に対するその時代や社会の考え方はもとより，国民一般の人権状況が密接に反映している．その一部は第1章に記したが，ここでは精神障害者の処遇と医療の歴史に焦点を当てて述べる．

1 欧米諸国における処遇

a 近代以前

15〜16世紀にかけて，スペインやイギリスをはじめ，各地に精神障害者の収容施設〔癲狂院（asylum）〕が設置されるようになったが，入所者の多くは鎖や強制衣などにより自由を奪われ，監禁されて一生を過ごすだけであった．また，16〜17世紀には，ドイツやオランダなど北西ヨーロッパでは"魔女狩り"の嵐が吹き荒れたが，精神障害者も多数犠牲になったものと推測されている〔第1章の図5（➡ 7ページ）参照〕．

一方，ベルギーのゲールには，13世紀ころから精神障害が奇跡的に治ったという伝説があり，障害者とその家族が集まり，精神障害者のコロニーが自然発生的に生まれている．

b 近代以降から第二次世界大戦まで

18世紀後半から19世紀にかけて，精神障害者を人道的に処遇し，精神科病院を改革しようとする動きが活発になった．フランス革命の最中，精神障害者を鎖から解放したP. Pinel（ピネル）は，「すべての病院で処方された身体運動と手作業を用いるべきである」と述べている〔第1章の図6（➡ 8ページ）参照〕．同じころ，イギリスでもW. Tuke（チューク；1732–1812）がヨークに療養所（retreat）を設立し，精神障害者の人間性の尊重や自由，労働を強調し，J. Conolly（コノリー；1794–1866）も無拘束と開放治療の原則を提唱している．こうした動きは，道徳療法または人道療法（moral treatment）と呼ばれ，各国に広がっていった．

ところが，19世紀後半にはこうした動きは低調になり，精神科病院では再び拘束器具も用いられるようになった．この背景には，精神障害に対する有効な治療法がないことに加え，産業革命の進行とともに社会矛盾が激化し，社会防衛的な傾向が強まったこと，C. Darwin（ダーウィン）の"適者生存説"の影響を受けた「精神障害者は淘汰される存在」との考えが広まったことなどがあげられる．また，身体医学の急速な進歩を背景に，精神疾患の身体的原因や治療法に関心が向かったこ

▶図1 地階の焼却炉から煙を上げる州立精神科病院
〔小俣和一郎：ナチス もう一つの大罪—「安楽死」とドイツ精神医学. p.174, 人文書院, 1995 より転載〕

とも指摘しなければならない．

　精神障害への治療として臥褥療法が行われていた 20 世紀初頭，ドイツの H. Simon（ジモン；1867-1947）はギューテルスロー病院での作業療法の経験から，その有効性を「積極療法」として提唱した．アメリカでも A. Meyer（マイヤー；1866-1950）が，入院患者に対するレクリエーションや手工芸，ケースワークなどの重要性を強調し，専門家の養成を開始した．こうして再び作業療法は各国の精神科病院で展開されていった．

　同時に，マラリア療法（1917 年）やインスリン・ショック療法（1933 年），電気ショック療法（1939 年），持続睡眠療法などの身体療法も開発され，治癒による退院が現実となりつつあった．

　このように治療法が進歩するなか，第一次世界大戦で敗北し，多大な賠償を課せられたドイツではナチズムが勃興し，精神障害者や精神遅滞者，肢体不自由者らは「生きる価値のない生命」とみなされ，20 万人以上が病院内のガス室などで殺されたことは 20 世紀最大の不祥事である（▶図1）．

c 第二次世界大戦の終結から現代まで

　第二次世界大戦後まもなく，イギリスやカナダで始まったデイケアは，アメリカをはじめ各国に広がった．精神科病院での入院医療が患者の治療意思や社会生活を制限せざるをえないこと，障害者の生活を施設から地域で暮らすことを重視するノーマライゼーション思想の普及などによるためであるが，背景には人権尊重の思潮の高揚がある．さらに，1950 年代から発展した薬物療法が通院治療を可能としたことも大きな要因であった．

　こうして欧米諸国では大規模な精神科病院での入院中心の医療から，デイケアや保護的作業所，中間宿舎などを充実させ，地域での生活自立を支援する医療へと大きな転換を遂げたが，このような流れは現代に引き継がれている〔資料 4（➡294 ページ）参照〕．

2 わが国における処遇（▶表1）

a 近代以前

　わが国では，組織的迫害こそなかったものの，

▶表1　主な精神保健福祉関係年表

年	事項
1875（明治 8）年	京都に最初の公立精神科病院設置
1900（明治33）年	精神病者監護法の公布
1901（明治34）年	呉秀三，東京府巣鴨病院医長に就任
1911（明治44）年	東京大学精神病学教室による私宅監置の実態調査
1917（大正 6）年	精神障害者の全国一斉調査
1919（大正 8）年	精神病院法の公布
1950（昭和25）年	精神衛生法の公布
1964（昭和39）年	ライシャワー駐日米国大使刺傷事件
1965（昭和40）年	精神衛生法の改正
1974（昭和49）年	精神科作業療法，精神科デイケアの点数化
1984（昭和59）年	U 精神科病院での患者虐待事件
1987（昭和62）年	精神保健法の制定
1991（平成 3）年	精神病者の保護と精神保健ケア改善の国連原則
1995（平成 7）年	精神保健福祉法の制定
1997（平成 9）年	精神保健福祉士法の制定
2003（平成15）年	心神喪失者等医療観察法の制定
2004（平成16）年	発達障害者支援法の制定
2005（平成17）年	精神保健福祉法の一部改正
2013（平成25）年	精神保健福祉法の一部改正

▶図2　呉秀三(1865-1932)
東京大学精神病学教室の教授も兼ねていた.
〔岡田靖雄：呉秀三―その生涯と業績. 口絵 23, 思文閣出版, 1982 より転載〕

精神障害者の多くは自宅に監禁されたり，放置されていた.

b 明治以降から第二次世界大戦まで

　西洋医学の導入とともに，精神科病院が設立されたが，多くは民間病院であり，公的病院はわずかに京都癲狂院や東京府癲狂院(のちの東京府巣鴨病院，都立松沢病院)にすぎず，監禁が依然として続けられていた．明治政府は 1900(明治 33)年，「精神病者監護法」を制定したが，これは精神障害者の世話を家族に委ねる私宅監置を法的に認め，かつ精神病室の管理を警察の所管にするなど，保安的なものであった．

　このようななか，ヨーロッパ留学から帰国し，巣鴨病院の院長に就任した呉秀三(▶図2)は「無拘束の理念」を提唱し，拘束器具(▶図3)を一掃して作業療法を開始するなど，病院の改革を行った(▶図4)．当時の全国一斉調査では患者総数約 6 万 5 千人のうち，約 6 万人は医療外におかれていたが，呉は 1918(大正 7)年教室で調査した私宅監置の実態を公表した．このときの「我邦十何万の精神病者は実にこの病を受けたるの不幸の他に，此邦に生まれたるの不幸を重ねるものと言うべし」〔注：カタ仮名はひら仮名に改訂〕との訴えはあま

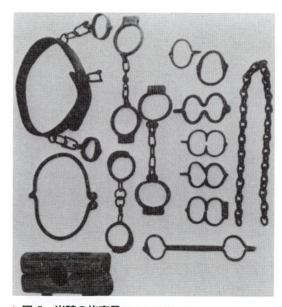

▶図3　当時の拘束具(松沢病院蔵)
〔岡田靖雄：私説 松沢病院史―1879～1980. 口絵 16, 岩崎学術出版社, 1981 より転載〕

▶図4　松沢病院構内の将軍池と築山
呉秀三の院長当時，加藤普佐次郎や前田則三らの職員と患者との共同作業によってつくられた(1925 年完成)．〔上野撮影〕

りにも有名である．

　1919 年，公立精神科病院の設置を明記した「精神病院法」が公布されたが，軍事費増大下で設置は進まず，代わりに民間病院が増えていった．しかし，人口あたりの精神科病床数は諸外国に比べて 1/10 の少なさで，私宅監置は続けられた(▶図5)．

　昭和に入り，わが国は中国への侵略の道を突き進むなか，精神障害者の保護は顧みられず，第二

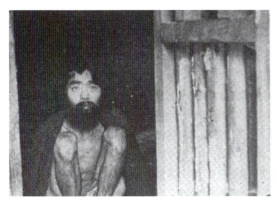

▶図5　座敷牢(私宅監置)の中の患者
長期の監禁で両下肢は屈曲拘縮となることもあった．〔西丸四方ほか：やさしい精神医学．5版，p.11，南山堂，2008より転載〕

▶表2　主な障害者施策関係年表

1955(昭和30)年	職業リハビリテーション勧告99号(ILO)
1981(昭和56)年	国際障害者年(国連)
1983(昭和58)年	職業リハビリテーション条約159号(ILO)
1987(昭和62)年	障害者雇用促進法の制定
1993(平成5)年	障害者基本法の制定
1995(平成7)年	障害者プランの策定
2003(平成15)年	新障害者プランの策定
2004(平成16)年	「改革のグランドデザイン案」公表
2005(平成17)年	障害者自立支援法の制定
2006(平成18)年	障害者権利条約の採択(国連)
2011(平成23)年	障害者基本法の改正
2012(平成24)年	障害者総合支援法の制定
2013(平成25)年	障害者差別解消法の制定 障害者雇用促進法の改正
2014(平成26)年	障害者権利条約の批准

次大戦中には食糧不足のしわ寄せを受け，多くの入院患者が死亡したことを忘れてはならない．

c 精神衛生法の時代

　第二次世界大戦が終わった1945(昭和20)年当時，その5年前には約2万5千床あった病床数は約4千床にまで減少していた．1950年，「精神衛生法」が制定され，近代的な精神科医療が体系化された．すなわち，都道府県には精神科病院の設置が義務づけられ，措置入院などの入院制度が新設され，私宅監置は禁止された．また，精神衛生相談所や訪問指導も法文化され，精神衛生対策の第一歩が踏み出された．

　1965年，精神障害者による米国大使刺傷事件をきっかけに，精神科医療のあり方が見直され，精神衛生法は改正された．通院治療促進のために通院医療費公費負担制度が新設され，地域精神衛生活動の促進のため都道府県に精神衛生センターや精神衛生審議会が設置され，保健所の役割も明確にされた．その後，通院患者が増加するにつれて，デイケアが保険診療化され(1974年)，通院患者リハビリテーション事業(職親制度)も整備されるなど，社会復帰施策も徐々に開始された．しかし，精神衛生法は保安優先の入院・収容主義を基本としており，精神障害者の人権や社会復帰に関する条文などは存在しなかった．

　その間に民間の精神科病院が急増し，病床数は1965年の約17万床(人口万対17.6床)から，1975年には28万床(万対24.9床)へと増床する一方，精神科病院の不祥事が顕在化し，入院医療のあり方が問われるようになった．1984年におこった患者虐待事件を契機に，わが国の精神衛生行政は国内外から厳しい批判を浴び，その結果，精神衛生法は大きく改正され，1987年には「精神保健法」が制定されるに至った．

d 精神保健法から精神保健福祉法へ

　精神保健法では，患者の自発的意思による入院形態である任意入院が新設され，入院中の処遇も詳細に規定され，入院を審査する精神医療審査会が設置されるなど，精神障害者の人権にも配慮がなされた．また，社会復帰に関する条文もつくられ，授産施設や援護寮，福祉ホームなどの社会復帰施設の設置が可能となり，グループホームも精神障害者地域生活援助事業として法定化された．

　1993年12月，精神障害者も福祉施策の対象とする障害者基本法が制定され(▶表2)，「障害者プ

▶表3　障害者プランと新障害者プランの数値目標（精神障害関係）

種類	障害者プラン（7か年計画） 数（か所）	障害者プラン（7か年計画） 対象数（人分）	新障害者プラン（5か年計画）[a]
精神科デイケア施設	1,000		
生活訓練施設（援護寮）	300	6,000	約6,700人分
ショートステイ施設	100	150	
福祉ホーム	300	3,000	約4,000人分
通所授産施設	300	6,000	約7,200人分
入所授産施設	100	3,000	
福祉工場	59	1,770	
地域生活支援センター	650		約470か所
グループホーム	920	5,060	約12,000人分
社会適応訓練事業	3,300	5,280	
ホームヘルプ確保			約3,300人分

[a] 古元重和：精神障害者の保健医療福祉施策について．日精協誌，22(4):6-11, 2003 より

ラン（1996〜2002年度）」では精神障害者社会復帰施設の数値目標が公表された（▶表3）．

こうした動向を受けて，1995年，精神保健法は「精神保健及び精神障害者福祉に関する法律」（精神保健福祉法）に改正され，法体系に福祉施策が加えられた．保健福祉手帳制度が創設され，社会復帰施設は福祉工場を加えて4類型とされた．また，通院患者リハビリテーション事業は社会適応訓練事業として法定化され，精神保健福祉における市町村の役割が明示された．また，1997年には「精神保健福祉士法」が制定され，精神科ソーシャルワーカーが国家資格とされた．

1999年には地域で暮らす精神障害者に対して相談や助言などを行う地域生活支援センターが社会復帰施設に加えられ，5類型とされた．また，居宅介護などの事業（ホームヘルプサービス）と短期入所事業（ショートステイ）が創設され，グループホームを加えて居宅生活支援事業とされた．これら福祉サービスは市町村が中心に行い，保健所と都道府県がそれを支援する仕組みがつくられた．

こうした相次ぐ法改正や施策の背景には，1980年代以降，地域で精神障害者の働き集う場である作業所や回復者クラブをつくるボランティアや家族，

▶図6　全国精神障害者団体連合会の結成大会
1993年4月，東京都清瀬市において全国から1,000人以上が参加し結成された．〔河野仁志氏のご厚意による〕

精神障害当事者による地道な運動が大きな推進力となったことを指摘しなければならない（▶図6）．

e 障害者自立支援法から障害者総合支援法へ

政府は，2003年度から10か年の障害者基本計画を発表した．このなかで，受け入れ条件が整えば退院可能な約7万2千人の長期入院患者の退院と社会復帰を目標として，住居の確保，生活や就

労の支援などの条件整備のため，当面5か年間の数値目標「新障害者プラン（2003〜2007年度）」を公表した（▶表3）．ところが，まもなく「今後の障害保健福祉施策について（改革のグランドデザイン案）」を提案し，「障害者自立支援法」（以下，自立支援法）案を国会に上程した．これは障害別の医療・福祉サービス体系を一元化する一方で，利用者には応益負担を課すもので，障害者団体の強い反対にもかかわらず，2005年10月に成立した．それに伴い新障害者プランは中止となり，精神保健福祉法の通院医療費や社会復帰施設，居宅生活支援事業などは自立支援法の障害福祉サービス等に組み込まれたため，これらの条項は削除された〔資料3（➡286ページ）参照〕．

2006年度からの自立支援法施行で，通院公費負担制度は自立支援医療となり，社会復帰施設や居宅生活支援事業は5年間の経過措置を経て自立支援法に順次移行することになった．一方，利用料負担に苦しむ障害者がこの法を憲法違反として国を提訴して闘った結果，2010年，政府は訴訟団との間で「応益負担を前提とする自立支援法の廃止と総合福祉法（仮称）の制定」を内容とする和解書を交わした．その後の政府の提案は自立支援法の改正案にすぎないものであったが，2012年6月，「障害者総合支援法」（障害者の日常生活及び社会生活を総合的に支援するための法律）（以下，総合支援法）として成立，2013年度から施行された．この法では対象に難病も加わったほか，重度訪問介護対象への知的障害者や精神障害者などの追加，生活の場であるケアホームとグループホームの一元化，障害程度区分の障害支援区分への名称変更など，多少の改正がなされたものの，利用者負担の原則は変わらなかった．

その一方，政府は障害者権利条約の批准に向けての国内法整備のため，2011年には障害者基本法を改正し，法の対象に難病を加え，障害の定義にも「社会的障壁」を加えた．さらに，2013年には障害者差別の禁止を目的とする障害者差別解消法を制定，2014年1月には障害者権利条約を批准した．このように，障害分野において内実はともかく，とりあえず国際的な仲間入りを果たしたのである．

f その後の精神保健福祉法の改正と精神科医療

精神保健福祉法は2012年にはごく一部，2013年には大きく改正され，おのおのの翌年に施行された．

2012年改正では，都道府県による精神科救急医療体制の確保が規定される一方（第19条の11），精神障害者社会適応訓練事業は法定事業からはずされた（第50条・第51条の削除）．

2013年改正では，精神病床の機能分化，精神障害者の居宅等における保健医療・福祉サービスの提供，医療における多職種連携など，精神障害者の医療提供の確保に関する指針の策定が定められた（第41条）．また，保護者制度が廃止され，医療保護入院制度が見直された（第33条）．保護者は「家族等」に改められ，保護者に課せられた義務規定は削除された．さらに，医療保護入院者の退院後の生活環境に関する相談や指導を行う相談員の選任，地域援助事業者との連携，退院促進のための支援委員会の設置など，精神科病院管理者の義務が規定された．こうした改正の背景には家族の高齢化などで保護者の負担が過大になっているほか，精神科病院入院患者の4割が医療保護入院である現状，保護者の同意がなければ退院させることが困難で入院が長期化しやすいなどが理由にあげられている．

B 精神保健福祉法の主な内容

精神保健福祉法は目的（第1条）で，まず「精神障害者の医療及び保護を行い」と，「医療と保護」に重点がおかれて記されているため，この順序で解説する．

▶表4 精神科での入院形態の概要

入院形態	入院要否の判定	同意者	告知	入院施設	時間の制限
自由入院	医師	本人	不要	精神科診療所	なし
任意入院	医師	本人	要	精神科病院	なし
医療保護入院	精神保健指定医	家族等	要	精神科病院	なし
応急入院	精神保健指定医	知事	要	応急入院指定病院	72時間
緊急措置入院	精神保健指定医	知事	要	国・都道府県立精神科病院，指定病院	72時間
措置入院	精神保健指定医2名以上	知事	要	国・都道府県立精神科病院，指定病院	なし

1 医療および保護について

a 精神保健指定医

精神保健指定医(以下，指定医)は，非自発入院(強制入院)とその継続，隔離室への収容や行動制限など，患者の人権制限に関する判定を行うもので，3年以上の精神科医療従事の経験や厚生労働大臣の定める研修などが指定の要件である．

b 家族等

精神障害者が医療保護入院する際に同意を必要とする者で，配偶者や親権者，扶養義務者，後見人や保佐人のいずれかである．該当者がいない場合は市町村長がなる．家族等には退院の請求等を求めることが可能である．

c 入院制度

(1) 入院の形態

5種類が規定されているが，精神科診療所の入院は医療法による自由入院である(▶表4)．患者本人の同意に基づかないで行われる入院(非自発入院)は指定医が決定する．なお，緊急でやむを得ないとき，精神科2年以上の経験のある医師(特定医師)による12時間を限度とする退院制限や非自発入院が可能である．

①任意入院と自由入院

任意入院では，入院時の告知とともに，本人の同意書が必要で，この点が自由入院との違いである．退院の申し出があっても，入院継続の必要性がある場合，指定医の判断で72時間だけ退院させないでおくことができる．

②医療保護入院と応急入院

医療保護入院は，指定医が入院の必要性を認めたものの，本人が精神障害のために同意できる状態になく，家族等の同意がある場合になされる．急を要し，家族等の同意がなくとも，72時間を超えない範囲で入院させる場合を応急入院という．

③措置入院と緊急措置入院

措置入院は，自傷他害の恐れ(→ NOTE-1)がある場合，2人以上の指定医の診察結果が一致したうえでなされる．急を要し，指定医1人の判定で72時間を超えない範囲で入院させる場合を緊急措置入院といい，この間に措置入院か退院かを決めなければならない．

(2) 入院時の告知

いずれの入院においても，当該措置をとること，入院中の行動制限，退院の請求などに関して書面

NOTE

1 自傷他害の恐れ

精神保健福祉法第29条でいう「精神障害のため，自身を傷つけ又は他人を害するおそれ」をもたらす状態には，抑うつ状態，躁状態，幻覚妄想状態，精神運動興奮状態，昏迷状態，意識障害，知能障害，パーソナリティ障害などがある．

で知らせなければならない．

(3) 入院中の処遇

人権上重要な信書の発受，都道府県精神保健部局や地方法務局，人権擁護機関や弁護士への電話，その職員や弁護士との面会は制限できない．

(4) 精神医療審査会

非自発入院中の精神障害者の人権を保護するために，入院の要否や処遇の妥当性を審査する機関で，都道府県と政令指定都市（以下，都道府県）に設置される．

2 保健および福祉について

a 地方精神保健福祉審議会

都道府県において，精神保健や精神障害者の福祉に関する事項を調査審議し，知事の諮問に答えたり，知事に意見を具申するために設置される．

b 精神保健福祉相談員

精神保健福祉センターや保健所などに配置され，精神保健や精神障害者の福祉に関する相談に応じ，必要な場合には訪問指導を行う．

c 精神保健福祉センター

都道府県における精神保健や福祉に関する総合的技術センターかつ中核機関である．知識の普及，調査研究，相談指導事業，手帳や公費負担の判定業務を行う．また，保健所や市町村，他の関係機関に対し，技術指導や技術援助を行う．

d 保健所

地域精神保健福祉活動の中心機関で，精神保健福祉センターや市町村，医療機関，社会福祉関係機関などを含め，地域と緊密に連携し，精神障害者の早期治療と社会復帰の促進，自立支援をはかり，かつ地域住民の精神的健康の保持をはかるための活動を行う．

e 市町村

精神障害者や家族に対して，障害者手帳や自立支援医療の申請をはじめ，障害福祉サービス事業や地域生活支援事業などの利用ができるように，相談や助言，斡旋や調停など，身近なサービスを行う．

f 精神障害者社会復帰促進センター

精神障害者の社会復帰の促進をはかるために，啓発活動や広報活動，訓練や指導に関する研究開発などを行う厚生労働大臣の指定法人で，全国に1か所指定されている．

g 精神障害者保健福祉手帳

各種の福祉的支援策が講じられることを目的に，精神障害のため長期にわたり日常生活または社会生活への制約がある者（障害者基本法でいう障害者）に手帳を交付する制度で，1〜3級までの障害等級がある．知的障害は含まない．

C 障害者総合支援法の主な内容

障害者支援制度は，総合支援法に基づく障害者施策と児童福祉法に基づく障害児施策に大別される．本項では前者を解説し，後者は第14章を参照してほしい．

障害者施策では，精神・身体・知的の3障害に加え，難病を有する障害者の日常生活または社会生活への総合的支援を目的に体系化されている．

1 サービスの体系 (▶表5)

公費負担医療と障害福祉サービスの体系を中心に，以下の4つの体系からなり，地方自治体が行う地域生活支援事業以外の個別給付を「自立支援給付」という．

▶表5 障害者総合支援法の主なサービス体系

自立支援医療(公費負担医療)		精神通院医療, 更生医療, 育成医療
障害福祉サービス	介護給付	居宅介護(ホームヘルプ)
		重度訪問介護
		行動援護
		重度障害者等包括支援
		短期入所(ショートステイ)
		療養介護
		生活介護
		施設入所支援
	訓練等給付	自立訓練
		就労移行支援
		就労継続支援(A型, B型)
		共同生活援助(グループホーム)
相談支援	計画相談支援	サービス利用支援など
	地域相談支援	地域移行・定着支援など
地域生活支援事業		相談支援
		成年後見制度支援
		移動支援
		地域活動支援センター(Ⅰ〜Ⅲ)
		理解促進研修
		自発的活動支援
		福祉ホーム
		訪問入浴サービス事業
		社会参加促進事業など

a 自立支援医療

心身の障害を除去・軽減するために,医療費の自己負担額を軽減する公費負担医療制度で,精神科通院医療のほか,身体障害者の更生医療,障害児の育成医療からなる.世帯の所得により負担の上限額が設定され,一定所得以上であれば対象外で3割負担になる.

b 障害福祉サービス

従来の居宅・施設支援は「介護給付」と「訓練等給付」に大別され,それらはさらに個々のサービス類型に細分化される.以下に精神障害と知的障害者が対象になるものの概要を記す.

(1) 介護給付

①居宅介護(ホームヘルプ):自宅での入浴,排泄,食事の介護など

②重度訪問介護:行動上著しい困難を有し常に介護が必要な重度の知的・精神障害も対象にした,自宅での入浴,排泄,食事の介護,外出時の移動支援など

③行動援護:自己判断能力に制限のある人の行動時の危険回避支援や外出支援など

④重度障害者等包括支援:高い要介護度の者への複数の居宅介護等支援

⑤短期入所(ショートステイ):自宅介護が一時的に困難になった場合の短期入所による入浴,排泄,食事の介護など

⑥療養介護:医療と介護を常時要する人への医療機関での機能訓練や療養管理,看護・介護,日常生活などの支援

⑦生活介護:常時介護を要する人への昼間の入浴や排泄,食事の介護のほか,創作的・生産的活動の機会の提供

⑧障害者支援施設での夜間ケアなど(施設入所支援):夜間や休日,施設入所者に対して行われる入浴や排泄,食事の介護など

(2) 訓練等給付

①自立訓練:自立した日常生活や社会生活ができるよう,一定期間,身体機能や生活能力向上のために必要な訓練を行う.機能訓練と生活訓練がある.

②就労移行支援:一般企業への就労希望者に,一定期間,就労に必要な知識や能力向上のために必要な訓練を行う.

③就労継続支援(A型=雇用型,B型=非雇用型):一般企業等での就労が困難な人に,働く場を提供するとともに,知識や能力の向上のために必要な訓練を行うもので,雇用契約を結ぶA型と結ばないB型がある.

④共同生活援助(グループホーム):夜間や休日,共同生活を行う住居で,相談や日常生活上の

援助を行う．また，入浴や排泄，食事の介護等の必要があればそのサービスも行う．早期に単身生活が可能で，入居者間の交流を保ちながら１人暮らしを希望する者にはサテライト型住居もある．

c 相談支援

次項に述べる地域生活支援事業での相談支援とは別に，障害福祉サービスの個別給付として行われるもので，計画相談支援と地域相談支援とがある．

(1) 計画相談支援

障害福祉サービス等の支給決定前後にサービス等利用計画を作成し，モニタリングやサービス事業者との連絡調整を行うもので，「指定特定相談支援事業者」が担当する．

(2) 地域相談支援

精神科病院や障害者施設，矯正施設等を退院・退所する者の地域移行を支援するためにその計画作成，外出同行支援，住居確保などを行い，居宅生活中の単身障害者の地域定着を支援するもので，「指定一般相談支援事業者」が担当する．

d 地域生活支援事業

住民に最も身近な市町村が中心に行う事業と都道府県が行う事業とがある．都道府県事業は発達障害や高次脳機能障害などへの専門性の高い相談支援事業や広域的な支援事業である．ここでは，市町村事業で精神障害者関連のものを解説する．
① 相談支援：障害者やその保護者，介護者からの相談に応じ，必要な情報提供を行う．また，虐待防止や権利擁護のために必要な援助を行う．自立支援の協議会を設置し，地域の相談支援体制やネットワーク構築を行う．
② 成年後見制度支援：補助なしでは成年後見制度の利用が困難な人を対象に費用を助成する．
③ 移動支援：屋外での移動困難な障害者への外出支援
④ 地域活動支援センター：地域で生活する障害者への創作的活動や生産活動の提供，社会との交流促進等の便宜をはかるもので，規模によりⅠ～Ⅲ型の類型が設けられている．Ⅰ型は専門職員の配置ほか，相談支援事業も併せて実施することを要件にしている．
⑤ 理解促進研修：障害者理解促進のための研修や啓発
⑥ 自発的活動支援：障害者や家族，地域住民等の自発的活動の支援
⑦ その他：福祉ホーム事業，訪問入浴サービス事業，日中一時支援事業，社会参加促進事業など

2 障害福祉サービスの給付と障害支援区分

障害福祉サービスの介護給付を受けるには，市町村の窓口で申請し，障害支援区分の認定が必要となる．80項目の調査結果と医師意見書をもとに，市町村の審査会で審査判定され，6段階の障害支援区分が決定される．サービスの給付は市町村が行うが，各区分で受給できるサービスの種類や時間が定められている．訓練等給付を受ける場合には障害支援区分の認定は不要である．

3 「世帯」を単位とする利用者負担

利用者負担は「サービス量と所得に着目した仕組み」で，「所得等に配慮した応能負担」とされ，サービスの上限額も定められている．しかし，利用料の自己負担を原則とし，その算定は「世帯の所得」を基準としていること，受けるサービス量が増えれば負担額が増し，所得によっては1割の負担になる．

4 自立支援給付にかかる費用負担

市町村は自立支援給付に要した費用の9割を支給する．一方，市町村に対して都道府県はその1/4を，国はその1/2を負担する．

5 障害福祉計画

市町村は障害福祉計画に「サービスの提供体制の確保に係る目標」などを必ず定める事項とし，その際には障害者等のニーズ把握などを行うことを努力義務とした．また，自立支援の協議会には当事者や家族の参加を明確化した．

D 精神科医療の現状と課題

1 医療機関

a 病院

2018年10月現在，精神科を診療科とする一般病院は1,752（心療内科633．重複計上），精神科病院（主として精神科病床を有する病院）は1,058で，一般病院は増加，精神科病院は減少する傾向にあった．精神科病床数は約32万7千床（人口万対26.1），病床利用率86.1％で，いずれも年々減少しつつある．一方，公的病院を含む一般病院における精神科病床数の割合は25％（2014年）と年々減少している．このことは外来診療だけを行う一般病院の増加を意味し，結果的に身体合併症の治療や救急救命医療に支障をきたすことになる．

なお，精神科病院については民間病院が病院数で8割，病床数では9割を占め，わが国では精神科入院医療の大部分を民間病院に委ねているが，これは公的病院が多くを占める諸外国とは大きく異なる点である．

b 診療所

精神科を標榜する診療所は，2017年10月現在6,864で，心療内科の標榜も加えると11,719（重複計上）で，年々増加している．診療所は気分障害や神経症性障害など，比較的軽症のさまざまな患者を身近な地域で支えるうえで大きな役割を果たしている．

▶表6 精神科病床数※と平均在院日数推移（諸外国との比較）〔OECD Health Data 2015 による〕

	2012年 精神科病床数（床/千人）	2014年 平均在院日数（日）
ベルギー	1.7	10.1
フランス	0.9	5.8
ドイツ	1.3	24.2
イタリア	0.1	13.9
日本	2.7	285
韓国	0.9	124.9
スイス	0.9	29.4
イギリス	0.5	42.3

※各国により定義が異なる．

2 患者

わが国では知的障害者を除いて，入通院中の精神疾患を有する総患者数は約420万人で（2017年），この20年間で2倍以上増加している．

a 入院

入院患者数は2018年10月現在，約28万4千人，平均在院日数は約266日で，いずれも年々減少・短縮の傾向にある．精神科病床における疾患別では，統合失調症が54％と減少し，認知症や気分障害が増加しつつある．年齢別では，65歳以上の高齢者の比率が50％を超え，年々上昇している．入院形態別では，任意入院（53％）や措置入院は減少する一方，医療保護入院が45％と増加傾向を示す（2014年）．

欧米諸国との比較で（▶表6），わが国は今も人口あたりの精神科病床数が多く，平均在院日数も非常に長いが，これらの国は第二次大戦後，入院中心から通院主体の医療に転換し，精神科病床数も大きく減少させたためである．

b 通院

通院患者は年々増加しており，2017年ではてんかんを含め，約390万人にのぼる．疾患別では気分障害が40%に増加し，神経症性障害，統合失調症，認知症がそれぞれ20%弱であった(2014年).

3 「五大疾病」としての対策

厚生労働省は2011年8月，患者数の急増する精神疾患（精神障害）を，癌や糖尿病，脳血管疾患，虚血性心疾患などの「4大疾病」に加えて「5大疾病」とした（▶図7）．このことは精神疾患（精神障害）が国民の健康に広くかかわるもので，地域医療の基本方針となる医療計画に盛り込むべき重点的な対策を要する疾病とみなされたことを意味する．具体的には，2013年度以降に都道府県の作成する医療提供体制や疾病予防対策などに反映されることになった．

4 退院促進と病床減少に向けての施策

厚生労働省は2004年，「精神保健医療福祉の改革ビジョン」を公表，「入院医療中心から地域生活中心へ」という基本的方策のもと，10年間で精神病床の約7万床減少を促す目標を示し，そのために以下の施策を展開している．ただ，精神病床数や入院患者数などの減少はごくわずかにとどまっており，必ずしも十分な成果は上がっていない．

a 精神障害者地域移行支援・地域定着支援

精神科長期入院患者の退院促進は，2003年度から都道府県のモデル事業として開始され，2008年度からはピアサポーターも活用のうえで，都道府県の全二次医療圏域で実施されている．2012年度からは自立支援法（現・総合支援法）の「個別

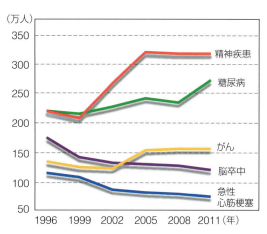

▶図7 疾病別の患者数推移較（厚生労働省患者調査）

給付」とされ，「相談支援」の業務にされている〔本章 C.1.c 項(2)（➡263ページ）参照〕．

b 精神障害者アウトリーチ（訪問支援）推進事業とその後

各地で試行されているACT（包括型地域生活支援）を念頭に，2011年から施行されたモデル事業である．受療中断や受診困難，長期入院後の退院や入退院を繰り返すなど，地域生活の困難な精神障害者に対して，原則24時間，365日の相談支援体制で，ピアサポーターを含め，多職種で訪問支援を行い，地域生活の定着と入院の防止，病床削減が目的とされた．

2014年度以降は一部が診療報酬化され，都道府県の「精神障害者地域生活支援広域調整等事業」に引き継がれている．

5 精神科救急医療

精神障害者の通院治療や地域ケアの進展につれて，夜間や休日を含め，24時間365日にわたり緊急な相談や診療が可能な救急医療が必要となる．精神保健福祉法には「精神科救急医療の確保」が条文化され，以下の体制が整備されつつある．

①医療相談：診療の要否の判断を含め，精神保健

福祉センターや精神科救急医療センター，医療機関などで行われる．さらに身体疾患の合併症も含め，緊急に医療を要する患者の搬送先との円滑な連絡を行う機能を併せもつ「精神科救急情報センター」も設置されている．
② 救急医療：外来診療を含め，緊急な医療の提供ができ，入院が必要な場合に対応可能な精神科救急医療施設で行われる．各医療圏域で複数の病院による輪番制のほか，同一の医療機関で重度の症状を呈する急性期患者を対応するもの（いわゆるスーパー救急）などがある．
③ 身体合併症救急医療：救命救急センターや身体各科が整備され，精神科医による診療が可能な医療機関で行われる．

精神科救急は重症度によって，①外来診療のみの一次救急，②本人や家族などの入院同意を得ることが可能で，任意入院や医療保護入院が必要な二次救急，③自殺企図や不穏・興奮などの症状や問題行動を呈するものの入院同意が得られず，応急入院や緊急措置入院が必要な三次救急に分けられる．三次救急では指定医の判定で指定病院への移送が可能であるが，この場合も「移送を行う」との書面での告知を必要とする．

6 重大犯罪をおこした精神障害者への医療

2003年に心神喪失者等医療観察法が公布された結果，殺人や放火などの重大犯罪を行った精神障害者で，犯行当時，心神喪失（→ NOTE-2）などと判断され，不起訴や無罪になった人に対して，地方裁判所が専門治療施設への入院や通院を命ずる制度が実施されている．

この法の対象は，殺人，放火，強盗，強姦，強制わいせつ，傷害の6つの「重大な他害行為」（→ NOTE-3）で，治療命令の要件は「再犯しないための治療の必要性」である．その判断（「審判」という）は裁判官と精神科医の「精神保健審判員」各1名の合議で行われるが，精神科医の鑑定の際には精神保健参与員（精神障害者保健福祉の専門家）の意見も聴く．「要治療」と審判され，入院が必要な場合，法令で定める指定入院医療機関に入院させ治療を行うが，6か月ごとに入院継続の是非が判断される．通院が必要な場合，指定通院医療機関で5年を上限に治療を行う．いずれの場合も保護観察所の社会復帰調整官が対象者の円滑な社会復帰のために各関係機関や地域と連携してかかわる．入通院の医療費は国費とされる．

7 作業療法士のかかわる保険診療

精神科医療では，作業療法やデイケアのほか，さまざまなサービスが診療報酬に「精神科専門療法」として設けられている．ここでは，作業療法士のかかわる主な保険診療を解説する．

a 精神科作業療法

精神障害者の社会生活機能の回復を目的に，1974年に点数化された．施設面積や看護基準など，施設基準に適合している病院で行われ，診療所など病棟をもたない医療機関は除外されている．

1人の作業療法士が1日あたり患者25人を1単位として2時間，1日2単位50人まで治療できる．

NOTE

2 心神喪失・心神耗弱
これらは法律上の概念で，心神喪失とは「精神の障害により事物の是非善悪を弁別する能力のない状態」を，心神耗弱とは「その能力が著しく減弱している状態」をいう．刑法では前者は責任無能力，後者は限定責任能力を意味し，刑事精神鑑定とは犯行時の責任能力の有無に関する資料を精神医学の立場から提供する作業を指す．

3 重大な他害行為
この法は責任能力を問えない者などを対象とするため，「重大犯罪」ではなく「重大な他害行為」，それぞれの他害行為を「対象行為」と呼ぶ．この法による鑑定の主要な目的は「この法による医療の必要性」である．

b 精神科デイ・ケア

通院医療の一形態として，日中に6時間，作業療法士，看護師，精神保健福祉士，臨床心理技術者などのスタッフによるチームが，集団精神療法や作業指導，レクリエーション活動，創作活動，生活指導，療養指導などを行うもので，病院・診療所付設型と独立施設型とがある．

スタッフ数や施設面積などの施設基準により，小規模と大規模とがある．小規模は医師と2人のスタッフで1日30人まで，大規模は医師と3人のスタッフで1日50人までを扱うなどとされる．

以下，デイ・ケアはもとより，ナイト・ケアやショート・ケアを含め，開始3年以上の場合，算定は週に5回までとされる．〔注：医学用語では「デイケア」が一般的であるが，診療報酬では「デイ・ケア」と表記される．〕

c 精神科ナイト・ケア

午後4時以降に4時間，デイ・ケアと同様な活動を行うもので，医師と2人のスタッフで1日20人までを扱う．

デイ・ケアと合わせて10時間行うものを精神科デイ・ナイト・ケアといい，スタッフの数によって1日の扱う患者数が決められている．

d 精神科ショート・ケア

日中3時間の活動を行うもので，大規模と小規模がある．前者は大規模精神科デイ・ケアのスタッフと同じであるが，後者は医師と1名のスタッフで行うことが可能とされている．

e 入院生活技能訓練療法

入院患者に対し，行動療法の理論に裏づけられた一定の治療計画に基づき，観察学習，ロールプレイなどの手法により，服薬習慣，再発徴候への対処技能，着衣や金銭管理などの基本生活技能，対人関係保持能力，作業能力などの獲得をもたらすことにより，病状の改善と社会生活機能の回復をはかるもの〔生活技能訓練(SST)のこと〕．

2人以上の経験あるスタッフ(看護師，准看護師または作業療法士のいずれか1人，精神保健福祉士，臨床心理技術者または看護補助者のいずれか1人)により，1回に15人を限度に，1日1時間以上，週1回まで実施できるが，急性期の患者は対象にしない．

外来患者には今のところ適用されない．

f 精神科退院指導

1か月以上の入院患者や家族などに，医師，看護師，作業療法士，精神保健福祉士が共同して，退院後の治療計画，療養上の留意点，退院後に必要になる保健医療・福祉サービスなどの計画を策定し，それを文書にして医師が説明を行うもの．

g 精神科退院前訪問指導

入院患者の退院に先立ち，患者宅や社会復帰施設，小規模作業所などを訪問し，患者の病状，生活環境，家族関係などを考慮しながら，患者や家族などに退院後の療養上必要な指導を行うもの．保健師，看護師，作業療法士，精神保健福祉士が担当する．

h 精神科訪問・看護(Ⅰ・Ⅱ)

保健師，看護師，作業療法士，精神保健福祉士が，通院中の患者または家族の了解を得て患者宅を訪問し，患者または家族などに対して看護および社会復帰指導を行うもの(Ⅰ)．Ⅱはグループホームや社会復帰施設の複数の入所者を対象にしたものである．

i 精神科継続外来支援・指導

入院中以外の患者に対して，精神科医の指示のもと，保健師，看護師，作業療法士，精神保健福祉士が，患者またはその家族などに対して，療養生活環境を整備するための支援を行うものである．

E 職業リハビリテーション（雇用促進と就労支援）

1 職業リハビリテーションの国際基準

職業リハビリテーションとは，身体または精神の障害のために職業に就いたり，継続することに困難や制限のある者の雇用・就労を支援する活動をいい，歴史的には国際労働機関（ILO）が大きな役割を果たしてきた（→ NOTE-4）．たとえば，第99号勧告（1955年）では「障害者が職業に就き，継続できるように，職業指導，職業訓練，職業の選択，紹介などを提供する部分」と定義し，かつ，重度障害者に対する保護雇用を提唱している．また，「障害者の職業リハビリテーション及び雇用に関する条約」（第159号，1983年）では「すべての種類の障害者の雇用と地域社会への統合又は再統合の促進」を強調している．わが国では，この第159号条約に基づいて，1987年「障害者の雇用の促進等に関する法律」（障害者雇用促進法）が制定され，1991年には本条約が批准された〔表2（→ 257ページ）参照〕．

2014年以降は，わが国も批准した障害者権利条約の「全ての障害者差別の禁止」や「合理的配慮義務」を謳う第27条「労働及び雇用」が施策の原則となる．このため，これらの原則に沿って障害者雇用促進法が改正され，2016年に施行された．

2 障害者雇用・就労の主な形態

a 一般雇用

事業主との雇用契約を前提に，民間や官公庁などでの障害者雇用率制度（それぞれ2.2%，2.5%）や種々の助成措置による雇用で，最低賃金法などの労働法規が適用される．雇用期間により，「常用雇用」（正規職員）と「臨時雇い，日雇い」（パート，アルバイト）に区分される．

b 福祉的就労

わが国では，労働法規の適用を原則とするILOの「保護雇用」が導入されていないため，一般雇用の困難な重度の障害者は長年，福祉の対象で「訓練生」とみなされてきた．今日では，総合支援法における就労（移行・継続）支援や地域活動支援センターの対象とされているが，前者では利用料が課せられている．

c 在宅就業

自営業や生業，家族従業者としての就業である．障害者雇用促進法では，「在宅就業障害者支援制度」が創設されている．

3 精神障害者の就労・雇用施策の推移

厚生省と労働省（いずれも当時）とで行われ，1980年代後半から法制度面の整備がなされている．2001年に厚生省と労働省は統合され厚生労働省となったが，現在も以前からの各省庁の施策に基づいた縦割り行政が続いている．その結果，用語も「就労支援」と「雇用・就業促進」に区分されているが，これ自体，差別である．

a 厚生行政関係

精神科病院内では以前から農耕や内職的作業な

> **NOTE**
>
> **4 国際労働機関（ILO）とは**
>
> ILOは，世界の労働者の労働条件と生活水準の改善を目的に1919年に創設，政府・労働側・使用者側の3者構成を特徴とし，国連初の労働問題専門機関でもある（本部はジュネーブ）．ILOには189の条約と201の勧告があり，このなかには職業リハビリテーションにかかわる条約や勧告も含む（2011年6月現在）．わが国の批准は48条約で，ヨーロッパ諸国のおよそ半分にすぎない．

どが行われ，日中には入院患者が地域の事業所に通う就労準備活動が行われ，外勤やナイトホスピタルと称していた．しかし，これらは制度的な裏づけを欠いていたため，1970年代以降は行われなくなった．

その後，1982年に通院患者リハビリテーション事業（職親制度）が施策化され，次いで，精神保健法では，授産施設，福祉工場と社会適応訓練事業（職親制度）が法定化された．その後，2006年度から自立支援法のサービス体系への移行が求められ，2012年度から前2者は障害者総合支援法の就労継続支援事業（A型，B型）として行われている．一方，社会適応訓練事業は2013年から法定事業ではなくなり，都道府県の事業とされた．

b 労働行政関係

障害者雇用促進法により，精神障害者も地域障害者職業センターや公共職業安定所などでの就業促進サービスを受けることができるようになった．その後，各種助成金の支給対象に加えられ，地域障害者職業センターではジョブコーチによる支援事業も行われている．また，公共職業安定所から職員がデイケア施設や授産施設に出向いて就業について説明する精神障害者ジョブガイダンス事業も開始された．

手帳を保持する精神障害者も2006年からは障害者雇用率制度が適応され（短時間労働の場合，0.5人分としてカウント），2018年度からは雇用が義務化された．

4 精神障害者の職業準備性

一般に，雇用・就労には3段階の職業準備性〔レディネス（readiness）〕が必要とされ，職業リハビリテーションではその向上が目的とされる（▶図8）．しかし，精神障害者においては，第1〜2段階の社会生活面や職業生活面における職業準備性がより重視される．

▶図8　就労における個人の職業準備性
〔松為信雄：職業準備性．野中猛，松為信雄（編）：精神障害者のための就労支援ガイドブック，p.43，金剛出版，1998より改変〕

a 社会生活面での準備性（▶表7）

職業生活での最も基礎的条件をなすもので，「適応の基礎的技能」と「地域社会適応行動」とがあり，その内容は以下の項目に示す．これらの獲得は，デイケアや地域活動支援センター，障害者就業・生活支援センターにおける主要な目標である．

①疾病や障害の管理：病気や障害への自覚や理解，服薬の必要性の理解と自己管理，医療への相談技能，症状や危機への対処技能など

②日常生活の安定性：掃除や洗濯，食事の確保など身辺処理，規則正しい生活のリズム，金銭の管理，余暇利用などストレスの管理，公共機関や交通機関などの利用，洗濯や買物など家事の技能

③対人関係面：集団内での協調性やマナー，さまざまな場面での人づき合い

④体力や持続力：移動を含め，一定時間の作業が持続できる体力，集中力など

b 職業生活面での準備性（▶表8）

どのような職業を維持するうえにも共通に求められる能力で，「職業準備行動」ともいわれる．地域障害者職業センターなどの障害者雇用促進法におけるサービスはもちろん，就労支援事業所でも期限を区切って，あるいは長い期間をかけてその向上がはかられる．以下に主な項目と内容を示す．

①職業の理解：役割の理解や自覚，役割遂行の理

▶表7 社会生活の遂行にかかわる条件

領域	項目	内容
適応の基礎的技能	1. 自己の理解	自己の知覚，自己概念
	2. 情動的な対人関係	適切な感情表出，自己への過敏
		対処行動
	3. 社会的な対人関係	基礎的対人技能，集団への参加
		余暇の活動，社会的礼儀，性的行動，責任感
地域社会適応行動	1. 日常生活技能	衣服の着脱，食事，トイレ，衛生と整容
	2. 家事の技能	料理，清掃，洗濯，衣服の管理
	3. 健康の管理	簡単な医学知識，病気への予防
		服薬の管理，医療機器の利用
	4. 消費者技能	余暇の金銭の扱い方，預貯金のしかた
		予算の立案，購買行動
	5. 地域社会の知識	余暇の移動の自立，地域の規約
		社会資源の利用，電話の利用

〔松為信雄：職業準備性．野中 猛，松為信雄（編）：精神障害者のための就労支援ガイドブック，p.44，金剛出版，1998より引用〕

解
②基本的ルールの理解：始業・終業など時間の厳守，休暇時の連絡，準備や後片づけ，注意の聞き方など
③作業遂行能力：正確な手順と遂行，機器の使用，安定性，危険への配慮，ペースの変更など
④作業遂行態度：意欲・自発性，作業への集中，指示への対応，責任感など
⑤対人的態度：あいさつや返事，言葉遣い，謝り方，協調性など
⑥求職と面接技能：求人情報，書類作成，面接の態度など

c 職業適合性（▶表8）

職業生活面での準備性とを合わせて「職務遂行面での準備性」ともいう．実際の仕事のうえで必要となる職務技能に関する能力で，事業所内での仕事や障害者職業能力開発校などにおける職業訓練・職業講習などを通じて，その向上がはかられる．

5 職業リハビリテーション・サービスの現状

a 厚生行政関係のサービス

(1) デイケア

デイケアでは社会生活面での準備性の向上が主な目標であるが，就労支援プログラムを設けているところもある．就労に向けては地域活動支援センターや就労支援事業所，地域障害者職業センター，公共職業安定所などとの連携が重要である．

(2) 精神保健福祉センター・保健所

公共職業安定所との連携のもとで，社会適応訓練事業や職場適応訓練を通じて一般事業所での就労訓練が行われている．

精神障害者を対象とする社会適応訓練事業とは，通常の雇用契約による就労の困難な者が事業所に通いながら，集中力や対人能力，仕事への持久力，職場での適応能力などを向上させて，職業生活上での準備性を高めようとする事業である．事業所への委託期間は6か月で，3年まで更新可

▶表8 職務の遂行にかかわる条件

領域	項目	内容
職業準備行動	1. 職業の理解	働く意味の理解,職業領域の知識
		事業所の知識,役割遂行の理解
	2. 基本的ルールの理解	継続勤務,連絡や報告のしかた
		時間の区別,準備と後始末,質問のしかた
		注意の聞き方と守り方,身だしなみ
	3. 作業遂行の基本的能力	正確な手順と遂行,機器の使用法,遂行の工夫
		作業耐性,安定した成果,危険への配慮
	4. 作業遂行の態度	意欲と自発性,とりかかり,作業への集中
		機器類の扱い,指示への対応,責任感
	5. 対人関係と態度	あいさつや返事,言葉遣い,謝り方
		他者との協調,会話への参加
	6. 求職と面接技能	求人情報の理解,書類作成の知識
		面接の態度
職業適合性	1. 能力面の特性	知能,空間知覚,知覚の速さと正確さ
		精神運動機能,学力,技能
	2. 非能力面の特性	性格,興味,価値観
	3. 訓練の特性	職務技能の学習,職務技能の転移

〔松為信雄:職業準備性.野中 猛,松為信雄(編):精神障害者のための就労支援ガイドブック,p.44,金剛出版,1998 より引用〕

能である.事業所には委託料が支払われるが,本人への訓練手当はない.

(3) 障害者総合支援法のサービス

総合支援法では,「訓練等給付」に「就労移行支援」と「就労継続支援(A型,B型)」が,「地域生活支援事業」に「地域活動支援センター」がある.詳細は本章 C 項(➡ 261 ページ)を参照していただきたい.

b 労働行政関係のサービス

近年,さまざまな障害者雇用策が推進されているが,ここでは主なもののみ記す.詳細は関係機関の資料を参考にしてほしい.

(1) 公共職業安定所(ハローワーク)

職業安定法に基づいて職業相談や職業紹介などを行うが,障害者対象の窓口(特別援助部門)が設けられている.前述のジョブガイダンスのほか,地域障害者職業センターへの職業紹介,就職後の職場定着や継続雇用の支援,公共職業訓練のあっせん,精神障害者ステップアップ雇用,トライアル雇用,職場適応訓練などの紹介業務なども行っている.

精神障害者ステップアップ雇用とは,仕事などの影響で不安定な状態になるのを防ぐため,短時間就業から一定の期間をかけて,職場への適用状況などに合わせて,就業時間を延長していくものである.有期雇用契約を締結し,週の所定労働時間は原則 10〜20 時間未満,期間は 6〜12 か月で実施される.

(2) 地域障害者職業センター

独立行政法人高齢・障害・求職者雇用支援機構が各都道府県に設置・運営しているもので,通常,障害者職業センターといわれている.公共職業安定所などと連携しながら,障害者職業カウン

セラーらによって以下のサービスが提供されている．

① 障害特性や職業適性などの職業評価，職業指導
② 援助計画など職業リハビリテーション計画の作成
③ 職業準備支援：基本的な労働習慣を身につけるために，実際の職場環境を模したセンター内で行われる8〜12週間の作業支援や精神障害者自立支援カリキュラム
④ ジョブコーチによる支援：知的障害者や精神障害者などの職場適応を容易にするため，地域障害者職業センターにジョブコーチ（職場適応援助者）を配置し，事業所に出向いて，対象者はもとより，事業主や職場の従業員に対してさまざまな支援を行うもの
⑤ 精神障害者総合雇用支援：精神障害者と事業主に対し，雇用している場合は職場復帰や雇用継続支援を，雇用しようとする場合は雇用促進支援を，主治医との連携のもと，各段階で行う体系的かつ専門的支援．2005年から開始されている．

(3) 障害者就業・生活支援センター

就職や職場定着にあたっての就業面での支援と合わせ，日常生活や社会生活上での支援を，身近な地域で，関係諸機関との連携のもとで一体的に行う施設で，社会福祉法人やNPO法人などが運営する．全国に334か所が設置されている（2019年5月現在）．

(4) 障害者職業能力開発校

職業能力開発促進法に基づく職業訓練校で，全国に19校設置され，精神障害者も受け入れられている．通学中，訓練手当が支給される．

F 理学・作業療法との関連事項

精神障害者の処遇，さらには精神科保健医療と福祉，職業リハビリテーションの基礎となる法制度や施策の変遷と内容を理解し，それを運用することは，理学・作業療法が障害者の地域生活の自立を援助するうえで欠かせないことである．

理学・作業療法においては，その治療・援助技能の向上とともに，この領域がさらに前進するように，障害者と家族・関係者とともに尽力することが望まれている．

- 精神障害者の処遇や医療の進歩は，人権思想の向上や治療法の開発と密接に関連している．
- 精神保健福祉法では保健医療における精神障害者の人権への配慮が，障害者総合支援法でも精神障害に対して身体障害や知的障害と同水準の福祉施策がはかられているが，多くは今後の課題である．
- わが国では今も30万人近い精神障害者が入院しているが，その背景には地域での生活自立を促す施策がいまだに遅れていることがあげられる．
- 精神障害者の職業リハビリテーションには，ILO条約に立脚した法制度の改革・充実はもとより，個々人の職業準備性の向上が重要である．

第21章 社会・文化とメンタルヘルス

学習目標
- 精神疾患やメンタルヘルス（精神保健）の諸問題が，現代の社会・文化の変化と関連してどのような形で出現するのかを理解する．
- 特に現代的な課題とその問題点の所在について把握する．

A 精神の病と社会の関係

　精神医学の対象となる精神の病は，基本的には個人の心的な面における病であるが，患者の生きている場，広い意味での社会に具体的な問題，特に他の人々とうまく生きていけない困難として出現する．この点からみると，精神における病は同時に社会における病ともいえる．精神の病の治療が個人の心的な面の解決だけではなく，社会のなかで生きることができるように工夫をしていくことを方向とするのもこの点に由来する．

　本章では，社会のさまざまな局面における精神の病の現れ方から，逆に精神の健康を考える視点に立って，社会や文化とメンタルヘルス（精神保健）の関係のうち，取り上げるべき現代的な課題とその問題点を考える．

B 学校におけるメンタルヘルス

　学校におけるメンタルヘルスの問題が現代日本においてきわめて重要な問題になっていることは，改めて述べる必要はないであろう．日々の新聞を見れば，必ずこのテーマに関連した話題を見つけることができる．ここでは児童・生徒と教師に関連する問題にしぼって，学校におけるメンタルヘルスについて考えてみる．

　小学校から高校までの学童期・青年期を中心に，ほとんどすべての子どもは学校生活を体験する．少年の非行や犯罪は，本章とはまた別な形で取り扱われる必要がある重要な問題であるが，学校におけるメンタルヘルスの諸問題も，人間の前半生，特に人間の成長期における大きな問題である．

1 いじめ

　文部科学省は，毎年の「児童生徒の問題行動等，生徒指導上の諸問題に関する調査」（問題行動調査）における「いじめ」の定義を，2006年度より，従来の「①自分よりも弱いものに対して一方的に，②身体的心理的な攻撃を継続的に加え，③相手が深刻な苦痛を感じているものであって，④学校としてその事実（関係児童生徒，いじめの内容など）を確認しているもので，⑤起こった場所は学校の内外を問わないもの」から，「当該児童が，一定の人間関係のある者から，心理的，物理的な攻撃を受けたことにより，精神的な苦痛を感じているもの」，「いじめか否かの判断は，いじめられた子どもの立場に立って行うよう徹底させる」と見直した．

　また，いじめの種類には「パソコン・携帯電話での誹謗中傷」を追加し，件数も「発生件数」から「認

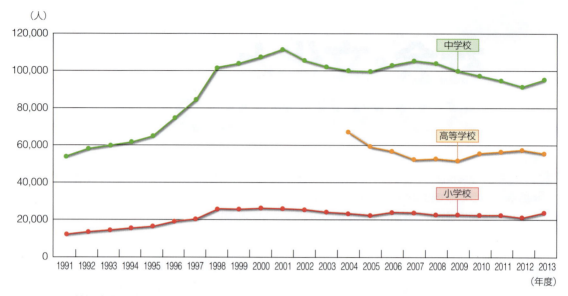

▶図1　不登校児童生徒数の推移
〔文部科学省（編）：文部科学白書（平成26年度）．p.164，文部科学省，2014より〕

知件数」に変更したが，これは従来の定義では自殺やいじめの実態が適切に把握されていないとの反省に基づく．その結果，これまで減少傾向にあるとされた「発生件数」は，「認知件数」では約5～6倍に跳ね上がる結果となっている．

もちろん，いじめる側・いじめられる側だけの問題ではなく，彼らをとりまく教師や学校環境，さらには大人社会の実態などを含め，学校問題にとどめることなく全体的に探っていく必要がある．

以下に，メンタルヘルスに関係して，いじめの特徴についてあげておく．
①いじめられる本人がいじめを問題にして他人に相談することは少ない．
②一般に人間関係における程度を熟知できないために，行動面，たとえば，けんかや仲なおりがうまくいかず，いじめに走ってしまうことがある．
③いじめる側も，いじめをしないと仲間はずれにされ，人間関係を保つことができない場合がある．
④いじめられる側の苦痛がいじめる側にほとんど理解できず，したがって罪の意識も低い．

2 不登校（登校拒否）

一般に，学校に行かなければならないと自覚しているにもかかわらず，自分でも原因がわからず登校できないものを不登校と呼び，怠学（なまけ）と分けている．図1に小学校・中学校・高校，それぞれの不登校数を示す．最近の傾向として，中学校では減少傾向にあり，高校と小学校ではほぼ一定している．

考え方はさまざまであるが，不登校は大きく2つに分けられるように思う．すなわち，
①学校が恐ろしくて行けないもの
②家から出るのが恐ろしく，結果として学校へ行けないもの
である．

①については，結局学校の何がそうさせているかを考えてみると，先にあげたいじめや教師嫌いなどもあるが，中心は学校社会あるいはクラス社会に溶け込んでいけないという，社会恐怖的な側面が強い．

②の「家から出られない」という場合には，親との共生的な関係が強いために，親のもとから離れられない場合を含め，家庭からのいわば"巣立ち"ができていないと考えられる．

不登校には，うつ病や抑うつ状態，社会恐怖など，精神科的治療を要する場合もあり，注意深い対応が必要である〔第18章 B.4.c 項「不登校」(→ 222ページ)参照〕．

3 スチューデントアパシー（学生無気力症）

スチューデントアパシーは高学歴社会に特徴的な病理現象といわれ，大学生を中心にみられる「情緒的なひきこもり，競争心の欠如，空虚感などの状態を示す一群」につけられた名称である．多くは男子学生で，無気力が主症状であるが，なかには本来の大学生としての生活以外の活動，たとえばアルバイトやクラブ活動など，きわめて限定されたものに強い関心を示す場合もある．

大学生世代はいわゆる心理社会的モラトリアム(→ NOTE-1)の時期にあり，それまでの自己を振り返り，社会のなかにおける自己を考えることが少なかったため，"進学競争すごろく"のいわば"あがり"として，大学生の時期に自分らしさを見つけようとするのだという考え方もできる．

また，この現象は単に学生にとどまらず，若いサラリーマンにみられる出社拒否にも及ぶと考えることもできる．表面的に現れた問題をみるだけではなく，社会のなかでの自立や安心感を得るための1つの試みとして考えていく必要もあるだろう．

4 教師のメンタルヘルス

これまでみてきたように，学校生活をめぐっては，当事者の努力だけでは解決困難な構造的な問題が山積している．したがって，生徒・学生と生活する教師のストレスは大きい．特に，生徒，学校，家庭の3つに挟まれ，大きな責任を1人でかぶってしまい，教師自らが不登校やうつ病になってしまう例も少なくない．最近では長期休業のなかのかなりの者がうつ病など精神障害によることが指摘されている．

現在，教師の負担はますます増大していく傾向にある．また，何かおこるといつも学校や教師が悪者にされるという風潮もあるように思う．その一方で，学校生活についてこれる生徒だけを相手にし，実質上それ以外の生徒の指導のさじを投げてしまう教師，体罰を課して学校内を恐怖政治で支配している教師の存在もあるといわれている．

これらの問題は，いじめや校内暴力などの問題ともからんで，教師の個人的な力量を超えて，わが国における教育行政にかかわる構造的な問題も当然含んでいると考えるべきである．

C 職場のメンタルヘルス

家庭とならんで職場は働く社会人にとって大きな場である．近年では不況などを理由にした会社の合理化，リストラ推進によって職場を追われたり，出向などの変更を余儀なくされたり，さらには終身雇用制度そのものが崩壊し，非正規雇用や能力給の出現に伴う新しい問題も噴出している．

2006年に労働安全衛生法が改正され，労働者の

> **NOTE**
>
> **1 (心理社会的)モラトリアム**
>
> アメリカの精神分析家 E.H. Erikson(エリクソン)が，現代の青年の特性を表すものとしてつくった精神分析用語．本来，モラトリアムというのは支払い猶予を意味し，天災などの非常事態のため，債務の決済ができないとき，国家が一定期間延期猶予することで，経済的混乱を防止する措置のことである．
>
> 身体的には成長したのにもかかわらず，精神的，社会的には十分には成人に達しない青年たちに，一定の猶予期間をおくことを社会が容認していることに注目して，この言葉を使用した．

心の健康の保持増進のための指針が公表された．この指針は，職場が心の健康づくり計画を策定するとともに，セルフケア，ラインによるケア，事業場内産業保健スタッフなどによるケア，事業場外資源によるケアの4つのケアを実施することを基本としている．ストレスに関する質問票や事業場内カウンセリングは主にセルフケアに役立てることができる．また2008年に施行された労働契約法では「使用者は，労働契約に伴い，労働者がその生命，身体等の安全を確保しつつ労働することができるよう，必要な配慮をするものとする」として使用者の労働者に対する安全配慮義務（健康配慮義務）を明文化している．メンタルヘルス対策も使用者の安全配慮義務に含まれると解釈されよう．さらに政府は2014年10月に「過労死等防止対策推進法（過労死防止法）」の施行を閣議決定した．同法は過労死・過労自殺の対策を国の責任で進めることを明記した初めての法律で，国のとるべき対策として①過労死の実態の調査研究，②国民への啓発，③相談体制の整備，④民間団体の活動に対する支援などの内容を盛り込んでおり，自治体や事業主には，国や自治体が実施する対策に協力するよう求めている．

1 職場不適応

仕事や対人関係，あるいは職場環境の変化など，職場をめぐる状況はストレス源となりやすい．特に最近のOA化，あるいは青年層との考え方のギャップなど，中間管理職にある中年以降のサラリーマンを苦しめることも多い．

また，男女雇用均等法などにより女性の職場進出が進んでいるが，現代日本の職場はまだ男性中心であり，仕事の進め方や残業，つき合いなど，職場のあり様も女性には溶け込みにくい面が多く残っている．セクシュアルハラスメントの問題も，表立たないところを含めて存在する．社会進出したといわれる働く女性にとって，結婚後には労働時間や子育て・保育所などの問題も含め，多くの問題が解決されていない．

2 若年サラリーマンの出社拒否

学生生活から社会人となって勤務し始めたものの，職場に不適応で欠勤がちとなり，やがて出社ができなくなる場合が代表的だが，旧来の終身雇用制の会社組織になじめない者，不登校の記述でもふれたスチューデントアパシーの延長上にいる者など，さまざまである．

3 ワーカホリック（仕事中毒）と過労死・過労自殺

仕事をしていないと落ち着かず，家にも仕事を持ち帰り，寝ても覚めても仕事といった，いわば仕事に対する過剰適応の状態である．これが高じると，うつ症状を中心とした燃えつき状態（バーンアウト）を呈する．こうした状態は，一方では，過重労働によるわが国特有の現象である過労死や過労自殺，心身症の増加などとして反映されており，他方では，妻や子どもとの関係希薄化とそれに伴う家族問題，さらには男性が家庭や地域社会などの生活拠点で居場所を失う状態に深く関連している問題となる．

D 家庭のメンタルヘルス

社会的存在としての人間にとって，職場を表の面ないし公の面とすれば，裏の面あるいは個の面が家庭ということになる．旧来の大家族的な家族構成の変化と関連して，家族の機能と構造が大きく変化していることは，すでにさまざまなところで指摘されている．ここでは，そのすべてにふれることはできないが，核家族化，女性の職場への進出，少子化など，家庭をめぐるいくつかの問題点を中心に考えてみたい．

1 夫婦の問題

離婚をすべて否定的に考える必要は必ずしもないが，統計的に少しずつではあるが離婚が確実に増えているのは見逃しがたい状況である．なかでも中高年の離婚が増加しつつあることは，男性の会社での勤務様態や夫婦のあり方に関する考えが，現代の女性の考えと合致しなくなっていることが背景に存在すると思われる．

一方，結婚する数が1970～1990年の20年間にかけて次第に減少し，現在も少ないのは，結婚生活に魅力を感じない青年が男女とも増加していることに加え，両親などの離婚をみて結婚を躊躇することも要因になっている可能性があるかもしれない．旧来の家族関係，嫁姑関係などのほかにも，互いに未熟で，いわば家庭生活を営むまでに成熟していない夫婦も結婚生活の破綻に至る要因となる．

核家族化と女性の職場への進出は，家庭内における従来の夫・妻の役割分担を大きく変えつつある．したがって，こうした状況のなかで，父性・母性，夫婦や家族のあり方も新しくとらえなおされなければならないと思われる．

2 高齢者世帯の問題

核家族化が進んでいる今日，高齢者だけの世帯や寝たきりの高齢者を抱える家族が増加していることは見逃せない問題である．こうした介護問題は，別な面では女性問題ともいわれる．すなわち，介護に社会的なサポートが不十分なわが国では，妻や嫁，娘など，女性に過度な心身の負担を強いる結果になるためである．同時に，働き盛りの男性にとっても高齢の親の問題は大きな精神的負担となる．さらに問題のいかんによっては夫婦間の不和や離婚に発展しかねず，十分な社会的支援体制の構築は緊急の課題である．

E 社会現象とメンタルヘルス

1 自殺

わが国の自殺死亡率は1951年をピークに減少し，1960年代なかばでは最低を記録したが，その後，次第に増えてしばらく年間約3万人を超えていた．この間増加したのは40～50代の中年男性であったが，これは不況や解雇，倒産など経済的な問題がこの世代の男性を直撃しているためである．しかし2013年に15年ぶりに3万人を下回り，2014年はさらに減少した．2013年の自殺者数は27,283人となり，対前年比575人(約2.1%)減となっている(▶図2)．男女別にみても減少傾向は続いている．また，男性の自殺者は，女性の約2倍となっている．

高齢者の自殺率は，世界の他の国々と比較して高いが，その自殺のほとんどが家庭問題に関連しているといわれている．すなわち，互いに助け合いが可能な地域社会の崩壊，核家族化による高齢者世帯や単身世帯の増加，あるいは病気の配偶者の介護など，高齢者により安心して暮らせる居場所が少なくなっていることも大きな要因であろう．

2 犯罪と非行

犯罪と非行に関しては，青少年の問題が注目を浴びている．わが国では全刑法犯の約45%が少年非行，少年犯罪である．従来，凶悪犯が減少し粗暴犯が増えているのがわが国の特徴であった．ところが最近，社会に大きな影響を与えるような少年非行や少年犯罪が新しい傾向としてみられていて，少年法が改正された．

また，睡眠薬やシンナー，覚醒剤や麻薬の乱用が青少年の間に流行しつつある．一方，青少年期

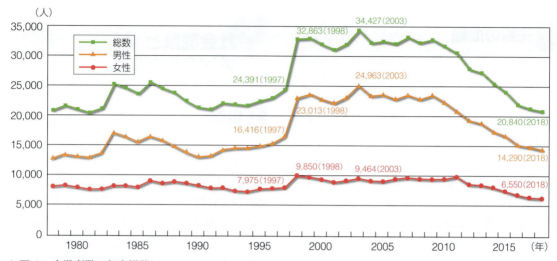
▶図2 自殺者数の年次推移
〔警察庁「自殺統計」より厚生労働省自殺対策推進室作成〕

の女性においては援助交際といわれる売春をはじめ，性産業への参加が大きな問題となっている．これは，わが国社会で性のモラルの崩壊が青少年期の女性というよりは，買春する側の成人男性により広範に進んでいることの反映である．同時に，こうした現象は今日の青少年の心のあり方の問題としてとらえ直すことが必要である．

3 災害と戦争・紛争

1990年代以降，大きな震災によってこれまで経験したことのないメンタルヘルスのさまざまな問題が現れてきた．もちろん，救命救急に相当する精神科領域における救急援助も問題となるが，こうした問題に続く心的外傷後ストレス障害(PTSD)の存在が改めて深刻になってきている〔第11章 D.2項「心的外傷後ストレス障害(PTSD)」(→169ページ)参照〕．

また，わが国内では戦争が直接経験されることはないが，世界各地では戦争や紛争が絶え間なくおこっている．こうした地域で働く日本人も増えてきており，他人事ではない問題をわれわれに投げかけている．世界の空間的・時間的な縮まりとともに，ローカルな世界の問題が即グローバルな問題としてわれわれに迫ってきている．

4 宗教と精神障害

宗教は人の救済や心の癒しにつながるものとして，精神医学やメンタルヘルスと共通する領域をもってきた．事実，宗教に基づく精神面の援助活動は現代のわが国においてもみることができる．

ところが最近，宗教活動が住民の生命や財産はもとより，メンタルヘルスの面においてもきわめてネガティブな問題をおこすケースが次々と出現している．宗教団体における集団自殺，自閉的ないし内閉的な宗教団体によるさまざまな反社会的活動は，国民一般の宗教そのものに対する認識を新たにせざるをえなくさせている．その場合，カルトやマインドコントロールという言葉がネガティブな問題を引き起こす宗教団体の重要な側面として語られる．

歴史的に，国民一般のメンタルヘルスにとって有意義な役割を果たしてきた宗教が，逆の面でも大きなかかわりをもつようになっているのが，現代という時代の特徴なのであろう．

F 理学・作業療法との関連事項

1. 本章では，理学・作業療法などのリハビリテーションを進めていくうえで，その対象となる国民一般の精神的健康の問題を理解することが重要な意味をもつことを学ぶ．

2. この領域で使用される術語のなかには，さまざまな扱われ方をしているうちに，もともとの意味から離れてしまったものがある．理学・作業療法領域でもこれらの術語を，領域の独自性に合わせて使用している場合があると思われる．術語がそのように流動化することはやむをえないが，もともとの意味や意図をふまえて学んでおくことも必要である．

- 社会・文化はメンタルヘルスに世代別・性別の影響を与える．
- メンタルヘルスの諸問題のなかには，たとえば"いじめ"，"職場不適応"，"過労自殺"のように，現代社会と深く関連した現象がある．
- 外傷後ストレス障害(PTSD)，モラトリアムなど，特有の述語や概念がある．

資料 1

ICD-10 精神および行動の障害
（カテゴリー・リスト抜粋）

F0	Organic, including symptomatic, mental disorders	症状性を含む器質性精神障害
F00	Dementia in Alzheimer's disease	アルツハイマー病型認知症
F01	Vascular dementia	血管性認知症
F02	Dementia in other diseases classified elsewhere	他に分類されるその他の疾患の認知症
F03	Unspecified dementia	特定不能の認知症
F04	Organic amnesic syndrome, not induced by alcohol and other psychoactive substances	器質性健忘症候群，アルコールおよび他の精神作用物質によらないもの
F05	Delirium, not induced by alcohol and other psychoactive substances	せん妄，アルコールおよび他の精神作用物質によらないもの
F06	Other mental disorders due to brain damage and dysfunction and to physical disease	脳損傷，脳機能不全および身体疾患による他の精神障害
F07	Personality and behavioural disorders due to brain disease, damage and dysfunction	脳疾患，脳損傷および脳機能不全によるパーソナリティおよび行動の障害
F09	Unspecified organic or symptomatic mental disorder	特定不能の器質性あるいは症状性精神障害
F1	Mental and behavioural disorders due to psychoactive substance use	精神作用物質使用による精神および行動の障害
F10	Mental and behavioural disorders due to use of alcohol	アルコール使用による精神および行動の障害
F11	Mental and behavioural disorders due to use of opioids	アヘン類使用による精神および行動の障害
F12	Mental and behavioural disorders due to use of cannabinoids	大麻類使用による精神および行動の障害
F13	Mental and behavioural disorders due to use of sedatives or hypnotics	鎮静薬あるいは睡眠薬使用による精神および行動の障害
F14	Mental and behavioural disorders due to use of cocaine	コカイン使用による精神および行動の障害
F15	Mental and behavioural disorders due to use of other stimulants, including caffeine	カフェインを含む他の精神刺激薬使用による精神および行動の障害
F16	Mental and behavioural disorders due to use of hallucinogens	幻覚剤使用による精神および行動の障害
F17	Mental and behavioural disorders due to use of tobacco	タバコ使用による精神および行動の障害
F18	Mental and behavioural disorders due to use of volatile solvents	揮発性溶剤使用による精神および行動の障害
F19	Mental and behavioural disorders due to multiple drug use and use of other psychoactive substances	多剤使用および他の精神作用物質使用による精神および行動の障害
F2	Schizophrenia, schizotypal and delusional disorders	統合失調症，統合失調型障害および妄想性障害
F20	Schizophrenia	統合失調症
F21	Schizotypal disorder	統合失調型障害
F22	Persistent delusional disorders	持続性妄想性障害
F23	Acute and transient psychotic disorders	急性一過性精神病性障害
F24	Induced delusional disorder	感応性妄想性障害
F25	Schizoaffective disorders	統合失調感情障害
F28	Other nonorganic psychotic disorders	他の非器質性精神病性障害
F29	Unspecified nonorganic psychosis	特定不能の非器質性精神病

F3	Mood (affective) disorders	気分（感情）障害
F30	Manic episode	躁病エピソード
F31	Bipolar affective disorder	双極性感情障害［躁うつ病］
F32	Depressive episode	うつ病エピソード
F33	Recurrent depressive disorder	反復性うつ病性障害
F34	Persistent mood (affective) disorders	持続性気分（感情）障害
F38	Other mood (affective) disorders	他の気分（感情）障害
F39	Unspecified mood (affective) disorder	特定不能の気分（感情）障害
F4	**Neurotic, stress-related and somatoform disorders**	**神経症性障害，ストレス関連障害および身体表現性障害**
F40	Phobic anxiety disorders	恐怖症性不安障害
F41	Other anxiety disorders	他の不安障害
F42	Obsessive-compulsive disorder	強迫性障害
F43	Reaction to severe stress, and adjustment disorders	重度ストレス反応［重度ストレスへの反応］および適応障害
F44	Dissociative (conversion) disorders	解離性（転換性）障害
F45	Somatoform disorders	身体表現性障害
F48	Other neurotic disorders	他の神経症性障害
F5	**Behavioural syndromes associated with physiological disturbances and physical factors**	**生理的障害および身体的要因に関連した行動症候群**
F50	Eating disorders	摂食障害
F51	Nonorganic sleep disorders	非器質性睡眠障害
F52	Sexual dysfunction, not caused by organic disorder or disease	性機能不全，器質性の障害あるいは疾患によらないもの
F53	Mental and behavioural disorders associated with the puerperium, not elsewhere classified	産褥に関連した精神および行動の障害，他に分類できないもの
F54	Psychological and behavioural factors associated with disorders or diseases classified elsewhere	他に分類される障害あるいは疾患に関連した心理的および行動的要因
F55	Abuse of non-dependence-producing substances	依存を生じない物質の乱用
F59	Unspecified behavioural syndromes associated with physiological disturbances and physical factors	生理的障害および身体的要因に関連した特定不能の行動症候群
F6	**Disorders of adult personality and behaviour**	**成人のパーソナリティおよび行動の障害**
F60	Specific personality disorders	特定のパーソナリティ障害
F61	Mixed and other personality disorders	混合性および他のパーソナリティ障害
F62	Enduring personality changes, not attributable to brain damage and disease	持続的パーソナリティ変化，脳損傷および脳疾患によらないもの
F63	Habit and impulse disorders	習慣および衝動の障害
F64	Gender identity disorders	性同一性障害
F65	Disorders of sexual preference	性嗜好障害
F66	Psychological and behavioural disorders associated with sexual development and orientation	性の発達と方向づけに関連した心理および行動の障害
F68	Other disorders of adult personality and behaviour	他の成人のパーソナリティおよび行動の障害
F69	Unspecified disorder of adult personality and behaviour	特定不能の成人のパーソナリティおよび行動の障害
F7	**Mental retardation**	**精神遅滞［知的障害］**
F70	Mild mental retardation	軽度精神遅滞［知的障害］
F71	Moderate mental retardation	中度［中等度］精神遅滞［知的障害］
F72	Severe mental retardation	重度精神遅滞［知的障害］
F73	Profound mental retardation	最重度精神遅滞［知的障害］
F78	Other mental retardation	他の精神遅滞［知的障害］
F79	Unspecified mental retardation	特定不能の精神遅滞［知的障害］

F8	Disorders of psychological development	心理的発達の障害
F80	Specific developmental disorders of speech and language	会話および言語の特異的発達障害
F81	Specific developmental disorders of scholastic skills	学力の特異的発達障害
F82	Specific developmental disorders of motor function	運動機能の特異的発達障害
F83	Mixed specific developmental disorders	混合性特異的発達障害
F84	Pervasive developmental disorders	広汎性発達障害
F88	Other disorders of psychological development	他の心理的発達の障害
F89	Unspecified disorder of psychological development	特定不能の心理的発達の障害
F90–F98	Behavioural and emotional disorders with onset usually occurring in childhood and adolescence	小児期および青年期に通常発症する行動および情緒の障害
F90	Hyperkinetic disorders	多動性障害
F91	Conduct disorders	素行障害
F92	Mixed disorders of conduct and emotions	行為および情緒の混合性障害
F93	Emotional disorders with onset specific to childhood	小児期に特異的に発症する情緒障害
F94	Disorders of social functioning with onset specific to childhood and adolescence	小児期および青年期に特異的に発症する社会的機能の障害
F95	Tic disorders	チック障害
F98	Other behavioural and emotional disorders with onset usually occurring in childhood and adolescence	小児期および青年期に通常発症する他の行動および情緒の障害
F99	Unspecified mental disorder	特定不能の精神障害
F99	Mental disorder, not otherwise specified	精神障害，他に特定できないもの

〔WHO（編），融 道男，中根允文，小見山 実，岡崎祐士，大久保善朗（監訳）：ICD-10 精神および行動の障害―臨床記述と診断ガイドライン，新訂版．医学書院，2005 より転載〕

DSM-5 精神疾患の分類
(大項目と主な下位分類)

1	Neurodevelopmental disorders	神経発達症群/神経発達障害群
	Intellectual disabilities	知的能力障害群
	Communication disorders	コミュニケーション症群/コミュニケーション障害群
	Autism spectrum disorder	自閉スペクトラム症/自閉症スペクトラム障害
	Attention-deficit/hyperactivity disorder	注意欠如・多動症/注意欠如・多動性障害
	Specific learning disorder	限局性学習症/限局性学習障害
	Motor disorders	運動症群/運動障害群
	Other neurodevelopmental disorders	他の神経発達症群/他の神経発達障害群
2	Schizophrenia spectrum and other psychotic disorders	統合失調症スペクトラム障害および他の精神病性障害群
	Delusional disorder	妄想性障害
	Brief psychotic disorder	短期精神病性障害
	Schizophreniform disorder	統合失調症様障害
	Schizophrenia	統合失調症
	Schizoaffective disorder	統合失調感情障害
	Catatonia	緊張病
3	Bipolar and related disorders	双極性障害および関連障害
	Bipolar I disorder	双極Ⅰ型障害
	Bipolar II disorder	双極Ⅱ型障害
	Cyclothymic disorder	気分循環性障害
4	Depressive disorders	抑うつ障害群
	Disruptive mood dysregulation disorder	重篤気分調節症
	Major depressive disorder	うつ病/うつ病性障害
	Persistent depressive disorder (Dysthymia)	持続性抑うつ障害(気分変調症)
	Premenstrual dysphoric disorder	月経前不快気分障害
5	Anxiety disorders	不安症群/不安障害群
	Separation anxiety disorder	分離不安症/分離不安障害
	Selective mutism	選択性緘黙
	Specific phobia	限局性恐怖
	Social anxiety disorder (Social phobia)	社交不安症/社交不安障害(社交恐怖)
	Panic disorder	パニック症/パニック障害
	Agoraphobia	広場恐怖症
	Generalized anxiety disorder	全般不安症/全般性不安障害
6	Obsessive-compulsive and related disorders	強迫症および関連症群/強迫性障害および関連障害群
	Obsessive-compulsive disorder	強迫症/強迫性障害
	Body dysmorphic disorder	醜形恐怖症/身体醜形障害
	Hoarding disorder	ためこみ症
	Trichotillomania (Hair-pulling disorder)	抜毛症
	Excoriation (Skin-picking) disorder	皮膚むしり症

7	Trauma- and stressor-related disorders	心的外傷およびストレス因関連障害群
	Reactive attachment disorder	反応性アタッチメント障害/反応性愛着障害
	Disinhibited social engagement disorder	脱抑制型対人交流障害
	Posttraumatic stress disorder	心的外傷後ストレス障害
	Acute stress disorder	急性ストレス障害
	Adjustment disorders	適応障害
8	Dissociative disorders	解離症群/解離性障害群
	Dissociative identity disorder	解離性同一症/解離性同一性障害
	Dissociative amnesia	解離性健忘
	Depersonalization/derealization disorder	離人感・現実感消失症/離人感・現実感消失障害
9	Somatic symptom and related disorders	身体症状症および関連症群
	Somatic symptom disorder	身体症状症
	Illness anxiety disorder	病気不安症
	Conversion disorder (Functional neurological symptom disorder)	変換症/転換性障害(機能性神経症状症)
	Psychological factors affecting other medical conditions	他の医学的疾患に影響する心理的要因
	Factitious disorder	作為症/虚偽性障害
10	Feeding and eating disorders	食行動障害および摂食障害群
	Pica	異食症
	Rumination disorder	反芻症/反芻性障害
	Avoidant/restrictive food intake disorder	回避・制限性食物摂取症/回避・制限性食物摂取障害
	Anorexia nervosa	神経性やせ症/神経性無食欲症
	Bulimia nervosa	神経性過食症/神経性大食症
	Binge-eating disorder	過食性障害
11	Elimination disorders	排泄症群
	Enuresis	遺尿症
	Encopresis	遺糞症
12	Sleep-wake disorders	睡眠-覚醒障害群
	Insomnia disorder	不眠障害
	Hypersomnolence disorder	過眠障害
	Narcolepsy	ナルコレプシー
	Breathing-related sleep disorders	呼吸関連睡眠障害群
	Parasomnias	睡眠時随伴症群
13	Sexual dysfunctions	性機能不全群
14	Gender dysphonia	性別違和
15	Disruptive, impulsive-control, and conduct disorders	秩序破壊的・衝動制御・素行症群
	Oppositional defiant disorder	反抗挑発症/反抗挑戦性障害
	Intermittent explosive disorder	間欠爆発症/間欠性爆発性障害
	Conduct disorder	素行症/素行障害
	Pyromania	放火症
	Kleptomania	窃盗症

16	Substance-related and addictive disorders	物質関連障害および嗜癖性障害群
	Substance-related disorders	物質関連障害
	Alcohol-related disorders	アルコール関連障害群
	Caffeine-related disorders	カフェイン関連障害群
	Cannabis-related disorders	大麻関連障害群
	Hallucinogen-related disorders	幻覚薬関連障害群
	Inhalant-related disorders	吸入剤関連障害群
	Opioid-related disorders	オピオイド関連障害群
	Sedative-, Hypnotic-, or Anxiolytic-related disorders	鎮静薬, 睡眠薬, または抗不安薬関連障害群
	Stimulant-related disorders	精神刺激薬関連障害群
	Tobacco-related disorder	タバコ関連障害群
	Non-Substance-related disorders	非物質関連障害群
	Gambling disorder	ギャンブル障害
17	Neurocognitive disorders	神経認知障害群
	Delirium	せん妄
	Major or Mild neurocognitive disorder	認知症または軽度認知障害
	neurocognitive disorder due to Alzheimer's disease	アルツハイマー病による
	frontotemporal neurocognitive disorder	前頭側頭型
	neurocognitive disorder with Lewy bodies	レビー小体病を伴う
	vascular neurocognitive disorder	血管性
	neurocognitive disorder due to traumatic brain injury	外傷性脳損傷による
	neurocognitive disorder due to HIV infection	HIV 感染による
	neurocognitive disorder due to prion disease	プリオン病による
	neurocognitive disorder due to Parkinson's disease	パーキンソン病による
	neurocognitive disorder due to Huntington's disease	ハンチントン病による
18	Personality disorders	パーソナリティ障害群
	Cluster A personality disorders	A 群パーソナリティ障害
	Paranoid personality disorder	猜疑性/妄想性パーソナリティ障害
	Schizoid personality disorder	シゾイド/スキゾイドパーソナリティ障害
	Schizotypal personality disorder	統合失調型パーソナリティ障害
	Cluster B personality disorders	B 群パーソナリティ障害
	Antisocial personality disorder	反社会性パーソナリティ障害
	Borderline personality disorder	境界性パーソナリティ障害
	Histrionic personality disorder	演技性パーソナリティ障害
	Narcissistic personality disorder	自己愛性パーソナリティ障害
	Cluster C personality disorders	C 群パーソナリティ障害
	Avoidant personality disorder	回避性パーソナリティ障害
	Dependent personality disorder	依存性パーソナリティ障害
	Obsessive-compulsive personality disorder	強迫性パーソナリティ障害
19	Paraphilic disorders	パラフィリア障害群
20	Other mental disorders	他の精神疾患群
21	Medication-induced movement disorders and other adverse effects of medication	医薬品誘発性運動症群および他の医薬品有害作用
22	Other conditions that may be a focus of clinical attention	臨床的関与の対象となることのある他の状態

注:下記の 2 つの小項目を含む大項目の番号を記す(著者).
- Substance/Medication induced(物質・医薬品誘発性):2, 3, 4, 5, 6, 12, 13, 17
- Due to another medical condition(他の医学的疾患による):2, 3, 4, 5, 6, 9, 17, 18, 20

〔日本精神神経学会(日本語版用語監修), 髙橋三郎・大野 裕(監訳):DSM-5 精神疾患の診断・統計マニュアル. 医学書院, 2014〕

資料3 精神保健及び精神障害者福祉に関する法律（精神保健福祉法）・抄
（2014年施行，第13条・第14条は2016年施行）

目次
- 第1章　総則（第1条–第5条）
- 第2章　精神保健福祉センター（第6条–第8条）
- 第3章　地方精神保健福祉審議会及び精神医療審査会（第9条–第17条）
- 第4章　精神保健指定医，登録研修機関，精神科病院及び精神科救急医療体制
  - 第1節　精神保健指定医（第18条–第19条の6）
  - 第2節　登録研修機関（第19条の6の2–第19条の6の17）
  - 第3節　精神科病院（第19条の7–第19条の10）
  - 第4節　精神科救急医療の確保（第19条の11）
- 第5章　医療及び保護
  - 第1節　任意入院（第20条・第21条）
  - 第2節　指定医の診察及び措置入院（第22条–第32条）
  - 第3節　医療保護入院等（第33条–第35条）
  - 第4節　精神科病院における処遇等（第36条–第40条）
  - 第5節　雑則（第41条–第44条）
- 第6章　保健及び福祉
  - 第1節　精神障害者保健福祉手帳（第45条・第45条の2）
  - 第2節　相談指導等（第46条–第51条）
- 第7章　精神障害者社会復帰促進センター（第51条の2–第51条の11）
- 第8章　雑則（第51条の11の2–第51条の15）
- 第9章　罰則（第52条–第57条）
- 附則

第1章　総則

（この法律の目的）
第1条　この法律は、精神障害者の医療及び保護を行い、障害者の日常生活及び社会生活を総合的に支援するための法律（以下，障害者総合支援法）（平成17年法律第123号）と相まってその社会復帰の促進及びその自立と社会経済活動への参加の促進のために必要な援助を行い、並びにその発生の予防その他国民の精神的健康の保持及び増進に努めることによって、精神障害者の福祉の増進及び国民の精神保健の向上を図ることを目的とする。

（国及び地方公共団体の義務）
第2条　国及び地方公共団体は、障害者総合支援法の規定による自立支援給付及び地域生活支援事業と相まって、医療施設及び教育施設を充実する等精神障害者の医療及び保護並びに保健及び福祉に関する施策を総合的に実施することによって精神障害者が社会復帰をし、自立と社会経済活動への参加をすることができるように努力するとともに、精神保健に関する調査研究の推進及び知識の普及を図る等精神障害者の発生の予防その他国民の精神保健の向上のための施策を講じなければならない。

（国民の義務）
第3条　国民は、精神的健康の保持及び増進に努めるとともに、精神障害者に対する理解を深め、及び精神障害者がその障害を克服して社会復帰をし、自立と社会経済活動への参加をしようとする努力に対し、協力するように努めなければならない。

（精神障害者の社会復帰、自立及び社会参加への配慮）
第4条　医療施設の設置者は、その施設を運営するに当たつては、精神障害者の社会復帰の促進及び自立と社会経済活動への参加の促進を図るため、当該施設において医療を受ける精神障害者が、障害者総合支援法第5条第1項に規定する障害福祉サービスに係る事業（以下「障害福祉サービス事業」という）、同条第16項に規定する一般相談支援事業（以下「一般相談支援事業」という）その他の精神障害者の福祉に関する事業に係るサービスを円滑に利用することができるように配慮し、必要に応じ、これらの事業を行う者と連携を図るとともに、地域に即した創意と工夫を行い、及び地域住民等の理解と協力を得るように努めなければならない。

2　国、地方公共団体及び医療施設の設置者は、精神障害者の社会復帰の促進及び自立と社会経済活動への参加の促進を図るため、相互に連携を図りながら協力するよう努めなければならない。

（定義）
第5条　この法律で「精神障害者」とは、統合失調症、精神作用物質による急性中毒又はその依存症、知的障害、精神病質その他の精神疾患を有する者をいう。

第2章　精神保健福祉センター

(精神保健福祉センター)
第6条　都道府県は、精神保健の向上及び精神障害者の福祉の増進を図るための機関(以下「精神保健福祉センターという。)を置くものとする。
2　精神保健福祉センターは、次に掲げる業務を行うものとする。
一　精神保健及び精神障害者の福祉に関する知識の普及を図り、及び調査研究を行うこと。
二　精神保健及び精神障害者の福祉に関する相談及び指導のうち複雑又は困難なものを行うこと。
三　精神医療審査会の事務を行うこと。
四　第45条第1項の申請に対する決定及び障害者総合支援法第52条第1項に規定する支給認定(精神障害者に係るものに限る。)に関する事務のうち専門的な知識及び技術を必要とするものを行うこと。

第3章　地方精神保健福祉審議会及び精神医療審査会

(地方精神保健福祉審議会)
第9条　精神保健及び精神障害者の福祉に関する事項を調査審議させるため、都道府県は、条例で、精神保健福祉に関する審議会その他の合議性の機関(以下「地方精神保健福祉審議会」という。)を置くことができる。
2　地方精神保健福祉審議会は、都道府県知事の諮問に答えるほか、精神保健及び精神障害者の福祉に関する事項に関して都道府県知事に意見を具申することができる。

(精神医療審査会)
第12条　第38条の3第2項及び第38条の5第2項の規定による審査を行わせるため、都道府県に、精神医療審査会を置く。

(委員)
第13条　精神医療審査会の委員は、精神障害者の医療に関し学識経験を有する者(第18条第1項に規定する精神保健指定医である者に限る。)、精神障害者の保健又は福祉に関し学識経験を有する者及び法律に関し学識経験を有する者のうちから、都道府県知事が任命する。
2　委員の任期は、2年とする。

(審査の案件の取扱い)
第14条　精神医療審査会は、その指名する委員5人をもって構成する合議体で、審査の案件を取り扱う。
2　合議体を構成する委員は、次の各号に掲げる者とし、その員数は、当該各号に定める員数以上とする。
一　精神障害者の医療に関し学識経験を有する者　2
二　精神障害者の保健又は福祉に関し学識経験を有する者　1
三　法律に関し学識経験を有する者　1

第4章　精神保健指定医、登録研修機関、精神科病院及び精神科救急医療体制

第1節　精神保健指定医

(精神保健指定医)
第18条　厚生労働大臣は、その申請に基づき、次に該当する医師のうち第19条の4に規定する職務を行うのに必要な知識及び技能を有すると認められる者を、精神保健指定医(以下「指定医」という。)に指定する。
一　5年以上診断又は治療に従事した経験を有すること。
二　3年以上精神障害の診断又は治療に従事した経験を有すること。

(職務)
第19条の4　指定医は、第21条第3項及び第29条の5の規定により入院を継続する必要があるかどうかの判定、第33条第1項及び第33条の7第1項の規定による入院を必要とするかどうか及び第20条の規定による入院が行われる状態にないかどうかの判定、第36条第3項に規定する行動の制限を必要とするかどうかの判定、第38条の2第1項に規定する報告事項に係る入院中の者の診察並びに第40条の規定により一時退院させて経過を見ることが適当かどうかの判定の職務を行う。
2　指定医は、前項に規定する職務のほか、公務員として、次に掲げる職務を行う。
一　第29条第1項及び第29条の2第1項の規定による入院を必要とするかどうかの判定
二　第29条の2の2第3項に規定する行動の制限を必要とするかどうかの判定
三　第29条の4第2項の規定により入院を継続する必要があるかどうかの判定
四　第34条第1項及び第3項の規定による移送を必要とするかどうかの判定
五　第38条の3第3項及び第38条の5第4項の規定による診察
六　第38条の6第1項の規定による立入検査、質問及び診察
七　第38条の7第2項の規定により入院を継続する必要があるかどうかの判定

(指定医の必置)
第19条の5　第29条第1項、第29条の2第1項、第33条第1項、第3項若しくは第4項又は第33条の7第1項若しくは第2項の規定により精神障害者を入院させている精神科病院(精神科病院以外の病院で精神病室が設けられているものを含む。)の管理者は、厚生労働省令で定めるところにより、その精神科病院に常時勤務する指定医を置か

なければならない。

第3節　精神科病院

(都道府県立精神科病院)

第19条の7　都道府県は、精神科病院を設置しなければならない。ただし、次条の規定による指定病院がある場合においては、その設置を延期することができる。

(指定病院)

第19条の8　都道府県知事は、国等以外の者が設置した精神科病院であつて厚生労働大臣の定める基準に適合するものの全部又は一部を、その設置者の同意を得て、都道府県が設置する精神科病院に代わる施設(以下「指定病院」という。)として指定することができる。

第4節　精神科救急医療の確保

第19条の11　都道府県は、精神障害の救急医療が適切かつ効率的に提供されるように、夜間又は休日において精神障害の医療を必要とする精神障害者又はその第33条第2項に規定する家族等その他の関係者からの相談に応ずること、精神障害の救急医療を提供する医療施設相互間の連携と確保することその他の地域の実情に応じた体制の整備を図るよう努めるものとする。

第5章　医療及び保護

第1節　任意入院

(任意入院)

第20条　精神科病院の管理者は、精神障害者を入院させる場合においては、本人の同意に基づいて入院が行われるように努めなければならない。

第21条　精神障害者が自ら入院する場合においては、精神科病院の管理者は、その入院に際し、当該精神障害者に対して第38条の4の規定による退院等の請求に関することその他厚生労働省令で定める事項を書面で知らせ、当該精神障害者から自ら入院する旨を記載した書面を受けなければならない。

2　精神科病院の管理者は、自ら入院した精神障害者(以下「任意入院者」という。)から退院の申出があつた場合においては、その者を退院させなければならない。

3　前項に規定する場合において、精神科病院の管理者は、指定医による診察の結果、当該任意入院者の医療及び保護のため入院を継続する必要があると認めたときは、同項の規定にかかわらず、72時間を限り、その者を退院させないことができる。

4　前項に規定する場合において、精神科病院(厚生労働省令で定める基準に適合すると都道府県知事が認めるものに限る。)の管理者は、緊急その他やむを得ない理由があるときは、指定医に代えて指定医以外の医師(医師法(昭和23年法律第201号)第16条の4第1項の規定による登録を受けていることその他厚生労働省令で定める基準に該当する者に限る。以下「特定医師」という。)に任意入院者の診察を行わせることができる。この場合において、診察の結果、当該任意入院者の医療及び保護のため入院を継続する必要があると認めたときは、前2項の規定にかかわらず、12時間を限り、その者を退院させないことができる。

7　精神科病院の管理者は、第3項又は第4項後段の規定による措置を採る場合においては、当該任意入院者に対し、当該措置を採る旨、第38条の4の規定による退院等の請求に関することその他厚生労働省令で定める事項を書面で知らせなければならない。

第2節　指定医の診察及び措置入院

(診察及び保護の申請)

第22条　精神障害者又はその疑いのある者を知つた者は、誰でも、その者について指定医の診察及び必要な保護を都道府県知事に申請することができる。

2　前項の申請をするには、次の事項を記載した申請書を最寄りの保健所長を経て都道府県知事に提出しなければならない。

一　申請者の住所、氏名及び生年月日
二　本人の現在場所、居住地、氏名、性別及び生年月日
三　症状の概要
四　現に本人の保護の任に当たつている者があるときはその者の住所及び氏名

(警察官の通報)

第23条　警察官は、職務を執行するに当たり、異常な挙動その他周囲の事情から判断して、精神障害のために自身を傷つけ又は他人に害を及ぼすおそれがあると認められる者を発見したときは、直ちに、その旨を、最寄りの保健所長を経て都道府県知事に通報しなければならない。

(検察官の通報)

第24条　検察官は、精神障害者又はその疑いのある被疑者又は被告人について、不起訴処分をしたとき、又は裁判(懲役、禁錮又は拘留の刑を言い渡し執行猶予の言渡をしない裁判を除く。)が確定したときは、速やかに、その旨を都道府県知事に通報しなければならない。ただし、当該不起訴処分をされ、又は裁判を受けた者について、心神喪失等の状態で重大な他害行為を行った者の医療及び観察等に関する法律(平成15年法律第110号)第33条第1項の申し立てをしたときは、この限りでない。

(保護観察所の長の通報)

第25条　保護観察所の長は、保護観察に付されている者が精神障害者又はその疑いのある者であることを知つたときは、速やかに、その旨を都道府県知事に通報しなければならない。

(矯正施設の長の通報)

第26条　矯正施設(拘置所、刑務所、少年刑務所、少年院、

少年鑑別所及び婦人補導院をいう。以下同じ。)の長は、精神障害者又はその疑いのある収容者を釈放、退院又は退所させようとするときは、あらかじめ、左の事項を本人の帰住地(帰住地がない場合は当該矯正施設の所在地)の都道府県知事に通報しなければならない。
一 本人の帰住地、氏名、性別及び生年月日
二 症状の概要
三 釈放、退院又は退所の年月日
四 引取人の住所及び氏名

(精神科病院の管理者の届出)
第26条の2 精神科病院の管理者は、入院中の精神障害者であつて、第29条第1項の要件に該当すると認められるものから退院の申出があつたときは、直ちに、その旨を、最寄りの保健所長を経て都道府県知事に届け出なければならない。

(心神喪失等の状態で重大な他害行為を行った者に係る通報)
第26条の3 心神喪失等の状態で重大な他害行為を行った者の医療及び観察等に関する法律第2条第5項に規定する指定通院医療機関の管理者及び保護観察所の長は、同法の対象者であって同条第4項に規定する指定入院医療機関に入院していないものがその精神障害のために自身を傷つけ又は他人に害を及ぼすおそれがあると認めたときは、直ちに、その旨を、最寄りの保健所長を経て都道府県知事に通報しなければならない。

(申請等に基づき行われる指定医の診察等)
第27条 都道府県知事は、第22条から前条までの規定による申請、通報又は届出のあつた者について調査の上必要があると認めるときは、その指定する指定医をして診察をさせなければならない。
2 都道府県知事は、入院させなければ精神障害のために自身を傷つけ又は他人に害を及ぼすおそれがあることが明らかである者については、第22条から前条までの規定による申請、通報又は届出がない場合においても、その指定する指定医をして診察をさせることができる。

(都道府県知事による入院措置)
第29条 都道府県知事は、第27条の規定による診察の結果、その診察を受けた者が精神障害者であり、かつ、医療及び保護のために入院させなければその精神障害のために自身を傷つけ又は他人に害を及ぼすおそれがあると認めたときは、その者を国等の設置した精神科病院又は指定病院に入院させることができる。
2 前項の場合において都道府県知事がその者を入院させるには、その指定する2人以上の指定医の診察を経て、その者が精神障害者であり、かつ、医療及び保護のために入院させなければその精神障害のために自身を傷つけ又は他人に害を及ぼすおそれがあると認めることについて、各指定医の診察の結果が一致した場合でなければならない。

3 都道府県知事は、第1項の規定による措置を採る場合においては、当該精神障害者に対し、当該入院措置を採る旨、第38条の4の規定による退院等の請求に関することその他厚生労働省令で定める事項を書面で知らせなければならない。

第29条の2 都道府県知事は、前条第1項の要件に該当すると認められる精神障害者又はその疑いのある者について、急速を要し、第27条、第28条及び前条の規定による手続を採ることができない場合において、その指定する指定医をして診察させた結果、その者が精神障害者であり、かつ、直ちに入院させなければその精神障害のために自身を傷つけ又は他人を害するおそれが著しいと認めたときは、その者を前条第1項に規定する精神科病院又は指定病院に入院させることができる。
3 第1項の規定による入院の期間は、72時間を超えることができない。

第29条の2の2 都道府県知事は、第29条第1項又は前条第1項の規定による入院措置を採ろうとする精神障害者を、当該入院措置に係る病院に移送しなければならない。
2 都道府県知事は、前項の規定により移送を行う場合においては、当該精神障害者に対し、当該移送を行う旨その他厚生労働省令で定める事項を書面で知らせなければならない。
3 都道府県知事は、第1項の規定による移送を行うに当たつては、当該精神障害者を診察した指定医が必要と認めたときは、その者の医療又は保護に欠くことのできない限度において、厚生労働大臣があらかじめ社会保障審議会の意見を聴いて定める行動の制限を行うことができる。

(入院措置の解除)
第29条の4 都道府県知事は、第29条第1項の規定により入院した者(以下「措置入院者」という。)が入院を継続しなくてもその精神障害のために自身を傷つけ又は他人に害を及ぼすおそれがないと認められるに至つたときは、直ちに、その者を退院させなければならない。この場合においては、都道府県知事は、あらかじめ、その者を入院させている精神科病院又は指定病院の管理者の意見を聞くものとする。
2 前項の場合において都道府県知事がその者を退院させるには、その者が入院を継続しなくてもその精神障害のために自身を傷つけ又は他人に害を及ぼすおそれがないと認められることについて、その指定する指定医による診察の結果又は次条の規定による診察の結果に基づく場合でなければならない。

第3節 医療保護入院等
(医療保護入院)
第33条 精神科病院の管理者は、次に掲げる者について、その家族等のうちいずれかの者の同意があるときは、本人の同意がなくてもその者を入院させることができる。

一　指定医による診察の結果、精神障害者であり、かつ、医療及び保護のため入院の必要がある者であつて当該精神障害のために第20条の規定による入院が行われる状態にないと判定されたもの
二　第34条第1項の規定により移送された者
2　前項の「家族等」とは、当該精神障害者の配偶者、親権を行う者、扶養義務者及び後見人又は保佐人をいう。ただし、次の各号のいずれかに該当する者を除く。
一　行方の知れない者
二　当該精神障害者に対して訴訟をしている者、又はした者並びにその配偶者及び直系血族
三　家庭裁判所で免ぜられた法定代理人、保佐人又は補助人
四　成年被後見人又は被保佐人
五　未成年者
3　精神科病院の管理者は、第1項第1号に掲げる者について、その家族等（前項に規定する家族等をいう。以下同じ。）がない場合又はその家族等の全員がその意思を表示することができない場合において、その者の居住地（居住地がないか、又は明らかでないときは、その者の現在地。第45条第1項を除き、以下同じ。）を管轄する市町村長（特別区の長を含む。以下同じ。）の同意があるときは、本人の同意がなくてもその者を入院させることができる。第34条第2項の規定により移送された者について、その者の居住地を管轄する市町村長の同意があるときも、同様とする。
4　第1項又は前項に規定する場合において、精神科病院（厚生労働省令で定める基準に適合すると都道府県知事が認めるものに限る。）の管理者は、緊急その他やむを得ない理由があるときは、指定医に代えて特定医師に診察を行わせることができる。この場合において、診察の結果、精神障害者であり、かつ、医療及び保護のため入院の必要がある者であつて当該精神障害のために第20条の規定による入院が行われる状態にないと判定されたときは、第1項又は前項の規定にかかわらず、本人の同意がなくても、12時間を限り、その者を入院させることができる。
第33条の3　精神科病院の管理者は、第33条第1項、第3項又は第4項後段の規定による措置を採る場合においては、当該精神障害者に対し、当該入院措置を採る旨、第38条の4の規定による退院等の請求に関することその他厚生労働省令で定める事項を書面で知らせなければならない。ただし、当該入院措置を採つた日から4週間を経過する日までの間であつて、当該精神障害者の症状に照らし、その者の医療及び保護を図る上で支障があると認められる間においては、この限りでない。
（医療保護入院者の退院による地域における生活への移行を促進するための措置）
第33条の4　医療保護入院者を入院させている精神科病院の管理者は、精神保健福祉士その他厚生労働省令で定める資格を有する者のうちから、厚生労働省令で定めるところにより、退院後生活環境相談員を選任し、その者に医療保護入院者の退院後の生活環境に関し、医療保護入院者及びその家族等からの相談に応じさせ、及びこれらの者を指導させなければならない。
第33条の5　医療保護入院者を入院させている精神科病院の管理者は、医療保護入院者又は家族等から求めがあつた場合その他医療保護入院者の退院による地域における生活への移行を促進するために必要があると認められる場合には、これらの者に対して、厚生労働省令で定めるところにより、一般相談支援事業若しくは障害者総合支援法第5条第16項に規定する特定相談支援事業（第49条第1項において「特定相談支援事業」という。）を行う者、介護保険法第8条第23項に規定する居宅介護支援事業を行う者その他の地域の精神障害者の保健又は福祉に関する各般の問題につき精神障害者又はその家族等からの相談に応じ必要な情報の提供、助言その他の援助を行う事業を行うことができると認められる者として厚生労働省令で定めるもの（次条において「地域援助事業者」という。）を紹介するよう努めなければならない。
第33条の6　精神科病院の管理者は、前二条に規定する措置のほか、厚生労働省令で定めるところにより、必要に応じて地域援助事業者と連携を図りながら、医療保護入院者の退院による地域における生活への移行を促進するために必要な体制の整備その他の当該精神科病院における医療保護入院者の退院による地域における生活への移行を促進するための措置を講じなければならない。
（応急入院）
第33条の7　厚生労働大臣の定める基準に適合するものとして都道府県知事が指定する精神科病院の管理者は、医療及び保護の依頼があつた者について、急速を要し、家族等の同意を得ることができない場合において、その者が、次に該当する者であるときは、本人の同意がなくても、72時間を限り、その者を入院させることができる。
一　指定医の診察の結果、精神障害者であり、かつ、直ちに入院させなければその者の医療及び保護を図る上で著しく支障がある者であつて当該精神障害のために第20条の規定による入院が行われる状態にないと判定されたもの
二　第34条第3項の規定により移送された者
（医療保護入院等のための移送）
第34条　都道府県知事は、その指定する指定医による診察の結果、精神障害者であり、かつ、直ちに入院させなければその者の医療及び保護を図る上で著しく支障がある者であつて当該精神障害のために第20条の規定による入院が行われる状態にないと判定されたものにつき、その家族等のうちいずれかの者の同意があるときは、本人の同意が

なくてもその者を第33条第1項の規定による入院をさせるため第33条の7第1項に規定する精神科病院に移送することができる。

第4節 精神科病院における処遇等

（処遇）

第36条 精神科病院の管理者は、入院中の者につき、その医療又は保護に欠くことのできない限度において、その行動について必要な制限を行うことができる。

2 精神科病院の管理者は、前項の規定にかかわらず、信書の発受の制限、都道府県その他の行政機関の職員との面会の制限その他の行動の制限であつて、厚生労働大臣があらかじめ社会保障審議会の意見を聴いて定める行動の制限については、これを行うことができない。

3 第1項の規定による行動の制限のうち、厚生労働大臣があらかじめ社会保障審議会の意見を聴いて定める患者の隔離その他の行動の制限は、指定医が必要と認める場合でなければ行うことができない。

（相談、援助等）

第38条 精神科病院その他の精神障害の医療を提供する施設の管理者は、当該施設において医療を受ける精神障害者の社会復帰の促進を図るため、当該施設の医師、看護師その他の医療従事者による有機的な連携の確保に配慮しつつ、その者の相談に応じ、必要に応じて一般相談支援事業を行う者と連携を図りながらその者に必要な援助を行い、及びその家族等その他関係者との連絡調整を行うように努めなければならない。

（定期の報告等）

第38条の2 措置入院者を入院させている精神科病院又は指定病院の管理者は、措置入院者の症状その他厚生労働省令で定める事項（以下この項において「報告事項」という。）を、厚生労働省令で定めるところにより、定期に、最寄りの保健所長を経て都道府県知事に報告しなければならない。この場合において、報告事項のうち厚生労働省令で定める事項については、指定医による診察の結果に基づくものでなければならない。

2 前項の規定は、医療保護入院者を入院させている精神科病院の管理者について準用する。この場合において、同項中「措置入院者」とあるのは、「医療保護入院者」と読み替えるものとする。

（定期の報告等による審査）

第38条の3 都道府県知事は、前条第1項若しくは第2項の規定による報告又は第33条第7項の規定による届出（同条第1項又は第3項の規定による措置に係るものに限る。）があつたときは、当該報告又は届出に係る入院中の者の症状その他厚生労働省令で定める事項を精神医療審査会に通知し、当該入院中の者についてその入院の必要があるかどうかに関し審査を求めなければならない。

2 精神医療審査会は、前項の規定により審査を求められたときは、当該審査に係る入院中の者についてその入院の必要があるかどうかに関し審査を行い、その結果を都道府県知事に通知しなければならない。

4 都道府県知事は、第2項の規定により通知された精神医療審査会の審査の結果に基づき、その入院が必要でないと認められた者を退院させ、又は精神科病院の管理者に対しその者を退院させることを命じなければならない。

（退院等の請求）

第38条の4 精神科病院に入院中の者又はその家族等は、厚生労働省令で定めるところにより、都道府県知事に対し、当該入院中の者を退院させ、又は精神科病院の管理者に対し、その者を退院させることを命じ、若しくはその者の処遇の改善のために必要な措置を採ることを命じることを求めることができる。

（退院等の請求による審査）

第38条の5 都道府県知事は、前条の規定による請求を受けたときは、当該請求の内容を精神医療審査会に通知し、当該請求に係る入院中の者について、その入院の必要があるかどうか、又はその処遇が適当であるかどうかに関し審査を求めなければならない。

2 精神医療審査会は、前項の規定により審査を求められたときは、当該審査に係る者について、その入院の必要があるかどうか、又はその処遇が適当であるかどうかに関し審査を行い、その結果を都道府県知事に通知しなければならない。

5 都道府県知事は、第2項の規定により通知された精神医療審査会の審査の結果に基づき、その入院が必要でないと認められた者を退院させ、又は当該精神科病院の管理者に対しその者を退院させることを命じ若しくはその者の処遇の改善のために必要な措置を採ることを命じなければならない。

（報告徴収等）

第38条の6 厚生労働大臣又は都道府県知事は、必要があると認めるときは、精神科病院の管理者に対し、当該精神科病院に入院中の者の症状若しくは処遇に関し、報告を求め、若しくは診療録その他の帳簿書類の提出若しくは提示を命じ、当該職員若しくはその指定する指定医に、精神科病院に立ち入り、これらの事項に関し、診療録その他の帳簿書類を検査させ、若しくは当該精神科病院に入院中の者その他の関係者に質問させ、又はその指定する指定医に、精神科病院に立ち入り、当該精神科病院に入院中の者を診察させることができる。

（改善命令等）

第38条の7 厚生労働大臣又は都道府県知事は、精神科病院に入院中の者の処遇が第36条の規定に違反していると認めるとき又は第37条第1項の基準に適合していない

と認めるときその他精神科病院に入院中の者の処遇が著しく適当でないと認めるときは、当該精神科病院の管理者に対し、措置を講ずべき事項及び期限を示して、処遇を確保するための改善計画の提出を求め、若しくは提出された改善計画の変更を命じ、又はその処遇の改善のために必要な措置を採ることを命ずることができる。

2　厚生労働大臣又は都道府県知事は、必要があると認めるときは、第21条第3項の規定により入院している者又は第33条第1項、第3項若しくは第4項若しくは第33条の7第1項若しくは第2項の規定により入院した者について、その指定する2人以上の指定医に診察させ、各指定医の診察の結果がその入院を継続する必要があることに一致しない場合又はこれらの者の入院がこの法律若しくはこの法律に基づく命令に違反して行われた場合には、これらの者が入院している精神科病院の管理者に対し、その者を退院させることを命ずることができる。

（無断退去者に対する措置）

第39条　精神科病院の管理者は、入院中の者で自身を傷つけ又は他人に害を及ぼすおそれのあるものが無断で退去しその行方が不明になつたときは、所轄の警察署長に次の事項を通知してその探索を求めなければならない。

一　退去者の住所、氏名、性別及び生年月日
二　退去の年月日及び時刻
三　症状の概要
四　退去者を発見するために参考となるべき人相、服装その他の事項
五　入院年月日
六　退去者の家族等又はこれに準ずる者の住所及び氏名その他厚生労働省令で定める事項

2　警察官は、前項の探索を求められた者を発見したときは、直ちに、その旨を当該精神科病院の管理者に通知しなければならない。この場合において、警察官は、当該精神科病院の管理者がその者を引き取るまでの間、24時間を限り、その者を、警察署、病院、救護施設等の精神障害者を保護するのに適当な場所に、保護することができる。

（仮退院）

第40条　第29条第1項に規定する精神科病院又は指定病院の管理者は、指定医による診察の結果、措置入院者の症状に照らしその者を一時退院させて経過を見ることが適当であると認めるときは、都道府県知事の許可を得て、6月を超えない期間を限り仮に退院させることができる。

第5節　雑則

（指針）

第41条　厚生労働大臣は、精神障害者の特性その他の心身の状態に応じた良質かつ適切な精神障害者に対する医療の提供を確保するための指針（以下この条において「指針」という。）を定めなければならない。

2　指針に定める事項は、次の通りとする。

一　精神病床（病院の病床のうち、精神疾患を有する者を入院させるためのものをいう。）の機能分化に関する事項
二　精神障害者の居宅等（居宅その他の厚生労働省令で定める場所をいう。）における保健医療サービス及び福祉サービスの提供に関する事項
三　精神障害者に対する医療の提供に当たっての医師、看護師その他の医療従事者と保健福祉士その他の精神障害者の保健及び福祉に関する専門的知識を有する者との連携に関する事項
四　その他良質かつ適切な精神障害者に対する医療の提供の確保に関する重要事項

第6章　保健及び福祉

第1節　精神障害者保健福祉手帳

（精神障害者保健福祉手帳）

第45条　精神障害者（知的障害者を除く。以下この章及び次章において同じ。）は、厚生労働省令で定める書類を添えて、その居住地（居住地を有しないときは、その現在地）の都道府県知事に精神障害者保健福祉手帳の交付を申請することができる。

2　都道府県知事は、前項の申請に基づいて審査し、申請者が政令で定める精神障害の状態にあると認めたときは、申請者に精神障害者保健福祉手帳を交付しなければならない。

4　精神障害者保健福祉手帳の交付を受けた者は、厚生労働省令で定めるところにより、2年ごとに、第2項の政令で定める精神障害の状態にあることについて、都道府県知事の認定を受けなければならない。

（精神障害者保健福祉手帳の返還等）

第45条の2　精神障害者保健福祉手帳の交付を受けた者は、前条第2項の政令で定める精神障害の状態がなくなつたときは、速やかに精神障害者保健福祉手帳を都道府県に返還しなければならない。

2　精神障害者保健福祉手帳の交付を受けた者は、精神障害者保健福祉手帳を譲渡し、又は貸与してはならない。

第2節　相談指導等

（正しい知識の普及）

第46条　都道府県及び市町村は、精神障害についての正しい知識の普及のための広報活動等を通じて、精神障害者の社会復帰及びその自立と社会経済活動への参加に対する地域住民の関心と理解を深めるように努めなければならない。

（相談指導等）

第47条　都道府県、保健所を設置する市又は特別区（以下「都道府県等」という。）は、必要に応じて、次条第1項に規定する精神保健福祉相談員その他の職員又は都道府県知事

若しくは保健所を設置する市若しくは特別区の長(以下「都道府県知事等」という。)が指定した医師をして、精神保健及び精神障害者の福祉に関し、精神障害者及びその家族等その他の関係者からの相談に応じさせ、及びこれらの者を指導させなければならない。
2　都道府県等は、必要に応じて、医療を必要とする精神障害者に対し、その精神障害の状態に応じた適切な医療施設を紹介しなければならない。
3　市町村(保健所を設置する市を除く。次項において同じ。)は、前2項の規定により都道府県が行う精神障害者に関する事務に必要な協力をするとともに、必要に応じて、精神障害者の福祉に関し、精神障害者及びその家族等その他の関係者からの相談に応じ、及びこれらの者を指導しなければならない。

(精神保健福祉相談員)
第48条　都道府県等は、精神保健福祉センター及び保健所その他これらに準ずる施設に、精神保健及び精神障害者の福祉に関する相談に応じ、並びに精神障害者及びその家族等その他の関係者を訪問して必要な指導を行うための職員(次項において「精神保健福祉相談員」という。)を置くことができる。
2　精神保健福祉相談員は、精神保健福祉士その他政令で定める資格を有する者のうちから、都道府県知事又は市町村長が任命する。

(事業の利用の調整等)
第49条　市町村は、精神障害者から求めがあつたときは、当該精神障害者の希望、精神障害の状態、社会復帰の促進及び自立と社会経済活動への参加の促進のために必要な指導及び訓練その他の援助の内容等を勘案し、当該精神障害者が最も適切な障害福祉サービス事業の利用ができるよう、相談に応じ、必要な助言を行うものとする。この場合において、市町村は、当該事務を一般相談支援事業又は特定相談支援事業を行う者に委託することができる。
2　市町村は、前項の助言を受けた精神障害者から求めがあつた場合には、必要に応じて、障害福祉サービス事業等の利用についてあつせん又は調整を行うとともに、必要に応じて、障害福祉サービス事業を行う者に対し、当該精神障害者の利用の要請を行うものとする。
3　都道府県は、前項の規定により市町村が行うあつせん、調整及び要請に関し、その設置する保健所による技術的事項についての協力その他市町村に対する必要な援助及び市町村相互間の連絡調整を行う。

第7章　精神障害者社会復帰促進センター

(指定等)
第51条の2　厚生労働大臣は、精神障害者の社会復帰の促進を図るための訓練及び指導等に関する研究開発を行うこと等により精神障害者の社会復帰を促進することを目的とする一般社団法人又は一般財団法人であつて、次条に規定する業務を適正かつ確実に行うことができると認められるものを、その申請により、全国を通じて1個に限り、精神障害者社会復帰促進センター(以下「センター」という。)として指定することができる。

(業務)
第51条の3　センターは、次に掲げる業務を行うものとする。
一　精神障害者の社会復帰の促進に資するための啓発活動及び広報活動を行うこと。
二　精神障害者の社会復帰の実例に即して、精神障害者の社会復帰の促進を図るための訓練及び指導等に関する研究開発を行うこと。
三　前号に掲げるもののほか、精神障害者の社会復帰の促進に関する研究を行うこと。
四　精神障害者の社会復帰の促進を図るため、第2号の規定による研究開発の成果又は前号の規定による研究の成果を、定期的に又は時宜に応じて提供すること。
五　精神障害者の社会復帰の促進を図るための事業の業務に関し、当該事業に従事する者及び当該事業に従事しようとする者に対して研修を行うこと。
六　前各号に掲げるもののほか、精神障害者の社会復帰を促進するために必要な業務を行うこと。

(センターへの協力)
第51条の4　精神科病院その他の精神障害の医療を提供する施設の設置者及び障害福祉サービス事業を行う者は、センターの求めに応じ、センターが前条第2号及び第3号に掲げる業務を行うために必要な限度において、センターに対し、精神障害者の社会復帰の促進を図るための訓練及び指導に関する情報又は資料その他の必要な情報又は資料で厚生労働省令で定めるものを提供することができる。

第8章　雑則

(大都市の特例)
第51条の12　この法律の規定中都道府県が処理することとされている事務で政令で定めるものは、地方自治法(昭和22年法律第67号)第252条の19第1項の指定都市(以下「指定都市」という。)においては、政令の定めるところにより、指定都市が処理するものとする。この場合においては、この法律の規定中都道府県に関する規定は、指定都市に関する規定として指定都市に適用があるものとする。

資料 4

精神疾患を有する者の保護及びメンタルヘルス・ケアの改善のための原則（国連）

（1991年12月17日，国連総会）

[序文]

1 精神疾患を有する者の治療に対する国際的な関心が，近年，増大してきている．国際連合は長年にわたって，その人権がしばしば制限される障害者の保護に関心を払ってきた．精神疾患を有する者は，特に傷つきやすく，特別の保護を必要としている．国際人権規約に則ってこうした者の権利を明確に定義し，確立することが肝要である．

2 科学と技術の発展は，生活状況をよりよいものにする機会を増大させている．しかしながら，科学技術は社会問題を助長する可能性を持っており，基本的な自由や人権への脅威となりうる．同様に，医療や心理療法の技術は，個人の身体的，知的高潔さへの脅威となりうる．

3 科学や技術が生み出した産物や方法が誤った目的のために使われている．特に精神疾患のために強制入院させられている人々の治療手段として誤って用いられているという気がかりな報告が行われてきた．

4 独立した公平な機関へのアクセスの方法に関する規定を含め，精神保健法に定められた方法は，患者の自由にとって決定的に重要なものであり，患者の人権と法的権利はあらゆる手段を講じて保護されねばならない．

5 この諸原則は患者の施設への入院，強制収容，治療，地域社会への退院とリハビリテーションに関連する，あらゆる法的，医学的，社会的，道徳的問題をカバーしようとするものではない．国際社会における法的，医学的，社会的，経済的，地勢学的状況のきわめて変化に富んだ状況を勘案すれば，この諸原則が，あらゆる国であらゆる時代に直ちに適応されるべきものではないことは明らかである．

6 この諸原則は，精神疾患を有する者の保護，およびメンタルヘルス・ケアの進歩に関するものである．特に，精神疾患のために，精神保健施設に非自発的に入院している少数の患者に焦点をおいている．精神疾患を有し，治療を受けている者の大部分は病院に入院していない．少数が入院し，その大部分は自発的な入院である．ごく少数が非自発的な入院を必要としている．精神疾患に侵された者のケア，支援，治療，リハビリテーションのための施設は，可能な限り，患者の住む地域社会に置かれるべきである．したがって，精神保健施設への入院は，そうした地域社会の施設が不適切であるか，得られない場合に限って行われるべきである．より多くの，より拘束の少ない，代替精神保健サービスを得ることができるような資源を準備することが，この諸原則の適用を，よりたやすいものにすることを確実にする助けとなるであろう．

7 精神疾患を有する者を虐待から守り，精神疾患であるというレッテルが人の権利を不当に制限する口実とされないように保障することは重要なことであるが，精神疾患を有する者が見捨てられることを防ぎ，ケアと治療の必要性，特に地域社会に統合された人々のケアと治療の必要性が満たされることを保障することも同様に重要である．

8 この諸原則はとりわけ，各国政府，専門的な機関，国内団体，地域内団体，国際団体，許可された非政府団体（NGOs），及び個人の手引となり，この諸原則を採用し，これらを適用していく上の経済的あるいはその他の現実的困難に打ち勝つための不断の努力を推奨することを目指している．なぜなら，これらの原則は，精神疾患を有する者の基本的な自由と人権と法的権利を保護するための，国際連合の最低限の基準だからである．

9 したがって，各国政府は，必要なら，国内法をこの諸原則に合わせるよう考慮すべきであり，新しい関連法規を定める場合にはこの諸原則に沿う規定を採用すべきである．この諸原則は患者を保護するための国際連合の最低限の基準である．

[本文]

適用

　これらの原則は障害，皮膚の色，性，言語，宗教，政治的もしくはその他の意見，国，民族もしくは社会的出自，法的もしくは社会的身分，年齢，財産又は出生によるいかなる差別もなく適用される．

定義

この原則において

「**弁護人**(counsel)」とは法的又はその他の資格をもつ代理人を意味し，

「**独立**(independent authority)」とは国内法に規定された，権限を有する独立の機関を意味し，

「**メンタルヘルス・ケア**(mental health care)」とは人の精神状態の検査及び診断，精神疾患又は精神疾患の疑いのある者の治療，ケア，リハビリテーションを含み，

「**精神保健施設**(mental health facility)」とはメンタルヘル

ス・ケアの提供を主たる目的とする施設又は施設の1ユニットを意味し，

「**精神保健従事者（mental health practitioner）**」とは医師，臨床心理士，看護者，ソーシャルワーカーその他のメンタルヘルス・ケアに関連する特別な技能について適切な研修を受け，資格を付与された者を意味し，

「**患者（patient）**」とはメンタルヘルス・ケアを受けている者を意味し，精神保健施設に入所しているすべての人を含み，

「**個人的代理人（personal representative）**」とは特定の事項に関して患者の利益を代理し，又は患者に代わって特定の権利を行使する義務を法によって課せられた者を意味し，国内法によって別に規定されていない限りにおいて未成年者に対する親又は法的後見人を含み，

「**審査機関（the review body）**」とは精神保健施設への非自発的入院及び退院制限について，原則17に基づいて審査を行うために設置された機関を意味する．

一般的制限条項

以下の原則に定められた権利の行使は，法律によって規定され，かつ，本人もしくは他の者の健康又は安全を保護し，又は公共の安全，秩序，健康，道徳もしくは他の者の基本的な権利及び自由を保護するために必要とされる制限のみを受ける．

原則1：基本的自由と権利

1 すべての人は，可能な最善のメンタルヘルス・ケアを受ける権利を有する．こうしたメンタルヘルス・ケアは保健及び社会ケアシステムの一部を成す．

2 精神疾患を有する者，又は精神疾患を有する者として処遇を受ける者はすべて，人道的に，かつ，生まれながらにして持つ人間としての尊厳を尊重されつつ処遇される．

3 精神疾患を有する者，又は精神疾患を有する者として処遇を受ける者はすべて，経済的，性的，及びその他の形態の搾取，身体的又はその他の虐待並びに，品位を傷つける処遇から保護される権利を有する．

4 精神疾患を理由とする差別はあってはならない．「差別」とは，権利の平等な享受を無効又は毀損する効果を持つあらゆる区別，排除，又は選別を意味する．精神疾患を有する者の権利の保護，又は改善の確保を専らその目的とする特別な手段は，差別的と見なされてはならない．この諸原則の規定に従って採用され，精神疾患を有する者やその他の者の人権を守るために必要とされる区別，排除，又は選別は，差別に含まれない．

5 精神疾患を有する者はすべて，世界人権宣言，経済的・社会的及び文化的諸権利に関する国際規約，市民的及び政治的権利に関する国際規約，障害者の権利宣言，並びにあらゆる形態の抑留又は拘禁の下にあるすべての者を保護するための原則など，関連する文書に認められているあらゆる市民的，政治的，経済的，社会的及び文化的権利を行使する権利を有する．

6 精神疾患のために法的能力を欠くという決定，及び法的能力を欠くために個人的代理人が指名されるという決定はすべて，国内法が規定する独立かつ公平な裁定機関（tribunal）による公正な聴聞を経てなされる．能力の有無が問題とされている者は，弁護人によって代理される権利を有する．能力の有無が問題とされている者が，自らそのような代理を確保できない場合は，その者にそれを支弁する資力が無い範囲において，無償で代理を利用することができる．当該弁護人は，裁定機関が利益の衝突がないと認めない限り，同一の手続きにおいて精神保健施設又はその職員を代理し，同一の手続きにおいて能力の有無が問題とされている者の家族を代理することはできない．能力の有無及び個人的代理人の必要性に関する決定は，国内法が定める合理的な間隔で再検討される．能力の有無が問題とされている者，個人的代理人が指名されている場合にはその代理人，及び他のすべての利害関係者は，この問題に関するいかなる決定に対しても上級裁判所に上訴する権利を有する．

7 裁判所又は権限を有する他の裁定機関が，精神疾患を有する者が自己に関する諸事を管理する能力を欠くと判断する場合には，その者の状態に照らして必要かつ適切な範囲において，その者の利益の保護を保証する手段が講じられる．

原則2：未成年者の保護

この諸原則の目的及び未成年者の保護に関する国内法の主旨の範囲内で，未成年者の権利の保護のために必要な場合には，家族以外の個人的代理人の指名を含む，特別な配慮が成される．

原則3：地域社会における生活

精神疾患を有するすべての者は，可能な限り地域社会に住み，及びそこで働く権利を有する．

原則4：精神疾患を有することの判定

1 精神疾患を有するという判定は，国際的に認められた医学的基準による．

2 精神疾患を有するという判定は，政治的，経済的もしくは社会的地位，文化的，人種的もしくは宗教的集団に所属すること又は直接精神状態に関係しない他の何らかの事由に基づいてはなされてはならない．

3 家族もしくは職業上の葛藤又は所属する地域社会において支配的な道徳的，社会的，文化的，政治的価値観もしくは宗教的信条との不一致は，精神疾患を診断する際の決定要因とされてはならない．

4 患者として過去に治療を受け，又は入院したことは，その事自体で，その者が現在又は将来，精神疾患を有するといういかなる判断をも正当化するものではない．

5 何人も，又はいかなる公的機関も，精神疾患又は精神

疾患の結果生じた事柄に直接関連する目的以外で，人を精神疾患を有する者として類別し，あるいはその者が精神疾患を有することを指摘するものではない．

原則5：医学的診察
何人も，国内法で定められた手続きによる場合を除き，精神疾患を有するか否かを判断するために医学的診察を強制されない．

原則6：秘密の保持
この諸原則が適用されるすべての人に関して，情報を秘密にする権利は尊重される．

原則7：地域社会と文化の役割
1　すべての患者は，可能な限り自己の居住する地域社会において治療及びケアを受ける権利を有する．
2　精神保健施設内で治療が行われる場合，患者は，可能な場合は常に，自己の居住する場所又は家族，友人の居住する場所の近くで治療を受ける権利を有し，及び可能な限り速やかに地域社会に戻る権利を有する．
3　すべての患者は，自己の文化的背景に適した治療を受ける権利を有する．

原則8：ケアの基準
1　すべての患者は，自己の健康上の必要性に照らして適切な保健医療的及び社会的ケアを受ける権利を有し，他の疾患を持つ者と同じ基準に則したケア及び治療を受ける権利を有する．
2　すべての患者は，不適切な薬物療法による危害，他の患者，職員，もしくは他の者による虐待，又は精神的苦痛もしくは身体的不快感を惹き起こすその他の行為から保護される権利を有する．

原則9：治療
1　すべての患者は，最も制限の少ない環境下で，かつ，患者の保健上の必要性と他の人の身体的安全の保護の必要性に照らして適切な，最も制限が少ない，あるいは最も侵襲的でない治療を受ける権利を有する．
2　すべての患者の治療及びケアは，個別的に立案された治療計画に基づいて行われなければならない．その治療計画は患者と検討され，定期的に見直され，必要に応じて変更され，資格のある専門職員によって作成される．
3　メンタルヘルス・ケアは，常に，国連総会で採択された医療倫理原則などの国際的に承認された基準を含む，精神保健従事者に適用される倫理規範に則して提供される．精神保健の知識及び技術は濫用されてはならない．
4　すべての患者の治療は，患者の自律性を保持及び増進させる方向でなされる．

原則10：薬物投与
1　薬物投与は患者の健康上の最善の必要性を満たすために行われ，治療又は診断上の目的でのみ行われるものであって，懲罰や他の人の便宜のためになされてはならない．原則11第15項の規定に従い，精神保健従事者は，効能がすでに知られているか，又は実証されている薬物のみを処方する．
2　あらゆる薬物投与は，法によってその権限を付与された精神保健従事者によって処方され，患者の診療録に記録される．

原則11：治療への同意
1　以下の第6，7，8，13及び15項に規定されている場合を除き，患者のインフォームド・コンセントなしには，いかなる治療も行われない．
2　インフォームド・コンセントとは，患者の理解しうる方法と言語によって，以下の情報を，十分に，かつ，患者に理解できるように伝達した後，患者の自由意志により，脅迫又は不当な誘導なしに得られた同意をいう．
a) 診断上の評価
b) 提案されている治療の目的，方法，予測される期間及び期待される効果
c) より侵襲性の少ない方法を含む他に考えられる治療法
d) 提案されている治療において考えられる苦痛，不快，危険及び副作用
3　患者は同意する手続きの間，患者の選んだ一人又は複数の人の同席を要求することができる．
4　第6，7，8，13及び15項に規定されている場合を除き，患者は治療を拒否し，又は中止させる権利を有する．治療の拒否あるいは中止によって生じる結果については，患者に説明される．
5　患者はインフォームド・コンセントの権利を放棄するよう勧められたり誘導されたりしてはならない．患者がそれを放棄しようとする場合には，インフォームド・コンセントなしには治療は行うことができないことが説明される．
6　第7，8，12，13，14及び15項に規定されている場合を除き，以下の条件がすべて満たされれば，患者のインフォームド・コンセントがなくても，提案された治療計画を実施することができる．
a) 患者が，その時点で，非自発的患者であり，
b) 独立した機関が，上記第2項に規定した情報を含む，関連するすべての情報を得た上で，その時点で患者が提案された治療計画にインフォームド・コンセントを与え，もしくは拒絶する能力を欠くと判断し，又は国内法が規定する場合は，患者自身の安全又は他の人の安全を考慮すると，患者が不当にインフォームド・コンセントを拒絶していると判断し，かつ
c) 独立機関が，提案された治療計画が患者の健康上の必要性に照らして最善の利益であると判断する場合．
7　第6項は，法により患者に代わって治療に同意する権限を与えられた個人的代理人がいる患者に適用されない．

ただし、以下の第12, 13, 14及び15項に規定されている場合を除き、このような患者については、上記第2項に示した情報を与えられた個人的代理人が代わって同意する場合には、患者のインフォームド・コンセントなしに行われうる。

8　第12, 13, 14及び15項に規定されている場合を除き、法によって権限を与えられた資格のある精神保健従事者が、患者自身又は他の人に対する即時の又は切迫した危害を防ぐために必要だと判断した場合、インフォームド・コンセントのない、いかなる患者に対しても治療を行うことができる。この場合の治療は、この目的のために厳密に必要とされる期間を超えて行われるものではない。

9　患者のインフォームド・コンセントなしに治療を行う権限が与えられているいかなる場合においても、患者に対して治療の性質、可能なあらゆる代替治療について情報を与え、及び可能な限り治療計画の進展に患者を関与させるよう、あらゆる努力が払われる。

10　すべての治療は、それが患者の自発的な意思によるものか、非自発的なものかを記した上で、患者の診療録に直ちに記録される。

11　患者の身体的拘束又は非自発的な隔離は、精神保健施設に関して公的に認められた手続きに従い、かつ、それが患者もしくは他の人に対する即時の又は切迫した危害を防ぐために唯一可能な手段である場合を除いては、行ってはならない。これは、その目的のために厳密に必要とされる期間を超えて行われてはならない。身体的拘束又は非自発的隔離が行われた場合はすべて、その理由及びその性質と程度が患者の診療録に記載される。拘束され、又は隔離された患者は、人道的な環境下に置かれ、資格のある職員によるケア及び入念な定期的監督下に置かれる。患者の個人的代理人が存在し、かつ、ふさわしい者であれば、患者の身体的拘束又は非自発的隔離について、その代理人に対して迅速な通知がなされる。

12　不妊手術は精神疾患の治療としては行われてはならない。

13　精神疾患を有する者に対する重大な内科的治療又は外科的治療は、国内法がそれを認め、それが患者の健康上の必要性に最も適しており、かつ、患者がインフォームド・コンセントを与えた場合に限り行うことができる。患者にインフォームド・コンセントを与える能力がない場合において、独立した審査の結果、その治療が認められた場合はこの限りではない。

14　精神疾患に対する精神外科手術及び他の侵襲的かつ不可逆的治療は、精神保健施設に入院中の非自発的患者には行ってはならない。国内法がその実施を認めている範囲内で、患者がインフォームド・コンセントを与え、外部の独立した機関がそのインフォームド・コンセントが真に有効なものであり、かつ、その治療が患者の健康上の必要性に最善のものであると認めた場合に限り、それ以外の患者に実施することができる。

15　臨床治験及び実験的な治療は、インフォームド・コンセントを与えない患者には行ってはならない。インフォームド・コンセントを与える能力を欠く患者については、この目的のために特別に設置された、権限を有する独立した審査機関が承認を与えた場合に限り、臨床試験や実験的治療を行うことができる。

16　第6, 7, 8, 13, 14及び15項に規定された場合において、患者もしくはその個人的代理人又は他の利害関係者は誰でも、その治療に関して、裁判所又は他の独立機関に訴えを起こす権利を有する。

原則12：権利の告知

1　精神保健施設内の患者は、入院後可能な限り速やかに、本諸原則及び国内法に規定されたすべての権利について、患者が理解できる方式で、理解できる言語によって告知を受ける。告知される情報には、これらの権利に関する説明及び権利を行使する方法が含まれる。

2　患者がこのような情報を理解できない場合には、理解できるようになるまでの間、患者の権利は、その個人的代理人が存在し、かつ、それが適切であるならばその個人的代理人及び患者の利益を最もよく代理することができ、かつ代理する意志のある個人又は複数の個人に伝達される。

3　必要な能力を有する患者は、自分に代わって告知を受ける者及び自己の利益を施設管理者に対して代理する者を指名する権利を有する。

原則13：精神保健施設における権利と条件

1　精神保健施設内のすべての患者は、特に以下の事項について、最大限の尊重を受ける権利を有する。

a) どこにおいても、法の下の人格として承認されること
b) プライバシー
c) コミュニケーションの自由。これには施設内の他の人とのコミュニケーションの自由、検閲を受けることなく個人の通信を発受する自由、弁護人又は個人的代理人からの訪問を個人的に受け入れ、その他の訪問者の場合には、適切な時間であればいつでも受け入れる自由、及び郵便、電話サービス、並びに新聞、ラジオ、テレビを使用する自由を含む。
d) 宗教又は信仰の自由

2　精神保健施設内の環境及び生活状況は同年齢の人の通常の生活にできる限り近いものでなければならず、特に以下の条件を含まなければならない。

a) レクリエーション、レジャー用施設
b) 教育施設
c) 日常の生活、レクリエーション及びコミュニケーションに必要な物品を購入し、又は受領するための施設

d) 患者の社会的及び文化的背景にふさわしい積極的な活動に参加するための，並びに地域社会への復帰を促進する適切な職業的リハビリテーションの手段とするための施設，並びにそれらの施設を利用するよう奨励されること．これらの手段には，患者が地域社会において，雇用を確保又は維持するための職業ガイダンス，職業訓練及び就職紹介などが含まれる．

3　いかなる状況においても，患者は強制労働に従事させられてはならない．患者の必要及び施設運用上の必要に適合する範囲で，患者は自己の希望する種類の仕事を選択することができる．

4　精神保健施設内における患者の労働は搾取されてはならない．すべての患者は，国内法や慣習に従って，従事したいかなる労働に対しても，患者でない者が同じ労働をした場合に得られるのと同じ報酬を受け取る権利を有する．すべての患者はいずれの場合も，患者の働きに対して精神保健施設が受け取る報酬の中から正当な取り分を受け取る権利を有する．

原則14：精神保健施設のための資源

1　精神保健施設では他の保健施設と同じ水準の資源，特に以下の資源を備えるものとする．
a) 十分な数の，資格を有する医学その他の適切な専門技能を持つ職員並びにそれぞれの患者にプライバシー及び適切で積極的な治療プログラムを提供するのに十分な広さ
b) 患者の診断及び治療機器
c) 適切な専門的ケア
d) 薬物投与を含む適切で，定期的かつ包括的な治療

2　すべての精神保健施設は，患者の状況及び治療，ケアが，この諸原則に適合するかどうかを確認するために，権限を持つ公的機関により，十分な頻度で監査を受ける．

原則15：入院の原則

1　精神保健施設で治療を受ける必要がある場合，非自発的入院を避けるよう，あらゆる努力が払われる．

2　精神保健施設へのアクセスは，他の疾患に関する他の施設へのアクセスと同様に行われる．

3　非自発的に入院したのではないすべての患者は，原則16に規定する非自発的入院患者として退院を制限する基準が満たされない限り，いつでも精神保健施設から退去する権利を有し，患者にはこの権利が告知される．

原則16：非自発的入院

1　患者として非自発的に精神保健施設に入院し，又は，既に患者として自発的に精神保健施設に入院した後，非自発的入院患者として退院制限されるのは，この目的のために法律によって権限を与えられた資格を有する精神保健従事者が，原則4に従って，その者が精神疾患を有しており，かつ，以下のように判断する場合に限られる．
(a) その精神疾患のために，即時の又は切迫した自己もしくは他の人への危害が及ぶ可能性が大きいこと，又は
(b) 精神疾患が重篤であり，判断力が阻害されている場合，その者を入院させず，又は入院を継続させなければ，深刻な状態の悪化が起こる見込みがあり，最少規制の代替原則に従って，精神保健施設に入院させることによってのみ得られる適切な治療が妨げられること．

(b) の場合，可能な場合には，第一の精神保健従事者とは独立した第二の精神保健従事者の診察を求めるべきである．こうした診察が行われた場合，第二の精神保健従事者が同意しなければ，非自発的入院，又は退院制限を行うことはできない．

2　非自発的入院又は退院制限は，当初は，審査機関による非自発的入院又は退院制限に関する審査を待つ間の，観察及び予備的な治療を行うための，国内法の定める短い期間に限られる．入院の理由は遅滞なく患者に伝えられる．入院の事実及びその理由は，審査機関，患者の個人的代理人が指名されていればその個人的代理人及び患者が拒否しなければその家族に対して，迅速かつ詳細に伝達される．

3　精神保健施設は，国内法で規定されている権限を有する公的機関によって，非自発的入院を受け入れるよう指定されている場合に限り，非自発的入院を受け入れることができる．

原則17：審査機関

1　審査機関は司法的又はその他の独立した公正な機関で，国内法によって設置され，国内法によって定められた手続きによって機能する．審査機関は，その決定を行うに際し，一人以上の，資格のある，独立した精神保健従事者の意見を求め，その助言を勘案する．

2　原則16第2項の要求するところに従い，非自発的患者としての入院又は退院制限の決定に関する審査機関の最初の審査は，入院又は退院制限の決定後可能な限り速やかに実施され，国内法によって規定されている簡単かつ迅速な手続きに従って行われる．

3　審査機関は，国内法で規定されている合理的な間隔をおいて，非自発的患者の事例を定期的に審査する．

4　非自発的患者は，国内法によって規定されている合理的な間隔をおいて，審査機関に対し，退院又は自発的患者となるための審査を請求できる．

5　いずれの審査においても，審査機関は，原則16第1項に規定されている非自発的入院の基準が依然として満たされているか否かの検討を行い，もしそれが満たされていなければ，当該患者は非自発的患者としての立場から解放されなければならない．

6　患者の治療に責任を持つ精神保健従事者が，当該患者の状態がもはや非自発的患者として退院制限すべき状態ではないと判断した場合には，その者を非自発的患者として処遇することを止めるよう指示する．

7 患者もしくはその個人的代理人又はその他の利害関係者は、当該患者を精神保健施設に入院させ、又は退院制限をする決定に対して、上級裁判所に訴える権利を持つ。

原則18：手続き的保障

1 患者は不服申立て又は訴えにおける代理を含む事項について、患者を代理する弁護人を選任し、指名する権利を有する。もし、患者がこのようなサービスを得られない場合には、患者がそれを支弁する資力が無い範囲において、無償で弁護人を利用することができる。

2 患者は必要な場合は通訳のサービスの援助を受ける権利を有する。このサービスが必要であり、患者がそれを得られない場合、患者がそれを支弁する資力が無い範囲において、無償でこのサービスを利用することができる。

3 患者及び患者の弁護人はいかなる聴聞においても、独立した精神保健報告及びその他の報告書並びに、証言、書証その他の関連性を有し、許容され得る証拠を要求し、並びに提出することができる。

4 提出される患者の記録並びにすべての報告書及び文書の写しは、患者に開示することが患者の健康に重大な害を及ぼし、又は他の人の安全に危険を及ぼすと判断される特別な場合を除いて、患者及び患者の弁護人に与えられる。国内法の規定に従い、患者に与えられない文書は、それが秘密裡に行いうる場合は、患者の個人的代理人及び弁護人に提供される。文書の一部が患者に開示されない場合は、患者又は患者の弁護人が存在する場合はその弁護人に、差し止めの事実及びその理由が通知され、かつ、司法的審査が行われる。

5 患者並びに患者の個人的代理人、及び弁護人は、いかなる聴聞においても、これに出席し、参加し、個人的に聴聞を受ける権利がある。

6 患者又は患者の個人的代理人もしくは弁護人が、特定の人物の聴聞への出席を求めた場合、その者の出席が患者の健康に重大な害を及ぼし、又は他の人の安全に危険を及ぼす可能性があると判断される場合を除いて、その者の出席は認められる。

7 聴聞又はその一部が公開されるかもしくは非公開にされるか、及びその結果を公に報じうるか否かの決定に際しては、患者自身の希望、患者及び他の人のプライバシー保護の必要性並びに患者の健康に重大な害を及ぼすことを防ぎ、他の人に危険を及ぼすことを避ける必要性について十分な考慮が払われる。

8 聴聞の結果得られた決定とその理由は文書によって示される。その写しは患者並びに患者の個人的代理人及び弁護人に与えられる。結論の全部又は一部を公表するか否かの決定に際しては、患者自身の希望、患者及び他の人のプライバシー保護の必要性、司法手続きの公開による公共の利益並びに患者の健康に重大な害を及ぼすことを避け、又は他の人に危険を及ぼすことを避ける必要性について、十分な考慮が払われる。

原則19：情報へのアクセス

1 患者（この原則においては以前患者であった者も含む）は、精神保健施設内に保存されている患者の健康及び個人記録のうち、当該患者に関する情報に接する権利を有する。この権利は、患者の健康に重大な害を及ぼすことを防ぎ、又は他の人の安全に危険を及ぼすことを防ぐために制限されうる。国内法は、患者に開示されない情報は、それが秘密裡に行い得る場合は、患者の個人的代理人及び弁護人に与えられるべきことを規定することができる。どのような情報も、患者に提供されない場合には、患者又は患者の弁護人がいる場合にはその弁護人に、差し止めの事実及びその理由が通知され、かつ、司法的審査が行われる。

2 患者又は患者の個人的代理人、もしくは弁護人の文書によるいかなる意見も、要求があれば、患者のファイルに加えられる。

原則20：刑事犯罪者

1 この原則は、刑事犯罪のために自由刑に服している者又は刑事訴訟もしくは捜査のために拘留されている者で、精神疾患があると判断され、又はその可能性があると信じられているものにも適用される。

2 このような者はすべて、原則1に示したように最も有効なメンタルヘルス・ケアを享受すべきである。この諸原則は、こうした事情の下で必要な最小限の修正と例外を除いて、可能な限り最大限に適用されなければならない。この修正と例外は原則1第5項に挙げた諸文書による個人の権利を侵害するものではない。

3 国内法は、裁判所又は権限を有する他の公的機関が、的確な独立した医学的な助言に従って、このような者が精神保健施設に入院できるよう命じることを規定できる。

4 精神疾患であると判断された者の治療は、いかなる場合も原則11に則する。

原則21：不服

患者及び以前患者であった者はすべて、国内法によって定められた手続きによって不服申立てをする権利を有する。

原則22：監督と救済

各国は、この諸原則の実現のために、精神保健施設の監査、不服申立ての受理、調査、解決及び職業上の違法行為又は患者の権利の侵害に対する適切な懲戒もしくは司法手続きのために、適当な制度を確保する。

原則23：実施

1 各国は、適切な立法、司法、行政、教育及びその他の適切な措置を通じてこの諸原則を実現すべきであり、これらの措置は定期的な見直しを受ける。

2 各国は、適切で積極的な手段によって、この諸原則を

周知させるものとする．

原則24：精神保健施設に関する諸原則の範囲

この諸原則は，精神保健施設に入院しているすべての者に適用される．

原則25：既得権の留保

この諸原則が権利を認めていない，又は限定された範囲においてのみ認めているにすぎないという理由によって，適用可能な国際法又は国内法によって認められている権利を含む，患者の既得の権利が制限され，又は損なわれることはない．

【訳者による索引】

個人的代理人：定義，原則1第6項，原則2，原則11第7項，同第11項，同第16項，原則12第2項，原則13第1項，原則16第2項，原則17第7項，原則18第4項，同第5項，同第6項，同第8項，原則19第2項

審査機関：定義，原則11第15項，原則16第2項，原則17第1項，同第2項，同第3項，同第4項，同第6項

独立機関：定義，原則11第6項，同第16項

裁定機関：原則1第6項，同第7項

弁護人：定義，原則1第6項，原則13第1項，原則18第1項，同第3項，同第4項，同第5項，同第6項，同第8項

〔斎藤正彦ほか：日精協誌, 11(7):612-620, 1992 より一部改変〕

理学療法士・作業療法士国家試験出題基準
(専門基礎分野における精神医学および精神医学の関連項目，平成28年版)

＊〈 〉：A〈B〉→ A と B は同義の意
＊( )：A(B)→ B は A の説明の意

■精神医学の項目

II. 疾病と障害の成り立ち及び回復過程の促進

大項目	中項目	小項目*
5 精神障害と臨床医学	A 疫学，予後	a 器質性精神障害(症状性を含む)
	B 病因，症候	b 精神作用物質使用による精神および行動の障害
	C 評価，検査(画像・生理検査を含む)，診断	c 統合失調症，統合失調症様障害および妄想性障害
		d 気分障害〈感情障害〉(躁うつ病，うつ病を含む)
		e 神経症性障害，ストレス関連障害および身体表現性障害
	D リハビリテーション	f 生理的障害および身体的要因に関連した行動症候群(摂食障害，非器質性睡眠障害を含む)
	E その他の治療(精神療法を含む)	g 成人のパーソナリティ〈人格〉及び行動の障害
		h 精神遅滞(知的障害)
		i 心理的発達の障害(広汎性発達障害，特異的発達障害を含む)
		j 小児期および青年期に通常発症する行動および情動の障害(注意欠如・多動性障害等)
		k てんかん

＊小項目はそれぞれ，中項目A～Eに共通である．

■精神医学の関連項目

I. 人体の構造と機能及び心身の発達

大項目	中項目	小項目
4 人間発達学	A 総論	a 定義，目的
		b 発達理論
		c 発達段階と発達課題
		d 発達評価(改訂日本版デンバー式発達スクリーニング検査〈JDDST-R〉，遠城寺式乳幼児分析的発達検査，子どもの能力低下評価法〈PEDI〉等)
		e 運動発達(原始姿勢反射を含む)
		f 精神発達
		g 心理・社会的発達
	B 各期における発達	a 小児期
		b 青年期
		c 成人期
		d 老年期

II. 疾病と障害の成り立ち及び回復過程の促進

大項目	中項目	小項目*
4 臨床心理学	A 基礎理論	a 歴史
		b 防衛機制と転移
		c 学習，記憶，行動
	B 発達心理および臨床心理	a 児童・青年期心理
		b 成人・高齢者心理
		c 患者・障害者心理
	C 臨床心理検査法	
	D 心理療法およびカウンセリング	
8 中枢神経の障害と臨床医学	A 疫学，予後	a 血管障害(頭蓋内出血，脳梗塞を含む)
	B 病理，症候	b 感染・炎症性疾患(脳炎，髄膜炎，脊髄炎，ヒト免疫不全ウイルス〈HIV〉による神経障害を含む)
	C 評価，検査(画像・生理検査を含む)，診断	c 変性ならびに脱髄疾患(Parkinson病とその関連疾患，脊髄小脳変性症〈SCD〉，運動ニューロン疾患，認知症，多発性硬化症〈MS〉)
	D リハビリテーション	d 外傷(外傷性脳損傷〈TBI〉，脊髄損傷)
	E その他の治療	e 腫瘍
		f てんかん
		g 視覚・聴覚障害
10 小児の障害と臨床医学	A 保健，疫学	a 脳性麻痺
	B 病理，症候	b 水頭症(Arnold-Chiari奇形等)
	C 評価，検査(画像・生理検査を含む)，診断	c 二分脊椎
		d 悪性腫瘍
	D リハビリテーション	e 遺伝子病，染色体異常，系統疾患(先天奇形，Down症候群を含む)
	E その他の治療	
13 老年期障害と臨床医学	A 疫学，予後	a 老年症候群および虚弱
	B 病理，症候	b 認知症
	C 評価，検査(画像・生理検査を含む)，診断	c うつ状態
		d 末梢循環障害
		e 誤嚥性肺炎
		f 骨粗鬆症，骨折
	D リハビリテーション	g せん妄
		h 摂食・嚥下障害
	E その他の治療	i ターミナルケア

＊大項目8, 10, 13の小項目はそれぞれ，中項目A～Eに共通である．

III. 保健医療福祉とリハビリテーションの理念

大項目	中項目	小項目
1 保健医療福祉	A 医療	a インフォームドコンセント b 安全管理(インシデント, 感染症対策 等) c 個人情報保護 d チーム医療, 連携医療 e 医療面接 f EBM(根拠に基づいた医療) g 医療の供給体制(一次・二次・三次医療, 救急・災害・へき地医療, 地域医療)
	B 保健	a 保健予防概念(一次・二次・三次予防) b 健康管理, 健康増進 c 環境保健 d 地域保健 e 母子保健 f 学校保健 g 産業保健 h 高齢者保健 i 精神保健 j 感染症対策(届出, 予防を含む)
	C 医療・福祉制度	a 医療保険制度 b 公的扶助制度 c 介護保険制度
	D 関連法規	a 医事法規 　①医療法 　②理学療法士及び作業療法士法 b 保健衛生法規 　①地域保健法 　②精神保健及び精神障害者福祉に関する法律 　③高齢者の医療の確保に関する法律 c 福祉関係法規 　①障害者の日常生活及び社会生活を総合的に支援するための法律〈障害者総合支援法〉 　②児童福祉法 　③身体障害者福祉法 　④知的障害者福祉法 　⑤老人福祉法 　⑥障害者の雇用の促進等に関する法律〈障害者雇用促進法〉 　⑦発達障害者支援法
2 リハビリテーション概論	A 理念	a リハビリテーションの定義・歴史 b ノーマライゼーション c 自立生活〈independent living, IL〉 d QOL〈quality of life〉 e 総合リハビリテーション
	B 疾病・生活機能の概念と分類	a 国際疾病分類〈International Statistical Classification of Diseases and Related Health Problems, ICD〉 b 国際生活機能分類〈International Classification of Functioning, Disability and Health, ICF〉
	C 患者・障害者の心理・社会的側面	a 患者・障害者心理 b 障害受容 c 心理教育(患者教育, 家庭教育) d 社会参加を支える法制度(障害者の権利に関する条約〈Convention on the Rights of Persons with Disabilities, 障害者権利条約〉, 障害者基本法, 障害を理由とする差別の解消の推進に関する法律〈障害者差別解消法〉)
	D リハビリテーションの進め方	a リハビリテーション関連職種とその役割 b チームアプローチ c 評価会議とゴール設定 d リハビリテーションプログラム, クリニカルパス
	E リハビリテーションの諸相	a 医学的リハビリテーション b 教育的リハビリテーション c 職業的リハビリテーション d 社会的リハビリテーション e 地域リハビリテーション

資料 6

参考文献一覧

ここでは，本書を土台にしてさらに学習を深めるための基礎的な文献を紹介する．主なものは「全章にかかわる文献」に記載してあるので参考にしてほしい．さらに各章ごとの参考文献も示した．

全章にかかわる文献

1) 懸田克躬，大熊輝雄，島薗安雄，高橋 良，保崎秀夫（編）：現代精神医学体系．全 25 巻，別巻，中山書店，1975–1982
2) 諏訪 望：最新精神医学—精神科臨床の基本，新改訂版．南江堂，1984
3) 現代精神医学体系．年刊版 '87–'90，全 7 巻，中山書店，1987–1990
4) World Health Organization: The ICD-10 Classification of Mental and Behavioural Disorders: Clinical Descriptions and Diagnostic Guidelines. Geneva, 1992
融 道男，中根允文，小見山 実，岡崎祐士，大久保善朗（訳）：ICD-10 精神および行動の障害—臨床記述と診断ガイドライン，新訂版．医学書院，2005
5) 松下正明（総編），浅井昌弘，牛島定信，倉知正佳，小山 司，中根允文，三好功峰（編）：臨床精神医学講座．全 24 巻，special issues 全 12 巻，中山書店，1997–2000．
6) 秋元波留夫：実践精神医学講義．日本文化科学社，2002
7) 松下正明（総編）：新世紀の精神科治療．全 10 巻，中山書店，2002–2004
8) 日本精神神経学会：精神神経学用語集，改訂 6 版．新興医学出版社，2008
9) 松下正明（総編）：専門医のための精神科臨床リュミエール．全 10 冊，中山書店，2008–2009
10) American Psychiatric Association: Quick Reference to the Diagnostic Criteria from DSM-IV-TR. 2000
髙橋三郎，大野 裕，染矢俊幸（訳）：DSM-IV-TR 精神疾患の分類と診断の手引，新訂版（第 9 刷）．医学書院，2009
11) 山下 格：精神医学ハンドブック—医学・保健・福祉の基礎知識，第 7 版．日本評論社，2010
12) 精神医学講座担当者会議（監）：専門医をめざす人の精神医学，第 3 版．医学書院，2011
13) 加藤 敏，神庭重信，中谷陽二，武田雅俊，鹿島晴雄，狩野力八郎，市川宏伸（編）：現代精神医学事典．弘文堂，2011
14) 大熊輝雄：現代臨床精神医学，改訂 12 版．金原出版，2013
15) American Psychiatric Association: Diagnostic and statistical manual of mental disorders 5th. 2013
日本精神神経学会（日本語版用語監修），髙橋三郎，大野 裕（監訳）：DSM-5 精神疾患の診断・統計マニュアル．医学書院，2014
16) American Psychiatric Association: Desk Reference to the Diagnostic Criteria from DSM-5. 日本精神神経学会（日本語版用語監修），髙橋三郎，大野 裕（監訳）：DSM-5 精神疾患の分類と診断の手引．医学書院，2014
17) 尾崎紀夫，三村 將，水野雅文，村井俊哉（編）：標準精神医学，第 7 版．医学書院，2018
18) 精神保健福祉研究会（監）：我が国の精神保健福祉（精神保健福祉ハンドブック）．太陽美術，年次出版

第 1 章　精神医学とは

1) 内村祐之：精神医学の基本問題—精神病と神経症の構造論の展望．医学書院，1972
2) ルネ・スムレーニュ（著），影山任佐（訳）：フィリップ・ピネルの生涯と思想．中央洋書出版部，1988
3) 障害者福祉研究会（編）：ICF 国際生活機能分類—国際障害分類改定版．中央法規，2002
4) 中村隆一，佐直信彦（編）：入門リハビリテーション概論，第 7 版増補．医歯薬出版，2013

第 2 章　精神障害の成因と分類

1) 特集「ICD-11 のチェックポイント」．精神医学，61 巻，3 号，237–317, 2019

第 3 章　精神機能の障害と精神症状

1) K. ヤスパース（著），西丸四方（訳）：精神病理学原論．みすず書房，1971
2) 山鳥 重：神経心理学入門．医学書院，1985
3) 鹿島晴雄，加藤元一郎，本田哲三：認知リハビリテーション．医学書院，1999
4) 石合純夫：高次脳機能障害学，第 2 版．医歯薬出版，

2012

第4章　精神障害の診断と評価
1) 土居健郎：方法としての面接―臨床家のために．医学書院，1977
2) 岩崎晋也，宮内 勝，大島 巌 ほか：精神障害者社会評価尺度の開発―信頼性の検討（第1報）．精神医学 36(11):1139-1151, 1994
3) 山下俊幸，藤 信子，田原明夫：精神科リハビリテーションにおける行動評定尺度『REHAB』の有用性．精神医学 37(2):199-205, 1995
4) 北村俊則：精神症状測定の理論と実際，第2版．海鳴社，1995
5) 「臨床精神医学」編集委員会（編）：精神科臨床評価検査法マニュアル．臨床精神医学2004年増刊号，アークメディア，2004

第5章　脳器質性精神障害
1) 原田正純：水俣が映す世界．日本評論社，1989
2) 安藤一也，杉浦公也：リハビリテーションのための神経内科学，第2版．医歯薬出版，2003
3) 山本光利（編）：パーキンソン病―認知と精神医学的側面．中外医学社，2003
4) 日本認知症学会（編）：認知症テキストブック．中外医学社，2008
5) 特集「子どもと環境化学物質」．科学 79(9):977-1028, 2009
6) 日本神経学会（監）：認知疾患治療ガイドライン2010 コンパクト版2012．医学書院，2012
7) 水野美邦（監）：標準神経病学，第2版．医学書院，2012
8) 中島健二，下濱 俊，冨本秀和，三村 將，新井哲明（編）：認知症ハンドブック，第2版．医学書院，2020
9) International Psychogeriatric Association（著），日本老年精神医学会（監訳）：認知症の行動と心理症状BPSD，第2版．アルタ出版，2013
10) 水澤英洋，山口修平，園生雅弘（編）：神経疾患最新の治療 2018-2020．南江堂，2018

第7章　精神作用物質による精神および行動の障害
1) 大原健士郎，宮里勝政（編）：アルコール・薬物の依存症．医学書院，1997
2) 新アルコール・薬物使用障害の診断治療ガイドライン作成委員会（監修）：新アルコール・薬物使用障害の診断治療ガイドライン．新興医学出版社，2018
3) 日本禁煙学会（編）：禁煙学，改訂4版．南山堂，2019

第8章　てんかん
1) 清野昌一，大田原俊輔（編）：てんかん症候群．医学書院，1998
2) 「てんかんの精神症状と行動」研究会（編）：てんかんその精神症状と行動．新興医学出版社，2004
3) 兼本浩祐：てんかん学ハンドブック，第4版．医学書院，2018

第9章　統合失調症およびその関連障害
1) 臺 弘（編）：分裂病の生活臨床．創造出版，1983
2) 臺 弘，湯浅修一（編）：続・分裂病の生活臨床．創造出版，1987
3) 全国精神障害者団体連合会・全国精神障害者家族会連合会（編）：こころの病―私たち100人の体験．中央法規出版，1993
4) 日本精神神経学会（監訳）：心の扉を開く―統合失調症の正しい知識と偏見克服プログラム．医学書院，2002
5) 精神科薬物療法研究会（編）：統合失調症の薬物・治療アルゴリズム．医学書院，2006
6) 精神医学講座担当者会議（監）：統合失調症治療ガイドライン，第2版．医学書院，2008
7) 向谷地生良：統合失調症を持つ人への援助論 人とのつながりを取り戻すために．金剛出版，2009

第10章　気分（感情）障害
1) 特集「うつ病のすべて」．医学の歩み 219(13):883-1137, 2006
2) 上島国利，樋口輝彦，野村総一郎，大野 裕，神庭 重信，尾崎紀夫：気分障害．医学書院，2008

第11章　神経症性障害
1) 黒澤 尚，北西憲二，大野 裕（編）：神経症とその周辺．星和書店，1999
2) 櫻庭 繁（編）：気分障害・神経症性障害・PTSD・せん妄．中山書店，2005
3) 保坂 隆（編）：神経症性障害とストレス関連障害．メジカルビュー社，2005

第12章　生理的障害および身体的要因に関連した障害
1) 内山 真（監）：睡眠の病気―不眠症・睡眠時無呼吸・むずむず脚．NHK出版，2011
2) 摂食障害学会（監）：摂食障害治療ガイドライン．医学書院，2012
3) 鍋田恭孝（編著）：摂食障害の最新治療―どのように理解しどのように治療すべきか．金剛出版，2013

第13章　成人のパーソナリティ・行動・性の障害

1) 山内俊雄(編)：性同一障害の基礎と臨床，改訂第2版. 新興医学出版社, 2004
2) 有馬成紀：境界性パーソナリティ障害と離人症―その病態と治療. 金剛出版, 2013
3) 黒田章史：治療者と家族のための境界性パーソナリティ障害治療ガイド. 岩崎学術出版社, 2014
4) 針間克己, 平田俊明(編著)：セクシュアル・マイノリティへの心理的支援―同性愛, 性同一性障害を理解する. 岩崎学術出版社, 2014
5) 帚木逢生：ギャンブル依存国家・日本―パチンコからはじまる精神疾患. 光文社, 2014

第14章　精神遅滞

1) 伊藤利之(監)：こどものリハビリテーション医学, 第3版. 医学書院, 2017
2) 山崎晃資, 牛島定信, 栗田 広, 青木省三(編著)：現代児童青年精神医学, 改訂第2版. 永井書店, 2012
3) 奈良 勲, 鎌倉矩子(監), 冨田 豊(編)：標準理学療法学・作業療法学 専門基礎分野 小児科学, 第5版. 医学書院, 2018

第15章　心理的発達の障害

1) 榊原洋一：脳科学と発達障害―ここまでわかったそのメカニズム. 中央法規出版, 2007
2) 「精神科治療学」〈アスペルガー症候群〉論文集. 星和書店, 2007
3) 田中康雄：軽度発達障害―繋がりあって生きる. 金剛出版, 2008
4) 山崎晃資, 牛島定信, 栗田 広, 青木省三(編著)：現代児童青年精神医学, 改訂第2版. 永井書店, 2012
5) 黒田洋一郎, 木村-黒田純子：発達障害の原因と発症メカニズム―脳神経科学からみた予防, 治療・療育の可能性. 河出書房新社, 2014
6) 特集「今日の自閉症スペクトラム症―子どもから中高年世代まで」. 臨床精神医学, 44巻, 1号, 2015

第16章　コンサルテーション・リエゾン精神医学

1) Donald S. Kornfeld, M.D.: Consultation-Liaison Psychiatry: contributions to medical practice. *The American Journal of Psychiatry* 159:1946–1972, 2002

第17章　心身医学

1) Sifneos, P.F.: The prevalence of alexithymic characteristics in psychosomatic patients. *Psychother. Psychosom.* 22:255–262, 1973
2) Friedman, M., Rosenman, R.H.: Type A Behavior and Your Heart. Alfred A. Knopf, New York (1974) 河野友信(監), 新里里春(訳)：タイプA性格と心臓病. 創元社, 1993
3) 小牧 元, 久保千春, 福土 審(編)：心身症診断・治療ガイドライン 2006. 協和企画, 2006

第18章　ライフサイクルにおける精神医学

1) 河合隼雄(編)：ライフサイクル. 臨床心理学大系, 第3巻, 金子書房, 1990
2) 大内尉義, 秋山弘子(編集代表), 折茂 肇(編集顧問)：新老年学, 第3版. 東京大学出版会, 2010
3) 傳田健三：子どもの不安とうつ病―診断と治療の最前線. 新興医学出版社, 2006
4) 特集「児童思春期精神医学の最新の進歩」. 臨床精神医学, 36巻, 5号, 2007
5) 特集「注意欠陥多動性障害(ADHD)」. 臨床精神医学, 37巻, 2号, 2008
6) 特集「臨床に必要な高齢者精神障害の知識」. 臨床精神医学, 37巻, 5号, 2008
7) 山崎晃資, 牛島定信, 栗田 広, 青木省三(編著)：現代児童青年精神医学, 改訂第2版. 永井書店, 2012
8) 特集「おとなのADHD臨床Ⅰ, Ⅱ」. 精神科治療学, 28巻, 2号, 3号, 2013

第19章　精神障害の治療とリハビリテーション

1) 山口 隆, 中川賢幸(編)：集団精神療法の進め方. 星和書店, 1992
2) 村田信男, 浅井邦彦(編)：精神科デイケア. 医学書院, 1996
3) 風祭 元：日本近代精神科薬物療法史. アークメディア, 2008
4) 東京SST経験交流会(編)：事例から学ぶSST実践のポイント. 金剛出版, 2002
5) 染矢俊幸, 下田和孝, 渡部雄一郎(編)：そこが知りたい精神科薬物療法Q&A. 星和書店, 2005
6) 上島国利(編著)：現場で役立つ精神科薬物療法入門. 金剛出版, 2005
7) 精神科薬物療法研究会(編)：統合失調症の薬物治療アルゴリズム. 医学書院, 2006
8) 山根 寛：精神障害と作業療法, 新版. 三輪書店, 2017
9) 日本作業療法士協会(監)：作業療法学全書, 改訂第3版. 第5巻 作業治療学2 精神障害. 協同医書出版社, 2010
10) ロバート・ポール・リバーマン(著), 西園昌久(総監修), 池淵恵美(監訳)：精神障害と回復―リバーマンのリハビリテーション・マニュアル. 星和書店, 2011

11) 堀田英樹(編著), 中島 直, 菅原 誠, 朝田 隆(著)：精神疾患の理解と精神科作業療法, 第3版. 中央法規出版, 2020

第20章　精神科保健医療と福祉, 職業リハビリテーション

1) 秋元波留夫, 冨岡詔子(編著)：新作業療法の源流. 三輪書店, 1991
2) 野中 猛, 松為信雄(編)：精神障害者のための就労支援ガイドブック. 金剛出版, 1999
3) 秋元波留夫, 調 一興, 藤井克徳(編)：精神障害者のリハビリテーションと福祉. 中央法規出版, 1999
4) 蜂谷英彦, 岡上和雄(監)：精神障害リハビリテーション学. 金剛出版, 2000
5) 松為信雄, 菊池恵美子(編)：職業リハビリテーション学―キャリア発達と社会参加に向けた就労支援体系, 改訂第2版. 協同医書出版社, 2006
6) 松井亮輔, 川島 聡(編)：概説 障害者権利条約. 法律文化社, 2010
7) 日本職業リハビリテーション学会(編)：職業リハビリテーションの基礎と実際 障害のある人の就労支援のため. 中央法規, 2012
8) 日本精神保健福祉養成校協会(編)：新・精神保健福祉士養成講座6 精神保健福祉に関する制度とサービス. 中央法規出版, 2015

第21章　社会・文化とメンタルヘルス

1) 上里一郎, 飯田 眞, 内山喜久雄, 小林重雄, 筒井末春(監)：メンタルヘルスハンドブック. 同朋舎, 1989
2) 内山喜久雄, 筒井末春, 上里一郎(監)：メンタルヘルス・シリーズ. 全25巻, 同朋舎, 1988–1991
3) 日本精神衛生会(監)：心と社会のメンタルヘルス. 全13巻, 別冊1, 大空社, 2001
4) 日本産業精神保健学会(編)：メンタルヘルスと職場復帰支援ガイドブック. 中山書店, 2005
5) 内山 源, 秋坂真史(編著)：メンタルヘルス＆ケアハンドブック. 同文書院, 2008
6) 山本晴義, 曽田紀子：働く人のメンタルヘルス教室. 新興医学出版, 2009
7) 岡崎伸郎(編)：精神保健・医療・福祉の根本問題1, 2. 批評社, 2009
8) 日本社会精神医学会(編)：社会精神医学. 医学書院, 2009

資料 7
セルフアセスメント

問題1 下記の組み合わせで誤っているのはどれか．

1. ピネル――精神障害者への人道的処遇を開始
2. クレペリン――内因性精神疾患の概念を提唱
3. フロイト――精神分析学を創設
4. ブロイラー――統合失調症の病名を提唱
5. 野口英世――「精神疾患は脳の病気である」と主張

 5

解説 「精神疾患は脳の病気である」と主張したのはドイツのグリージンガーである．野口英世は当時，主要な精神疾患であった進行麻痺患者の脳から梅毒トレポネーマを発見し，精神疾患の病因を初めて解明した．

問題2 各検査法の組み合わせで誤っているのはどれか．

1. ロールシャッハ――パーソナリティ検査
2. ベンダー・ゲシュタルト――知能検査
3. 矢田部・ギルフォード――パーソナリティ検査
4. 内田・クレペリン――精神作業能力検査
5. WISC――パーソナリティ検査

 5

解説 WISC は，ビネー（Binet）式検査とともに小児を対象とする代表的な知能検査である．ロールシャッハ（Rorschach）や矢田部・ギルフォード（Guilford），P-F スタディなどの検査は，パーソナリティ検査あるいは性格検査ともいわれる．

問題3 せん妄について誤っているのはどれか．

1. 高齢者では夜間の発現が多い．
2. 症状は動揺性である．
3. 経過は慢性持続性である．
4. 見当識障害を伴う．
5. 錯視や幻視を伴う．

 3

解説 せん妄は，比較的急激に発症し，幻視・錯視の他，不穏・不安，不眠，異常行動や興奮などを伴いながら，ほぼ 1～2 週間で消失する特殊な意識障害である．夜間に出現するせん妄（夜間せん妄）は，高齢者に多くみられる．

問題 4 幻覚について誤っているのはどれか．

1. 統合失調症では対話形式の幻聴が多い．
2. 小動物幻視は慢性アルコール中毒でみられる．
3. 意識障害では幻聴より幻視が出現しやすい．
4. L-ドパの副作用では幻聴が出現しやすい．
5. 幻味が拒食の原因となる場合がある．

解答 4

解説 パーキンソン（Parkinson）病の治療薬であるL-ドパの副作用としては「体を虫が這っている」などとする幻視がみられ，不安・不穏になることがある．

問題 5 疾患と妄想との組み合わせで誤っているのはどれか．

1. 統合失調症──被害関係妄想
2. 躁病──つきもの妄想
3. うつ病──貧困妄想
4. 慢性アルコール中毒──嫉妬妄想
5. 老年期認知症──物とられ妄想

解答 2

解説 躁病の妄想は，自我感情の亢進を背景に出現するために自己の過大評価を内容としており，ある程度の了解が可能である．一方，つきもの妄想は，迷信的な感情を背景に，心因性の精神障害などに出現する．

問題 6 認知症の症状で適切でないのはどれか．

1. 思考滅裂
2. 夜間せん妄
3. 見当識障害
4. 記銘力低下
5. 多幸

解答 1

解説 認知症では理解や判断などの知的機能が低下し，思考力も障害されるが，思考滅裂は統合失調症に特有な思考障害をいう．（問題24参照）

問題 7 アルツハイマー型認知症でみられないのはどれか．

1. 記銘力低下
2. 人物誤認
3. 性格変化
4. まだら認知症
5. 失認

解答 4

解説 アルツハイマー（Alzheimer）型認知症では，側頭葉や頭頂葉の症状が出現するが，進行するにつれて，全般性の認知症に移行する．（問題8参照）

問題 8 血管性認知症でみられないのはどれか.

1. 記銘力低下
2. 精神運動制止
3. 情動失禁
4. 夜間せん妄
5. 局所神経徴候

 解答 2

解説 血管性認知症では，記銘記憶の障害が高度な反面，疎通性や理解力，感情などパーソナリティは保持されている（まだら認知症）．運動麻痺や深部反射亢進など局所神経徴候も重要である．精神運動制止はうつ病にみられる症状である．（問題 23 参照）

問題 9 中毒と症状の組み合わせで誤っているのはどれか.

1. 急性アルコール中毒――意識障害
2. 覚醒剤中毒――振戦せん妄
3. モルヒネ中毒――自律神経の嵐
4. 慢性アルコール中毒――健忘症候群
5. 急性揮発性溶剤中毒――視覚の異常体験

 解答 2

解説 慢性アルコール中毒では離脱症状として振戦せん妄が出現するが，ビタミン B_1 の欠乏で健忘症候群に移行することがある（Korsakoff 精神病）．一方，覚醒剤の慢性中毒では幻覚や妄想，意欲低下などの症状がみられる．

問題 10 てんかんに関して誤っているのはどれか.

1. 欠神発作は予後良好である.
2. 発作間欠期には脳波に異常をみない.
3. 強直間代発作は全般起始発作（全般発作）に含まれる.
4. 大発作の前兆は焦点意識保持発作（単純部分発作）に含まれる.
5. 焦点意識減損発作（複雑部分発作）では自動症発作が出現する.

 解答 2

解説 てんかんは，通常は発作のみられない時期（発作間欠期）の脳波検査で出現した異常所見も参考に診断される．また，大発作の直前に出現する前兆は，今日では焦点運動起始発作（単純部分発作）と考えられており，強直間代発作とは区別されている．

問題 11 抗てんかん薬にみられない副作用はどれか.

1. 眠気
2. 発疹
3. 錐体外路症状
4. 歯肉増殖
5. 多毛症

 解答 3

解説 抗てんかん薬では，副作用として眠気や発疹，嘔吐などを呈しやすく，特にフェニトインでは歯肉増殖や多毛症のほか，失調や眼振など小脳症状がみられる．しかし，従来型の定型抗精神病薬とは異なり，錐体外路症状をみることはない．（問題 32 参照）

| 問題12 | 統合失調症について誤っているのはどれか．
1. 青年期に発病することが多い．
2. 脳器質性の精神障害ではない．
3. 精神的原因でも再発する．
4. 慢性進行性の経過をとることが多い．
5. 薬物療法が有効である．

解答 4

解説 統合失調症では多くが再発と寛解を繰り返しながら経過する．慢性進行性に経過するタイプは，治療法やリハビリテーションの進歩などによって減少しており，全体の1/3以下である．

| 問題13 | 統合失調症の急性期にみられる症状として適切でないのはどれか．
1. 妄想気分
2. 思考伝播
3. 無為・自閉
4. 昏迷
5. 作為体験

解答 3

解説 統合失調症の急性期や増悪期で呈する，正常な精神活動には異質で，かつ第一世代（定型）抗精神病薬によく反応する病的症状は陽性症状といわれている．無為・自閉は慢性期に特徴的な症状である．

| 問題14 | 統合失調症の陰性症状でないのはどれか．
1. 感情の平板化
2. 自発性の低下
3. 表情の乏しさ
4. 思考の貧困化
5. 精神運動興奮

解答 5

解説 統合失調症の慢性期に目立つ，正常な精神活動の減弱や欠落の症状を陰性症状という．第一世代（定型）抗精神病薬にはあまり反応しないが，第二世代（新規）抗精神病薬には効果がみられる．リハビリテーションの対象とする症状でもある．

| 問題15 | 「なんとなく不気味なことがおこりそうだ」と訴える統合失調症の症状はどれか．
1. 思考奪取
2. 滅裂思考
3. 妄想気分
4. 妄想知覚
5. 妄想着想

解答 3

解説 妄想気分は，「何か」がおきている，おこりそうだとする，内容が不明確かつ動機なしにおこる漠然とした不安感・恐怖感で，統合失調症の初期にみられ，診断に重要な症状である．ほかに「世界が破滅する」という世界没落体験を感じることもある．

問題 16	車の止まる音を聞いて「自分が殺される」と感じる統合失調症の症状はどれか．

1. 妄想知覚
2. 妄想着想
3. 妄想気分
4. 注察妄想
5. 誇大妄想

解答 1

解説 妄想知覚では，視覚や聴覚などを通じて知覚された内容に対して，理由の不合理な妄想的意味づけを行うことが特徴で，2分節性の構造をもっている．統合失調症の診断に重要な症状である．

問題 17	突然，根拠なく「自分は神の使いである」と確信する統合失調症の症状はどれか．

1. 妄想気分
2. 妄想知覚
3. 妄想着想
4. 作為思考
5. 強迫観念

解答 3

解説 妄想知覚が2分節性であるのに対し，妄想着想は妄想が突如として生じるもので，1分節性の構造をもつ．統合失調症のほかに，脳器質性障害などにおいてもみられるため，妄想気分や妄想知覚ほど統合失調症の診断に重要ではない．

問題 18	「自分が誰かにあやつられて行動している」と訴える統合失調症の症状はどれか．

1. 思考吹入
2. 離人体験
3. 関係妄想
4. 作為体験
5. 体感幻覚

解答 4

解説 作為体験とは，"させられ体験"ともいい，思考や感情，行動が「他人に操られる」と感じるため，「自分がしている」という能動性の意識が障害された状態である．"自我意識の障害"に属しており，統合失調症の基本症状の1つである．（問題27参照）

問題 19	妄想型統合失調症で正しいのはどれか．

1. 最も発症の多い病型である．
2. 性格の変化が顕著である．
3. 幻覚を呈することは少ない．
4. 精神運動興奮を呈する．
5. 意欲低下が顕著である．

解答 1

解説 妄想型統合失調症は今日では最も一般的な病型である．発病年齢は他病型と比べてやや遅く，妄想や幻覚を前景とするものの，感情や意欲，思考の障害は比較的軽く，性格の変化もそれほど著しくはない．（問題20, 21参照）

問題20 破瓜型統合失調症で誤っているのはどれか．
1. 思春期に好発する．
2. 発症は緩慢である．
3. 慢性の経過をとる．
4. 意欲低下が顕著である．
5. 昏迷を呈する．

解答 5

解説 破瓜型統合失調症は発病時期が他の病型に比して早く，幻覚や妄想も一時的には出現するものの，感情や意欲，思考の障害が徐々に進行する社会的予後の不良な病型である．（問題19参照）

問題21 緊張型統合失調症の症状で誤っているのはどれか．
1. 昏迷
2. 精神運動興奮
3. カタレプシー
4. せん妄
5. 急激な発症

解答 4

解説 緊張型統合失調症では，昏迷や精神運動興奮など意志発動性の障害を特徴するが，このような諸症状を緊張病症候群という．昏迷では自発的な動きはまったくみられなくなり，周囲への反応も低下するが，意識は清明である．（問題3参照）

問題22 うつ病の発症要因として適切ではないのはどれか．
1. 退職
2. 戦場体験
3. 離別
4. 病気罹患
5. 過重労働

解答 2

解説 うつ病は，職場や家庭内の出来事を発症要因とすることが多く，特に中高年ではこうした要因は増す．戦場体験によって生じた抑うつは，重度ストレス障害の症状とみなされている．（問題27参照）

問題23 うつ病の症状で誤っているのはどれか．
1. 気分の日内変動
2. 思考抑制
3. 思考途絶
4. 貧困妄想
5. 昏迷

解答 3

解説 うつ病にみられる思考障害は，思考の進み方が遅くなるために「考えが進まなくなる」という思考抑制を特徴とする．一方，思考途絶は「考えが突然なくなる」というような思考進行の突然の中断であり，統合失調症に特有な症状である．

問題 24　躁病の症状で誤っているのはどれか．

1. 連合弛緩
2. 爽快気分
3. 観念奔逸
4. 誇大妄想
5. 行為心迫

 解答　1

解説　躁病では，思考の進み方が異常に早くなり，考えが次から次に浮かぶものの，注意の方向が変わりやすいため，まとまりがなくなる（観念奔逸）．一方，連合弛緩は，思考の流れに関連性がなくなり，話の脈絡がない状態（思考滅裂）の軽度の場合をいい，統合失調症に特有である．

問題 25　神経症性障害の症状で誤っているのはどれか．

1. 対人恐怖：人前では声がかすれ，手がふるえる．
2. 心気症状：外の景色を見ても現実感がない．
3. 広場恐怖：飛行機に乗るのが非常に不安である．
4. 不安発作：急に動悸と死の恐怖に襲われる．
5. 強迫行為：頻繁に手洗いを行う．

 解答　2

解説　心気症状とは，身体に異常がないにもかかわらず，過度の不安をもち，執拗に身体の不調を訴える状態である．一方，外界に対し，現実感を喪失したような訴えは離人状態（離人症）と呼ばれ，うつ病や統合失調症でも出現する．

問題 26　解離性障害の症状で誤っているのはどれか．

1. 歩行障害
2. 健忘
3. 尿失禁
4. もうろう状態
5. 視野狭窄

 解答　3

解説　解離性障害の症状は，健忘やもうろう状態などの精神症状と，運動麻痺やけいれん発作，視野狭窄などの身体症状に大別される．けいれん発作では，てんかんの発作とは異なり，尿失禁や咬舌，外傷はみられないことが特徴である．

問題 27　心的外傷後ストレス障害（PTSD）の症状で適切でないのはどれか．

1. 集中困難
2. 思考奪取
3. トラウマ刺激を避ける
4. フラッシュバック
5. 睡眠障害

 解答　2

解説　PTSDでは，震災や犯罪などのストレス遭遇後，外傷体験を幾度も再体験するフラッシュバックや不眠，過敏状態などが，不安・抑うつ状態を伴いながら持続する．一方，思考奪取は，思考における作為体験（作為思考）であり，統合失調症に特有な症状である．

問題 28
摂食障害（神経性無食欲症）で誤っているのはどれか．
1. 肥満への恐怖
2. 過度の運動
3. 自己誘発性の嘔吐
4. 視床下部の腫瘍
5. 下剤の多用

 解答 4

解説 摂食障害は，食の減少と体重減少を主徴とする神経性無食欲症と，過食を繰り返す神経性大食症に大別されるが，両者を合併することもある．脳腫瘍や消化器疾患などにより食欲低下や体重減少をきたす場合は，摂食障害とはいわない．

問題 29
新生児マススクリーニングで精神遅滞の予防可能なのはどれか（複数解）．
1. 水頭症
2. 胎児性アルコール症候群
3. 先天性風疹症候群
4. クレチン病
5. フェニルケトン尿症

 解答 4, 5

解説 新生児マススクリーニングは早期発見・早期治療が目的で，クレチン症では甲状腺ホルモンを，フェニルケトン尿症では低フェニルアラニン・ミルクを与えることで正常発達が可能である．

問題 30
薬物療法が有効なのはどれか．
1. 特異的読字障害
2. 小児自閉症
3. 多動性障害（注意欠如・多動性障害 AD/HD）
4. アスペルガー症候群
5. ダウン症

 解答 3

解説 多動性障害の治療には，脳内のドパミン神経系やノルアドレナリン神経系の活動性を向上させる薬物であるメチルフェニデート塩酸塩やアトモキセチンなどが用いられている．

問題 31
薬物療法で誤っている組み合わせはどれか．
1. 神経症性障害──ハロペリドール
2. うつ病──SSRI
3. 躁病──炭酸リチウム
4. てんかん──フェニトイン
5. 統合失調症──リスペリドン

 解答 1

解説 ハロペリドールは，クロルプロマジンとともに第一世代（定型）抗精神病薬で，リスペリドンは第二世代（新規）抗精神病薬である．神経症性障害で用いられる抗不安薬は，ジアゼパムなどのベンゾジアゼピン誘導体の薬物であるが，睡眠作用の強いものは睡眠薬として用いられる．
（問題 32 参照）

問題 32 パーキンソン症候群をおこしやすい薬物はどれか．

1. 抗不安薬
2. 抗てんかん薬
3. 第一世代抗精神病薬
4. 睡眠薬
5. 抗酒薬

 解答 3

解説　第一世代（定型）抗精神病薬では，急性の副作用としてパーキンソン症候群のほか，アカシジアやジストニアなどの錐体外路症状が発現する．このため，抗パーキンソン病薬も合わせて服用してもらうのが一般的であった．第二世代（新規）抗精神病薬の普及によって，これらの副作用は過去のものとなりつつある．

問題 33 精神科デイケアについて誤っているのはどれか．

1. 第二次大戦前後から欧米諸国で開始された．
2. 入院中の患者は対象にはしない．
3. 神経症性障害やパーソナリティ障害の患者も対象となる．
4. 個別的な働きかけも重視すべきである．
5. 職業訓練は重要なプログラムである．

 解答 5

解説　精神科デイケアでは，自発性や持続性の向上，対人技能の改善，生活リズムの確立などが治療目標となるが，これは社会生活面における就労準備の訓練でもある．一方，職業訓練は職業能力開発校や事業所などで行われるのが一般的である．

問題 34 「精神保健及び精神障害者福祉に関する法律」に規定されていない入院形態はどれか．

1. 自由入院
2. 任意入院
3. 医療保護入院
4. 応急入院
5. 措置入院

 解答 1

解説　精神保健福祉法には，精神科診療所の（自由）入院は規定されていない．患者の同意による入院は「任意入院」とし，入院に際しては患者に書面でその旨を知らせ，かつ患者からの同意書を受けることとしている（第21条）．他はすべて非自発（強制）入院である．

問題35 「精神保健及び精神障害者福祉に関する法律」に規定されているのはどれか．

1. 自立支援医療
2. 精神障害者保健福祉手帳
3. 共同生活援助（グループホーム）
4. 精神障害者社会適応訓練事業
5. 地域活動支援センター

解答 2

解説　精神保健福祉法に規定されていた通院医療費公費負担制度，地域生活支援センターなどの社会復帰施設，グループホームなどの居宅生活支援事業は，2006年施行の障害者自立支援法のサービス体系に移行した（現：障害者総合支援法）．2012年の精神保健福祉法の改正で，精神障害者社会適応訓練事業の条項は削除され，都道府県の単独事業とされた．その結果，精神保健福祉法には精神障害者保健福祉手帳のみ残されている．

索引

和文

あ

アイゼンク　244
アカシジア　237
悪性症候群　238
悪夢　179
アジソン病　98
アスペルガー症候群　203, 217
遊び療法　248
アドヒアランス　144
アミン代謝障害　158
アミン代謝障害仮説　155
アメンチア　18
アラノン　114
アルコール依存症　105, 160
アルコール依存症候群　102
アルコール依存症者
　――の子どもの問題　104
　――の自助グループ　114
アルコール関連精神障害　101
アルコール幻覚症　104
アルコール使用障害　105
アルコール・薬物依存の治療　235
アルコール離脱症候群　103
アルツハイマー病　70, 74, 192
　――と血管性認知症の鑑別　81
アレキシシミア　214
安全配慮義務　276
アントン症状　44

い

域外幻覚　30
意識　16
　――の障害　16
意識狭窄　17
意識混濁　16
　――の段階　17
意識障害　16
　――の分類　18
意識状態，正常な　16
意識変容　18

意志の概念　26
いじめ　273
異常体験　47
異常の概念　4
異常酩酊　102
異食症　220
依存
　――，アルコールへの　102
　――，覚醒剤への　108
　――，揮発性溶剤への　107
　――，幻覚剤への　111
　――，コカインへの　110
　――，睡眠薬・抗不安薬への　106
　――，精神作用物質への　100
　――，大麻への　109
　――，モルヒネへの　110
依存症候群の診断基準　101
依存性パーソナリティ障害　185
一次妄想　33
一過性全健忘　24
一級症状，統合失調症の　131
一酸化炭素中毒　89
一般雇用，精神障害者の　268
遺伝素因　152
　――，躁うつ病の　158
イネイブラー　111
意味記憶　23
医薬品有害作用〔DSM-5〕　285
医薬品誘発性運動症群〔DSM-5〕
　　　　　　　　　　　285
意欲　47
医療従事者の精神保健　210
医療的有用性，睡眠薬・抗不安薬の
　　　　　　　　　　　106
医療保護入院　260
飲酒行動の変化　103
飲酒による酩酊　101
飲酒量の低減　112
インスリン・ショック療法　255
陰性症状評価尺度（SANS）　61
インターフェロン　160
院内寛解　232

インフォームド・コンセントの原則
　　　　　　　　　　　231

う

ウィルソン病　91
ウェクスラー　55
ウエスト症候群　120, 121, 191
ウェルニッケ　39
ウェルニッケ失語　40
ウェルニッケ脳症　96
ウェルニッケ-リヒトハイムの失語
　図式　39
迂遠　32
氏と育ち　181
内田・Kraepelin 連続加算法　60
うつ状態　37, 150
　　　　――と躁状態の比較　150
うつ病　142, 149
　――，季節性　156
　――，激越性　151
　――，興奮性　151, 158
　――，神経症性　155, 160
　――，退行期　156
　――，内因性　155
　――，反応性　155
　――の援助とリハビリテーション
　　　　　　　　　　　161
　――のその他の症状　152
　――の治療　161, 235
　――の典型的症状　152
　――の発症の機制　152, 155
　――の評価尺度　152
　――の病型　155
　――のモノアミン仮説　239
　――の誘因　153
うつ病エピソード　149
うつ病性仮性認知症　21, 70
うつ病性昏迷　27, 151
運動機能の特異的発達障害　201
運動失語　39
運動失行　41
運動障害，解離性　172
運動心迫　26

317

え

エイズ脳症　84
エトスクシミド　124
エピソード記憶　23
遠隔記憶　22
演技性パーソナリティ障害　184
園芸療法　233

お

応急入院　260
音楽療法　233

か

外因性化学物質　90
外因性身体的原因　11
絵画・欲求不満テスト　59
外向型，Jung の性格類型の　21
外傷神経症　88
外傷性てんかん　88
外傷性脳挫傷　87
外傷性脳損傷　160
改訂長谷川式簡易知能評価スケール（HDS-R）　56, 71
開放病棟　234
解離　171
　――を中心とする神経症性障害　170
解離症群/解離性障害群〔DSM-5〕　284
解離性運動障害　172
解離性感覚障害　172
解離性けいれん　172
解離性健忘　171
解離性昏迷　27, 171
解離性障害　28, 170
解離性遁走　171
会話・言語の特異的発達障害　199
核黄疸　191
学習障害　199, 217
　――の定義　200
覚醒剤関連障害　108
覚醒剤精神病　109
覚醒剤乱用　107
学生無気力症　275
学童期　216
学力
　――の混合性障害　201
　――の特異的発達障害　200
下垂体機能障害　98

仮性認知症　21, 228
　――，うつ病性　21
　――，心因性　21
画像失認　42
家族
　――の問題　111
　――への説明と治療への協力の依頼，うつ病　161
家族支援　145
家族心理教育　145
家族療法　244
家族歴　48
カタレプシー　27, 129
学校恐怖　222
学校におけるメンタルヘルス　273
活動制限　137
家庭のメンタルヘルス　276
過動性障害　204
加藤普佐次郎　256
カナー　202
カナー症候群　217
過眠症　178
仮面うつ病　152, 228
過労死　276
過労自殺　155, 276
簡易精神医学的評価尺度（BPRS）　61, 62
簡易精神療法　243
寛解　139
　――，精神障害の治療の転帰における　232
感覚記憶　22
感覚失語　40
感覚統合療法　201
感覚発作　119
環境ホルモン　90
環境療法　247
関係妄想　34
看護学　4
換語の障害　40
感情　24, 47
　――の概念　24
　――の障害　150
　――の障害の種類　24
　――の平板化　25
感情移入　128
感情障害　⇒ 気分障害
感情喪失　28
感情鈍麻　25
感情表出　136

肝性脳症　96
間代発作　117
観念運動失行　41
観念失行　41
観念奔逸　31, 157
癌の精神的問題　208
肝レンズ核変性症　91

き

記憶
　――の概念　22
　――の分類　22
記憶障害の種類　23
偽幻覚　29
既視感　29
器質性精神障害の治療　235
希死念慮　150
起始不明発作　116
季節性うつ病　156
吃音症　220
偽認知症　21
機能の全体的評定（GAF）尺度　61
揮発性溶剤関連障害　107
揮発性溶剤精神病　107
気分　24, 47
気分安定薬　162, 239
気分循環症　159
気分障害　149, 221
　――〔ICD-10〕　281
気分変調症　159, 160
記銘　22, 47
記銘障害　23
記銘力検査　55
逆向健忘　24
キャメロン　251
救急医療での精神科的問題　210
急性一過性精神病性障害　147
急性ジストニア　237, 238
急性症状，モルヒネの　110
急性ストレス反応　169
急性中毒
　――，覚醒剤の　108
　――，揮発性溶剤の　107
　――，幻覚剤の　110
　――，コカインの　110
　――，大麻の　109
急速交代型気分障害　158
共依存　112
境界性パーソナリティ障害〔DSM〕　184

境界知能　189
教師のメンタルヘルス　275
強制正常化　122
強直間代発作　116, 120
強直発作　117
強迫儀式　168
強迫行為　168
強迫症〔DSM-5〕　283
強迫神経症　168
強迫性障害〔DSM-5〕　283
強迫性パーソナリティ障害　184
強迫を中心とする神経症性障害
　　　　　　　　　　　　168
恐怖症性不安障害　25, 167, 219
恐怖状態　167
恐怖を中心とする神経症性障害
　　　　　　　　　　　　165
強力精神安定薬　236
局在関連てんかん　120
拒絶症　27
居宅支援　195
虚無妄想　36
緊急措置入院　260
近時記憶　22
近代作業療法　10
緊張型統合失調症　133
緊張病症候群　38
緊張病状態　38
緊張病性興奮　26
緊張病性昏迷　27

く

クッシング症候群　96, 98
クライネ・レヴィン症候群　178
クラインフェルター症候群　99
グリア線維　77, 86
クリューバー・ビューシー症候群
　　　　　　　　　　　　44
呉秀三　248, 256
クレチン病　98, 193
クレッチマー　21
　──の性格類型　21, 182
クレペリン　8
　──の統合失調症分類　131
クロイツフェルト・ヤコブ病（CJD）
　　　　　　　　　　　　85

け

ケア　73

軽快，精神障害の治療の転帰にお
　ける　232
軽愚　188
計算　47
芸術療法　233
軽躁病　158
軽度精神遅滞　188
（軽度）発達障害　198
傾眠　17
傾眠期　121
ゲール　7, 254
激越性うつ病　151, 228
血管性認知症　70, 79
月経精神病　98
欠神発作　117, 120
結節硬化症　192
血統妄想　35
ゲルストマン症候群　44
幻覚　29, 130
幻覚剤関連障害　110
幻覚妄想状態　29, 38
衒奇症　38
幻嗅　31
言語
　──と行動が介在する精神療法
　　　　　　　　　　　　246
　──の特異的発達障害　199
　──を用いる精神療法　243
言語機能　38
言語新作　129
言語中枢　38
顕在記憶　23
顕在性不安尺度（MAS）　59
幻視　30
現実感喪失　28
現実見当識訓練　73
原始反射　44
減酒療法　113
幻触　31
現存在分析療法　244
幻聴　27, 30
見当識　47
見当識障害　20
現病歴　49
健忘　23
健忘失語　40
健忘症候群　24, 71
幻味　31
眩惑　169

こ

後遺障害
　──，幻覚剤による　111
　──，精神作用物質の　101
行為心迫　26, 157
抗うつ薬　239
　──の副作用　240
構音障害，特異的な会話　200
口渇　238
高機能自閉　203
公共職業安定所　271
膠原病　96
恍惚　25
高次脳機能障害　38, 88
抗酒薬　236
甲状腺機能障害　98
構成失行　41
抗精神病薬　236
　──の副作用　237
向精神薬の種類　236
向精神薬療法　235
考想可視　30
考想察知　28
考想吹入　28
考想奪取　28
考想伝播　28
拘束器具（用具）　248, 256
好訴妄想　36
交代意識　28
抗てんかん薬の副作用　124
後天性失語，てんかんに伴う　200
行動
　──の概念　26
　──の障害　185, 217
　──を介在とする精神療法　244
行動感喪失　28
行動療法　244
　──と心理療法の比較　245
公認心理師　4
更年期　98
広汎性発達障害　198, 202
抗不安薬　240
興奮性うつ病　151, 158
高罹病危険児　137
高齢者世帯の問題　277
コース立方体テスト　55
コカイン関連障害　110
コカイン精神病　110
語間代　75

国際抗てんかん連盟(ILAE) 116
「国際疾病分類」⇒ ICD
国際障害分類(ICIDH) 6
国際生活機能分類(ICF) 6, 232
国際労働機関(ILO) 268
語健忘 40
誇大妄想 35
言葉のサラダ 32
コノリー 254
小林八郎 248
コミュニティ強化と家族トレーニング(CRAFT) 112
コルサコフ症候群 24
コルサコフ精神病(アルコール性) 104
混合性特異的発達障害 201
混合性不安抑うつ障害 160, 167
コンサルテーション 207
コンサルテーション・リエゾン精神医学 207
昏睡 17, 96
コンプライアンス 144
昏迷 27

さ

災害 278
催奇形性 124
サイケデリック体験 111
罪業妄想 34
在宅就業, 精神障害者の 268
再認 22
催眠療法 245
作業心迫 157
作業療法 233, 248
作業療法学 4
作為体験 27, 28, 130
錯乱状態 38
させられ体験 27, 28, 130
錯覚 29
左右失認 44
残遺(型)統合失調症 133
残遺性気分障害 114
残遺妄想 229
三環系抗うつ薬 240
産後うつ病 154
産褥期精神障害 98

し

シーハン症候群 98
自我意識 27
自我意識障害 28, 130
視覚失認 42
自覚発作 119
自我同一性 183
色彩失認 42
自記式評価尺度 60
児戯的爽快 129
視空間失認 42
視空間認知障害 42
刺激性 25
思考 31
思考干渉 28
思考散乱 32
思考障害 31
思考進行の障害 31
思考吹入 28
思考制止(抑制) 31
思考体験様式 32
思考奪取 28
思考伝播 28
思考途絶 31
思考内容の障害 33
思考滅裂 32
仕事中毒 276
自己評価うつ病スケール(SDS) 60, 153
自己誘発てんかん 121
自殺 277
── の予防 161
自殺念慮 150
支持的精神療法 112
思春期早発症 99
思春期妄想症 221
視床下部機能障害 97
自傷他害の恐れ 260
自助グループ 114, 249
姿勢の観察 47
肢節運動失行 41
施設症候群 219
持続睡眠療法 255
持続性気分障害 150, 159
持続性妄想性障害 147, 221
市町村, 地域精神保健福祉活動のなかの 261
失音楽 43
失外套症候群 19
失感情 214
疾患の概念 5
しつけ療法 248
失見当(識) 20

失語 38
失行 41
失算 44
失書 44
疾走発作 119
嫉妬妄想 35
失認 42
質問紙法 57
失立失歩 172
児童虐待防止法 219
自動症発作 119
児童神経症性障害 218
児童統合失調症 221
児童福祉法 195
シフネアス 214
自閉症 203
── の診断基準 203
自閉症スペクトラム 204, 217
自閉症性障害 205
嗜癖行動症〈障害〉群 13, 14
嗜癖性障害群〔DSM-5〕 285
嗜眠 17
ジモン 255
社会現象とメンタルヘルス 277
社会生活の評価尺度 61
社会的寛解 232
社会的機能障害, 小児期・青年期の 219
社会的治療 233, 247
社会福祉学 4
社会療法 247
ジャクソン 8
ジャクソン型発作 119
若年性進行麻痺 84
社交恐怖 168
社交不安障害 219
ジャネ 9
ジャメ・ビュ 29
赦免妄想 35
シャルコー 9
習慣の障害(行動の障害) 185, 217
周期性同期性放電(PSD) 86
宗教と精神障害 278
宗教妄想 35
醜形恐怖 222
重症心身障害児(者) 191
重大な他害行為 266
集団精神療法 112, 243
集団(精神)力動 252, 253
自由入院 260

習癖　221
終末睡眠　104
就労支援　195, 268
就労における個人の職業準備性
　　　　　269
主観的QOL　66
手指失行　41
手指失認　44
手術　209
出社拒否，若年サラリーマンの
　　　　　276
シュナイダー　131, 165, 182
　──の統合失調症分類　131
　──のパーソナリティ障害分類
　　　　　182
受容性言語障害　200
シュルツ　245
循環病質　22
障害支援区分　263
障害者基本法　125
障害者雇用　268
障害者雇用促進法　7, 269
障害者就業・生活支援センター
　　　　　272
障害者職業能力開発校　272
障害者自立支援法　258
障害者総合支援法　258, 262
障害福祉サービス　262
上機嫌症　25
症群　13
症候性てんかん　115
症候性パーキンソニズム　82
症状精神病　94
症状性精神障害　94, 160, 208
症状性を含む器質性精神障害
　　〔ICD-10〕　280
情操　24
冗長　32
情緒障害　217
　──，小児期の　218
情緒不安定性パーソナリティ障害
　　　　　183
焦点意識減損発作　119, 122
焦点意識保持発作　118
焦点運動起始発作　118
焦点起始発作　116, 118
焦点てんかん　120, 121
情動　24
常同運動障害　220
衝動行為　26

常同姿態　27
情動失禁　25
小頭症　190
常同症　38
衝動の障害（行動の障害）　185, 217
情動発作　119
小児期　216
　──に通常発症する行動および情
　　緒の障害〔ICD-10〕　282
　──の社会的機能障害　219
　──の情緒障害　218
　──の精神医学　215
小児期崩壊性障害　204
小児・児童・child の年齢区分　216
小児自閉症　202
小児神経症性障害　218
ジョーンズ　249
職業準備訓練　272
職業準備行動　269
職業せん妄　104
職業適合性　270
職業リハビリテーション　196, 268
　──，精神科保健医療における
　　　　　254
職業リハビリテーション・サービス
　　　　　270
食行動障害〔DSM-5〕　284
食行動症または摂食症群　14
職場のメンタルヘルス　275
職場不適応　276
植物状態　19
職務の遂行にかかわる条件　271
触覚失認　43
ジョブコーチによる支援　272
自律訓練法　245
自立支援医療　262
自律神経遮断薬　236
自律神経の嵐　110
自律神経発作　119
シルダー病　92
思路の障害　31
心因性　11
心因性仮性認知症　21
心因性けいれん　123
心因性健忘　24
心因性障害の治療　235
人格　13
心気障害　173
心気状態　173
　──，老年期の　228

心気妄想　34
神経学的診察　49
神経原線維変化　75
神経症　164
神経症性うつ病　155, 160
神経症性障害　142, 160, 164
　──，解離・転換を中心とする
　　　　　170
　──，強迫を中心とする　168
　──，ストレス関連障害および身体
　　　表現性障害〔ICD-10〕　281
　──，不安・恐怖を中心とする
　　　　　165
　──と精神病の相違点　164
　──における洞察　37
　──の治療　235
神経心理学的検査法　60
神経心理学的症状　38
神経衰弱　174
神経衰弱状態　37, 88
神経性大食症　177
神経性無食欲症　176
神経認知障害群〔DSM-5〕　285
神経発達症群　13
神経発達症群/神経発達障害群
　　〔DSM-5〕　198, 283
進行性ミオクローヌスてんかん　121
進行麻痺　83
新障害者プラン　258, 259
心身医学　212
心神耗弱　266
心身症　208, 212
　──としての疾患および病態
　　　　　213
　──と神経症性障害との関係
　　　　　213
心神喪失　266
心神喪失者等医療観察法　266
真性妄想　33
振戦せん妄　30, 104
身体依存　101
身体化障害　173
身体失認　43
身体症状症〔DSM-5〕　284
身体的原因，精神障害の　11
身体的検索　49
身体的体験症群　13, 14
身体の要因に関連した障害　176
身体の特徴，初老期の　225
身体表現性障害　172, 208

身体表現性自律神経機能不全 173
身体部位失認 43
身体療法 233, 242
心的外傷〔DSM-5〕 284
心的外傷後ストレス障害(PTSD) 169, 278
人道療法 254
心理教育 251
心理劇 246
心理検査 53
心理社会的〔用語〕 127
心理的・社会的〔用語〕 127
心理的社会的成因論，統合失調症の 136
心理的・社会的特性，初老期の 225
心理的発達の障害 198
　——〔ICD-10〕 282
心理療法と行動療法の比較 245

す

髄液検査 53
水銀中毒 89
錐体外路症状 237
水頭症 191
睡眠-覚醒障害群〔DSM-5〕 284
睡眠時驚愕症 179
睡眠時無呼吸症候群 178
睡眠時遊行症 179
睡眠薬 241
　——と作用時間 241
睡眠リズムの障害 178
スクレイピー 85
スチューデントアパシー 275
ステロイド精神病 98
ストレス因関連障害群〔DSM-5〕 284
ストレス関連障害 160, 169

せ

性格 21
　——の障害 22
　——の分類 21
性格検査 57
性格変化
　——，揮発性溶剤乱用者の 107
　——，モルヒネ使用者の 110
性格要因 153
生活技能訓練(SST) 145, 251, 252
生活指導 248

生活自立への支援 250
生活のしづらさ 137
生活満足度スケール 66
生活療法 248
生活臨床 141
性関連障害 179
性機能不全群〔DSM-5〕 284
静座不能症 237
性嗜好障害 187
脆弱性-ストレス・モデル 11, 136
正常圧水頭症 93
正常な意識状態 16
正常の概念 4
生殖精神病 98
精神
　——の障害 137
　——の病と社会の関係 273
精神医学
　——の関連領域 4
　——の基礎 4
　——の協働領域 3
　——の定義 2
　——の特色 2
　——の広がり 3
　——の歴史 7
精神医学的の診察法 46
精神依存 100
精神医療審査会 261
精神運動興奮 26
精神運動制止(抑制) 27
精神衛生法 257
精神および行動の障害〔ICD-10〕 13
精神科医療の課題 264
精神科救急医療 265
精神科継続外来支援・指導 267
精神科作業療法 266
精神科ショート・ケア 267
精神科ソーシャルワーカー 258
精神科退院指導 267
精神科退院前訪問指導 267
精神科デイ・ケア 267
精神科での入院形態 260
精神科ナイト・ケア 267
精神科訪問・看護 267
精神科保健医療 254
精神科リハビリテーション行動評価
　尺度(REHAB) 65, 66
精神科リハビリテーションの用語 233

成人期の精神医学 224
精神作業能力検査 60
精神作用物質使用による精神および
　行動の障害〔ICD-10〕 280
精神作用物質による障害 100
精神疾患の診断・統計マニュアル ⇒ DSM
精神疾患を有する者の保護及びメン
　タルヘルス・ケアの改善のための
　原則 294
精神障害
　——，老年期の 227
　——と病感 37
　——の3成因の相互関係 11
　——の概念 4, 5
　——の診断と評価 46
　——の成因 11
　——の治療 231
　——の治療の目標 231
精神障害者
　——の意味 6
　——の概念 6
　——の就労・雇用施策の推移 268
　——の職業準備性 269
　——の自立 10
精神障害者アウトリーチ(訪問支援)
　推進事業 265
精神障害者社会生活評価尺度
　(LASMI) 63, 64
精神障害者社会適応訓練事業 270
精神障害者社会復帰促進センター 261
精神障害者ジョブガイダンス事業 269
精神障害者ステップアップ雇用 271
精神障害者地域移行支援 265
精神障害者保健福祉手帳 261
精神障害(者)リハビリテーション 233
精神症状
　——の基礎となる身体疾患・病態 95
　——の把握 16
　——の評価 60
精神身体医学 212
精神遅滞 20, 188
　——，心理的・環境的原因による 189

——, 生理的 189
——, 知能の正規分布の下位群に属する 189
——, てんかんを伴う 191
——, 脳性麻痺を伴う 190
——, 病理的原因による 189
——〔ICD-10〕 281
——の医療 193
——の分類 188
精神的原因, 精神障害の 11
成人のパーソナリティおよび行動の障害〔ICD-10〕 281
精神薄弱 188
精神病院法 256
精神病者監護法 256
精神病の相違点, 神経症性障害と 164
精神分析療法 243
精神分裂病 ⇒ 統合失調症
精神保健及び精神障害者福祉に関する法律 286
精神保健指定医 260
精神保健福祉士法 258
精神保健福祉センター 261, 270
精神保健福祉法 6, 125, 257, 259, 286
精神保健法 257
精神発作 119
精神療法 145, 233, 242
——, 言語と行動が介在する 246
——, 言語を用いる 243
——, 行動を介在とする 244
精神聾 43
性同一性障害 186, 187
青年期 216
——に通常発症する行動および情緒の障害〔ICD-10〕 282
——の社会的機能障害 219
——の精神医学 215
——の問題行動 223
成年後見制度 250
性の障害 186
生物学的成因論, 統合失調症の 133
性別違和〔DSM-5〕 187, 284
性別不合 14
生理的障害 176
——および身体的要因に関連した行動症候群〔ICD-10〕 281
生理的精神遅滞 189

セクシュアルハラスメント 276
摂食障害 176
セネストパチー 31
セロトニン・ドパミン拮抗薬 237
セロトニン・ノルアドレナリン再取り込み阻害薬(SNRI) 161, 239
線維性アストログリアの増生 86
線維性グリオーシス 86
宣言的記憶 23
前向健忘 24
全国精神障害者団体連合会 258
潜在記憶 23
全失語 40
全身性エリテマトーデス(SLE) 97
戦争 278
全体的評定(GAF)尺度, 機能の 61
選択性緘黙 219
選択的セロトニン再取り込み阻害薬(SSRI) 161, 239
先天性甲状腺機能低下症 193
前頭側頭型認知症 78
前頭葉症候群 44
全般起始発作 116
全般強直間代発作 122
全般焦点合併てんかん 120
全般性認知症 21, 79
全般性不安障害 166
全般てんかん 119, 120
せん妄 18, 71

そ

躁うつ病 22, 149, 156
——の経過 159
——の重症度 158
——の治療 162, 235
——の発症の機制 158
躁うつ病者の病前性格 153
爽快 25
臓器移植 209
双極Ⅰ型障害 158
双極性感情障害 149
双極性障害〔DSM-5〕 283
双極Ⅱ型障害 158
躁状態 37
——とうつ状態の比較 150
——の特徴 157
相談支援 263
相談連携精神医学 207
躁とうつの混合状態 158

躁病 142
躁病性興奮 26
相貌失認 42
疎遠 26
疎隔 26
即時記憶 22
側頭葉症候群 44
側頭葉てんかん 121
素行障害 218
措置入院 260

た

ターナー症候群 99
ターミナルケア 209
退院促進 265
大うつ病性障害 149
体感幻覚 31
退行期うつ病 156
胎児性アルコール症候群(FAS) 105
代謝障害 91
対人恐怖 168
耐性 101, 104
滞続言語 75
態度の観察 47
大麻関連障害 109
大麻精神病 109
ダウン症 192
ダウン症候群 191
多幸症 25
多重パーソナリティ 28
脱感作療法 244
脱髄性疾患 91
脱髄斑 91
脱抑制性愛着障害 219
脱力発作 117
多動 157
多動性障害 217
タバコ関連障害 106
多発梗塞性認知症 80
多発性硬化症 91
多発性脳梗塞 160
多弁 157
ダルク 114
短期記憶 22
単極性感情障害 150
炭酸リチウム 239
断酒会 112, 114, 244
単純型統合失調症 133
単純ヘルペス脳炎(HSE) 84

単純酩酊 102

ち

地域障害者職業センター 271
地域生活支援事業 263
地域定着支援 265
地域ネットワーク 113
チーム・アプローチ 113
知覚 28
──の疎隔体験 28
痴愚 189
地誌的障害 42
チック障害 219
秩序破壊的・衝動制御・素行症群〔DSM-5〕 284
知的障害 188
(知的)障害児(者)への福祉施策 196
知的障害者の権利宣言 195
知的障害者福祉法 195
知能
──の概念 20
──の障害 20
──の変化, 年齢による 225
知能検査 53
知能指数(IQ) 53
知能発達障害 188
遅発性ジスキネジア 237, 238
遅発性ジストニア 237, 238
地方精神保健福祉審議会 261
着衣失行 42
治癒, 精神障害の治療の転帰における 232
注意欠如・多動症/注意欠如・多動性障害〔DSM-5〕 217
注意障害 19
チューク 254
注察妄想 34
中毒 88
──, 精神作用物質の 101
聴覚失認 43
長期記憶 22
超皮質失語 40
治療可能な認知症 69
治療共同体 249
陳述記憶 23

つ

追跡妄想 34
追想 22, 47

追想障害 23
通過症候群 71
通所サービス 195
つきもの妄想 35
つまずき言語 75, 84

て

デイケア 251, 270
定型欠神発作 117
低血糖 95
抵抗 182
抵抗症 44
デイホスピタル 251
テイラーテスト 59
適応障害 170
手首自傷症候群 186
デジャ・ビュ 29
手続き記憶 23
転移 243
電解質異常 96
──による諸症状 96
てんかん 22, 115
──に伴う後天性失語 200
──に伴う精神障害 122
──による精神障害 122
──の遺伝素因 116
──の国際分類 119
──の治療 123
──の発症頻度 115
──の併存症 121
──の薬物治療 123
──を伴う精神遅滞 191
てんかん患者のケア 124
転換性障害 170
てんかん発作 116
──の国際分類の概略 116
──の予後 122
──への対応 123
てんかん発作重積状態 121
電気けいれん療法(ECT)
　　　　　　　⇒ 電気ショック療法
電気ショック療法 161, 233, 242
電撃療法 ⇒ 電気ショック療法
伝導失語 40

と

同一性意識の障害 28
動因喪失症候群 109
トゥーレット症候群 220
投影法 59

頭蓋内出血 87
登校拒否 222, 274
統合失調感情障害 148
統合失調質 22
統合失調質性パーソナリティ障害 183
統合失調症 22, 127, 160, 221
──, 統合失調型障害および妄想性障害〔ICD-10〕 280
──, 発症の差, 生まれ月による 128
──における病識 36
──の経過 139
──の古典的3病型 132
──の精神症状 128
──の治療 234
──の転帰 139
──の発生危険率 134
──の病期による治療 143
──の病型 131, 140
──の病型, ICD-10 における 132
──への呼称変更 6
統合失調症型障害 147
統合失調症後抑うつ 133, 160
統合失調症スペクトラム障害〔DSM-5〕 283
同語反復 75
動作の観察 47
透析 96, 209
道徳療法 254
糖尿病 95
頭部外傷 86
動物幻視 30
同胞葛藤症 219
特異的会話構音障害 200
特異的(個別的)恐怖症 168
特異的算数能力障害 201
特異的書字障害 201
特異的読字障害 200
特異的発達障害 198, 199
──, 運動機能の 201
──, 会話・言語の 199
──, 学力の 200
──, 学齢期の 217
特殊症候群 115
読書てんかん 121
特定不能の精神障害〔ICD-10〕 282
特発性てんかん 115
特発性パーキンソニズム 82

特別支援学級 194
特別支援学校 194
匿名断酒会(断酒会) 112, 114, 244
閉じ込め症候群 19
途絶 27
トッド麻痺 119
ドニケル 9
ドパミン2型受容体 135
ドパミン神経系 237
トランス 171
都立松沢病院 248, 256
ドレー 9

な

内因性うつ病 155
内因性身体的原因 11
内観療法 246
内向型, Jungの性格類型の 21
ナイトケア 251
内分泌精神症候群 94
ナラノン 114
ナルコレプシー 178
難治性疾患の精神的問題 208

に

二級症状, 統合失調症の 131
二次性パーキンソニズム 82
二次妄想 33
二重パーソナリティ 28
日常生活自立支援事業 250
日常生活面の評価法 72
入院時の告知 260
入院生活技能訓練療法 267
入院制度 260
入院中の処遇 261
乳児期 215
乳児けいれん 120
入所サービス 195
尿毒症 96
任意入院 260
認知機能 29
認知行動療法 246, 251
認知症 20, 68, 160
──, 治療可能な 69
── と誤りやすい状態 70
── の評価 71
認知障害 29
認知症高齢者の日常生活自立度判定
　基準 72
認知発作 119

ね

熱性けいれん 123
粘着 32
年齢による知能の変化 225

の

脳器質性精神障害 68, 160
脳器質性精神症候群 94
脳機能の特徴, 初老期の 225
脳挫傷 87
　──, 交通事故による 88
脳腫瘍 90, 160
脳震盪 87
脳性麻痺を伴う精神遅滞 190
脳の発達障害, 外因性化学物質と
　　　　　90
脳波検査 51
脳ヘルニア 87
ノーマライゼーション 194, 247
ノーマライゼーション思想 255
野口英世 9

は

パーキンソニズム 81
パーキンソン症候群 81, 237
パーキンソン病 82, 160
パーソナリティ形成の背景 181
パーソナリティ検査 57
パーソナリティ障害 142, 181
　── の類型 183
パーソナリティ障害群〔DSM-5〕
　　　　　285
パーソナリティの分析 181
バーンアウト 276
バイオフィードバック療法 245
排泄症群〔DSM-5〕 284
ハイデガー 244
梅毒 83
廃用性認知症 21, 70
破瓜型統合失調症 132
白質ジストロフィー 91, 92
白痴 189
箱庭療法 247
把持 22
橋本病 98
バセドウ病 98
働き療法 248
発達検査 57
発達障害 198

──, 運動機能の特異的 201
──, 会話・言語の特異的 199
──, 学力の特異的 200
──, 広汎性 198
──, 特異的 198, 199, 217
── のパターン 199
── の分類試案 199
発明妄想 35
抜毛症 186
話し方の観察 47
パニック障害 25, 166
パニック発作 25, 166
パブロフ 9
ハミルトンうつ病評価尺度
　(HAM-D) 61, 152, 154
ハミルトン不安症状評価尺度 61
早口症 221
パラフィリア障害群〔DSM-5〕 285
バリアフリー 247
バリント症候群 42
パレイドリア 29
ハローワーク 271
反響言語 75
反響症状 27
犯罪 277
反射てんかん 121
半側空間失認 42
半側身体失認 44
ハンチントン病 48, 82
反応性愛着障害 219
反応性うつ病 155
反復性うつ病性障害 149

ひ

ビエラ 251
被害的内容 34
被害妄想 31, 34
光照射療法 156
ひきこもり 222
非器質性遺尿症 220
非器質性遺糞症 220
非器質性睡眠障害 177
被虐待児症候群 219
非けいれん性てんかん重積 121
非行 277
微細脳機能障害症候群 201, 218
皮質盲 44
皮質聾 44
非社会性パーソナリティ障害 183
微小妄想 34

非陳述記憶　23
ピック病　44, 76
非定型欠神発作　118
非定型自閉症　203
被毒妄想　34
人の発達・年代区分　216
ヒト免疫不全ウイルス(HIV)脳症
　　　　　　　　　　　　84
ビネー　9
ビネー式知能検査　55
ピネル　7, 254
ヒプサリスミア　121
びまん性軸索損傷　87
憑依状態　171
憑依妄想　35
病感　36
病気の概念　5
病型不明てんかん　115, 120
病識　36
　──, 統合失調症における　36
表出性言語障害　200
病床減少　265
表情の観察　46
病態失認　44
病的窃盗　186
病的賭博　186
病的放火　186
病的酩酊　102
病理性精神遅滞をきたす原因　190
病歴の聴取　47
ビリルビン脳症　191
広場恐怖　167
貧困妄想　34
ビンスワンガー　244
ビンスワンガー型認知症　80

ふ
不安　25
　──を中心とする神経症性障害
　　　　　　　　　　　　165
不安症群/不安障害群〔DSM-5〕
　　　　　　　　　　　　283
不安状態　166, 228
不安神経症　166
不安性パーソナリティ障害　184
不安発作　25
フーグ　171
夫婦の問題　277
フェイススケール　66
フェニトイン　124

フェニルケトン尿症　192
フェノチアジン系　236
不穏　27
副甲状腺機能障害　98
複雑酩酊　102
福祉，精神科保健医療における
　　　　　　　　　　　　254
副次症状，統合失調症の　131
福祉的就労，精神障害者の　268
副腎白質ジストロフィー　92
副腎皮質機能障害　98
ブチロフェノン系　236
物質関連障害〔DSM-5〕　285
物質使用症〈障害〉群　13, 14
物体失認　42
物理的被害妄想　34
不登校　222, 274
不変，精神障害の治療の転帰におけ
　る　232
不眠(症)　178, 241
プライミング効果　23
フラッシュバック　109, 169
フランクル　244
フリードマン　213
ブリーフ・インターベンション(BI)
　　　　　　　　　　　　113
プリオン病　85
ブルドン抹消試験　60
プレコックス感　128
フロイト　9, 165, 182
ブロイラー　9
　──の統合失調症分類　131
ブローカ　39
ブローカ失語　39
文章完成テスト(SCT)　60
紛争　278
分離不安障害　218
分類不能発作　116

へ
米国精神医学会　14
閉鎖病棟　234
ベーチェット病　97
ペラグラ　95
ベルガー　9
変性疾患　74
ベンゾジアゼピン系抗不安薬　241
　──の副作用　241
ベンダーゲシュタルトテスト
　(BGT)　55, 56

ほ
哺育障害　220
包括型地域生活支援(ACT)
　　　　　　　　　　252, 265
保健所　270
　──, 地域精神保健福祉活動のなか
　　の　261
保険診療　266
歩行失行　41
ポジトロン放出断層撮影法(PET)
　　　　　　　　　　　　135
ボス　244
ホスピタリズム　219
保続　32, 44, 75
本人歴　48

ま
マールボロ・デイホスピタル　251
マイヤー　255
前田則三　256
まだら(斑)認知症　20, 79
マラリア療法　255
慢性硬膜下血腫　88
慢性疼痛　208

み
ミオクロニー欠神発作　118
ミオクロニー発作　117
未視感　29
水中毒　238
　──, 抗精神病薬による　238
身だしなみの観察　47
満ち足りた無関心　172
水俣病　89
ミニメンタルステート検査
　(MMSE)　56, 71
ミネソタ多面人格目録(MMPI)　57

む
無感情　150
無気力　222
夢幻状態　119
無拘束の理念　256
無動性無言　19
夢遊病　179

め
明識困難状態　17
酩酊　107

――，飲酒による 101
命令自動症 38
目覚め現象，新規抗精神病薬による 141
面接の方法 46
メンタルヘルス 273
　――，学校における 273
　――，成人期の 224

も
妄想 29, 33, 130
　―― の経過 36
　―― の定義 33
妄想加工 36
妄想型統合失調症 132
妄想気分 33
妄想構築 36
妄想状態 38
　――，老年期の 229
妄想性障害 147
妄想性パーソナリティ障害 183
妄想体系 36
妄想知覚 33
妄想着想 33
妄想的観念 33
もうろう状態 19
モノアミン再取り込み阻害作用 239
物とられ妄想 229
モラトリアム，心理社会的 275
森田正馬 173
森田療法 173, 246
モルヒネ関連障害 110
問診 47
問題行動，青年期の 223

や
夜驚症 179
薬物依存
　 による精神障害 105
　―― の治療 235
薬物関連問題の自助グループ 114
薬物性の認知症様状態 71
薬物療法 144, 233, 235
　――，アルコール・薬物依存症の 112

ヤスパース 27
矢田部・Guilford性格検査 57

ゆ
優位半球 39
有害な使用 100
有機水銀中毒 89
遊戯療法 246
ユング 21
　―― の性格類型 21, 182

よ
幼児期 215
陽性・陰性症候群評価尺度（PANSS） 61
陽性症状評価尺度（SAPS） 61
要素幻覚 29
抑うつ気分 25, 150
抑うつ障害群〔DSM-5〕 283
抑うつ状態（うつ状態） 37, 150
　――，老年期の 228
抑制 151
抑制消失 157
欲動の概念 26
吉本伊信 246
呼び水効果 23

ら
ライフサイクル
　―― と年代の区分 215
　―― における精神医学 215
ラクナ 80
ランドウ・クレフナー症候群 198, 200
乱用
　――，アルコールの 101
　――，覚醒剤の 108
　――，揮発性溶剤の 107
　――，幻覚剤の 110
　――，睡眠薬・抗不安薬の 106
　――，精神作用物質の 100
　――，大麻の 109
　――，モルヒネの 110

り
リープマン現象 104

リエゾン 207
理学療法士・作業療法士国家試験出題基準 301
離人・現実喪失症候群 174
離人症 28
離人状態 174
離人体験 28
離脱症状 102
リバーマン 251
リハビリテーション 6, 73
　――，統合失調症の 142
了解 47
両価性 26
療養中の心理的問題 208
臨死状態 209
臨床心理学 4

れ
レイノー現象 97
レクリエーション療法 233, 248, 250
レセルピン 160
レット症候群 198, 202, 204
レビー小体 78
レビー小体型認知症 78
恋愛妄想 35
連合弛緩 32
レンノックス・ガストー症候群 120, 121, 191

ろ
老人知能の臨床判定基準 72
老人斑 75
老年期精神障害 227
　―― の背景 227
ローゼンマン 213
ロールシャッハテスト 59
ロゴテラピー 244

わ
ワーカホリック 276
ワッセルマン反応 84

索引

欧文

A

A型行動パターン　213
AA(alcoholics anonymous)　112, 114, 244
ACOA(adult children of alcoholics)　105
ACT(assertive community treatment)　252, 265
Addison病　98
ADHD(attention-deficit/hyperactivity disorder)　217
akinetic mutism　19
Alzheimer病　70, 74, 192
　──と血管性認知症の鑑別　81
Anton症状　44
apallic syndrome　19
Asperger症候群　203, 217

B

Bálint症候群　42
Basedow病　98
Behçet病　97
Benderゲシュタルトテスト(BGT)　55, 56
Berger, H.(ベルガー)　9
BGT(Benderゲシュタルトテスト)　55, 56
BI(brief intervention)　113
Bierer, J.(ビエラ)　251
Binet, A.(ビネー)　9
Binet式知能検査　55
Binswanger, L.(ビンスワンガー)　244
Binswanger型認知症　80
Bleuler, E.(ブロイラー)　9
　──の統合失調症分類　131
Boss, M.(ボス)　244
Bourdon抹消試験　60
BPRS(簡易精神医学的評価尺度)　61, 62
Broca, P.(ブローカ)　39
Broca失語　39

C

Cameron, D.E.(キャメロン)　251
CCU　209
Chalcot, J.M.(シャルコー)　9

CJD(クロイツフェルト・ヤコブ病)　85
CMI健康調査表　59
community meeting　249
Conolly, J.(コノリー)　254
CRAFT(Community Reinforcement And Family Training)　112
Creutzfeldt-Jakob病(CJD)　85
CT, 頭部　50
Cushing症候群　96, 98

D

Delay, J.(ドレー)　9
Deniker, P.(ドニケル)　9
disorder of attention　19
Down症　192
Down症候群　191
DSM(精神疾患の診断・統計マニュアル)　14
DSM-IV-TR　14
DSM-5　14, 283
　──精神疾患の分類　283
　──の大項目　14

E・F・G

ECT(電気ショック療法, 電気けいれん療法)　161, 233, 242
Eysenck, H.J.(アイゼンク)　244
FAS(胎児性アルコール症候群)　105
Frankl, V.E.(フランクル)　244
Freud, S.(フロイト)　9, 165, 182
Friedman, M.(フリードマン)　213
GAF尺度, 機能の　61
Gerstmann症候群　44

H

HAM-D(Hamiltonうつ病評価尺度)　61, 152, 154
Hamilton不安症状評価尺度　61
HDS-R(改訂長谷川式簡易知能評価スケール)　56, 71
Heidegger, M.(ハイデガー)　244
HIV脳症　84
HSE(単純ヘルペス脳炎)　84
Huntington病　48, 82

I

ICD(国際疾病分類)　12

ICD-10　13, 15, 280
　──精神および行動の障害　280
　──の大項目　13
ICD-11　13
ICF(国際生活機能分類)　6, 232
ICIDH(国際障害分類)　6
ICU　209
ILAE(国際抗てんかん連盟)　116
ILO(国際労働機関)　268
　──の条約第159号　268
　──の第99号勧告　268
IQ(知能指数)　53

J

Jackson, J.H.(ジャクソン)　8
Jackson型発作　119
Janet, P.(ジャネ)　9
Japan Coma Scale(JCS)　18
Jaspers, K.　27
Jones, M.(ジョーンズ)　249
Jung, C.G.(ユング)　21
　──の性格類型　21, 182

K

Kanner, L.(カナー)　202
Kanner症候群　217
Kleine-Levin症候群　178
Klinefelter症候群　99
Klüver-Bucy症候群　44
Kohs立方体テスト　55
Korsakoff症候群　24
Korsakoff精神病(アルコール性)　104
Kraepelin, E.(クレペリン)　8
　──の統合失調症分類　131
Kretschmer, E.(クレッチマー)　21
　──の性格類型　21, 182

L

Landau-Kleffner症候群　198, 200
LASMI(精神障害者社会生活評価尺度)　63, 64
LD　217
Lennox-Gastaut症候群　120, 121, 191
Lewy小体　78
Lewy小体型認知症　78
Liberman, R.P.(リバーマン)　251
Liepmann現象　104
locked-in syndrome　19

Logotherapie　244

M

MAS（顕在性不安尺度）　59
MBD（minimal brain dysfunction syndrome）　218
mental disability　6
mental disorders　5
Meyer, A.（マイヤー）　255
MMPI（ミネソタ多面人格目録）　57
MMSE（ミニメンタルステート検査）　56, 71
MRI，頭部　50

N・P

NA（narcotics anonymous）　112, 114
PANSS（陽性・陰性症候群評価尺度）　61
Parkinson 症候群　81, 237
Parkinson 病　82, 160
Pavlov, I.P.（パブロフ）　9
personality disorder　181
PET（ポジトロン放出断層撮影法）　135
P-F スタディ　59
Pick 病　44, 76
Pinel, P.（ピネル）　7, 254
PSD（周期性同期性放電）　86
PTSD（心的外傷後ストレス障害）　169, 278

R

Raynaud 現象　97

REHAB（精神科リハビリテーション行動評価尺度）　65, 66
Rett 症候群　198, 202, 204
Rorschach テスト　59
Rosenman, R.H.（ローゼンマン）　213

S

SANS（陰性症状評価尺度）　61
SAPS（陽性症状評価尺度）　61
Schilder 病　92
Schneider, K.（シュナイダー）　131, 165, 182
──の統合失調症分類　131
──のパーソナリティ障害分類　182
Schultz, J.H.（シュルツ）　245
SCT（文章完成テスト）　60
SDS（自己評価うつ病スケール）　60, 153
Sheehan 症候群　98
Sifneos, P.E.（シフネアス）　214
Simon, H.（ジモン）　255
SLE（全身性エリテマトーデス）　97
SNRI（セロトニン・ノルアドレナリン再取り込み阻害薬）　161, 239
SPECT（single photon emission computed tomography）　51
splitting　184
SSRI（選択的セロトニン再取り込み阻害薬）　161, 239
SST（生活技能訓練）　145, 251, 252

T

Taylor テスト　59
TEACCH　205
Todd 麻痺　119
Tourette 症候群　220
Tuke, W.（チューク）　254
Turner 症候群　99

W

WAIS（Wechsler adult intelligence scale）　55
Wassermann 反応　84
Wernicke, C.（ウェルニッケ）　39
Wernicke 失語　40
Wernicke 脳症　96
Wernicke-Lichtheim の失語図式　39
West 症候群　120, 121, 191
WHO QOL26　66
Wilson 病　91
WISC（Wechsler intelligence scale for children）　55
wrist cutting　223
wrist cutting syndrome　186

X・Y・Z

X 線検査，頭部　50
Y-G 検査（矢田部・Guilford 性格検査）　57
zoopsia　30